La Folie des Douceurs

Distribution pour le Canada:

QUÉBEC·LIVRES

2185, autoroute des Laurentides
Laval (Québec) H7S 1Z6
Téléphone: (450) 687-1210
Télécopieur: (450) 687-1331

Distribution pour la Suisse:
Diffusion Transat S.A.
Case postale 1210
4 ter, route des Jeunes
1211 Genève 26
Téléphone: 022 / 342 77 40
Télécopieur: 022 / 343 46 46

ANNE LÉTOURNEAU

La Folie des Douceurs

De la boulimie à la spiritualité

LES ÉDITIONS
PUBLISTAR
QUEBECOR MEDIA

LES ÉDITIONS PUBLISTAR
Une division des Éditions TVA inc.

7, chemin Bates
Outremont (Québec) H2V 4V7

Directrice des éditions:	Annie Tonneau
Direction artistique:	Benoît Sauriol
Révision:	Paul Lafrance, Corinne De Vailly
Couverture:	Michel Denommée
Infographie:	Roger Des Roches, SÉRIFSANSERIF
Photos de l'auteure:	Suzanne Langevin

Photos intérieures tirées de la collection d'Anne Létourneau

Nous reconnaissons l'aide financière du gouvernement du Canada par l'entremise du Programme d'aide au développement de l'industrie de l'édition (PADIÉ) pour nos activités d'édition.

Je dédie ce livre à John,
mon mari, mon rocher, mon meilleur ami,
et à ma fille Lili Mei, la merveille de ma vie.

Remerciements

Plusieurs âmes généreuses et bienveillantes se sont placées sur mon chemin pour faciliter cette traversée. Elles ont toute ma reconnaissance.

Yolande Vigeant a été l'étincelle qui a allumé la flamme. Elle a lancé ce projet en me proposant de mettre mes pensées sur papier.

Annie Tonneau, ma flamboyante éditrice, a eu la patience et la détermination d'attendre un manuscrit qui n'en finissait plus, tout en faisant montre d'une foi inébranlable.

John, mon merveilleux mari, a accepté de bonne grâce le rôle de «premier lecteur». Son bel esprit masculin a donné une stucture au flot jaillissant de mes premiers jets.

Jacques Létourneau, mon père, de qui j'ai hérité l'amour des mots et le bonheur d'écrire.

Monique Lepage, ma mère, m'a transmis son sens artistique, sa volonté et son insatiable curiosité.

Cora Élie Lepage, ma grand-mère, m'a insufflé sa passion des voyages et sa vision du divin.

Chers lecteurs

美

L E PROJET DE CE LIVRE m'est arrivé par un clin d'œil du destin. Il y a cinq ans déjà, une amie journaliste me proposa de lui confier mes pensées sur la spiritualité pour en faire un recueil. Avant même de commencer le travail, ma collaboratrice dut se désister pour des raisons de santé.

Je décidai donc d'entreprendre seule l'aventure, qui se métamorphosa d'une manière organique en récit autobiographique.

Quatre ans plus tard, *La folie des douceurs* vit le jour. Ce fut un accouchement long et parfois douloureux.

J'ai connu des moments d'extase, de joie indicible, suivis de déchirantes périodes de questionnement. Difficile d'écrire sur soi avec authenticité.

J'ai essayé d'extirper ce livre de mes entrailles sans tricher, en montrant toutes mes facettes: celles qui brillent à la venue du soleil, mais aussi celles qui reposent dans la noirceur de l'ombre. Certains passages m'ont fait voir des étoiles, d'autres m'ont écorchée. J'ai dû rouvrir des blessures pourtant cicatrisées pour mieux les revivre. Plusieurs fois, j'ai arrêté le processus, me demandant pourquoi je prenais le risque de m'exposer ainsi. La réponse venait toujours, claire et impérieuse.

J'ai imaginé cet ouvrage comme une contribution, un service. Je voulais décrire «la folie des douceurs», le mal du sucre, cette terrible maladie qu'est la boulimie, ce fléau si méconnu, si mal compris.

Je voulais exposer la beauté d'un monde étrange et occulte qui a tissé les fils de ma guérison. L'ésotérisme et la spiritualité, une fois apprivoisés, nous offrent des réponses éclairées. En suivant cette voie, j'ai appris comment me façonner une existence riche, inspirée et créatrice; un but légitime pour tous.

Enfin, j'ai voulu partager, avec amour et humour, quelques épisodes de ma vie et de ma carrière pour mieux colorer mon extraordinaire voyage intérieur.

J'espère qu'il saura trouver une résonance en vos cœurs, car ce livre c'est mon offrande, mon jardin secret.

Je vous remercie de m'accompagner dans cette belle équipée, et je suis très honorée que vous m'ayez choisie aujourd'hui, comme amie.

Anne Létourneau

www.annelourneau.com

Chapitre I

Le rêve déchu d'une pin up de la Haute-Ville

美

DEUX HEURES DU MATIN, assise seule au restaurant Le Commensal. Devant moi, une énorme assiette de desserts. Je mange sans faim comme une automate et je pleure.

J'engouffre sans goûter: un flan à la noix de coco, une tarte aux fruits rouges, un carré de rêve. Ma fourchette n'est qu'une extension de moi-même, un appendice carnassier, nocif mais nécessaire. En ce moment, je ne suis plus la fière descendante du Pirate Maboule, mais un piètre moussaillon qui perd pied. J'ai le mal de terre et n'ai pour me raccrocher au bastingage qu'une misérable fourchette. Je suis la triste fiancée du Capitaine Crochet. Comme le Peter Pan vieilli du film *Hook* de Spielberg, j'ai tellement grossi que je ne peux plus voler.

Vingt-cinq livres en trois semaines, c'est éno-o-orme! J'ai honte et je me cache. Le délicieux carré de rêve, simple gâteau aux noix, est devenu pour moi le «cercle de l'enfer», où j'use et abuse de mon corps avec acharnement.

Tout a commencé il y a un peu plus d'un an et demi.

Je vis alors avec un homme que j'aime et que je respecte énormément. Il vient de me filmer avec tendresse dans un des plus beaux films auxquels j'ai eu la chance de participer: *Les Plouffe*…

de Gilles Carle. Le tournage a été une expérience inoubliable de bonheur et d'amitié. Nous avions le sentiment de participer à un grand mystère, à une création hors du commun où la synergie qui régnait sur le plateau nous rappelait que le produit final serait plus grand que chacun de nous, les humbles parties. Je me rappellerai toujours la formidable énergie de Denise Filiatrault, l'humour de Paul Berval, la bonhomie de Pierre Curzi, l'imperturbable concentration de Gabriel Arcand, les merveilleuses qualités de cœur de Juliette Huot, la gentillesse de Serge Dupire et le charme certain d'un jeune acteur français, Rémi Laurent… mais nous y reviendrons plus tard! Cécile, Onésime, Napoléon, Ovide, Guillaume, maman Plouffe et Denis Boucher sont des personnages savoureux et vrais, bien enracinés dans notre culture, des archétypes parfaits de la société québécoise des années 40. Et moi, j'ai eu le privilège d'incarner Rita Toulouse; un rôle de femme-enfant qui m'allait comme un gant. Je ne remercierai jamais assez Roger Lemelin de me l'avoir offert après m'avoir vue au théâtre, à Québec, dans une pièce pas très mémorable, *Les passeuses*.

En lisant le roman de Lemelin, j'ai eu un coup au cœur. J'ai su alors, sans l'ombre d'un doute, que je devais incarner Rita. Son désir de séduire malgré son cœur d'enfant, son insécurité et son innocence entremêlées à ses airs de femme fatale et à ses idéaux romantiques un peu décalés de la réalité me touchaient énormément. En fait, elle aurait pu être ma sœur. La lecture de ce livre à la fois bien écrit, intelligent et émouvant m'a vraiment passionnée. J'ai suggéré à ma douce moitié de le lire, en espérant qu'il s'y intéresse, car Jean-Claude Lord, à qui on avait proposé en premier la réalisation du film, s'était désisté du projet. Jusquelà, Gilles n'avait tourné que des scénarios originaux dont il était l'auteur, mais il s'est emballé pour cette magnifique histoire. Le romancier Roger Lemelin et lui se sont vite entendus comme larrons en foire, partageant leurs passions pour l'écriture, la gastronomie et les échecs.

Les rendez-vous dans la maison de Lemelin, à Cap-Rouge, se déroulaient dans la bonne humeur: trois heures de scénarisation, une heure devant l'échiquier, un repas bien arrosé, puis ils recommençaient le tout! C'est dans cette atmosphère de convivialité que l'un des plus beaux scénarios du cinéma québécois a été concocté. Lors de la première séance d'écriture, Monsieur Lemelin a dit à son réalisateur: «Je ne veux pas imposer de distribution, mais j'ai en tête deux comédiennes pour les rôles de Cécile et de Rita: Denise Filiatrault et une jolie fille que tu connais peut-être, Anne Létourneau.» Et Gilles de répondre: «Oui, je la connais un peu, c'est ma blonde!» Et dire que certaines personnes ne croient pas au destin!

À l'époque, les bonzes de Radio-Canada ne me voyaient pas en Rita. J'étais brune, je n'avais pas beaucoup de poitrine et, pour eux, je n'étais pas assez sexy. Ils n'avaient pas tout à fait tort. Sportive et filiforme, avec mes cheveux châtains coupés à la garçonne, je courais tous les matins plusieurs kilomètres sur le mont Royal. J'avais plutôt l'air d'un «esprit des bois» que d'une pin up de calendrier! Jusqu'alors, j'avais surtout interprété des étudiantes dynamiques à la télévision et des héroïnes romantiques au théâtre. Mais je savais qu'avec quelques artifices, je pouvais me transformer facilement en Rita Toulouse. Heureusement que messieurs Carle et Lemelin avaient de l'imagination!

J'ai donc hérité du rôle, le plus beau que j'ai eu la chance de jouer au cinéma à ce jour. Le tournage a été un véritable bonheur. Les décors, les costumes, les interprètes, tout était si juste, si vrai que nous avions l'impression de participer à un documentaire sur le Québec d'avant-guerre. Pas étonnant qu'à la première, au Capitole de Québec, le film ait été un franc succès malgré sa longueur, il fait trois heures et demie!

En voyant ce film, on peut comprendre que Gilles Carle soit tombé amoureux de ses images. La procession de la Fête-Dieu s'était transformée en un réel événement cinématographique. Des milliers de figurants dans les rues de la Haute-Ville, c'était du jamais vu! Et les dialogues de toutes les scènes se révélaient si savoureux qu'essayer de couper quoi que ce soit imposait au réalisateur des choix déchirants. Mais une image vaut mille mots. Il y eut donc des coupures importantes à la dernière minute pour la présentation à Montréal, la semaine suivante.

La première officielle, à Québec, ressemblait plus à une affaire d'État qu'à une projection de film. Il y avait autant de ministres qu'à une assemblée parlementaire. Dans la salle de bal du Château Frontenac, tous les grands de notre petit monde étaient réunis. J'ai même valsé avec Pierre Elliott Trudeau, notre premier ministre d'alors. Celui-ci avait probablement été renseigné sur ma relation intime avec Gilles, car je n'ai pas eu droit, comme tant d'autres actrices, à l'invitation «privée» en tête-à-tête, à Ottawa. Pourtant, je n'avais jamais dansé une valse aussi intense dans les bras d'un cavalier aussi illustre qui me serrait la taille si fortement, tout en me dévorant des yeux.

Encore sous le coup de l'émotion car, avouons-le, notre P.E.T. national avait à l'époque beaucoup de charme, je buvais une coupe de champagne assise à la table même où la belle Rita Toulouse commandait ses Singapour slings dans la scène de son premier rendez-vous avec Ovide. L'effet devait être saisissant, car un homme très distingué en smoking s'est approché de moi en souriant. Un peu alanguie par l'effet des petites bulles et de ma valse avec le premier ministre, je lui ai renvoyé un de mes sourires les plus resplendissants. Mais alors que je me préparais à recevoir avec délices les charmants compliments qui, de la part de mon élégant cavalier, ne pouvaient tarder, l'homme s'est penché vers moi, beaucoup trop près de mon décolleté à mon goût, et m'a dit d'une voix rauque: «Toi, là, j'te trouve crossante!» J'ai avalé mon champagne de travers et j'ai rougi jusqu'aux oreilles! Je ne m'attendais vraiment pas à pareille obscénité. À moitié étouffée, les yeux pleins d'eau, je l'ai regardé d'un air si abasourdi qu'il s'est esquivé aussitôt... la queue entre les jambes. Cela aura été la première d'une longue série de réactions disgracieuses que mon personnage, Rita, allait provoquer. Même si une partie de moi en était flattée – cela prouvait que j'avais bien joué le jeu de la femme fatale –, je me sentais du même coup un peu humiliée. J'étais très ambivalente par rapport à mon nouveau statut de sexe-symbole. Et si on ne voyait que ça? Après tout, Rita n'était pas vraiment moi. Ayant été élevée par une mère avant-gardiste et très indépendante, j'ai toujours recherché l'égalité entre les sexes. Puisque je vivais avec Gilles Carle, un attentif Pygmalion qui a toujours su mettre en valeur la sensualité des femmes tout en respectant leur personnalité et leur intelligence, j'avais beaucoup de difficulté à assumer mon nouveau rapport avec les hommes qui me réduisaient à n'être qu'un «obscur objet de désir». Trois semaines après la sortie du film, j'ai dû changer notre numéro de téléphone, à cause d'une série d'appels cochons qui nous dérangeaient à toute heure du jour et de la nuit. J'étais ravie de mon succès, mais pas certaine de vouloir en payer ce prix. Cet état d'esprit atteindra son paroxysme dans les mois suivants, et ma vie deviendra un vrai cauchemar. Mais ne mettons pas le carrosse avant les chevaux.

Pour le moment, à part quelques petits inconvénients, mon existence tient plutôt du conte de fées: entrevues à la télévision, couvertures des journaux et de magazines, voyages de promotion du film d'un bout à l'autre du Canada, etc. Carle, Lemelin et moi formons un inséparable trio. Nous sommes si fiers de notre «bébé»! À notre retour de Toronto, j'apprends que *Les Plouffe* sera présenté au Festival de Cannes. C'est formidable, je saute de joie. Mon rêve le plus secret va se réaliser: participer «au» festival, rencontrer des réalisateurs de renommée internationale et avoir peut-être la chance de travailler avec eux!

Depuis mon enfance, la France est pour moi le «Pérou», et Paris, mon «Eldorado». Mes parents m'ont plusieurs fois emmenée dans le pays de Diderot et de Rabelais. Nous aimions flâner dans les cafés de la rive gauche où se sont attablés nos chanteurs favoris, Claude Nougaro et Charles Trenet. Dans les années 60, ma famille était très francophile. Mon père, Jacques Létourneau, me lisait au lit des extraits de *Tartarin de Tarascon*, et ma mère, Monique Lepage, me fredonnait des chansons de Mouloudji. Je connaissais par cœur les airs de *La vie parisienne* et de *La belle Hélène* d'Offenbach, opérettes que mon père avait mises en scène. Je pouvais réciter les monologues du *Cid* de Corneille ou de *L'avare* de Molière. Mes émissions préférées, à part *La boîte à surprise* (je suis la fille du Pirate Maboule, quand même!), étaient *Rocambole* et *Thierry la Fronde*. Mon roman favori: *Les trois mousquetaires* d'Alexandre Dumas. Mes parents avaient d'ailleurs monté la pièce au Théâtre Club, une compagnie dont ils étaient les fondateurs. Ils y avaient interprété les formidables vilains que sont le duc de Rochefort et Milady de Winter. Même si je ne les ai pas applaudis dans leur moment de gloire, pour la bonne raison que je n'étais pas encore au monde, les agrandissements photo en noir et blanc de ces deux impressionnants personnages tapissaient les murs de notre appartement. J'ai longtemps cru que, si je n'étais pas sage, mes deux adorables parents se transformeraient illico en sinistres conspirateurs de la cour du roi Louis XIII!

Tout ça pour dire que j'ai eu très tôt la France dans le sang. Je me suis toujours sentie Québécoise de cœur et Française d'esprit. J'adore Montréal comme le meilleur des maris et j'ai besoin de Paris comme le plus excitant des amants. Ces deux univers ont pour moi des attraits différents. Entre les deux, mon cœur balance.

Au Québec, les qualités de cœur prédominent, nous sommes directs, chaleureux. Il est plus facile de s'exprimer et de créer librement. On n'a pas beaucoup d'argent, mais on a des idées! Je crois que Gilles Maheu et Robert Lepage seront d'accord avec moi. Malgré nos problèmes financiers, la création est florissante chez nous, tant dans l'art de la chanson, de la danse que du théâtre. Nous n'avons pas peur d'explorer et de sortir des sentiers battus. En contrepartie, la diffusion de ces moyens d'expression est restreinte. Comme dans tous petits patelins, nous avons parfois tendance à cultiver notre esprit de clocher, à nous trouver bien beaux, tout en oubliant de regarder ailleurs…

La Ville lumière, elle, est l'une des plaques tournantes de notre vaste monde, elle donne un regard éclairé sur l'Europe. De nouvelles avenues bordées d'un sens exquis du raffinement et de la dialectique nous sont constamment offertes pour nous permettre de mieux connaître et comprendre. À Paris, même les chauffeurs de taxi parlent architecture! Malheureusement, on y trouve aussi un pouvoir hiérarchique, un népotisme incontournable et un profond cynisme qui empoisonnent parfois l'atmosphère. L'organisation sociale laisse à désirer, et les choses avancent souvent avec une lenteur désespérante. Les Parisiens disent: «Pourquoi faire simple quand on peut faire compliqué!» Malgré tout, je me sens aussi à l'aise rue Sainte-Catherine qu'à Saint-Germain-des-Prés. Comme Joséphine Baker, je dirai toujours: «J'ai deux amours, mon pays et Paris!»

Mais revenons au Festival de Cannes et à ses moutons noirs, les paparazzis (qui n'avaient pas encore la mauvaise réputation qu'ils ont aujourd'hui). Ceux-ci me poursuivent sur la célèbre Croisette, j'ai l'impression d'être Anita Ekberg dans *La Dolce Vita* de Fellini. Je roucoule de plaisir et suis très fière de représenter le Québec dans l'une de ses plus belles productions cinématographiques. C'est que la projection des *Plouffe* à la Quinzaine des réalisateurs a fait sensation et… scandale. Il faut dire que l'année précédente, Gilles Carle avait ouvert le Festival avec *Fantastica*, une comédie musicale mise en musique par Lewis Furey et mettant en vedette Carole Laure. Un film d'auteur qui n'avait vraiment pas sa place en ouverture de festival, où l'on programme habituellement de grosses productions. Le directeur de l'événement, Monsieur Gilles Jacob, avait décidé à la dernière minute de projeter ce film à la place de *All That Jazz* de Bob Fosse, qui n'était plus à sa disposition. Gilles Carle n'était pas d'accord, le ton avait monté entre les deux et, comme prévu, le film avait été relativement mal accueilli. C'est pour cette raison que Monsieur Jacob a refusé de présenter *Les Plouffe* en compétition officielle l'année suivante. Le film s'est donc retrouvé à la Quinzaine, une section du Festival qui, en général, fait découvrir les œuvres nouvelles de jeunes réalisateurs. Le directeur de la Quinzaine, Monsieur Pierre Henri Deleau, a tellement aimé *Les Plouffe* qu'il a décidé de le projeter quand même, faisant un pied de nez à la compétition officielle. Enveloppée par ce parfum de scandale et auréolée par mon rôle de pin up à la Marilyn Monroe, dont les Français raffolent, j'étais devenue la nouvelle chair fraîche de la Croisette. Nicole Liss, notre attachée de presse, qui est devenue par la suite l'une de mes plus grandes amies, prenait son rôle de maman poule très au sérieux lorsqu'elle me promenait de plateaux de télévision en émissions de radio, de cocktails en conférences de presse. Imaginez, trois agents reconnus me demandaient de signer avec eux et certains producteurs me regardaient même avec une petite lueur d'intérêt dans les yeux! C'était magique, je m'imaginais déjà reine de Paris. Après la Dame aux camélias, la belle Otéro et Liane de Pougy, me voici! Mais mon séjour au paradis allait se révéler de courte durée. J'étais bien naïve, la tête remplie de grands idéaux, et je n'étais pas très éloignée d'une certaine... Rita Toulouse. Pas bête et plutôt jolie, j'allais enfin être découverte! Mais plus tu te vois voler haut, plus ça te fait mal quand tu tombes!

En fait, mon rêve aurait pu se réaliser. Beaucoup de gens me prédisaient le début d'une brillante carrière. Gilles Carle avait du flair, toutes ses muses-comédiennes crevaient l'écran. Si je faisais les bons choix, je pourrais sans doute travailler avec d'autres réalisateurs de talent. C'est ce que je pensais désirer le plus au monde mais, au fond de moi, je n'y croyais pas vraiment, et j'ai eu peur. Insidieusement, presque subconsciemment, j'ai commencé à saboter mon petit balbutiement de succès.

Premièrement, je suis tombée sous le charme de Rémi Laurent, ce mignon acteur français qui jouait le rôle de Denis Boucher.

J'ai toujours eu beaucoup d'intuition et j'ai prié Gilles de ne pas me laisser seule au Festival, au milieu de toute cette agitation trop nouvelle pour moi. Mais il est quand même parti pour régler des choses importantes à Montréal. Rémi, qui venait d'arriver à Cannes, n'avait pas de chambre d'hôtel et très peu d'argent. Je lui ai offert de partager la mienne et… l'inévitable est arrivé! Dire que c'est le comédien Lambert Wilson, une vedette à Paris aujourd'hui, qui avait failli avoir le rôle. Mais j'avais fortement plaidé en faveur de Rémi, qui venait d'avoir du succès dans *La cage aux folles*, où il jouait le fils de Michel Galabru. Je trouvais qu'il avait l'air canaille et intelligent d'un journaliste syndicaliste et qu'il ressemblait au jeune Robert De Niro, dans *Le parrain*. Rémi a donc décroché le rôle de Denis Boucher… et un an plus tard nous étions amants.

Toute cette excitation m'avait vraiment monté à la tête. Je pensais m'amuser un peu et rentrer sagement au bercail. Folle jeunesse! C'était vraiment faire fi de mon tempérament passionné. Le fait d'avoir laissé entrer quelqu'un d'autre dans ma vie allait entraîner de sérieuses conséquences dans mon couple.

Quelques jours avant mon retour à Montréal, un réalisateur antillais nous propose, à Rémi et moi, deux rôles dans son prochain film, *La fête des mères*, qui sera tourné à Carcassonne l'été suivant. Le scénario est très inspirant: un couple bourgeois se sépare, leurs enfants essaient de les réconcilier en éloignant les deux briseurs de ménage, soit la nouvelle maîtresse du père et le jeune amant de la mère, interprétés bien sûr par Anne et Rémi! La réalité rejoint la fiction! Nos existences sont remplies de signes prémonitoires et d'avertissements que nous ne savons pas déchiffrer, aveuglés par nos problèmes et même… par nos réussites.

Autant l'avouer tout de suite, car vous aurez amplement l'occasion de vous en rendre compte, j'ai tendance à être impulsive et plutôt téméraire, plongeant dans le feu l'action sans en évaluer les conséquences. Durant les années suivantes, je devrai souvent m'accrocher avec courage pour me sortir des difficultés dans lesquelles je me serai moi-même embourbée.

Sans nous renseigner plus à fond sur cette production, nous sautons sur l'occasion de nous retrouver ensemble dans le sud de la France. Imaginez, mon premier film français avec mon nouveau chéri, le paradis!

De retour à la maison, rien n'est plus comme avant. J'ai toujours autant d'admiration pour Gilles et je l'aime encore... mais comme un père. Les 29 ans qui nous séparent ont finalement raison des sentiments profonds qui nous unissent. Je retourne en France pour le tournage du film et, quelques semaines plus tard, Gilles rencontre Chloé Sainte-Marie, le sort en est jeté!

Arrivée à Carcassonne, je déchante rapidement. Le scénario est pauvre et le metteur en scène n'a pas le même style que Gilles Carle! Je m'ennuie de sa précision et de sa généreuse direction d'acteurs.

Rémi n'a que quelques jours de tournage. Je crois comprendre entre les lignes et les coups de fil qu'il voit toujours sa copine à Paris, une comédienne qui s'appelle aussi... Anne. Plutôt pratique quand il s'oublie dans le feu de l'action! Je suis désemparée. Je ne lui avais rien demandé, mais je croyais à la grande passion. J'apprendrai plus tard que Rémi est un indéniable charmeur qui tombe facilement amoureux de ses partenaires. Il a séduit la plupart des comédiennes avec lesquelles il a tourné au cinéma.

Je ne suis ni possessive ni jalouse, et nous ne nous étions rien promis. Je n'en laisse rien paraître, mais j'ai l'impression que la terre se dérobe sous mes pieds. Je sais que j'ai perdu Gilles et je me rends compte qu'avec Rémi je n'aurai rien d'autre qu'une délicieuse amitié amoureuse. En plus, je me retrouve dans un film semi-érotique. Le scénario change chaque jour. Il y a de plus en plus de nymphettes à moitié nues dans la piscine. Nous vivons dans une villa surnommée le harem, où je suis la doyenne... à

22 ans! Du coup, je ne me sens plus du tout à la hauteur. La plantureuse Valérie Chairesse, au nom tout à fait approprié, a un corps de déesse, et toute l'équipe est en pâmoison. Elle deviendra, quelques années plus tard, une vedette du grand écran, la fameuse Valérie Kaprisky!

Je suis de plus en plus déprimée, et toutes mes formes d'insécurité, qui ne sont jamais cachées bien loin, remontent à la surface. Bien sûr, j'étais belle dans *Les Plouffe*, mais tout était truqué: je portais une perruque blonde, un soutien-gorge pigeonnant qui gonflait ma poitrine, des faux ongles, des faux cils, ma bouche était refaite au pinceau. Au naturel, je me trouve ordinaire. Il me semble que je n'arrive pas à la cheville de toutes ces Vénus en string qui se pavanent devant les caméras. Je meurs à petit feu.

Je me rappelle précisément le moment où la première crise de boulimie s'est manifestée, comme une souris, sans faire de bruit. Il fait nuit, je suis dans la cuisine de la villa où habitent les comédiennes. Je dévalise les armoires et le frigo en mangeant tout ce qui me tombe sous la main: un pot de Nutella, des croissants, des biscuits, du jambon, des cornichons… Non, je ne suis pas enceinte, mais je ne comprends pas ce qui m'arrive! Après avoir tout engouffré, je me sens moins angoissée. La nourriture a sur moi le même effet que l'alcool sur d'autres. Quand je mange, j'ai moins mal. Après, cependant, je me sens affreusement coupable, mais je préfère vivre dans la culpabilité plutôt que de souffrir.

La tragédie a débuté cet été-là, et je la «jouerai» pendant cinq longues années.

Le temps est suspendu, le tournage devient de plus en plus irréel entre les repas gargantuesques, les fêtes du soir copieusement arrosées et mes expéditions nocturnes dans les cuisines des villas louées par les membres de l'équipe. Une étrange période de ma vie commence. Je me sens dissociée de moi-même, me regardant sombrer dans une fatalité qui enferme lentement tous mes espoirs. Je me vois doucement glisser sans toutefois saisir l'importance ni même sentir le danger de cette maladie que je crois être un réconfort. J'ai toujours aimé flirter avec le danger et vivre à cent milles à l'heure. Les boulimiques sont en général des passionnées de la vie qui, par manque de confiance, ne savent pas canaliser leur formidable énergie et la retournent contre elles. Il est toujours excitant de prendre des risques, mais celui-là n'est pas calculé. Je cherche donc à cacher la détresse que j'éprouve à jouer dans un mauvais film et à me trouver moche physiquement (car à force de manger exagérément, j'enfle de jour en jour). Rémi étant parti rejoindre l'autre Anne à Paris, j'ai commencé à flirter avec l'ingénieur du son, un jeune homme adorable, passionné de rhum et de musique funky. Nous faisons la tournée des grands ducs à bicyclette, en pleine nuit, sur des petites routes de campagne mal éclairées, en écoutant le groupe Funkadelic à tue-tête dans nos écouteurs respectifs. Nous devons rouler côte à côte le plus près possible puisque nous écoutons la musique en étant rattachés par les fils assez courts du baladeur que Philippe porte à la ceinture. Je défie qui que ce soit de réaliser cet exploit à jeun! C'est un miracle que nous ne soyons jamais tombés dans le fossé. Un soir, nous avons échoué dans un bar de durs, Le Crocodile, avec notre propre bouteille de rhum antillais. Après avoir dansé comme des déchaînés pendant trois heures, j'ai demandé un verre d'eau au barman sans penser que nous n'avions rien consommé «officiellement» depuis notre arrivée. Le patron m'a donc gentiment apporté un grand pichet d'eau… qu'il m'a vidé d'un trait sur la tête, tout en nous ordonnant de quitter les lieux! Nous l'avons échappé belle, car la mafia du Sud n'entend pas à rire lorsqu'il est question d'argent ou d'honneur!

De retour à Paris, je cohabite avec mon nouvel amant dans un minuscule appartement prêté par un copain. Philippe est absent certains soirs puisqu'il vit avec Rachel, une très jolie acrobate de cirque. Je passe les nuits où il n'est pas libre avec… Rémi, qui s'éclipse des bras de son Anne pour me voir. J'ai rencontré Rachel pendant le tournage de *La fête des mères*, j'ai joué au billard avec

Anne à Québec pendant *Les Plouffe*, Philippe a travaillé avec Rémi à Carcassonne, mais personne à part moi n'est au courant de notre chassé-croisé compliqué. Une vraie pièce de Feydeau! Situation parisienne typique, où la relation extraconjugale est un sport national! Je mène une vie de bohème passionnée et me comporte en femme libérée et libertine. Je crois que je m'amuse terriblement mais, en vérité, mon cœur saigne. Cette existence jonchée de paradoxes est le triste constat d'un monde intérieur fragmenté. J'agis avec bravade, comme un Don Juan en jupon, alors que tout ce que je cherche, c'est une belle et solide histoire d'amour. Plus tard, j'aurai la chance, après un intense travail de recherche intérieure, de rencontrer ce grand amour. Mais pour l'instant, je virevolte étourdiment près d'une lumière qui me brûle les ailes. Je mange sans arrêt des quantités de chocolat suffisantes pour me donner de sérieuses crises de foie et je bois du calvados au saut du lit.

Il est temps de rentrer à Montréal. Philippe me conduit à l'aéroport après un dernier souper romantique dans un joli restaurant, dont la spécialité est la cuisine de l'île de Madagascar, suivi d'une nuit d'amour voluptueuse et tropicale. Je me sens tout de même un peu triste de n'avoir pu faire mes adieux à Rémi. Mais l'avion ne peut pas décoller, à cause d'une porte qui ferme mal. Le vol est remis au lendemain. Formidable! Je passerai donc une superbe soirée avec Rémi… au même restaurant! Je trouve la situation délicieuse… sauf que le meilleur ami de Philippe, le directeur photo du film, qui me croit repartie au Québec, me surprend main dans la main avec Monsieur Laurent! La soirée se complique, mais tout le monde reste discret et, après une autre nuit passionnée, Rémi m'accompagne jusqu'à mon départ. Deux adieux, deux jours de suite, dans le même aéroport avec deux hommes différents, je devrais en faire un roman!

Le retour sur la terre ferme est plutôt brutal. Je me sépare définitivement de Gilles. En ramassant mes affaires, je me rends compte que je quitte mon ancrage, mon compagnon, l'homme à qui j'ai voué ma vie depuis quatre ans. Mon moment de folie à Paris n'a fait que précipiter l'inévitable, mais cette séparation n'est pas une libération, bien au contraire. Je me sens orpheline. Nous nous sommes quittés en bons termes, mais étant très timide pour exprimer mes sentiments à l'époque, je ne lui ai jamais dit à quel point il était important pour moi. Je vis mon départ comme un deuil qui marque la fin d'une très belle relation. Gilles m'avait tant appris, tant donné, mais l'étincelle s'était éteinte. Ma «grosse betterave bleue» (je l'appelais ainsi à cause du hideux anorak bleu poudre, qu'il portait toujours pendant les tournages!) avait un nouvel amour dans sa vie. J'ai disparu du décor, ne voulant pas m'imposer. Sûrement par culpabilité, je n'osais même plus lui téléphoner, et l'homme qui avait été le centre de mon univers, tout à coup, n'était plus là. Une énorme porte venait de se refermer et j'en avais moi-même poussé le verrou.

Complètement désemparée, je loue un petit appartement au Colisée, rue Sherbrooke. Un deux-pièces très modeste, payable au mois. Je n'ai qu'une envie, retourner tenter ma chance à Paris. Mais je n'ai pas beaucoup de sous et j'attends la sortie des *Plouffe* dans la Ville lumière.

De toute façon, avant de retourner là-bas, il faut que je me remette en forme. Je n'oublierai jamais la réaction de Lewis Furey (un compositeur dont j'ai toujours admiré le talent) quand il m'a rencontrée au moment où je faisais mes valises dans l'appartement de Gilles, au carré Saint-Louis. J'étais bouffie, arrondie de vingt livres, en piteux état. En m'apercevant, il n'a pu retenir un *«Oh! my God!»* désolant. Trois mots, trois petits coups de poignard! C'est évident, je dois me reprendre en main.

Je me mets à la gymnastique aérobique deux fois par semaine et je danse tous les soirs dans les bars de la rue Prince-Arthur. Mais je suis émotionnellement vidée et je me retrouve à hanter les Dunkin' Donuts de la ville, en vivant dans ma voiture devenue une sorte de cafétéria ambulante. Ma famille s'aperçoit bien de ma prise de poids, mais ne sait pas l'étendue de ma détresse, car je la cache bien.

Toutes ces équipées nocturnes à la recherche de nourriture ont donné naissance à des épisodes très cocasses. Quand une boulimique est en crise, elle doit absolument manger. La pulsion est aussi violente qu'une envie d'alcool ou de drogue chez un toxicomane. La raison n'existe plus, il n'y a qu'un ouragan d'émotions.

Je passe la nuit chez ma mère dans notre maison de la rue Victoria et je dors sur le divan du salon, car ma grand-mère, en visite elle aussi, occupe le lit de ma chambre. Il est 1 h du matin, mais je dois absolument sortir, il me faut ma «dose». Je n'ai sur le dos qu'un très court t-shirt, mes vêtements sont restés dans ma chambre. Nous sommes à la mi-novembre, il fait froid et je n'ai même pas de pantoufles à me mettre aux pieds. En silence, je dégote, dans la garde-robe de l'entrée, une paire de bottes rouges en caoutchouc trop petites que j'ai portées, enfant, pour barboter dans les flaques d'eau. J'essaie de les enfiler sans chaussettes, rien n'y fait. Je m'enveloppe les pieds de papier de toilette saupoudrés de poudre pour bébés, que j'ai trouvée dans la salle de bains. Je réussis à les enfiler à moitié. J'arrive à la rôtisserie St-Hubert, à moitié nue sous un manteau de fourrure, chaussée de mes bottes écarlates en marchant sur le côté comme un canard, tout en priant le Ciel que personne ne me reconnaisse! Je commande un poulet entier et deux morceaux de tarte au sucre avec de la crème glacée. Cette scène serait drôle si elle n'était si pathétique!

Quand une femme est atteinte de la «maladie de la bouffe», elle n'a plus de pudeur, plus de sens commun, plus rien d'autre n'a d'importance que de s'empiffrer. Au retour, dans le silence le plus absolu, parce que je ne veux surtout pas réveiller les deux générations de Lepage qui dorment à poings fermés, j'essaie d'enlever les maudites bottes qui sont coincées. Je tente de couper l'épais caoutchouc avec des ciseaux. Finalement, c'est à l'aide d'un couteau à pain que je réussis à extirper mes orteils rougis de leurs gangues caoutchoutées. J'ai beaucoup trop mangé, j'ai mal au cœur et aux pieds!

Je suis revenue de France depuis plusieurs mois déjà et j'ai tellement changé physiquement qu'une caissière dans une librairie me demande: «Est-ce qu'on vous a déjà dit que vous ressembliez un peu à Anne Létourneau? C'est ma comédienne préférée!» Je veux disparaître!

C'est ainsi que je me retrouve, à deux heures du matin, assise au fond de la grande salle du Commensal. Je ne sais pas encore que je souffre d'une «dépendance à caractère psychologique». Je n'arrive plus à me contrôler, j'ai simplement peur, assise devant mon énorme assiette de desserts, je mange… et je pleure.

Non, je rêve! Un étranger s'approche de ma table. La dernière chose que je veux, c'est bien être vue dans cet état. Il me demande poliment la permission de s'asseoir. Avant que j'aie le temps de réagir, il s'exécute. J'ai tellement honte d'être surprise les yeux bouffis, en train de m'empiffrer, pitoyable comme un petit chat mouillé. J'essaie de me donner une contenance en le regardant dans les yeux. Il a l'air doux. Il a de longs cheveux bouclés, le teint foncé, une quarantaine d'années environ. Un Méditerranéen, un Italien peut-être? «Vous aviez l'air si triste, je n'ai pu m'empêcher de venir vous parler. Vous étiez merveilleuse en Rita Toulouse. Si vous avez besoin de quoi que ce soit, je suis là.» Sa voix me fait l'effet d'un baume. Un doux vent du Sud enveloppe soudain mes inquiétudes. Est-ce une apparition? Un ange de la «re-naissance» venu me délivrer? Je ne sais pourquoi, mais j'ai envie de tout lui raconter. Je le sens attentif, généreux. Je me livre donc à ce parfait inconnu qui entend ma confusion, mes incertitudes.
S'amorce alors une conversation passionnante. Il comprend mes problèmes de santé, étant lui-même hypoglycémique, un

état qui se caractérise par une baisse trop rapide du glucose dans le sang. Il reconnaît mes symptômes: basse pression, maux de tête, manque de concentration, dépression. Il m'explique comment j'ai déréglé mon métabolisme en m'imposant une trop grande absorption d'aliments sucrés (une demi-douzaine de beignes à la fois!). Il m'affirme que le sucre blanc est une drogue qui crée une dépendance physique. Mon corps, agressé constamment par des doses massives de glucose, veut se protéger en relâchant de l'insuline – une hormone qui a pour mission de faire disparaître le sucre dans le sang –, ce qui provoque une glycémie, un manque de sucre et un immense besoin d'en consommer de nouveau. C'est de cette façon que le cercle vicieux recommence indéfiniment. Je suis fascinée. Jamais personne ne m'avait expliqué ce phénomène. Moi qui croyais sombrer doucement dans la folie, à force de trop de «douceurs»! Je remercie le Ciel en silence de m'avoir envoyé un émissaire si compréhensif. Le merveilleux dialogue avec mon «messie» d'Italie se prolonge. Il connaît une clinique de santé à Key West, où l'on traite les problèmes d'hypoglycémie. Je pourrais perdre du poids tout en apprenant les règles de l'alimentation saine… au soleil!

Il m'invite à venir chez lui. Il m'offre de consulter les dépliants du fameux centre Russell House et de me prêter ses bouquins sur la nutrition. Je ne suis pas très alerte (il est 3 h du matin). Je flotte dans un monde parallèle entre l'émerveillement et l'appréhension. Après tout, je le connais à peine. Mais, comme toujours, la curiosité et le goût de l'aventure prennent le dessus. Je me retrouve dans un superbe loft du Vieux-Montréal rempli d'objets d'art, de tapis anciens et d'un seul lit au centre de la pièce! Aurai-je un prix à payer pour cette merveilleuse compassion? Le loup est-il déguisé en agneau? Je ne veux pas partir. En vérité, j'ai désespérément besoin de compagnie. L'ombre d'un doute voile mon visage. C'est le désavantage d'avoir de grands yeux, impossible de dissimuler ses émotions! D'une voix rassurante, mon nouvel ami me dit alors: «Je vis une terrible peine d'amour, ma fiancée m'a laissé tomber pour entrer dans la secte du gourou Rasneesh, à New York. Depuis, j'ai fait le vœu de célibat. Si nous dormons ensemble, ce sera en tout bien, tout honneur.» Un ange, je vous le dis! À moitié rassurée, je m'allonge à ses cotés et… nous continuons à discuter. Mon hôte se révèle être le propriétaire d'un bar très réputé de la rue Saint-Paul, La Nuit magique. C'est là où, quatre ans auparavant, j'ai eu mon premier rendez-vous galant avec… Gilles Carle! Message, message! On est en pleine *Prophétie des Andes*, ma foi!

(Pour le bénéfice de ceux qui n'ont pas lu cet ouvrage, le premier chapitre explique qu'il n'y a pas de hasard. Tout est coïncidence pour celui qui sait lire les signes prophétiques que la vie, dans sa grande générosité, ne cesse de nous envoyer. Lorsque nous nous abandonnons avec confiance en écoutant les messages du destin, des occasions insoupçonnées se présentent. Ces nouveaux chemins, parfois inquiétants, peuvent nous faire progresser à grands pas si nous avons le courage de les suivre.)

Cet homme a été mis sur ma route pour me guider et éclairer mes choix, c'est évident. Ma décision de me confier à lui avec simplicité, sans résistance, allait m'ouvrir de nouvelles avenues qui bouleverseraient la plupart de mes croyances. En suivant mon intuition et en acceptant de partir en Floride, j'ai déclenché, sans le savoir, une suite d'événements majeurs, marquant le début d'un chemin initiatique. Mon premier contact avec le monde de l'éveil et de la recherche du Soi. Endormie, confiante, je flotte dans une autre dimension. Je me rappelle avec émotion que, ce soir-là, j'ai eu mon premier rendez-vous intime avec mon âme.

Le lendemain matin, mon bon génie appelle son amie Enid à Key West et lui annonce qu'une nouvelle pensionnaire arrivera chez elle pour trois semaines. Mes finances sont au plus bas, je n'ai pas travaillé depuis plusieurs mois. La chère dame accepte de me faire un prix d'ami, presque symbolique. J'ai toujours soupçonné mon ange gardien d'avoir payé une partie des frais. Deux jours plus tard, je suis dans l'avion en route vers le soleil. Mon petit cœur triste se sent tout à coup réchauffé.

Lorsque j'arrive devant la Russell House, je vois une magnifique maison jaune aux ourlets de bois finement travaillés. Le style *gingerbread*, populaire dans le sud des États-Unis et dans les Antilles, est un ravissement pour les yeux, car il crée de véritables maisons de poupées. Mon séjour s'annonce bien.

À mon grand étonnement, la chère Enid, qui me reçoit à bras ouverts, a une carrure d'éléphant et pèse plus de 300 livres. Elle me dit d'emblée avec sa franchise directe de maman juive et américaine: «Ça prend quelqu'un qui a des problèmes de poids pour comprendre les problèmes de poids!» Et dans la même foulée, elle m'annonce: «Tu es si jolie et plus très jeune (j'ai 22 ans!), pourquoi n'es-tu pas encore mariée?» Entre nous, c'est l'amour instantané!

Ma chambre est adorable, l'intimité rassurante. Seize pensionnaires partagent une salle de séjour et un charmant patio bordé de plantes tropicales. Je me sens accueillie, détendue et j'attends avec impatience le commencement de ma cure «miraculeuse».

La nutritionniste me prescrit d'abord un régime de désintoxication. Exclusivement végétarienne, cette forme d'alimentation se résume en quelques règles faciles à appliquer, même si elles demandent quelques sacrifices!

Premièrement, il faut manger de petites portions toutes les quatre heures pour régulariser le taux de sucre dans le sang. Deuxièmement, il faut se nourrir simplement en suivant les combinaisons alimentaires suivantes: ne jamais mélanger les féculents (pains, pâtes, lentilles, pommes de terre) avec les protéines (tofu, fromage cottage ou œufs). Ensemble, ils sont très indigestes, et les résidus de la mauvaise digestion qu'ils engendrent produisent des toxines dans l'intestin. Donc, il faut favoriser ce genre de repas qu'on dit dissocié. Au petit-déjeuner, on mange des fruits frais. Le midi, une salade composée avec des aliments protéinés et, pour le souper, on a droit à une bonne soupe épaisse aux lentilles et autres légumineuses. S'ajoute à cela un goûter de yogourt nature ou de légumes crus deux fois par jour. On mange peu, mais tout le temps!

Au bout d'une semaine, j'ai perdu cinq livres et j'ai adopté le régime sans trop de difficulté. Je suis décidée, et l'environnement est si chaleureux!

Commence alors le grand nettoyage: une période de jeûne au jus frais et au bouillon de légumes. Les choses se compliquent. Les trois premiers jours, je suis épuisée et je n'arrive pas à dormir. J'ai des fourmillements dans tout le corps, des sueurs froides, des nausées et j'ai la tête dans du coton. Ce sont les symptômes du sevrage du sucre. Je subis une vraie crise de désintoxication, me traînant péniblement de mon lit aux chaises longues du jardin. Jamais je n'aurais cru que trop de gâteaux et de chocolat pouvaient causer de pareilles réactions!

Petit à petit, les malaises se résorbent. Je sens monter en moi une formidable énergie, mon corps me dit merci! J'ai besoin de bouger et me lance à fond dans les activités: marche de trois kilomètres le matin, cours de gymnastique, longue nage dans la mer. Je revis. J'explore Key West qui vibre sous le soleil. Cette ville, la plus au sud des États-Unis, attire les artistes, les hippies de la dernière heure (transfuges des années 60), les vacanciers en mal de partys et une communauté homosexuelle importante qui gère la majorité des boutiques et des restaurants. Un mélange explosif où le sens de la fête transforme tous les instants en *dolce vita*. Chaque soir, un festival est organisé sur les quais pour applaudir le coucher du soleil! Les nuits n'étant pas assez longues, les patrons des discothèques gay ont inventé le *tea dance* pour s'amuser l'après-midi! J'ai toujours adoré danser, c'est un moyen d'explorer sa créativité, de libérer ses émotions et de se mettre en transe pour oublier les soucis. Je peux pratiquer cette «méditation active» cinq à six heures d'affilée en ne buvant que du Perrier, c'est fou! Soir après soir, je ferme le Coppa Club, célèbre théâtre des années 30 transformé en temple de la danse. Et tout ça, en n'avalant que du liquide totalisant moins de 500 calories par jour. Est-ce possible? Le jeûne me donne des ailes!

Pour la première fois, je constate à quel point les capacités d'autoguérison du corps humain sont remarquables. J'ai envie de vérifier cette hypothèse et de pousser plus loin l'expérimentation. L'une de mes règles de vie a toujours été de rechercher l'équilibre entre le plaisir et l'apprentissage. S'amuser, bien sûr, mais surtout progresser, comprendre. J'assiste à de nombreux ateliers sur la santé holistique. Progressivement, ces nouvelles approches me deviennent familières et indispensables. J'achète une vingtaine de livres dans une librairie spécialisée et j'étudie l'après-midi, découvrant le monde passionnant des médecines douces et de la naturopathie. Une philosophie différente émerge de ces nombreuses informations à mesure que ma compréhension s'intensifie. La majeure partie de la diète nord-américaine est constituée d'irritants. Le sucre blanc, la viande rouge, l'alcool et le café sont des éléments acidifiants qui encombrent l'organisme d'une multitude de dépôts toxiques. Notre système surchargé a du mal à les éliminer. Les cures de désintoxication lui procurent un repos bien mérité. Le corps, dans sa sagesse, en profite pour se réparer. Les vitamines, les minéraux et les enzymes contenus dans les fruits et légumes crus sont les éléments bâtisseurs dont nous avons besoin pour restaurer notre santé. Nous vidangeons régulièrement le moteur de notre voiture, mais nous nettoyons rarement l'intérieur de notre propre carrosserie, notre corps, qui est pourtant unique et qui doit nous servir pour la vie!

Vingt et un jours plus tard, gavée de jus de concombre et de melon d'eau, je suis un papillon mince et bronzé qui sort de sa chrysalide. Je suis prête à me relancer dans l'arène.

Au retour, une belle surprise m'attend: une lettre du Conseil des Arts m'apprend qu'on m'accorde une bourse de perfectionnement. Je décide de retenter l'aventure parisienne pour étudier le chant tout en essayant de travailler. Étrangement, malgré le succès des *Plouffe* au grand écran et ma nomination aux prix Génie, aucune offre intéressante ne m'a été proposée dans mon propre pays. Cela arrive parfois aux comédiens qui ont le bonheur et le malheur d'être trop identifiés à un rôle. Anne a disparu derrière Rita. Avec la bénédiction de mes parents, ravis à l'idée de me rendre visite à Paris, je boucle mes valises rapidement. Plus rien ne me retient ici. J'ai envie de recommencer à neuf, là où je ne suis ni la blonde ni la fille de personne. Svelte et remplie d'enthousiasme, je me projette déjà vers les sommets. Mais quelques livres en moins ne changent pas l'intérieur. Je me crois guérie, alors que je ne suis qu'en rémission. Il faudra m'agenouiller de nouveau lors de la deuxième station de mon chemin de croix.

Chapitre 2

Paris
et la splendeur
des apparences

JE DÉBARQUE SUR LE SOL FRANÇAIS avec l'assurance d'un conqué-
rant viking. Rémi et Fredo, un ami réalisateur au chômage,
sont venus me chercher à l'aéroport. Dans la voiture, sans
perdre une minute, nous parlons *casting*. Jean-Luc Godard cherche
sa Carmen, Isabelle Adjani ne s'étant pas entendue avec l'imprévisible initiateur de la Nouvelle Vague. Fredo connaît l'assistante
du célèbre réalisateur et me suggère de lui envoyer une photo. Je
me vois déjà sur le plateau! Lors de mon voyage à Cannes, j'avais
signé avec Philippe Granger, un agent très connu sur la place de
Paris. Son bureau, rue François-Premier, est situé près des Champs-
Élysées, la Mecque du cinéma français, le quartier des meilleures
maisons de production et des agences de comédiens les plus ré-
putées. Mais mon agent ne travaille plus. La pression du métier
l'a conduit à la dépression nerveuse. Sa femme, Sandrine, a pris
la relève. J'aurais dû me méfier de ce premier avertissement. Évidemment, l'entrevue avec Godard ne s'est jamais concrétisée. La
carrière de la comédienne Marutchka Detmers a été lancée par ce
premier rôle dans *Prénom Carmen*.

L'appartement de Fredo est un deux-pièces minuscule sans eau
ni chauffage, avec toilettes sur le palier. Il faut sonner chez la voisine

pour prendre une douche! Je ne savais même pas qu'on pouvait vivre si inconfortablement dans l'une des plus grandes métropoles d'Europe. Rémi et moi dormons sur un matelas posé par terre, dans un coin. Un nid peu douillet puisque pour y accéder nous devons enjamber une multitude de bobines de film, des piles de dossiers poussiéreux et mes nombreuses valises. Pas très romantique comme retrouvailles! Nous sommes transis, les maisons mal isolées sont très humides au mois de novembre. Je me sens obligée de partager ma bonne fortune financière avec la bande d'«artistes invités» qui ne cesse d'augmenter. Au début, je le fais avec plaisir – entre bohémiens, il faut s'entraider. Mais à force de payer pour l'essence, le restaurant et le cinéma de tous mes nouveaux «amis», j'ai l'impression d'avoir écrit sur le front «Tirelire du Québec, pour vous servir»!

Mon agente m'offre de m'héberger chez elle, à Maisons-Lafitte, le temps de me trouver un chez-moi. J'accepte avec soulagement. Mais le jour où j'ai pris le train pour la banlieue, Rémi est devenu distant, me téléphonant rarement, presque du bout des lèvres. Moi qui espérais, malgré notre passé incertain, bâtir une relation solide. Un peu «dure de comprenure», la fille! J'aurais dû m'y attendre, mais j'ai quand même énormément de peine. Il me paraît évident que Rémi a d'autres «chats à aimer».

Trouver un appartement à Paris lorsqu'on ne reçoit pas de salaire régulier se révèle quasiment impossible. Les frais à encourir sont énormes: trois mois de loyer d'avance, plus une caution exorbitante pour garantir la remise des lieux. Les pièces sont généralement dans un état lamentable, les propriétaires n'étant pas très portés sur la rénovation... En plus, ceux-ci exigent ce qu'on appelle là-bas un pas de porte, c'est-à-dire la prise de possession des clés, d'environ 10 000 francs, représentant la jolie somme de 2 000 $ non remboursable! Je désespère de trouver à me loger. Les tentacules du doute et de l'isolement s'enroulent autour de ma gorge, déjà bien serrée par une grippe qui ne veut pas me lâcher. Entre deux granules homéopathiques, je me remets à grignoter.

J'engouffre les tartes au citron et les gâteaux opéra de la boulangerie d'en face, tout en sachant très bien que, dans ma condition, le sucre est synonyme de poison.

Un peu de stress, une déception et je retombe dans le même schéma. Mais ce n'est pas grave, j'ai le contrôle, je peux m'arrêter quand je veux! On connaît la chanson… des illusions!

Après plusieurs semaines de démarche, j'aboutis dans une «chambre de bonne», rue Beautreillis, dans le Marais, le plus vieux quartier de Paris. Ce dernier est connu pour la beauté de ses hôtels particuliers. Mozart et Victor Hugo, entre autres, y ont séjourné. Illustre compagnie! Chaque pierre a son histoire, parfois tragique.

Le chanteur Jim Morrison du groupe The Doors a été trouvé mort dans la salle de bains de l'immeuble d'en face. J'appendrai à mes dépens que les fantômes de ce quartier ont une influence redoutable sur les jeunes filles émotives et impressionnables qui ont l'audace de les côtoyer. Dans quelque temps, les jolies avenues bordées de platanes menant à la place de la Bastille se transformeront en boulevards de la peur.

L'unique pièce où je loge, dans une maison du XVIᵉ siècle, est aussi exiguë qu'une cabine de bateau de troisième classe. Dans la salle de bains lilliputienne, les toilettes sont tellement rapprochées du lavabo que je dois laisser la porte ouverte pour sortir mes genoux dehors quand je veux faire pipi. Pratique pour les invités de marque! Tout est à refaire: la peinture, les planchers, l'électricité. Mais comme le loyer n'est que de 100 $ par mois, je n'hésite pas. Dieu merci, j'ai deux énergiques compagnons qui prennent les rénovations en main. Ben et Maria, un couple de gitans référés par ma propriétaire, sont en fait des chanteurs de flamenco au tempérament de feu. Pour joindre les deux bouts, ils font aussi des travaux manuels. Pendant qu'ils travaillent à retaper ma tanière, ils chantent sans arrêt de leurs voix fortes et éraillées, qui m'arrachent les tripes. Quelle chance d'entendre ce merveilleux concert de l'aurore à la tombée de la nuit! Spontanément, je me joins à eux, car je me débrouille pas mal en espagnol, lointain souvenir d'écolière.

Mes rossignols andalous m'apprennent les harmonies à la tierce, une caractéristique de la musique gitane. Bientôt, nous formons un trio étonnant. Ils me demandent de les accompagner dans leur tournée des bars... pour le plaisir.

Me voilà en Carmelita, distribuant œillets et œillades aux clients de Saint-Germain-des-Prés. Je m'amuse comme une folle. Au moins, mes cours de chant servent enfin à quelque chose. Les arias italiens, le matin, le flamenco, le soir! J'ai la tête remplie de musique... mais pas encore de cinéma à l'horizon. Finalement, ma petite vie s'installe entre le marché de la rue Saint-Paul et les rares invitations à déjeuner. Nouvelle venue, je n'ai pas encore de relations. Heureusement, Nicole Liss, la marraine du cinéma québécois en France qui m'avait si bien épaulée au Festival de Cannes, a décidé de m'aiguiller entre les écueils du monde artistique parisien. Nous devenons vite inséparables, et elle prend à cœur son rôle de mère adoptive. Très belle, portant avec aplomb une coupe de cheveux indémodable à la Louise Brooks (une actrice de cinéma des années 30), Nicole a voué une grande partie de sa vie au septième art. Attachée de presse très en demande, elle a reçu et piloté les plus grands acteurs et metteurs en scène du monde entier.

Les jeunes comédiens deviennent vite ses enfants. Elle donne volontiers de son temps pour favoriser les rencontres, utilisant son formidable sens des relations publiques pour mousser leurs carrières. Mais cette généreuse Pygmalion est surtout la plus fidèle des amies, sur qui l'on peut toujours compter. À peine débarqués, les Sud-Américains du Brésil et de l'Uruguay, les baladins de la péninsule ibérique, les irrésistibles charmeurs italiens et, bien sûr, les petits cousins canadiens ont tous un même port d'attache: le numéro de téléphone de Nicole! Grâce à elle, les artistes étrangers se sentent un peu moins isolés dans cette Babylone française où grouillent huit millions d'âmes!

Assise à la terrasse d'un café par un après-midi ensoleillé de décembre, je regarde la faune colorée de passants qui déambulent dans le quartier Saint-Germain-des-Prés. Les amoureux se bécotent, les touristes s'extasient, les intellectuels pérorent, les vieux couples se disputent. Toutes ces activités bourdonnantes mettent en relief ma propre solitude. Je suis dans un espace-temps différent, en attente, au ralenti. Trois mois ont passé depuis mon arrivée dans cette grande cité, et aucun travail à l'horizon, pas même une audition.

Je dois m'armer de patience. Une carrière dans une ville nouvelle ne se bâtit pas en un jour, mais avouons que la situation n'est pas très encourageante. Et si ma petite heure de gloire au Festival de Cannes n'avait été qu'une brillante illusion? Ai-je pris la bonne décision de tout abandonner à Montréal pour venir m'installer ici? Avant de partir, j'avais toutes les raisons d'y croire. Paris et moi avions déjà été de très bonnes amies. Aujourd'hui, je suis venue m'asseoir spécialement à cette table du Café de Flore, notre table… celle où Gilles m'invitait à déjeuner tous les dimanches. Je me remémore ces précieux moments avec beaucoup de nostalgie. C'était il y a deux ans, dans une autre vie…

Pour le montage du film *Fantastica*, une coproduction franco-québécoise, Gilles et moi avions séjourné en France pendant plus de six mois. La Ville lumière nous ouvrait ses bras. Grâce à des producteurs mécènes, qui avaient fait fortune en vendant de la climatisation en Arabie Saoudite, nous vivions comme des princes dans un coquet appartement juste derrière le fameux Café de Flore. Les films de Gilles Carle, plus particulièrement *Les mâles*, *La vraie nature de Bernadette* et *La mort d'un bûcheron* étaient très appréciés par la colonie artistique internationale. De festival en festival, il s'était fait de nombreux amis. Nous étions très bien reçus partout et avions l'occasion de rencontrer des gens fascinants.

Je me rappelle un après-midi passé avec le scénariste Jean-Claude Carrière dans son imposant hôtel particulier: une ancienne maison de passe flanquée d'un joli jardin, un luxueux bordel de trois étages où les grandes courtisanes du siècle dernier recevaient leurs admirateurs. Dans chaque pièce se trouvaient de riches boiseries, des cheminées de marbre et des bibliothèques remplies de trésors littéraires, dont les scénarios des films marquants de Luis Buñuel. Des titres à faire rêver comme *Belle de jour* et *Le charme discret de la bourgeoisie*. Monsieur Carrière a écrit et collaboré à tant d'œuvres cinématographiques importantes! Quel honneur de pouvoir tenir entre mes mains les originaux de ces scénarios et de voir, de mes yeux, des centaines de pages regorgeant d'annotations personnelles de mes metteurs en scène européens préférés, Louis Malle et Roman Polanski! Pour un amateur de sport, l'équivalent serait de contempler une balle frappée par Babe Ruth ou d'admirer les patins de Maurice Richard!

Allongée sur un canapé de velours, un verre de champagne à la main, j'écoutais avec fascination les conversations. Dans le petit salon opulent et baroque flottait encore la présence de Marguerite Gauthier, la célèbre Dame aux camélias. Cette incomparable belle de nuit, immortalisée par un destin tragique, me soufflait peut-être à l'oreille de précieux avertissements… «Attention, ma jolie, ce monde de lumières et de plaisirs n'est qu'un mirage. S'y baigner est un privilège que l'on paie souvent de sa vie.» J'entendrai son message bien plus tard, alors qu'il résonnera en un douloureux écho. Car Paris façonnera de nouveau, à l'instar de la douce Marguerite, un autre ange déchu aux ailes brûlées par la splendeur des apparences.

Mais pour l'instant, bien à l'abri dans notre élégant cocon, nous parlons, fort à propos, de l'écriture du scénario de *Danton*, un film traitant de la Révolution française et fournissant un grand rôle créé sur mesure pour le comédien Gérard Depardieu. Cet épisode dramatique de l'histoire qui a inspiré plusieurs auteurs de renom m'a toujours intriguée. Comment un pays entier peut-il sombrer si rapidement dans la terreur et sacrifier des centaines de milliers de vies sous la guillotine? Pour ces victimes, la richesse et la douceur de vivre furent considérées comme un crime, l'illusion de leur invulnérabilité trop cher payée. La légèreté, les désirs superficiels et le manque de substance mènent-ils toujours les hommes vers le malheur? Le fil conducteur de mes réflexions exercera, une fois encore, une influence concrète sur les événements à venir. Dans une décennie, on m'offrira d'incarner Madame Élisabeth, la sœur de Louis XVI, l'infortuné roi de France, dans une production internationale commémorant le bicentenaire de la Révolution! (Madame Élisabeth fut incarcérée à la Conciergerie, avec la reine Marie-Antoinette, avant l'extermination de la famille royale.) Enfermée plusieurs jours dans le décor d'une cellule, j'aurai la possibilité d'explorer, aux premières loges, la cruauté des hommes et l'absurdité criminelle conférée par les abus de pouvoir politique. Voilà pourquoi j'ai toujours préféré les arts aux tribunes!

Les comédiens exercent un métier passionnant lorsqu'ils ont la chance d'interpréter des rôles étoffés. Le travail d'acteur exige qu'on plonge au plus profond de l'esprit humain pour en contempler toutes les facettes. Ces voyages envoûtants deviennent vite indispensables. La vie excitante et enflammée, toujours sur le fil du rasoir, les émotions fortes doublées de la reconnaissance publique sont des drogues très puissantes qui peuvent entraîner les acteurs dans la détresse si, après y avoir goûtées, ils en sont soudainement privés. La peur de l'abandon et de l'échec ont mené beaucoup d'artistes à faire des excès de toutes sortes. Adolescente, j'étais fascinée par leur destin tragique sans soupçonner qu'un jour très proche j'irais rejoindre leurs rangs.

À la manière d'une détective de l'âme, je lisais des biographies, des bouquins de psychologie, des études sur l'autisme, la schizophrénie, les personnalités multiples et même les tueurs en série! Essayer de connaître la nature humaine, de comprendre les agissements et les motivations de mes semblables était une véritable passion pour moi. Toute petite, j'ai assisté à tant de pièces de théâtre montées par mon père, Jacques Létourneau, et jouées par ma mère, Monique Lepage. Des drames passionnels, des comédies de mœurs, du Shakespeare, du Molière... en somme, le plus fabuleux arsenal de toutes les passions terrestres. Grâce à mes parents, l'art, la poésie, la magie des mots et des images ont bercé la majeure partie de mon enfance. Avoir le privilège d'aller à Paris à 19 ans et de vivre aux cotés de créateurs et d'écrivains bien vivants, en chair et en os, et de grands interprètes, en sueur et en sang, a été une source profonde d'émerveillement et d'apprentissage. Malheureusement, il est possible d'avoir des connaissances intellectuelles, d'être érudit et au fait des choses de ce monde, et d'étudier en théorie les mécanismes de l'inconscient, sans nécessairement avoir accès à ses propres émotions, aux noirs recoins de ses propres peurs et de ses insuffisances. L'éducation valorise le culte de l'esprit, mais si peu le développement personnel. Quels êtres contradictoires sommes-nous devenus! Tellement évolués sur le plan rationnel, mais si peu à l'écoute de nos blessures internes. En apparence, j'étais un charmant singe savant qui savait tout à fait se comporter dans la société des adultes. J'étais une adolescente précoce tentant d'occulter la petite fille trop vulnérable. J'avançais, toutes voiles dehors, avide de contacts, de célébrité et de sensations fortes, mais aveugle et sourde à l'enfant au-dedans qui criait: «J'ai peur. Je suis trop petite. Je n'y arriverais jamais. Je t'en prie, emplis le vide, écoute-moi, calme-moi, donne-moi à manger!» «Elle» allait trouver les moyens de se faire entendre. Très bientôt, je n'entendrais plus que sa voix.

En compagnie de Gilles, inspirée par son talent et sa confiance, je me croyais sur la bonne voie pour consolider les fondations de ma carrière et me propulser vers les sommets. Mon cerveau n'était plus constitué de matière grise mais de pellicule de film!

Notre quartier général, le Club 13, était un bel immeuble en pierre de taille appartenant au réalisateur Claude Lelouch. Un complexe avec bureaux, restaurant, salles de projection; un endroit entièrement dédié au cinéma. Pendant la post-production de *Fantastica*, je passais mes journées dans la salle de montage, une très éducative tour d'observation au cœur même de l'action.

Aux cotés d'Hugues l'infatigable, un jeune monteur qui avait travaillé sur les trois derniers films de Lelouch, j'apprenais les rudiments de l'art: comment améliorer le rythme d'une scène en diversifiant le choix des plans, comment couper les longueurs, comment mettre l'accent sur un personnage plutôt que sur un autre et comment agencer les images en créant un effet de surprise pour capter l'intérêt du spectateur. J'ai compris que, sur une table de montage, on peut aussi bien rescaper de mauvaises scènes que détruire de bons scénarios.

Tous les comédiens devraient y faire un stage, c'est l'une des meilleures façons d'approfondir ses connaissances et de recevoir une dose salutaire d'humilité. Surtout lorsqu'on constate à quel point les metteurs en scène ont le dernier mot sur notre travail, en manipulant notre image comme bon leur semble!

À l'heure du déjeuner, nous partagions nos repas avec de grands directeurs photo, des producteurs, des attachés de presse et des agents réputés. Depuis des années, je lisais avec ferveur les revues de cinéma et je connaissais bien le travail de ces merveilleux artisans. J'avais enfin la possibilité de converser avec eux, la réalité dépassait la fiction! Il nous arrivait souvent de finir la soirée à l'Élysée-Matignon, une boîte à la mode où nous prenions un verre avec Jane Birkin ou Gérard Depardieu. C'était un conte de fées, une entrée dans la sacro-sainte arène des célébrités. Je pouvais observer de près les intrigantes personnalités de ces «gagnants», ceux qui comptent dans le métier. En côtoyant les vedettes, j'ai constaté que, dans l'intimité, elles sont souvent bien différentes de l'image qu'elles projettent, parfois même à l'opposé, comme si c'était un moyen de protéger un peu de leur âme.

Jane Birkin, par exemple, paraît très fragile. Femme-enfant parlant doucement d'une voix menue aux accents charmants, revêtant un éternel jeans et un t-shirt blanc d'adolescente, tenant toujours à la main un petit panier d'osier digne du chaperon rouge en visite chez sa mère-grand, Jane déambule d'un pas sautillant les pieds chaussés de simples souliers de course en toile écrue. Tout cet attirail de petite fille cache, en fait, une dame de fer qui, malgré les apparences, ne se laisse pas marcher sur les pieds. Tant mieux pour elle, c'est sans doute grâce à son tempérament qu'elle a survécu à l'amour ravageur de Serge Gainsbourg pendant autant d'années!

Et que dire de Gérard Depardieu, un être si délicat dans un corps de géant! J'ai toujours admiré son «immense» talent. Alors imaginez ma joie lorsqu'il m'a invitée à venir le voir pendant le tournage de son film *Le sucre*, une comédie qu'il jouait avec son compère et ami Jean Carmet. Encore une coïncidence puisque Carmet allait jouer plus tard dans *Le crime d'Ovide Plouffe* le rôle de l'infâme horloger Berthet, qui fera exploser l'avion dans lequel se trouve... Rita Toulouse!

Lors de ma visite, j'ai vécu une journée extraordinaire. Gérard était tellement attentionné et détendu sur le plateau, c'était un bonheur de le voir distribuer des sourires et des mots sympathiques à tous les membres de l'équipe. Il n'y a pas une once de prétention chez cet homme, c'est l'un des acteurs les plus humains et les plus gentils que j'ai eu la chance de rencontrer. Entre chaque scène, il venait me faire la conversation pour être sûr que je n'allais pas m'ennuyer! Vous pouvez me croire, une telle considération est hors du commun pour un homme de sa stature. D'autant plus qu'il était encore ébranlé par une mésaventure récente, illustrant à quel point les stars sont parfois victimes de leur image.

Quelques semaines auparavant, un soi-disant admirateur a gagné la confiance de Gérard en conversant amicalement avec lui dans un bar. L'inconnu propose d'offrir en cadeau à l'acteur une très rare bouteille de vin et l'invite à aller la chercher dans sa camionnette. Gérard sort du bistrot en compagnie de l'homme qui, en ouvrant la portière, lâche deux énormes bergers allemands en leur donnant l'ordre d'attaquer.

Il crie: «Bien fait pour toi, sale brute», pendant que les bêtes enragées sautent à la gorge de Depardieu, terrifié. Par miracle, il réussit à se débarrasser des «fauves» et s'en sort presque indemne, avec seulement quelques points de suture. Cette horrible expérience, Gérard la doit uniquement à son rôle d'éleveur vicieux de chiens de garde dans le film *Les chiens*. Ce spectateur dérangé n'a visiblement pas apprécié et n'a surtout pas compris que Gérard n'était pas le même homme que dans le long métrage!

À la fin de la journée de tournage, en prenant un verre, mon héros me confie: «Tu sais, depuis mon agression, je me sens complètement vulnérable. Je songe sérieusement à consulter un psy pour m'aider à supporter l'hostilité que je semble constamment provoquer à cause de mes rôles.» Bien placée pour le comprendre, j'étais très émue par sa confidence. Sous mes airs de jeune fille délurée, j'étais fragile comme le cristal et pas du tout à l'aise avec mon image. La réalité de l'être disparaît trop souvent sous le masque imposé par la société. Alors le personnage qu'on s'invente pour s'ajuster à cette vision extérieure prend le pas sur la vraie personnalité.

En venant m'installer en France, deux ans plus tard, j'espérais être «intronisée» de nouveau dans le cercle des initiés. Mais, seule à Paris, je n'ai plus accès à tout ce beau monde. À l'époque, on m'avait accueillie parce que j'étais la jeune maîtresse d'un metteur en scène réputé. Aujourd'hui, sans ma tendre moitié, je ne suscite plus d'intérêt. Les moments de gloire sont éphémères dans cette métropole de la culture débordante d'événements artistiques offerts par les plus talentueux artistes de la planète. Le film *Les Plouffe* n'est pas encore sorti sur grand écran, et la rumeur de Cannes s'est dissipée. Mon curriculum semble bien pauvre: encore une autre petite actrice étrangère qui essaie de percer! Je m'attendais à un accueil beaucoup plus enthousiaste, c'était mal connaître la réalité parisienne. Et si ma nouvelle aventure dans la Ville lumière se soldait par un échec? L'implacable perfectionniste qui dirige une partie de ma tête ne pourrait jamais se pardonner de retourner bredouille au Québec.

Pour apaiser mes inquiétudes, je décide de m'abandonner au plaisir «solitaire». Qu'est-ce qui est toujours disponible à toute heure du jour et de la nuit, qui demande très peu d'effort, qui est un merveilleux évacuateur de tension, qui sert à transmuter ses fantasmes et qui peut se pratiquer seul? Aller au cinéma! Je m'adonne à cette habitude plusieurs fois par jour. À défaut de rencontrer les metteurs en scène, je communie avec eux dans les salles obscures.

Laissée à moi-même et à mes idées noires, jour après jour, je suis bien sûr retombée dans ma seule consolation, mon semblant de réconfort, mon mirage, mon poison. Je m'accroche à la nourriture, ma bouée de sauvetage. Elle deviendra énorme, boursouflée, incontrôlable et m'entraînera vers le fond, dans des marécages fétides où je ne serais jamais descendue de mon propre gré.

Les natifs du signe de la Vierge, dont je fais partie, ont généralement un tempérament volontaire et déterminé, un besoin impératif de donner l'impression d'avoir le contrôle. Ce paravent auto-intégré masque tant bien que mal leurs profondes insécurités. Je semble fonctionner normalement. Je réussis assez bien à cacher ma névrose et deviens une obsédée très organisée. Ayant toujours adoré faire des listes de choses à accomplir, je me trace des journées qui ressemblent aux itinéraires du rallye Paris-Dakar:

«11 h, premier film: *L'impératrice rouge*, au cinéma L'Action Christine.

Acheter mille-feuilles, babas au rhum et petits-fours à la Bonbonnière de Buci.

Après la projection, prendre le thé à la Cour de Rohan.

Menu: œufs brouillés aux aubergines, scones anglais et marmelade, deux portions de clafoutis aux pommes.

Pour l'après-midi, acheter trois tablettes de chocolat aux noisettes Côte d'Or.

À 16 h, deuxième film: *Danton*, avec Depardieu, à L'Odéon. Suivi à 18 h de *37,2 le matin*, de Jean-Jacques Beneix.

Souper au Bistro de la Gare, menu à 59 F plus deux desserts en extra: gâteau praliné et glace au caramel.

Passer chez le traiteur du Petit Zinc et prendre du taboulé, des aspics au saumon, une grosse miche de pain au levain, un pot de confiture d'abricots et deux mousses aux fruits de la passion pour le retour à la maison.»

Évidemment, cet itinéraire peut sembler idéal. Qui ne rêve pas d'être à Paris, sans autre obligation que de voir des films et de manger comme un cochon! Je vous promets qu'après une semaine de ce «régime», vous crieriez grâce. La différence cruciale, dans mon cas, est que je ne sais pas comment m'en empêcher. Cette façon de vivre est inscrite dans mes veines. Ma poudre blanche, mon héroïne, c'est le sucre. Et mes doses sont de plus en plus fortes, de plus en plus rapprochées. Engourdie par une réelle dépendance, je me laisse emporter dans une fuite surréaliste aux actions démesurées.

C'est si facile de me procurer de la «drogue», elle resplendit, provocante, étalée aux vitrines des boulangeries et des traiteurs, sur les tables des cafés et des restaurants. La nuit, après mes libations, je hante les rues, telle une vampire, détachée des autres mortels, portant dans mon sang mon plaisir et ma punition. Aux petites heures du matin, gavée, enfin repue, je rentre chez moi. Je gravis avec difficulté les quatre étages menant à ma caverne des mille et un excès. J'ai mal au cœur, le foie barbouillé, le ventre en feu. Une douleur physique qui ne me quittera plus, les intestins lacérés par des lames de rasoir. Beaucoup de boulimiques réussissent à ingurgiter des quantités phénoménales de nourriture en se faisant vomir par la suite. Je n'ai jamais pu me libérer de cette façon. Comme un boa constrictor, je passe des heures dans une stupeur morose à essayer de digérer mes innombrables victimes. Mon pauvre corps n'en peut plus, je dors parfois 16 heures d'affilée pour tenter de récupérer. Et malgré moi, au réveil, je recommence, me sentant terriblement coupable de ne pouvoir arrêter de manger, de passer mon temps au cinéma et de dépenser mon argent en futilités destructrices. Une existence vide, sans réel contact humain. La solitude me pèse, car personne ne partage mon honteux secret.

J'essaie d'occulter ma détresse en nourrissant mon imaginaire, en fuyant dans un monde inventé. De cinéphile, je me transforme en cinémaniaque. Spectatrice passive des douleurs des autres, je peux oublier les miennes et me sentir à l'abri de la réalité. Le samedi, je cours le marathon. Les projections commencent à 10 h l'avant-midi et se terminent à 3 h le matin. En m'organisant bien, je peux assister à toutes les séances, sept films de suite! Je prépare mon plan d'action la veille en essayant de regrouper mes choix pour rester dans le même quartier. Je ne vis plus que par scénarios interposés, voyant les vieux films de Greta Garbo, de Marlène Dietrich, en plus des nouveautés européennes et américaines. Comme je n'ai plus le temps de manger à l'extérieur, je m'apporte des boîtes remplies de pâtisseries que je grignote pendant la projection. Les boîtes se métamorphosent bien vite en d'énormes sacs d'épicerie débordants de chocolats, de biscuits secs et de sucreries de toutes sortes. Il me faut les avaler tous, jusqu'au dernier! Les autres spectateurs sont furieux d'entendre constamment des bruits de papier froissé lorsque j'ouvre les emballages. Pour éviter les «chut! » indignés et les regards offensés dans ma direction, je prends l'habitude de manger dans les toilettes des cinémas. Ce sont des lieux généralement infâmes, malpropres et imprégnés d'odeurs indescriptibles. Je plonge à mains nues dans mes gâteaux à la crème, assise sur le bol, cachée derrière les portes qui sentent l'urine. Peut-on descendre plus bas dans l'avilissement? J'ai repris 30 livres et suis définitivement piégée dans l'engrenage de la boulimie.

Le matin au réveil, mes draps sont trempés de sueur, j'ai la vision trouble et j'entends des troupeaux d'éléphants furieux dans ma tête. C'est le mal du sucre qui me reprend. Pour réussir à me lever, je dois manger une tablette de chocolat afin de contrôler mes tremblements. Cela ressemble étrangement aux symptômes de l'alcoolisme, pourtant je ne bois pas une goutte. Mon taux de sucre sanguin s'affole, montant à des hauteurs vertigineuses et retombant ensuite si bas que parfois je perds connaissance.

Mon voisin de palier, Monsieur Tolbiac, toujours très prévenant, garde un double des clés de mon appartement. Un après-midi, il sonne chez moi pour me remettre le courrier que je n'ai pas récupéré depuis plusieurs jours. Une fois, deux fois... pas de réponse. En ouvrant la porte, il me trouve étendue par terre, inconsciente! Je n'ai jamais su depuis combien de temps je gisais là, ni ce qui serait arrivé s'il ne m'avait pas rescapée. Ancien caporal de guerre, le cher homme ne se démonte pas et passe tout de suite à l'action. Il me fait respirer des sels, me donne une rasade de cognac et m'installe dans mon lit avec une bouillotte d'eau chaude. Mon pouls est faible, et je suis pâle comme la mort. Mon infirmier me réconforte et promet de veiller sur moi: «Reposez-vous, tout ira bien, je reste là une petite heure, au cas où vous auriez besoin de quelque chose.» Rassurée par son regard bienveillant, ma main dans la sienne, je repars me bercer dans les bras de Morphée.

Cette histoire m'inquiète vraiment. Je suis malade, j'ai besoin d'aide, mais je ne sais pas à qui m'adresser. Chez le pharmacien, on me suggère d'aller voir un docteur, un spécialiste des problèmes de poids. Ce médecin respectable, ayant pourtant prêté le serment d'Hippocrate, me prescrit un tas de pilules soi-disant inoffensives qui se révèlent être en fait de puissantes amphétamines! Je perds quelques kilos, mais ne dors plus la nuit. Je suis dans un état perpétuel d'agitation. Ne pouvant plus supporter cette sensation de marmite intérieure, j'arrête le traitement au bout de trois semaines. En désespoir de cause, je trouve au hasard, dans le bottin téléphonique, le nom d'un psychologue. Le plus sérieusement du monde, ce professionnel dit qu'il va contrôler mes «petites crises d'anxiété» en me prescrivant des tranquillisants. J'avale ces affreux comprimés bleus et me retrouve complètement apathique, n'osant plus sortir de ma chambre, sauf pour acheter ma gargantuesque ration de bouffe.

Au milieu de ce désastre, je reçois un coup de téléphone de Sandrine, mon agente: «Anne, tu vas être folle de joie, je t'ai organisé un rendez-vous avec Philippe de Broca, la semaine prochaine. Tu sais, celui qui a réalisé les comédies avec Jean-Paul Belmondo? Eh bien, il veut te rencontrer pour le premier rôle dans son prochain film!» Je balbutie quelques remerciements, n'osant lui avouer que je ne suis pas du tout présentable! Je raccroche le téléphone dans un état second. Impossible de laisser passer une chance pareille, il faut réagir!

Je jette mes comprimés de malheur à la poubelle. Prête à tout, je me précipite dans un centre de beauté: «Aidez-moi, s'il vous plaît, nous avons sept jours pour accomplir un miracle!» Je me fais exfolier, vibromasser, «pressothérapeutiser» et emprisonner sous oxygène pour essayer de retrouver forme humaine.

Peine perdue, j'arrive au rendez-vous avec le physique du bonhomme Michelin et la confiance de Cendrillon! De Broca me dit d'emblée: «Ah! je vois. Vous ne ressemblez pas du tout à vos photos.» J'éclate en sanglots et parviens, entre deux hoquets, à lui expliquer ma situation: «Oui, j'ai pris un peu de poids, mais je vous assure qu'avec un peu de temps, j'arriverai à redevenir comme avant.» Il compatit, mais il se garde bien de m'engager. Peut-on le blâmer? Il cherche une belle fille, saine et enjouée pour incarner l'héroïne de *La gitane*. Je ne corresponds vraiment plus à la description! Valérie Kaprisky, la déesse callipyge de mon dernier film à Carcassonne, hérite du rôle. Je suis mortifiée. J'ai tellement honte d'en être arrivée là. J'essaie de me reprendre en main, mais je n'ai même pas le courage de m'inscrire à un cours de gymnastique. Une fois par semaine, je vais chez mon esthéticienne, le seul endroit où je me sens un peu aimée, réconfortée. Dans cette ambiance de calme et de volupté, je peux me ressaisir et me faire chouchouter pour un petit moment. J'ai besoin de partager ma peine. Ma bienveillante «nounou» m'écoute avec sollicitude tout en surveillant l'indicateur de la balance qui ne cesse de s'élever.

Dieu merci, j'ai toujours la précieuse amitié de ma chère Nicole. Elle, Denise Filiatrault, venue tenter aussi l'expérience parisienne, et moi, nous nous baptisons avec humour «les trois veuves». Sans amoureux à l'horizon, nous allons manger ensemble régulièrement pour papoter entre femmes. Animée par son éternelle vivacité, Denise met un peu d'optimisme dans l'atmosphère. Et ce, même si elle trouve difficile d'avoir troqué l'amour du public québécois contre l'indifférence, parfois teintée de mépris, des directeurs de *casting* parisiens qui reçoivent des centaines d'acteurs par semaine! Toujours en verve, elle nous divertit avec ses expressions bien senties – «Moi ma petite fille, j'suis plus aux hommes, j'suis aux oiseaux! » – et son impatience légendaire – «Eh que j'ai faim! Le monde mange vraiment tard ici! Moi, passé 6 h, j'ai besoin de mon auge!» Me prenant sous leurs ailes, mes deux chaleureuses «tantes» essaient de m'encourager: «Tu dois te battre, tu as du talent, et l'avenir devant toi.» Denise me dit souvent avec conviction: «Si j'avais ton âge, lâchée "lousse" à Paris, je ferais des ravages!»

Mais le mal est trop profond. Ma maladie est une dent pourrie qui ne se répare pas en superficie. Il est nécessaire de l'arracher pour en extirper la racine. L'opération ne peut se faire sans douleur. À l'époque, je croyais sincèrement m'en sortir par le seul effort de ma volonté. Je ne pensais qu'au problème physique: grossir, maigrir, me battre contre mon corps. Mais le travail requis pour arriver à un changement profond doit venir de l'intérieur. Je ne voyais que le court terme, pensant toujours être capable de me guérir toute seule en me répétant sans cesse: «Demain, j'arrête!» J'ai compris trop tard que pour se délivrer d'une dépendance physique ou affective, il est primordial d'entreprendre une thérapie avec un intervenant compétent. Et surtout, il faut éviter les «prescriveurs» de pilules! Il me faudra connaître bien d'autres déboires avant d'accepter cette solution.

Peut-être, à ce moment de mon récit, est-il nécessaire de faire une pause. J'essaie de relater mon histoire, non pas avec une série d'anecdotes, mais plutôt en tentant de dévoiler le «personnage principal» par une compréhension plus approfondie de sa psychologie. Oui, tout ça m'est arrivé, mais la question qui m'intéresse vraiment c'est, pourquoi? Voilà ce que j'ai envie d'explorer. Notre héroïne est très mal en point, mais cette souffrance, d'où vient-elle?

Ce contraste entre mes espoirs naïfs et la dure réalité, entre ma vie d'antan et ma nouvelle existence, était plus que je ne pouvais supporter. Quelques mois auparavant, j'avais presque touché les étoiles, rien ne m'importait plus que de réussir ma carrière d'actrice. Toute ma vie se focalisait sur mon métier. Cela peut paraître bien puéril vu de l'extérieur, pourtant la reconnaissance, le succès sont les moteurs de la plupart d'entre nous; mais à quel prix? Il n'y a pas de mal à être reconnue, toutefois, pour cela, il faut d'abord se reconnaître soi-même et s'accepter dans sa totalité en intégrant ses qualités tout comme ses zones d'ombre. Je voulais tellement être parfaite, faire plaisir à tout le monde, ne pas déranger, ne pas faire de vagues pour être sûre que l'on m'apprécie. Je ne savais pas dire non. Toute ma vie était tournée vers les autres, vers leurs besoins, leurs attentes, leurs jugements. J'avais toujours peur, une peur panique d'être critiquée. À toujours me contorsionner et à me tordre l'âme pour essayer de plaire et de ne montrer que la perfection, je trahissais constamment mes propres envies et mon authenticité. Je ne savais plus qui j'étais. Cette personnalité fabriquée était la seule qui trouvait grâce à mes yeux. Étant hypersensible, les rejets, les échecs et les difficultés me semblaient insurmontables. Et comme j'évolue dans un métier où les revers et les rejets sont monnaie courante, inutile de vous dire à quel point chaque audition qui se soldait par un refus me blessait personnellement, à quel point chaque rôle qui ne m'était pas proposé devenait le constat de mon incompétence. Lorsque je ne travaillais pas comme comédienne, ma créativité non exprimée provoquait tant de remous à l'intérieur de moi qu'elle m'étouffait littéralement. Pour faire taire cette angoisse, j'avais trouvé, malgré moi, un remède: manger. Dévorer sans relâche pour combler le vide, le manque affectif, pour neutraliser la peur de l'échec, pour m'enlever la pression d'être parfaite. En grossissant, je n'avais même plus besoin d'essayer.

Pourtant, avec *Les Plouffe*, je m'étais rapprochée de mon idéal: être remarquée par les grands du cinéma. Il y avait bel et bien eu Cannes, il y avait eu aussi le Festival de Taormina, en Sicile, où j'avais été mise en nomination pour le titre de meilleure actrice aux côtés de légendes comme Lilia Kedrova, la déchirante Bouboulina dans *Zorba le Grec*, et Sandra Milo, la muse de Fellini dans *Huit et demi*. J'avais rencontré Bernardo Bertolucci, Roman Polanski, Bertrand Tavernier, des cinéastes chevronnés qui m'avaient félicitée pour mon interprétation de Rita Toulouse. J'étais si près du but, et je sentais toute cette magie me glisser entre les doigts. Je ne savais pas comment sortir de ma boulimie et de ma dépression.

Je sabotais tous mes efforts de réussite et j'étais tellement malheureuse de ce gaspillage. Je me dégoûtais physiquement, j'avais honte et je me sentais coupable de bousiller mes chances de succès. Et pourtant, je continuais. C'est horrible de vouloir à tout prix une chose, tout en ne pouvant s'empêcher de la détruire.

Mais revenons, si vous le voulez bien, au déroulement de mon histoire.

Malgré les problèmes et les déchirements, j'essaie de répondre à mes responsabilités de boursière et je continue d'assister aux ateliers d'art lyrique donnés par Madame Pérugia, une diva de 75 ans au cœur d'or ayant le tempérament d'un maréchal des armées! Avec mes kilos en trop, je ne me sens pas trop différente des autres sopranos et des ténors, au gabarit impressionnant! J'apprends énormément, même si ma voix n'est pas encore très assurée. Notre professeure utilise des moyens plutôt originaux pour nous faire progresser. Elle nous fait soulever des haltères pour atteindre les notes élevées et nous entraîne dans un tango endiablé en nous renversant, sans nous prévenir, au moment où nous devons exécuter les passages vocaux difficiles... Les cours sont exigeants. Plus mes compulsions deviennent fortes, moins j'ai confiance en moi. La tension que je ressens à interpréter un air des *Noces de Figaro* devant des chanteurs professionnels rend tout à coup l'exercice surhumain. Je perds mes moyens et n'émets que quelques sons ressemblant aux miaulements d'une vieille chatte de gouttière souffrant d'une laryngite. Afin de m'éviter cette humiliation publique, Madame Pérugia offre généreusement de me donner des cours particuliers. Mais la première fois que je me rends chez elle, je découvre avec horreur que pour accéder à son appartement je dois traverser la cour intérieure du Club 13, l'immeuble de Claude Lelouch. Le risque de croiser d'anciennes connaissances, des gens importants du cinéma et peut-être même mon agente, qui pourraient me voir «grosse», m'horrifie! Après quelques essais, je n'ai plus le courage d'affronter cette épreuve. Cela fait trop mal de devoir me cacher et de passer comme une ombre furtive, là où deux ans auparavant je brillais de tous mes feux. J'abandonne mes cours de chant et ma dernière parcelle d'estime personnelle. Je suis si peu fière de moi que je n'ose même plus regarder mon reflet dans les vitrines.

Je ne donne pas de mauvaises nouvelles à mes parents et je déguise la vérité. Au téléphone, j'essaie d'avoir une bonne voix et j'insiste sur le positif. Puisque je suis sûre que je vais m'en sortir dans quelques jours ou dans quelques semaines, pourquoi les alarmer?

Noël arrive, je n'ai pas d'invitation pour le réveillon. Les rues sont tristes et grises. Le chauffage de mon appartement fonctionne mal, le téléphone ne sonne presque jamais.

À l'intérieur de moi, je me sens aussi froide et souillée que les pavés des rues du Marais. Quand je ne me cache pas dans les salles noires des cinémas, je reste sous les couvertures à lire des biographies d'acteurs, me réfugiant dans le rêve pour ne penser à rien et étouffer cette voix qui me crie en dedans: «Tu es grosse, tu es sale, tu me dégoûtes.» Couverte de honte, je n'ose même plus appeler mon agente, ni mes quelques amis. Je m'isole de plus en plus. Ma vie bascule et je perds prise sur la réalité.

Je n'accepte pas du tout mon corps, obsédée par l'image de la perfection. Le fait de me voir avec 30 livres en trop est un réel supplice. Je passe de longs moments prostrée sur mon lit, à gémir, pleurer et me bercer comme un petit enfant. Parfois, j'ai du mal à respirer. J'ai tellement mal en dedans, ma «grosse» peine me fait suffoquer. Je murmure dans un souffle «pourquoi, pourquoi?», et une rage sourde m'envahit. Je hais ma chambre, je hais ma vie, je hais mon impuissance.

Implacablement, les événements extérieurs commencent à refléter mon tumulte intérieur.

Les philosophies orientales suggèrent que tous les êtres humains sont influencés par des lois cosmiques, dont l'une des plus importantes est celle de la manifestation. Nos pensées sont créatrices et libèrent des énergies positives ou négatives qui se manifestent concrètement dans la réalité. Par exemple, si une personne se voit comme une victime dans sa tête, elle attirera de ce fait les bourreaux dans sa vie.

De la façon cruelle dont je me perçois, grugée par ma culpabilité, je ne serai pas épargnée. Un raz-de-marée va bientôt déferler dans mon quotidien.

Un soir très tard, dans une salle de cinéma délabrée d'un quartier peu recommandable, je regarde, à moitié assoupie, la dernière projection d'un film dont les images sont entachées par de grandes rayures. Je suis prête à regarder n'importe quoi pour retarder le moment où je dois rentrer seule dans ma chambre-prison. Deux voyous m'arrachent mon sac à main déposé sur mes genoux et restent debout au fond de la salle. Ils ricanent en fouillant dans mes affaires. Je panique à l'idée de ne pouvoir rentrer dans mon appartement. Mon voisin est parti en voyage, et l'heure est beaucoup trop avancée pour appeler un serrurier! Tout se passe en quelques secondes. Instinctivement, je me retourne vers eux en criant: «Mes clés! Rendez-moi mes clés!» Dans un élan de magnanimité, ils lancent mon sac dans l'allée après m'avoir volé mon porte-monnaie avec tous mes papiers!

Mais ce n'est que le début du cauchemar, le pire m'attend encore. La situation va tellement dégénérer que je vais presque croire que des esprits malins m'ont ensorcelée. Est-ce que les entités qui ont poussé le chanteur Jim Morrison dans ses orgies de sexe et de drogue continuent à flotter dans nos murs? Ou est-ce le dégoût de mon corps qui m'est renvoyé comme par un miroir? Je deviens fréquemment victime de formes plus ou moins violentes de harcèlement sexuel.

Je trouve des dessins pornographiques remplis d'insultes dans ma boîte aux lettres. Je me fais draguer de façon assez humiliante dans un café. Un serveur écrit son numéro de téléphone sur l'addition suivi d'un post-scriptum: «Je termine à 3 h, attends-moi.» Une nuit, un homme me suit jusqu'à ma porte et, très agressivement, m'offre de l'argent pour coucher avec lui. Le lendemain, c'est au tour du marchand du coin qui, en enveloppant les bananes que je viens d'acheter, me dit avec un regard ambigu: «C'est pour manger ou pour baiser?» Et les dessins obscènes continuent d'affluer dans ma boîte aux lettres…

Je suis paniquée, j'ai l'impression d'avoir des hallucinations morbides où chaque homme veut un morceau de ma peau. Le monde m'apparaît à travers une loupe déformante, tout devient laid, vulgaire, avilissant. Mes pensées confuses, mes airs vulnérables de biche aux abois attirent les prédateurs. Tous ces inconnus semblent ligués contre moi, projetant leur misogynie comme une arme de séduction. Mon équilibre fragile est sans défense devant ces vagues de violence. Je suis à bout, je demande grâce, je sais que je ne pourrai en endurer beaucoup plus. Répondant à mon appel, une grande main noire m'attire encore plus bas dans les profondeurs.

Seule, le soir du 24 décembre, j'ai besoin de fuir mon quartier et de sentir des gens heureux autour de moi. Je vais marcher boulevard Saint-Germain, qui est toujours animé par une foule de fêtards exotiques pendant la nuit de Noël.

Un inconnu me prend par la taille: «Une fille comme toi, seule ce soir? Allez, j't'offre un verre.» Il se fait très insistant. Après tout ce que je viens de vivre et dans l'état d'esprit où je me trouve, il me fait tellement peur que je me mets à crier! Il ne veut pas me lâcher. Je l'assomme d'un grand coup de sac à main sur la tête et me sauve en courant. Tremblante, je me trouve une place à la terrasse du Drugstore, en face du café Les Deux Magots, derrière une immense vitrine très éclairée où les clients ont l'air de poissons béats flottant dans un grand aquarium. Le chasseur «bafoué» passe devant le restaurant et reconnaît sa proie. Furieux, il se précipite à l'intérieur, un couteau à la main! Il se jette sur moi et me tient par les cheveux, il me place la lame sous la gorge en hurlant: «Salope, j'en ai crevée pour moins que ça.» Je suis pétrifiée et ne peut prononcer un mot. Il me frappe la tête contre la vitre encore et encore, jusqu'à ce que je voie des étoiles. Je suis à moitié inconsciente, mon front est ouvert, et le sang coule dans mes yeux.

Mon agresseur disparaît. J'ai le cerveau qui sonne et résonne comme une enclume. Le bruit des couteaux et des fourchettes déposés dans les assiettes explose dans mes oreilles. Nous sommes pourtant dans un restaurant, un lieu public, et personne n'a bougé pour m'aider, ni les garçons de table ni les clients! Cet enragé aurait pu me tuer et pas une âme n'a réagi. J'ai l'impression d'être dans un mauvais film d'horreur, où l'héroïne essaie d'appeler à l'aide sans qu'aucun son ne sorte de sa bouche.

Paralysée sur mon siège, en état de choc, j'ai complètement perdu la notion du temps. Au bout d'une heure ou d'une minute, un homme barbu d'âge mûr m'aperçoit dans la vitrine en train d'étancher le sang sur mon visage avec une serviette en papier. Il me fait un signe de la main. Je me dis: «Mon Dieu, ayez pitié, pas encore un autre!» Mais, il n'entre pas dans le restaurant. Quelques instants après, il revient… avec de l'alcool et des pansements qu'il a achetés à la pharmacie, au sous-sol. Je suis sauvée.

Mon bon Samaritain, la seule personne qui ait daigné m'offrir de l'aide, est en fait un gars de Toronto. Je reprends un peu mes esprits. J'ai du mal à parler, mais j'essaie de lui expliquer ma mésaventure. Il est seul, lui aussi, et ravi d'avoir pu aider une demoiselle en péril en ce soir solennel. Il est romancier et professeur de littérature, c'est un frère du domaine des arts et un compatriote en plus. Je déborde de gratitude.

Il commande une bouteille de bordeaux, voyant bien que je suis perdue et que j'ai besoin de compagnie. Il me réchauffe le cœur simplement en me racontant les détails rassurants de sa vie. Il est marié, père de deux enfants, à la recherche d'un éditeur européen. Je l'écoute la tête entre les mains, reconnaissante pour le vin et la chaleur de sa voix. Les heures passent. Je n'ose rentrer à la maison, j'ai peur que le dragueur fou m'attende encore à l'extérieur. Mon preux chevalier me fait monter dans un taxi et me raccompagne jusque devant chez moi. Je ne l'ai jamais revu. J'ai oublié son nom, mais la providence encore une fois m'a envoyé un ange pour panser mes blessures.

Après cette terrible aventure, je ne veux pas rester à Paris où je me sens souillée dès qu'un homme croise mon regard dans la rue. J'ai des crises d'anxiété de plus en plus difficiles à surmonter. Pour éviter l'hyperventilation, j'apprends à respirer dans un sac en papier. J'ai tellement peur de ne plus pouvoir émerger de cette déchéance… Mais l'araignée qui tente de m'emprisonner dans sa toile ne m'entraînera pas dans le piège «rédempteur» de la folie, aussi doux soit-il. Comme Ophélie dans *Hamlet*, je voudrais perdre la raison et arrêter de souffrir! Au lieu de me laisser sombrer, l'instinct de survie me pousse à faire une dernière tentative. Avec l'énergie du désespoir, je pars dans une clinique de santé en Bretagne où je passerai le Nouvel An. Mon estime de moi-même est en loques, et ma santé, au plus bas. Le jeûne à Key West avait fait des merveilles, peut-être arriverai-je à m'en sortir?

La journée de mon arrivée, je décide d'aller respirer le bon air salin et de me promener dans les dunes, près de la mer. Le murmure apaisant de la nature calme les perverses sirènes. Leurs chants se perdent dans le rythme cadencé des vagues, le sable moelleux, la douce bruine de décembre. Le tableau est parfait: les rochers escarpés, les petits crabes dormant sur les algues, le ciel gris. Seule sur la plage, je respire profondément, enfin apaisée, enveloppée dans une sérénité nouvelle, un sentiment de sécurité que je n'avais pas éprouvé depuis longtemps. Ce littoral où règne une symbiose parfaite entre la mer, l'air et la terre reflète l'ordre divin. Peut-être ai-je enfin trouvé l'endroit idéal, le havre de paix où reprendre le droit chemin. Je marche au bord de l'eau, m'amusant à éviter la marée montante. J'ai bon espoir de guérir ici. Mon âme meurtrie a bien mérité un peu de quiétude, de repos. Soudain, je sens une présence près de moi. Je me retourne. Sorti de je ne sais où, un homme se tient là, flambant nu sous son imperméable grand ouvert! Bravant le froid, il expose son «instrument» en me gratifiant d'un sourire édenté. Les deux mains sur son sexe, il commence à se caresser. Dégoûtée, je m'enfuis en hurlant. «Au secours! Ils m'ont poursuivie jusqu'ici!»

Au bord de la crise de nerfs, je ne veux plus rester une seconde de plus dans ce pays maudit! Le directeur de l'hôtel refuse de me rembourser pour un motif aussi irrationnel. Tant pis! Je saute dans le premier train pour Paris. Dès mon arrivée, j'appelle Nicole, je n'en peux plus, il faut que je me confie à quelqu'un avant de perdre définitivement la boule!

«Ma chérie, me dit-elle, j'avais tellement hâte de t'avoir au bout du fil. Imagine-toi que *Les Plouffe* va enfin sortir sur les écrans dans toute l'Europe francophone. Je prépare une énorme tournée de promotion. En plus, et ça, c'est ma surprise pour la nouvelle année, j'ai proposé ta candidature à Monsieur Cravenne, et il t'a choisie pour remettre le César de la meilleure cinématographie, en février prochain.» Je n'en reviens pas! On m'offre de remettre un césar, l'équivalent français des oscars! Un honneur rarissime dont brûlent d'envie toutes les jeunes actrices. Avoir des billets pour assister à la Nuit des césars est déjà un exploit, alors monter sur la scène tient carrément du miracle. C'est l'occasion idéale de se faire connaître et d'exciter la curiosité des magnats du cinéma.

Ma chère, il faut te ressaisir! Mais où est la fée qui peut transformer cette citrouille en jeune espoir féminin d'un coup de baguette magique? Qui peut me métamorphoser en canon de beauté sur qui tous les metteurs en scène pourront projeter leurs fantasmes? Comment y arriver en si peu de temps? Aiguillonnée par ces incroyables nouvelles, je me remets sur le pied de guerre. La solution: m'inscrire dans un centre de thalassothérapie pour trois semaines. Je n'en ai pas du tout les moyens, mais qu'à cela ne tienne! Je place mon précieux manteau de fourrure en consignation. De toute façon, avec le tapage que fait Madame Brigitte Bardot pour défendre les droits des animaux, il est très mal vu de se promener en ville avec des peaux de bêtes sur le dos!

Avec les quelques milliers de francs que je devrai rembourser dans un an avec les intérêts, j'achète d'abord un billet pour Ajaccio, même si à la une des journaux on ne parle que du «problème corse». Les indépendantistes font tout sauter à coups de bombes. Le gouvernement français est forcé d'envoyer son grand manitou, l'inspecteur Broussard, pour tenter de démanteler le réseau terroriste. L'aéroport est surveillé par les forces armées. J'y atterris malgré tout, téméraire ou inconsciente. Les événements ont fait fuir les touristes, et les tarifs des vols sont réduits de moitié! Dans l'île, la terreur règne partout. La directrice du centre de thalassothérapie m'a assigné Ingrid pour mes traitements – une grande Allemande du style «Elsa, la louve» qui me prend en main avec férocité: douches glacées à l'eau de mer, massages si violents qu'en sortant je me sens comme une poupée de chiffon disloquée, enveloppements de boue brûlante, bains de siège et lavements couronnés par trois heures de gymnastique quotidienne! On se croirait à l'armée, au camp d'entraînement: «Nous z'afons lé moyens dé fous faire maigrir!» Ce régime totalitaire se révèle efficace, même si l'intimidante Ingrid n'a aucune compassion pour sa victime. Mais je suis prête à tout endurer, pourvu que je fonde!

Au repas, l'atmosphère est lugubre, nous ne sommes que six clients dans l'établissement. En mangeant nos repas hypocaloriques, nous abordons toujours le même sujet: les attentats terroristes. Les bombes qui explosent dans la capitale corse font de nombreux blessés. Ce n'est certainement pas l'endroit indiqué pour traiter les crises d'anxiété!

Le soir, prisonnière dans l'hôtel à cause du couvre-feu, je n'ai sous la main d'autre nourriture que celle que l'on me sert. Le sevrage est difficile, le manque de sucre me fait la vie dure, mais je n'ai pas le choix. Progressivement, je commence à ressembler à l'image que l'on attend de moi. L'animal blessé redevient, peu à peu, la poupée sexy de la Haute-Ville.

Chapitre 3

Dans l'obscurité
de la
Ville lumière

À MON RETOUR DE CORSE, je me sens revivre. Le monstre s'est assoupi, neutralisé par mon enthousiasme retrouvé. Pour la seconde fois – la première ayant été mon séjour salvateur à Key West –, ma dépendance m'accorde un sursis. Comme une plante malade laissée à l'abandon, j'ai la capacité de refleurir si je suis transplantée dans un environnement privilégié.

Le fait d'avoir été prise en charge m'a permis de reposer mon corps et mon esprit blessés. Le programme personnalisé et la chaleur de quelques mots d'encouragement ont eu un «effet de serre» réparateur. Ma sève est nourrie d'une vigueur insoupçonnée. J'entre avec gratitude dans un nouveau printemps.

Revenue dans le vrai monde, bien ancrée sur mon rail, je continue sur ma lancée. Ingrid, la terreur des Carpates, m'a remise à la teutonne sur le droit chemin de la santé. J'épouse son credo à la lettre: «Pour maigrir, il faut bouger, suer et s'affamer!» La marche à pied devient ma nouvelle religion. Je prends goût à l'effort, me réconciliant avec mon corps que je n'avais pas senti si ferme et si léger depuis bien longtemps. Je découvre un Paris «tonifiant» en arpentant ses jardins d'un pas énergique. Les statues du Luxembourg, les bassins des Tuileries se transforment en bornes kilométriques, élégants témoins de mes constants efforts.

Mon monstre n'aime pas la discipline et encore moins la joie de vivre, il reste caché. Fière d'être remontée des enfers, je me prépare pour ma première entrevue télévisée. Nous sommes à la mi-février, deux jours avant le lancement des *Plouffe.*

Lorsque j'enfile ma petite robe noire très ajustée, je jette un coup d'œil inquiet vers le miroir, ce terrible accusateur qui a l'habitude de me juger d'un regard sévère. Mais non, il me sourit, et pas un petit bourrelet ne s'insinue entre mon ventre et le velours qui le galbe. J'ai réussi, je suis mince, j'ai gravi l'Everest!

Grande première au Marignan sur les Champs-Élysées. Presque tous les comédiens des *Plouffe* sont venus de Montréal. Nous nous retrouvons en famille pour une soirée inoubliable. Je suis très émue d'être assise dans le même cinéma où, six semaines auparavant, je me cachais du monde, seule et tourmentée. Entourée de mes amis, je redécouvre un sentiment d'appartenance, témoignage d'un récent passé où j'étais reconnue et appréciée. Je constate à quel point la solitude et la maladie m'avaient fait perdre mon identité. Ce soir, je me retrouve. Je suis comédienne, je suis québécoise et j'apparais sur le grand écran pour le prouver. J'espère tellement ne plus jamais me perdre! En fermant les yeux, je demande aux petits anges de veiller sur moi… et sur le succès du film!

Les Plouffe est bien accueilli par la critique mais surtout par le public. Les Français semblent touchés par l'humanité des personnages et rient de bon cœur aux remarques naïves de maman Plouffe. Un journaliste a même surnommé Madame Juliette Huot «notre Raimu en jupon», en l'honneur du grand maître des comédies de Pagnol. La chaleur et la bonhomie des bonnes gens de Québec ne sont pas sans leur rappeler le charme des méridionaux et, bien sûr, dans les deux cas, ils trouvent l'accent charmant! La première semaine, le film obtient un nombre d'entrées acceptable malgré son nouveau titre ridicule, *Il était une fois des gens heureux.* En France, le nom Plouffe fait tout de suite penser à «ploucs», un mot d'argot se traduisant par paysans bébêtes, une expression équivalente à nos fameux quétaines. Les distributeurs sont inquiets et pensent aider le film en attirant l'attention sur ce sous-titre éteignoir. Sans doute ont-ils oublié le fameux dicton «Les gens heureux n'ont pas d'histoire». Est-ce que les spectateurs auront envie d'aller voir un film quand le titre suggère qu'il ne s'y passe rien?

Leurs étranges décisions ont d'autres conséquences pour le moins surprenantes. L'un des distributeurs, que je soupçonne d'avoir le béguin pour moi, a voulu me faire une «grande» surprise. Le soir de la première, il me présente son bon coup avec l'air d'un matou satisfait se léchant les babines: «Elle te plaît, ma publicité? Regarde, c'est toi la reine des Champs-Élysées!» Sur une immense affiche, j'aperçois, stupéfiée, mon effigie de plain-pied qui fait plusieurs mètres de haut! Il m'y a placée au centre, bien en évidence, entourée seulement par les visages des autres comédiens. Cette situation me met très mal à l'aise vis-à-vis de mes camarades, qui ont tous des rôles importants, *Les Plouffe* étant vraiment un travail d'équipe. En plus, au lieu de reproduire sur l'affiche une photo du tournage, mon chevalier servant a fait agrandir un cliché pris sur la Croisette, au Festival de Cannes. J'y montre mes jambes, à peine couvertes par une minijupe moderne, ainsi que mes cheveux châtains, coupés à la garçonne. Une image qui n'a rien à voir avec celle de Rita Toulouse! Anachronisme saisissant puisque tous les autres personnages sont habillés et coiffés selon l'époque du film. Heureusement, le distributeur en pâmoison a quand même eu le souci de faire effacer les palmiers!

Malgré ces bévues, je suis reconnaissante envers nos hôtes, car ils nous traitent comme des princes: chauffeurs, hôtels, grands restaurants. Pour faciliter les déplacements lors des nombreuses entrevues, j'ai droit, comme le reste de la troupe, à une jolie chambre d'hôtel, et ce, même si je vis à Paris. Quelle merveille de pouvoir fermer la porte des toilettes pour faire pipi, cela me change de mon cagibi! Parlant de chambre, je la partage avec Rémi qui, bien sûr, prend part à toutes les festivités. Avec sa nonchalance légendaire, mon amant charmant et charmeur est revenu dans ma vie comme si nous ne nous étions jamais quittés. Si personne n'était vraiment au courant de notre liaison, les doutes ne sont plus possibles. La situation est délicate, Gilles est venu seul et habite le même étage que nous. C'est que pour ne pas le blesser, lors de notre séparation, je n'avais jamais mentionné mes rapports avec… Denis Boucher. Rémi et moi sommes très mal à l'aise. Gilles compte encore beaucoup dans nos vies, et nous nous demandons comment il acceptera notre «histoire d'amour» plutôt intermittente, mais qui pour le moment s'épanouit au grand jour. La réponse nous arrive une semaine plus tard, pendant notre tournée de promotion à Genève. Très tôt le matin, nous accomplissons vaillamment notre mission publicitaire de «service après vente». Sur le plateau de télévision, un régisseur attentionné nous indique nos places: Denise Filiatrault et Juliette Huot sont assises à la droite de Gilles, et Rémi et moi, à sa gauche. Après les présentations d'usage, l'animateur pose sa première question: «Alors, Monsieur Carle, quels sont les personnages interprétés par ces deux charmants jeunes gens?» Et Gilles de répondre sans hésitation: «C'est très simple, ils jouent les rôles d'un hypocrite et d'une salope.» En se tournant vers moi d'un air moqueur, il ajoute: «C'est une explication un peu simpliste, mais pas très loin de la vérité.» Je rougis jusqu'aux oreilles, et Rémi est carrément estomaqué. Connaissant l'humour ravageur de Gilles, j'accepte finalement cette petite gifle, de bonne guerre, sa façon à lui de récupérer un peu de sa fierté blessée. N'empêche que sur le coup, je suis sans voix!

Le reste du voyage se passe dans la bonne humeur. Je me sens enfin en sécurité, entourée d'amis qui, même s'ils ignorent tout de ma pénible existence, me redonnent espoir. Je fais partie d'une équipe, j'ai une «place» auprès d'eux. Sans le savoir, ils me ramènent doucement vers la normalité. De toute façon, notre vie du moment est tellement trépidante qu'il serait malvenu de sombrer dans la déprime. Le film est bien reçu partout, et nos interprétations nous rapportent de chaleureuses accolades.

Le gala des Génie, présenté à Toronto, a lieu durant notre séjour en Belgique. Denise, Juliette et moi sommes toutes les trois sur les rangs, en nomination pour le prix de la meilleure actrice de soutien. Heureusement, nous avons de très bonnes relations basées sur le respect professionnel, il n'existe pas d'esprit de compétition entre nous. Mais parmi les cinq comédiennes sur la liste, nous espérons tout de même que l'une de nous trois va l'emporter! Exceptionnellement, à cause du décalage horaire, le verdict nous est annoncé au téléphone avant le début de l'événement: «*And the winner is... Denise Filiatrault!*» Juliette et moi la félicitons chaleureusement, ravies que le prix soit resté dans la famille.

Quelle belle occasion de célébrer autour d'un magnum de champagne! Et pendant que tout le monde cuve son vin, bien au chaud sous les couvertures, Denise doit filmer ses remerciements en direct, dans un studio glacé, à 4 h du matin. La rançon de la gloire! Malheureusement, je n'arrive pas à me laisser aller complètement à cette atmosphère de réjouissance. Je guette, toujours sur le qui-vive, l'apparition d'un symptôme, d'une tentation irrésistible qui trahirait mon fragile équilibre. Je tiens à cacher ma maladie comme une tare honteuse qu'il est impensable de dévoiler. Personne ne doit savoir. Obsédée par l'idée de reprendre du poids, je saute un ou deux repas et ne bois que de l'eau dès que je fais un écart.

Le jour de la première à Bruxelles, nous sommes emportés malgré nous dans un tourbillon de festins dignes de Gargantua. Le matin, à la conférence de presse, le café est servi couvert d'un épais nuage de crème fouettée accompagné de truffes pralinées. Il n'est que 8 h du matin, mais c'est la tradition en Wallonie! Je me laisse aller à ces petites gâteries, me promettant de faire attention pendant le reste de la journée.

On nous emmène ensuite déjeuner dans le plus grand restaurant gastronomique de Bruxelles. Un menu dégustation de huit plats aux portions plus que généreuses nous est offert: foie gras, cuissot de chevreuil, fromages et savarin glacé. Pour l'instant, je tiens la route, j'ai l'habitude! Puisque tout le monde est dans le même bateau, je me donne le droit de me régaler. Mais je suis loin de me douter que nous amorçons à peine le début de notre «sentier des tentations». Deux heures plus tard, au cocktail de la délégation du Québec, les serveurs nous proposent avec insistance des tartelettes maison au sirop d'érable! Mes camarades encore lourds de leur dernier repas font des airs presque dégoûtés, mais nous nous gavons quand même de saumon fumé!

Sans avoir eu le temps de nous reposer, nous sommes «voiturés» devant la façade du cinéma où a lieu la première. Une fanfare de musiciens portant fièrement des costumes d'officier écarlates aux boutons dorés entame *Alouette, gentille alouette*. Je me demande pourquoi les Européens croient toujours que cette chanson insipide est la préférée des Québécois! Au premier accord, un feu d'artifice bleu et blanc fleurdelisé éclate sous nos yeux ébahis. Je me retourne pour voir si le roi de Belgique s'apprête à faire son entrée, mais non, tous ces honneurs nous sont destinés! Les Belges ont vraiment le sens de l'hospitalité, jamais nous n'avons été reçus avec autant de décorum. Nous assistons seulement au début de la projection afin d'entendre les réactions des spectateurs. Connaissant le film par cœur, nous n'avons pas le courage de le visionner une fois de plus. En attendant le moment d'être présentés au public à la fin de la représentation, les organisateurs nous emmènent dans le restaurant d'en face, où est servi un énorme buffet italien avec pâtes, risottos, escalopes *alla parmigiana* et *tutti quanti*! Le propriétaire, petit bonhomme tout rond aux énormes moustaches, nous reçoit à bras ouverts: «Après cétte doûre journée, j'ai pensé qué vous sériez affamés, j'ai préparé toûtes més spécialités.» Nous nous jetons des regards désespérés. Pour ne pas le décevoir, nous remplissons bravement nos assiettes, comme des soldats qui vont au front, sans une once d'enthousiasme! De retour à l'hôtel, nous sommes tous gonflés comme des ballons et n'avons qu'une envie: nous affaler dans notre lit. Mais comme si ce n'était pas assez, avant de monter à nos chambres, la direction offre à chacun une impressionnante boîte de chocolats belges de trois étages. Trop, c'est trop!

La situation me rappelle de pénibles souvenirs encore à vif dans ma mémoire. Mais au moins, ce soir, nous sommes tous logés à la même enseigne, et l'excès de nourriture est «officialisé» par les circonstances. Voilà l'une des raisons pour laquelle les alcooliques et les boulimiques ont de la difficulté à guérir: leurs comportements anormaux peuvent se confondre avec des attitudes parfaitement acceptables en société. Je me sens tout de même coupable d'avoir trop mangé et je me prépare à passer une nuit difficile, avec indigestion assurée. Le lendemain, toute l'équipe est malade dans le train qui nous ramène en France. Madame Huot souffre d'une crise de foie, Gilles est verdâtre, Rémi ronfle écrasé sur un banc, Denise et moi nous accrochons à notre bouteille d'eau de Vichy, seul «médicament» empêchant d'étaler nos derniers excès sur la banquette. Pour une fois que je paie pour mes péchés en famille, je suis presque soulagée. Sans le savoir, pendant toute une journée, mes compagnons ont partagé ma «drogue». Cela m'a fait du bien de sortir mon monstre en public, la vilaine bête marginale a pu se montrer incognito, sans danger d'être reconnue. C'est plutôt rassurant d'avoir des amis solidaires dans la douleur! Entre deux hoquets, Juliette nous avoue, penaude: «J'ai pas pu résister hier soir, j'ai mangé plein de chocolats avant de me coucher.» J'ai envie de l'embrasser! Nous la rassurons bien vite, partageant avec elle le même secret glouton. Avant d'aller au lit, malgré notre incroyable marathon de bouffe, nous sommes tous tombés dans le chocolat! C'est assuré, pendant les deux prochains jours, je ne vivrai que d'amour et d'eau fraîche!

De retour à Paris, les jours passent à une vitesse folle entre les séances de photos pour les magazines, les entrevues avec les journalistes, les soirées dans les restaurants à la mode et les fêtes dans les boîtes de nuit. Cendrillon a enfilé ses pantoufles de vair et, accompagnée du prince Rémi, elle fait la grande vie! Paris est redevenue le Palais des Glaces. Le roi de l'hédonisme me rappelle à la cour, et j'ai bien l'intention d'en profiter. J'ai encore de fortes pulsions, mais j'arrive à les dominer, me laissant réchauffer par le bûcher des vanités.

On me trouve belle, on me trouve bonne. J'en oublie presque mes insécurités. Car les compliments et les privilèges ont la douce fonction de colmater nos blessures, de masquer nos cicatrices. Comme des animaux hypnotisés par des phares, nous baignons dans la lumière, éblouis par sa magnificence, et pourtant insensibles à ses dangers. Les éloges et la reconnaissance nous permettent de fuir la douleur, d'être anesthésiés. Très vite, les louanges deviennent un indispensable moyen de se sentir valorisés, tout en nous évitant de prendre le pouls de nos désirs les plus intimes. Mais ces faux-semblants, ces mirages, finissent toujours par s'estomper, et nous nous retrouvons seuls, encore avides du regard des autres. Cette panacée ne saura jamais nous combler, si nous oublions, à cause d'elle, de cultiver notre jardin secret. Je sens, dans ma fragilité, que ce baume est dérisoire. Une petite accalmie sur une mer violente. Mais j'accepte avec soulagement ce moment de grâce tant espéré. Lorsque j'étais perdue, au cœur de la tourmente, j'avais déjà reconnu sa lueur m'appelant au loin, telle une étoile inaccessible.

Un bonheur n'arrivant jamais seul, mon plus cher désir va peut-être enfin se concrétiser. Demain, j'ai un rendez-vous important avec un réalisateur! Bob Swaim veut me rencontrer pour le rôle principal de son film *La balance*. Après avoir vu plus de 30 comédiennes, il m'a sélectionnée, de même que deux autres candidates, pour passer des essais en costume aux côtés de deux formidables acteurs, Philippe Léotard et Richard Berri. Je n'en reviens pas de ma chance! Je suis décidée à faire le maximum pour entrer dans la peau de mon magnifique personnage. Il s'agit d'une prostituée au grand cœur déchirée entre la tendresse qu'elle porte à son amant, un souteneur alcoolique, et l'attirance physique qu'elle éprouve pour le dangereux détective qui a pour mission de les coincer.

Place Pigalle, le quartier chaud de la capiteuse cité, offre tous les relents de la vie nocturne et dépravée, qui sert de toile de fond à ma recherche. Dans un sex-shop où je n'aurais probablement jamais eu le courage d'entrer n'eût été ma profonde motivation «théâtrale», je me procure une tenue en latex des plus révélatrices; un accoutrement qui aurait fait frémir d'horreur les sœurs du couvent des Marcellines, les bonnes âmes responsables de mon éducation de jeune fille distinguée. Pour m'inspirer de modèles vivants, je n'ai qu'à observer les demoiselles de petite vie qui déambulent sous mes fenêtres, avenue Foch. À notre retour de Belgique, le délégué du Québec, Monsieur Yves Michaud, nous a invitées, Denise, Juliette et moi, à partager son immense appartement de fonction pour le reste de notre tournée de promotion. Après avoir pénétré dans un vestibule tout en marbre et digne des plus grands palaces, nous devons parcourir des kilomètres de corridors flanqués d'élégantes pièces, décorées avec un goût exquis, pour arriver enfin dans nos quartiers. Nous étions ravies d'emménager dans ces chambres spacieuses réservées d'habitude aux personnalités prestigieuses de notre gouvernement. Cette avenue huppée du XVIᵉ arrondissement, où se trouvent les loyers les plus chers de Paris, est néanmoins réputée pour ses poules de luxe, œuvrant surtout en fin d'après-midi, dans l'attente des riches patrons qui sortent de leurs bureaux.

Je suis donc dans une situation idéale pour observer leurs allées et venues, bien en sécurité dans le grand salon. Après les difficiles épreuves que je viens de traverser, l'idée de me faire accoster dans la rue par un client se méprenant sur mon identité me replonge dans le film d'horreur dont je viens tout juste de m'échapper. Alors que la Providence semble enfin pencher de mon côté, je n'ai ni la force ni l'envie de tenter le sort. Je reste à l'abri derrière les carreaux et j'absorbe comme une éponge la démarche et les comportements des jeunes femmes en bas sur le trottoir, afin de me préparer pour le rôle.

Une aventure cocasse a probablement fait regretter à notre généreux délégué d'avoir été aussi hospitalier. Le matin de mon audition, je suis prête plusieurs heures à l'avance et je déambule dans les interminables corridors en répétant mon texte. J'ai besoin de bouger pour mieux travailler mes scènes et calmer mes nerfs avant le grand moment. Affublée de ma tenue sexy (mini-jupe et bustier de latex noir, bas résille et talons aiguilles d'une hauteur vertigineuse), je me regarde dans le grand miroir de l'entrée. Je dois avouer que l'effet est plutôt saisissant! Maquillée à outrance, j'ai l'air de porter sur moi tous les péchés du monde. Complètement immergée dans ma nouvelle personnalité, je m'apprête à retourner dans ma chambre, répétant d'une voix gouailleuse les répliques de ma scène avec un accent d'argot à faire pâlir d'envie Mistinguett: «Salopard, si j'parle et qu'mon jules est au courant d'tes conneries, y t'f'ra sauter la cervelle!» Tout à coup, une impression d'être observée coupe ma concentration. Je tourne la tête et me rends compte que je suis devant la porte grande ouverte de la salle de conférence. Le délégué, entouré d'une vingtaine de politiciens très sérieux, me regarde d'un air franchement abasourdi. J'avais oublié qu'une délégation officielle, dont plusieurs sous-ministres, devait se réunir aujourd'hui dans nos murs! Morte d'embarras, je me précipite vers ma chambre aussi vite que mes «échasses» me le permettent. Heureusement, à l'heure du départ, lorsque je dois repasser devant la fameuse salle, quelqu'un a judicieusement fermé la porte... Je suis sauvée! J'aurais bien aimé être un petit oiseau et voir comment Monsieur Michaud a expliqué aux sous-ministres la présence d'une «prostituée» dans ses appartements! Décidément, ma réputation de sexe-symbole n'est pas prête de me lâcher!

Les essais se passent vraiment bien, particulièrement la scène d'émotion avec mon souteneur. Après tout ce que j'ai vécu, j'ai le désespoir à fleur de peau. Philippe Léotard, très généreux, se donne à plein même durant les répétitions. Lui aussi a des problèmes personnels, il souffre d'une forte dépendance à l'alcool. Son regard d'écorché vif me touche jusqu'au fond de l'âme. Nous résonnons à l'unisson comme deux violons bien accordés.

Par contre, la scène de confrontation entre le policier et moi m'inquiète. Pour interpréter une femme de la rue en colère, je ne peux puiser dans aucune situation familière et je dois manœuvrer à l'instinct. Richard Berri est très distant et ne fait aucun effort pour me mettre à l'aise. Au début de la séquence, son personnage doit me gifler. À la première prise, il me frappe si fort qu'il fait voler ma boucle d'oreille à l'autre bout de la pièce. J'ai les tempes qui résonnent et je suis tellement enragée que j'ai envie de le couper en morceaux. Je ne saurai jamais s'il l'a fait exprès mais, grâce à son attaque-surprise, je me sens tout à fait en situation! Nous entrechoquons nos répliques avec force, comme deux radeaux dans la tempête. À la fin de la scène, pas un bruit, pas un geste, rien qu'un silence respectueux. À voir la tête des techniciens et du réalisateur, je sens que nous avons touché une corde sensible.

Dix longs jours à attendre le résultat des auditions. Je ne tiens plus en place, car «une petite souris», la maquilleuse et amie de Bob Swain, m'a confié en secret que j'étais le premier choix parmi les candidates. Malgré tout, l'attente est supportable. Mon esprit est également préoccupé par un événement excitant auquel j'ai la chance de participer aux premières loges: la cérémonie des césars.

Je suis fin prête à assumer mon rôle de présentatrice. Pour l'occasion, j'ai choisi une création québécoise de Georges Lévesque. Sa robe de velours noir très sobre aux multiples godets me donne l'allure d'une princesse médiévale. Simple mais chic! Nicole Liss a organisé mon passage au célèbre salon Claude Maxime. Il y a deux mois, je n'aurais même pas obtenu de rendez-vous, et aujourd'hui, on m'offre le traitement royal. À Paris, c'est tout ou rien! Quatre heures plus tard, maquillée, coiffée, manucurée, je ressors transformée en diva et entre aussitôt dans mon carrosse, une Rolls-Royce bordeaux à la carrosserie rutilante. Roger Lemelin, mon cavalier pour la soirée, a eu la galanterie de venir me chercher avec la somptueuse voiture de Pierre Desmarais, un privilège dont il bénéficie en tant que président de *La Presse*. Nous franchissons les quelques rues nous séparant de la salle Pleyel et sommes amenés devant le tapis rouge, l'entrée des stars! En pénétrant dans le théâtre, j'ai le souffle coupé. Les plus grandes personnalités du cinéma se trouvent là, parées de leurs plus beaux atours. Je ne rêve pas, on m'a placée à côté d'Alain Delon. Dieu qu'il est beau en smoking! Auréolé de son incroyable charisme, le célèbre acteur se tourne vers moi et me dit d'une voix suave à faire fondre un iceberg: «Est-ce que vous êtes Carole Laure?» «Désolée, monsieur, même réalisateur, différent film!», que je lui réponds. Pas vraiment physionomiste, le grand homme. Du coup, il me paraît beaucoup moins séduisant! Je me rends compte que j'ai beaucoup de chemin à parcourir avant d'être reconnue par les gens importants assis au parterre. Je dispose d'à peine cinq minutes sur scène pour me faire un nom. Mais ce soir, tous les espoirs sont permis. J'ai bien répété ma future prestation dans l'après-midi. Pourvu que j'arrive à déchirer l'enveloppe! Un placier vient me chercher dans la salle. Ça y est, c'est mon tour! «Mesdames et messieurs, accueillons le jeune comédien du *Choix des armes*, Monsieur Jean-Claude Dauphin, et la révélation du film canadien *Les Plouffe*, Madame Anne Létourneau!» Quelle présentation! Il faut que je sois à la hauteur!

Je descends les 14 marches menant au podium d'un pas assuré, la tête bien droite, remerciant secrètement maman pour mes cours de ballet. Jean-Claude lit les nominations pour le prix de la meilleure cinématographie. C'est à moi d'enchaîner: «Et le gagnant est...» Je me bats avec l'enveloppe pendant quelques secondes qui me paraissent une éternité. «... Monsieur Philippe Rousselot pour le film *Diva*.» Après les applaudissements d'usage, le reste se passe au ralenti: la remise du prix, les remerciements, le retour à ma place. Après la montée d'adrénaline, j'ai l'impression de flotter dans une autre réalité. Je ne m'attendais pas à ce qu'un moment si court se révèle à ce point émouvant. Toute une salle et des millions de téléspectateurs accrochés à mes lèvres dans l'attente du verdict! Je suis certaine que les micros ont pu capter les battements de mon cœur allant à cent milles à l'heure.

À la pause publicitaire, j'ai besoin de me rafraîchir et me retrouve devant un barrage impressionnant d'actrices répondant au même appel pressant. Je décide de faire demi-tour et de me rendre dans une salle de repos derrière la scène. Entrouvrant la porte, j'y aperçois Nastassja Kinski, qui pleure à chaudes larmes, étendue de tout son long dans sa robe rose, petite fleur fragile entourée d'une corolle d'organza. J'ai envie de la prendre dans mes bras et de la consoler mais je n'ose pas. Quelques minutes auparavant, elle a connu un moment éprouvant sur la scène. Au moment où elle a annoncé qui était le lauréat du jeune espoir masculin, elle s'est trompée de nom! Sur la liste, deux comédiens portaient le même prénom. Dans l'énervement, Nastassja a enchaîné en mentionnant le mauvais nom de famille. Se rendant compte de son erreur, elle a rectifié la nomination alors que l'acteur déjà appelé était pratiquement rendu sur scène. Situation horriblement embarrassante pour le pauvre garçon qui a dû retourner à sa place, bredouille, pendant que son concurrent recevait le prix. Nastassja a balbutié des excuses et, désemparée, s'est esquivée sans même féliciter le vainqueur.

Je regrette de ne pas avoir eu le courage de la réconforter ce soir-là. J'aurais aimé partager sa peine et lui dire combien je l'avais aimée dans le film *Tess*, de Roman Polanski. J'avais appris moi aussi que même en ayant le monde à ses pieds, il est possible de se trouver sotte et maladroite, et de mourir à petit feu sans jamais trouver sa vraie place, et ce, malgré le succès et les flatteurs.

À la fin de la soirée, nous sommes invités au célèbre Fouquet's pour le banquet traditionnel. Pendant que Roger Lemelin et Denise Filiatrault font la conversation avec les invités de marque partageant notre table, ma chère amie Nicole Liss, fidèle à sa mission de relationniste par excellence, me fait faire le tour de la salle afin de me présenter aux nombreux producteurs et réalisateurs. Un frisson d'anticipation me caresse l'échine. Ce moment, j'y ai tant de fois rêvé. L'occasion privilégiée d'établir un vrai contact avec les ténors du métier, les créateurs et les financiers qui, d'un claquement de doigt, ont le pouvoir de façonner ma destinée. Je suis prête, je me sens belle. Cendrillon est enfin arrivée au bal dans sa robe d'apparat. Elle a relevé le pari, s'est transformée en princesse et attend avec émotion la reconnaissance de ses pairs. J'avance, armée de mon innocence, les yeux brillants de naïveté. Mais chaque rencontre fait pâlir d'un cran mon sourire et perce insidieusement mon étincelante armure. Je n'ai droit qu'à quelques bonsoirs distants, qu'à quelques froncements de sourcils accompagnés d'un murmure dédaigneux. À mesure que progressent les présentations, la froideur avec laquelle on m'accueille remplit mon cœur d'humiliation. Je me rends compte que personne n'est vraiment intéressé. En deux mots, tout le monde s'en fout! Trop occupés à essayer eux-mêmes de se faire remarquer, mes interlocuteurs me tendent la main sans même me regarder, cherchant des yeux les célébrités. Ils sont tous à l'affût, déambulant dans un paradis superficiel où chaque ego veut s'accoupler à une star pour gravir un nouvel échelon de notoriété. J'ai remis un prix tout à l'heure, est-ce que ça compte pour quelque chose? Je me sens comme une enfant fière de montrer son plus beau dessin à des parents indifférents qui ne prennent pas le temps de l'apprécier. Nous nous arrêtons pour saluer la comédienne Isabelle Huppert, accompagnée du gourou de la Gaumont, Monsieur Toscan du Plantier. Ce mécène est reconnu pour avoir lancé la carrière de nombreuses actrices dont la plus réputée est effectivement assise en face de moi.

Sans daigner m'adresser la parole, Mlle Huppert se détourne vers son compagnon et lui dit d'une voix hautaine: «Mais, c'est qui cette fille? Une illustre inconnue! Pourquoi on lui a fait remettre un césar?» Dans la cour des grands, les joueurs sont sans pitié. Elle peut le garder, son fameux Klaxon du Plombier (surnom que j'ai donné au célèbre producteur)! Je voulais simplement échanger quelques mots! Les yeux pleins d'eau, je demande à Nicole de me ramener à ma table, car cette méchante allusion m'a scié les jambes. À l'ombre de mes récents échecs, je suis tellement sensible, si peu sûre de moi que la remarque d'Isabelle Huppert a suffi à me couper les ailes. J'en viens à me dire qu'elle a peut-être raison, que je n'ai pas ce qu'il faut pour réussir. Comment puis-je avoir la prétention de faire partie de leur «corps d'élite»? Soudain, la salle me semble remplie de requins prêts à tout pour avoir leur part du festin. Je ne me sens pas de taille à les combattre, je préfère m'en aller.

Roger, mon généreux cavalier, ne comprend pas pourquoi j'abandonne si vite le navire. Malgré sa désapprobation, il me prête la Rolls pour rejoindre Rémi, en province, qui fête l'anniversaire d'un ami. Je me sauve, disant à peine au revoir à mes compagnons de table. Avant d'entamer les deux heures de route, je demande à Jean-François, le chauffeur, de s'arrêter chez un traiteur que je connais bien dont la boutique se trouve près des Champs-Élysées. Sur la banquette arrière de la voiture, surveillée par les regards inquiets de mon conducteur, trop stylé pour se permettre de dire quoi que ce soit, je me tape une formidable crise de boulimie et m'empiffre tout le long du trajet. Nous arrivons vers quatre heures du matin, après nous être sérieusement perdus sur les routes de campagne. Il est tard, la fête est finie. J'entre au salon, dans toute ma splendeur, les coutures de ma robe de bal prêtes à exploser sur mon ventre, pour ne trouver que des corps endormis et enchevêtrés sur le divan. Dans l'autre pièce, trois fêtards que je ne connais pas me regardent avec l'indifférence de leur œil hagard et éthylique. Finalement, je m'allonge tout habillée près de Rémi, que j'ai trouvé inconscient dans une des chambres du deuxième étage. Incapable de dormir, j'ai le cœur dans la gorge. Quel gâchis! Qu'est-il advenu de mon étincelante intronisation dans le monde des célébrités? Le grand cru millésimé s'est transformé, encore une fois, en fond de bouteille médiocre.

Ma courte apparition à la cérémonie des césars a tout de même provoqué des réactions. Le lendemain, mon agente reçoit deux propositions. Un petit caméo insipide pour jouer une «gendarmette» dans la quatrième reprise du *Gendarme à Saint-Tropez*, avec Louis de Funès, et le rôle principal de *L'île des vierges*, un navet semi-érotique. Non merci! Après ma dernière expérience dans le film de Carcassonne, je refuse sans aucune hésitation.

J'attends toujours avec impatience la réponse de Bob Swaim, pour *La balance*. Le projet a déjà très bonne réputation dans le milieu: un scénario solide avec des rôles en or taillés sur mesure pour trois acteurs chevronnés.

Quelques jours plus tard, par un matin ensoleillé, je m'apprête à commencer mon petit-déjeuner des bons jours: thé, pommes vertes et yogourt nature, disposés dans une jolie vaisselle harmonisée aux couleurs de ma minuscule chambre. Je regarde avec plaisir l'énorme bouquet d'iris et de jonquilles, témoignage affectueux de mon distributeur «énamouré», qui a tenu à me remercier d'avoir si bien représenté son film aux césars.

Je suis touchée par sa gentille attention, surtout que je ne portais pas sa minijupe préférée à la cérémonie! Aujourd'hui, l'avenir me semble moins gris. Je suis certaine que ma persévérance, mon courage et mon désir de continuer de vivre à Paris, en dépit des difficultés, vont un jour porter fruit. Mon amour du cinéma est si fort qu'il finira par triompher de ma peur, de ma peine et de l'adversité.

La sonnerie du téléphone me tire de ma bienheureuse méditation. «Salut, Anne, c'est Bob Swaim.» Ah! Seigneur, j'ai les mains qui tremblent. Calme-toi, ma fille, il t'appelle à la maison sans passer par ton agent, c'est bon signe! «D'abord je dois te dire que tu m'as épaté, ton audition était formidable.» Continue, continue, ça commence bien! «Les producteurs l'ont visionnée et ont trouvé comme moi que tu étais très crédible. Ta transformation nous a fait complètement oublier que tu n'es pas Française.» Oui, oui, ça me plaît de plus en plus! «Écoute, c'est dommage, mais les producteurs ont décidé qu'ils voulaient un «nom» sur l'affiche. Ils me donnent le choix entre Marlène Jobert et Nathalie Baye. Je suis vraiment désolé, je ne pourrai pas te donner le rôle.» «Je comprends, lui dis-je d'une voix éteinte. Merci de m'avoir fait le message personnellement.»

En raccrochant, je suis prise d'un vertige. Je me sens happée dans un ravin sans fond. Combien de déceptions devrai-je encore affronter avant que le destin me berce dans ses bras et m'enveloppe de sa miséricorde? La falaise que je m'oblige à escalader est-elle infranchissable? Ai-je les qualités pour survivre à la hauteur de mes ambitions? En altitude, l'oxygène est rare, et les places sont convoitées. Seuls quelques élus ont l'endurance pour y séjourner et y récolter les honneurs. Ne serai-je jamais de ceux-là? Les mots d'Isabelle Huppert me reviennent en mémoire comme une triste prophétie: «C'est qui, cette fille? Une illustre inconnue!» Comment sortir de l'ombre pour m'envoler vers la lumière?

Dans les semaines qui suivent, j'essaie de me réconforter en me répétant le dicton «Un refus n'est qu'un pas de plus vers le succès». Je sais que le rejet fait partie de mon métier. Même les vedettes les plus en vue vivent des situations similaires. C'est le lot des acteurs d'être à la merci du désir des autres. Mais ce n'est jamais agréable à vivre, ni facile à accepter. Pourtant, il suffit d'un beau personnage dans un film remarqué pour passer au niveau supérieur. *La balance* aurait pu me donner l'occasion de jouer dans les ligues majeures.

Un an plus tard, la première œuvre de Bob Swaim gagne le César du meilleur film, et les trois comédiens principaux, Richard

Berri, Philippe Léotard et bien sûr… Nathalie Baye, sont en nomination. Je regarde la cérémonie à la télévision.

Mon existence en montagnes russes se poursuit, illuminée
par des sommets prometteurs, pour retomber ensuite dans des
vallées obscures. Deux mois ont passé depuis les césars et le coup
de téléphone maudit m'annonce la perte du rôle. Je me remets
doucement du cyclone qui a ravagé mon peu de confiance en
moi reconstruit de peine et de misère sur des fondations trop fragiles. Je suis retombée dans mon mécanisme «analgésique», dans
mes pulsions «antidouleur», et j'ai repris du poids. Pas assez pour
me dégoûter complètement, même si je me trouve difficilement
«montrable». Évidemment, la vision qu'on a de soi-même est totalement subjective. Beaucoup de femmes rondes sont à l'aise
avec leur physique. Je les admire de braver les conventions et de
s'aimer comme elles sont. Les hommes sont aussi attirés par des
amantes bien en chair!

Mais notre bien-être dépend de nos croyances et de nos perceptions; les miennes sont intransigeantes. Je me dois d'avoir un
corps parfait, puisque le sort m'a placée dans la catégorie «jeune
première belle et sexy». Il me faut correspondre aux canons de
beauté des magazines et à l'image de mes personnages projetés
sur les écrans. C'est là ma seule «identité», je ne sais pas vivre autrement. La moindre dérogation à mes critères imaginaires marque
au fer rouge sur mon front le mot échec. Dans le délire où je me
suis enfermée, les kilos en trop semblent exposer ma honte au
grand jour. Puisque les pensées créent l'expérience, le reste du monde
ne fait que me refléter mes «incapacités» inventées. Je suis encore
trop nouvelle à l'école de la vie pour comprendre ses leçons et je
perçois les cruelles images qui peuplent ma tête comme étant la
seule et unique réalité. Je ne connais pas encore la loi universelle
qui nous apprend qu'en modifiant nos pensées, nous influençons
notre destinée.

Trois mois plus tard, alors que je commence à désespérer de ne jamais participer à un tournage en France, un rôle dans un téléfilm m'est proposé. Le réalisateur Maurice Dugowson est un très bon ami de Gilles Carle. Deux ans auparavant, nous avons partagé de nombreux dîners bien arrosés. Il ne sait pas à quel point son offre me fait du bien! Nous allons tourner à Estampes, une petite ville de province tout à fait charmante. Le film fait partie des *Séries noires*, des émissions de 90 minutes inspirées par les célèbres romans policiers du même nom. J'y incarne Mimi, une pin up égocentrique et capricieuse qui, avec son amant, complote la mort de son mari, un ambulancier pépère et sans ambition. Pour interpréter le rôle de la victime, nul autre que… Jean-Claude Dauphin, mon coprésentateur de la Nuit des césars! Lors de notre très brève apparition, Dugowson, trouvant que nous formions un beau couple, a décidé de miser sur notre harmonieux duo. Mes cinq minutes de gloire auront servi à quelque chose! La vie a parfois en réserve de surprenants cadeaux, mais il faut avoir la patience de les attendre!

Sur le plateau, les deux premières journées, mon instrument est plutôt rouillé. Cela fait plus d'une année que je n'ai pas joué, et beaucoup d'eaux usées ont coulé sous les ponts depuis mon premier film français. Mais mon personnage est vraiment «juteux», et c'est un réel plaisir de l'interpréter. Alors que je commence à me sentir dans mon élément, arrive la scène de bronzage. Un moment assez anodin, en apparence, où Mimi prend un bain de soleil dans son jardin. Sauf que le producteur a décidé que je ferais cette scène nue! La nouvelle me fait l'effet d'une bombe. D'abord parce que ce détail n'est pas inscrit au scénario et n'est pas nécessaire dans l'histoire, ensuite parce que je me trouve grosse et que je n'ai absolument pas l'intention de me montrer en costume d'Ève! J'espérais porter un maillot une pièce avec les hanches cachées par une serviette de bain!

Dans les années 80, le mot d'ordre du cinéma européen est «il faut montrer des femmes nues pour attirer les spectateurs». La

81 美

grande tendance est de mettre sur les affiches de belles actrices dans le plus simple appareil, même si cela n'a rien à voir avec le sujet du film. Par exemple, la publicité de *Sauve-toi Lola* montre une photo de Carole Laure alanguie, la poitrine dénudée, alors que le thème du film est le drame des femmes se battant contre le cancer! Je n'ai rien contre la nudité en soi, elle a toujours eu sa place dans les arts depuis des siècles. Les peintres, les sculpteurs et maintenant les cinéastes ont toujours célébré la beauté des femmes «au naturel». Par contre, appelez-moi féministe si vous voulez, mais j'ai un réel problème lorsque les hommes veulent exploiter nos corps pour faire augmenter les entrées en salle, pour vendre de la bière et des machines à laver ou pour rendre plus «désirable» un sujet douloureux comme le cancer!

Dans le cas présent, je trouve que l'exigence de me faire tourner nue est complètement injustifiée. Jamais une jeune femme, même délurée, ne se ferait bronzer à poil devant sa maison, dans un petit village où tous les voisins peuvent l'apercevoir! Après de pénibles discussions avec le producteur, je réussis seulement à garder le bas. Je me place, mortifiée sur ma chaise longue, lorsque le réalisateur m'interpelle: «Qu'est-ce que c'est que cette couche que tu portes? Tu ne veux tout de même pas tourner avec ça!» Quoi, une couche? Mon joli bikini importé d'Italie!

Je refuse absolument d'enlever la seule protection qui cache tant bien que mal les bourrelets de mon ventre. À mon grand désarroi, ma décision déclenche ma première «guerre ouverte» avec un réalisateur, un homme dont je respecte le talent et qui m'a fait l'honneur de me choisir pour son film. Comment ai-je pu m'embourber dans une situation pareille, moi qui, d'habitude, essaie à tout prix d'éviter les confrontations? Mais je ne peux pas céder, j'ai encore un peu de fierté!

Facile d'imaginer l'atmosphère qui règne sur le plateau. Le lendemain, pour arranger les choses, j'ai une scène de lit avec l'homme qui joue mon amant. Le comédien choisi est trop âgé pour le rôle et arbore une cinquantaine bien entamée. Comme par hasard, personne ne lui demande de se déshabiller, lui! Pendant la scène, à l'abri sous les draps, je me penche pour l'embrasser et constate avec effroi qu'il a une haleine épouvantable. Dans un manque total de considération pour sa partenaire, il a mangé du camembert et du saucisson à l'ail pour déjeuner! Entre les prises, il fume sans arrêt ses Gitanes maïs, des cigarettes au papier jaune dégageant la pire des odeurs. À tort ou à raison, vu les événements de la veille et le fait que ce comédien est l'ami intime du réalisateur, je n'ose pas me plaindre. Je reste couchée à ses côtés pendant toute la journée, un mouchoir sur le nez!

Heureusement, je m'entends très bien avec Fabrice Lucchini, nouvellement arrivé sur le plateau. Pas encore la vedette qu'il est aujourd'hui, il joue avec brio le rôle d'un assassin psychopathe. Pince-sans-rire d'une intelligence rare, il nous fait hurler de rire entre les prises avec ses remarques acerbes d'intellectuel snobinard, même s'il existe un certain climat de compétition entre Jean-Claude Dauphin et lui, à savoir qui des deux fera le meilleur mot d'esprit. Pour moi, le tournage se termine sur une fausse note, à cause du malaise persistant avec le réalisateur. Il ne semble pas m'avoir pardonné ma crise d'indépendance.

Je retourne à Paris dans une totale confusion. Ai-je bien fait de respecter mes convictions ou aurais-je dû plier pour ne pas froisser mes employeurs? Je sais qu'ils ne m'engageront plus jamais, mais vont-ils de surcroît me faire une réputation d'actrice difficile? Est-ce que pour une femme, le fait d'assumer son autorité veut nécessairement dire qu'elle sera incomprise, rejetée? J'ai tellement besoin de plaire, d'être appréciée, mais pour y arriver, devrais-je me trahir? Malheureusement, la douleur du rejet est trop cuisante, et mon avenir, trop incertain. Comme beaucoup de femmes et de jeunes comédiennes avant moi, je prendrai la mauvaise décision. Je m'obligerai désormais à éviter les conflits et à adopter, contre mon gré, le chemin sécurisant de la fausse douceur.

Plusieurs mois passent dans l'attente d'un autre projet. Ma triste routine reprend ses droits: l'angoisse, le désarroi, les heures passées à m'empiffrer dans les cinémas, la culpabilité, la honte, les remords. Un long tunnel tapissé de chocolat noir où j'avance comme un zombie, les yeux englués par des nuages de sucre, m'empêchant d'en voir la sortie. Mon histoire avec Rémi tire définitivement à sa fin, il joue dans un film à Venise avec la divine Claudia Cardinale. Loin des yeux, loin du cœur!

Un après-midi, boulevard de l'Opéra, je me rends à ma deuxième séance de cinéma-bouffe quand mon regard est attiré par une affiche dont la vulgarité me laisse pantoise. Sous le titre puéril *Une glace avec deux boules*, l'image gigantesque de deux boules de crème glacée placées côte à côte dans un cornet, imitant une paire de seins avec tétons en érection, m'apparaît comme un triomphe de mauvais goût. Un film que je n'irai sûrement pas voir! Je me demande tout de même qui joue là-dedans. Au bas de la photo, je lis avec horreur les noms des protagonistes: Anne Létourneau et Rémi Laurent! Mon Dieu! Ce n'est pas possible, ils ont changé le titre qui devait être *La fête des mères*, et mon nom est associé à cette imbécillité! J'ai au moins l'espoir que ce «chef-d'œuvre» tourné il y a plus d'un an à Carcassonne, reste si peu longtemps à l'affiche que personne n'aura le temps de le voir. Je n'avais pas pensé à la bande-annonce.

Deux jours plus tard, je croise dans la rue le délégué général du Québec, Monsieur Yves Michaud, que je n'avais pas revu depuis mon séjour inoubliable dans ses appartements. «Ma chère Anne, comment vas-tu? Je t'ai vue hier dans une publicité pas mal "olé, olé". Tu joues dans des films érotiques, maintenant?» J'essaie de lui expliquer que le sujet et le titre du film ont été détournés, que les comédiens ont tous été bernés par un producteur sans scrupules. Mais son idée est déjà faite, je le vois bien à son regard amusé. Sur les milliers de piétons qui déambulent dans Paris, il fallait que je tombe sur lui! Quelle haute opinion il doit avoir de moi. Décidément, ma fausse réputation me poursuit!

La Ville lumière a décidé de me reléguer dans l'obscurité. Les perpétuelles attentes déçues et les insécurités me donnent envie de m'échapper. Dans quatre mois, le tournage de la suite des *Plouffe* commencera au Québec. J'ai trop de respect pour mon rôle porte-bonheur de Rita Toulouse, pas question de l'aborder dans l'état lamentable où je m'enfonce. Je dois m'extirper de mes sables mouvants. Jusqu'à maintenant, je n'y suis arrivée que temporairement. Comment trouver une solution définitive pour sauver mon travail du marécage des compulsions? Sur le mur, en face de mon bureau, est affichée une lettre en papier glacé que j'ai déjà lue une dizaine de fois. C'est une invitation pour m'inscrire comme interne dans un programme à long terme organisé par la Russell House de Key West.

En échange de plusieurs heures de travail par semaine, le gîte et le couvert sont offerts gratuitement, une merveilleuse occasion de séjourner au centre pour une période prolongée. Le but de cet «internat» est de tester une nouvelle technique, la New Life Diet, une approche holistique favorisant la perte de poids et la déprogrammation des anciennes habitudes nuisibles à la santé. Saint Michel archange, merci, tu as entendu mes prières! Six clientes seulement sont invitées à y participer, et j'ai la chance d'avoir été choisie! Ma décision est prise, je pars en Floride. Pendant 12 semaines, je travaillerai avec des conseillers chaleureux qui, je l'espère, portent en eux le secret de ma guérison.

CHAPITRE 4

DE L'INFINIMENT PETITE
À
L'INFINIMENT GRAND

KEY WEST a toujours eu un effet bénéfique sur mes humeurs. Me voici de nouveau résidente de cette île «bijou» d'à peine deux milles de long, enchâssée à l'ouest par le caressant golfe du Mexique et, à l'est, par le fier Atlantique. Il y a 20 ans, cette petite communauté revêtait l'aspect charmant d'un village des Caraïbes. Il s'en dégageait une apaisante harmonie: pas de building moderne, pas de restauration rapide. La délicatesse de l'architecture, les couleurs pastel des pensions de famille aux jardins manucurés étaient un baume pour les yeux. Dans la rue principale s'étalaient de jolies boutiques, de délicieux restaurants nichés dans des maisons historiques parfaitement entretenues, rehaussées par l'orangé vif des azalées et le fuchsia profond des bougainvilliers. À l'époque, aucun édifice ne pouvait dépasser la hauteur d'un palmier, tout le contraire de Miami. Un réel paradis!

En descendant du petit avion de 16 places qui vient de survoler Key Largo, mes sens sont éveillés par une merveilleuse odeur, un mélange suave d'air marin et de plantes tropicales. J'ai encore en tête la vision spectaculaire du fameux Seven-Mile Bridge, étroit passage tel un long serpent d'eau se faufilant entre les îles. Comme lui, j'ai laissé derrière moi ma vilaine peau pour me glisser dans une tanière chaude et hospitalière, favorable à la mue. Je quitte les eaux boueuses du Marais pour me purifier dans la mer. Déjà, les malheurs de mon exil parisien me font moins mal, la douleur vive n'est plus qu'un élancement. Mes souvenirs poisseux, la solitude, les déceptions, le dégoût de mon corps se sont pour l'instant endormis. Je voudrais qu'ils n'aient plus jamais de droits sur moi. Je nourris le rêve fou qu'ils disparaissent pour toujours, qu'ils ne soient plus que de pâles cicatrices d'une guerre oubliée. J'ai besoin d'une victoire et je sais qu'en ce lieu m'attend une impressionnante réserve de munitions. J'aime cet endroit, une fois déjà, je m'y suis guérie. Pourtant la maladie teigneuse n'a pas voulu lâcher sa proie. Comme une malaria, la fièvre m'a reprise, encore et encore. Mais aujourd'hui, j'ai devant moi le temps et les moyens de soigner ma convalescence. En prenant mes bagages, mes deux sacs en équilibre dans les mains, j'ai l'impression d'amorcer un rituel sacré, le premier geste catalyseur de ma métamorphose. J'ai enfin la conviction d'être au bon endroit, au bon moment.

Mes émouvantes retrouvailles avec Enid, la propriétaire du centre, confirment mes espoirs. Elle m'accueille avec un immense sourire éclairant son visage de lune. Malgré ses rondeurs, Enid a toujours des étincelles dans les yeux qui font presque oublier ses proportions éléphantesques. Pour me souhaiter la bienvenue, elle me serre si fort contre elle que je disparais complètement dans ses montagnes de chair. Je me sens toute mince, enveloppée de son énorme affection et je remercie intérieurement les anges de m'avoir ramenée dans cette maison où j'ai trouvé un refuge et une amie. Enid a une fille de mon âge qui est comédienne à Hollywood et dont elle est très fière, mais qu'elle ne voit qu'une ou deux fois par année. Ayant de la difficulté à se déplacer à cause de son poids, la chère femme sort très peu de chez elle. Sa belle et talentueuse progéniture lui manque énormément. Je remplirai une partie de ce vide avec gratitude, ravie d'être invitée à partager une intimité où bien peu d'élus sont admis. Malgré les événements éprouvants qui ont marqué sa vie – un mari adoré emporté par la maladie avant la quarantaine et un fils de 20 ans mort à la guerre du Vietnam – mon amie a l'étoffe d'une philosophe. J'ai beaucoup appris à son contact, en plus de trouver une oreille attentive. Nous partageons la même faiblesse: une émotivité à fleur de peau nous poussant implacablement dans les griffes de l'ogre boulimique. L'isolation dans laquelle cet état nous confine est tellement dure à vivre qu'avoir la possibilité de rompre le silence et de se confier devient un baume inestimable. Nous passerons ensemble de précieux moments étendues côte à côte, sur le grand lit de son appartement, à boire de la tisane en reprisant les mailles fragiles de nos déchirures.

La Russell House, où séjournent les jeûneurs en cure, brille d'un jaune vif comme le soleil, alors que le rutilant New Life Center dont nous serons les premiers occupants est entièrement rose. Les rideaux, les couvre-lits, les boiseries arborent tous des teintes similaires allant du rosé tendre au bordeaux profond. Un peu excessif comme choix et pas vraiment dans ma palette de couleurs préférées en décoration, mais peut-être l'effet est-il «songé»? Quand j'étais petite, je croyais dur comme fer que les fermiers mettaient des lunettes roses aux poules pour qu'elles pondent mieux, cette couleur les gardant prétendûment de bonne humeur! Une chose est sûre, je ne pourrai m'empêcher, pendant les trois prochains mois, de voir la vie en rose!

Sachant que la clinique expérimente son programme pour la première fois, je me sens l'âme d'une pionnière. La vocation du nouveau centre est de nous apprendre comment changer nos habitudes alimentaires et comment améliorer notre style de vie par la répétition et le conditionnement dans un environnement contrôlé. Tout en nous demandant en plus de travailler comme consultantes auprès d'autres personnes, ce qui nous obligera forcément à nous prendre en main et à prêcher par l'exemple. Avoir recours à des boulimiques pour guider d'autres femmes aux prises avec des problèmes de poids est une technique audacieuse, mais pleine de bon sens. En donnant des responsabilités aux personnes compulsives, on démontre qu'on peut leur faire confiance et on instille en elles fierté et respect. Cette théorie donne foi à l'une de mes expressions préférées, «on enseigne bien ce qu'on a le plus besoin d'apprendre».

Nous voici donc arrivées sur notre île de palmiers. Six joyeuses naufragées prêtes pour la grande aventure. Notre groupe compose un savoureux *melting-pot*: une Portoricaine, trois Américaines, une Québécoise et une résidante des Bermudes.

Nous avons déjà beaucoup de sympathie l'une pour l'autre. Nous honorons le courage dont chacune d'entre nous a fait preuve en se lançant de plain-pied dans l'inconnu et en choisissant de quitter foyer et famille pour passer de longues semaines en internat avec l'espoir d'améliorer notre estime de nous-mêmes et d'arriver à garder définitivement le contrôle de notre poids.

Les installations sont confortables quoique pas très privées. On nous octroie une seule chambre pour trois personnes. Invitée à séjourner ici aux frais de la maison, je suis tout à fait disposée à mettre de l'eau dans mon vin, quitte à sacrifier mon intimité. Dans cet environnement, style colonie de vacances, je ne pourrai plus me plaindre de manquer de compagnie!

Consciente de la formidable occasion qui m'est offerte, je frétille à l'idée d'explorer ce territoire inédit. Une anticipation teintée d'anxiété. Je devine qu'un exigeant pèlerinage m'attend. La guérison s'accomplira lorsque j'accepterai de faire remonter à la surface mes veilles peurs et mes anciennes blessures.

Avant de pouvoir faire la paix avec l'ennemi, il me faudra d'abord le regarder en face. Et puis, trouver en moi assez de compassion pour accepter mes limites et me pardonner mes erreurs. J'espère secrètement avoir l'endurance pour tenir la route et parcourir ce formidable marathon avec mes consœurs.

Je partage une grande chambre sous les combles, avec deux autres internes: Cathy, une pulpeuse brune, fatale beauté de Boca Raton, le coin chic de Floride, et Doreen, une grande et forte blonde, vraie boule de dynamite travaillant comme animatrice à Disney World, à Orlando. La première veut perdre du poids pour se dénicher un beau mari riche et célèbre sur les terrains de golf de West Palm Beach, et la deuxième veut se remettre en forme pour passer les examens d'entrée du F.B.I. La troisième comparse est une actrice aux abois essayant de redevenir présentable pour son prochain film! On ne peut imaginer des femmes provenant d'univers plus différents. Mais nous nous entendons à merveille, car un élément nous rapproche: notre détermination. Nous sommes bien décidées à suivre le programme à la lettre et à donner le maximum pour intégrer ses positives leçons dans nos vies.

La première semaine de notre internat, nous apprenons les règles de base et le fonctionnement logistique du centre afin de nous préparer aux interactions avec les clients. Je suis très excitée, tout cela est nouveau pour moi. Je n'ai jamais travaillé un seul jour de ma vie à faire autre chose que le métier de comédienne. J'espère que je pourrai me débrouiller dans un autre métier!

Ma tâche consiste à prendre la tension et le poids des jeûneurs tous les matins à 7 h, à les accompagner dans leur marche matinale et à être disponible à la réception du centre, trois après-midi par semaine, pour répondre à leurs besoins. Je consacre aussi un dimanche sur deux à l'accueil des nouveaux pensionnaires. Le soir même, je dois leur donner une conférence d'orientation. Elle me permet de leur expliquer les préceptes de l'alimentation naturelle et les différentes techniques d'hygiène holistique. Par exemple: comment se brosser la peau à sec pour favoriser le travail d'évacuation de la lymphe, comment activer la circulation en alternant douches chaudes et glacées, et même, comment se faire des lavements. L'action primordiale et réglementaire pour tout jeûneur qui désire vraiment se désintoxiquer! Un sujet délicat demandant une bonne dose d'humour!

À ma grande surprise, je plonge dans mon travail avec l'aisance d'un poisson d'eau douce, me découvrant des talents insoupçonnés de communicatrice. Au cours des mois, j'apprends à aimer énormément ce nouvel «emploi» où je me sens utile. J'y apprécie les contacts simples et directs. Lorsque les gens savent qu'on est comédienne, les rapports sont souvent faussés. On devient quelqu'un d'«à part», nos interlocuteurs ont parfois tendance à nous idéaliser. Dans cette maison de santé, je ne suis pas une actrice mais simplement Annie. Je suis là pour rendre service, pas pour briller. J'écoute les problèmes des autres, je compatis. Je les aide, si je le peux. Pour une fois, j'ai d'autres responsabilités que moi-même. Je me découvre une nouvelle identité de soignante, de conseillère, et c'est bon!

Mais après avoir appris comment bien s'occuper des autres, il est temps de s'occuper de soi. La deuxième semaine, notre entraînement personnel commence. Nous sommes chaperonnées par Carol-Ann Baker, une jeune femme formidable dotée d'une indomptable énergie. Notre directrice nous a concocté un programme très élaboré, basé sur le concept du béhaviorisme, du mot anglais *behavior*, qui se traduit par comportement. Cette thérapie consiste à changer les attitudes mal adaptées en modifiant le comportement et en créant un conditionnement qui fortifie l'apprentissage du contrôle des pulsions. En d'autres termes, on va nous demander d'effectuer une série d'actions positives que nous essaierons de développer en nouvelles habitudes, qui remplaceront nos comportements compulsifs. Nous accomplirons cette programmation sur une période de 21 jours, par le truchement d'un horaire à suivre et de listes d'actions quotidiennes codifiées. Tout un tableau de bord! Notre cahier d'exercices de la première séance fait plus de 150 pages. Je me rends compte que la technique du béhaviorisme est un travail à temps plein. Les six cobayes dévoués vont avoir du pain sur la planche! Pour se soumettre à ce régime, il faut avoir une bonne connexion avec son thérapeute. Il faut respecter et avoir confiance en son capitaine, comme à l'armée!

Carol-Ann vient du sud des États-Unis, du Texas. Sa personnalité chaleureuse, sans «fioritures», m'a tout de suite plu. Elle est plutôt jeune, 30 ans à peine, mais possède déjà un impressionnant curriculum. Elle est hypnothérapeute et travaille, entre autres, avec les détectives de la police de Miami, en utilisant l'hypnose pour ramener à la mémoire des meurtriers des moments oubliés de leurs crimes passés, enfouis dans leur subconscient. Ces séances aident les psychologues à établir leurs diagnostics: l'accusé, lorsqu'il a perpétré ses méfaits, était-il conscient ou atteint de folie passagère? Souffrait-il peut-être d'un syndrome de personnalités multiples? Je suis fascinée. Si je n'avais pas choisi le métier de comédienne, j'aurais voulu être avocate ou criminologue. Dans mon adolescence, j'ai lu énormément sur les tueurs en série, comme l'étrangleur de Boston et Jack l'éventreur, et sur les dictateurs coupables de génocide, comme Hitler et Staline. Mon premier livre en anglais, opération laborieuse où j'ai eu besoin d'un dictionnaire à chaque page, fut la biographie de Charles Manson, l'immonde individu qui a fait massacrer l'actrice Sharon Tate alors enceinte de l'enfant de Roman Polanski.

J'ai toujours été horrifiée et intriguée à la fois par le mal à grande échelle. Des antécédents familiaux expliquent peut-être mon étrange intérêt pour les assassins. Mon grand-père maternel, que je n'ai jamais connu, a régné sur Montréal à titre d'avocat criminaliste le plus réputé de son époque. M'a-t-il légué ce trait qui me transforme en «détective de l'âme»? J'ai toujours voulu comprendre ce qui poussait les hommes à accomplir ces actes terrifiants. Sont-ils les conséquences d'enfances horriblement perturbées, de déséquilibres émotionnels exacerbés ou les fruits de tares héréditaires? Où est-ce que de noires entités se glissent dans les failles béantes de ces personnalités déjà attirées par le mal? Pourquoi la justice divine, si elle existe, permet-elle de telles atrocités? Pas besoin de vous dire que les travaux de Carol-Ann ont attiré mon intérêt et mon admiration. Mais les prodiges de sa vie ne s'arrêtent pas là. Cette femme courageuse a développé ses facultés d'hypnothérapeute lorsqu'on lui a diagnostiqué un cancer de la lymphe à l'âge de 25 ans. Décidée à se battre par tous les moyens, elle s'est plongée dans l'étude des médecines parallèles. Son cancer est maintenant histoire du passé. Voulant se guérir en limitant les effets secondaires débilitants de la chimiothérapie, elle a eu recours, avec succès, à l'autohypnose et à la visualisation créatrice. Par la suite, Carol-Ann a décidé d'en faire une carrière. Elle possède une telle maîtrise de son art qu'elle n'a plus besoin de se faire geler par le dentiste avant un traitement de canal. Elle a même subi une opération à la vésicule sans anesthésie. J'avais déjà entendu parler qu'en Chine on utilisait l'acupuncture comme seul moyen d'inhiber la douleur au cours d'opérations, et que c'était une pratique courante pendant les accouchements, là-bas. Mais j'avoue qu'envisager de se faire couper les chairs sans être endormie, grâce à la seule force de son mental, demande beaucoup de confiance dans la qualité de son hypnose!

Précédée de cet incroyable vécu, notre hardie directrice n'a aucune difficulté à maintenir notre dévouement. Nous sommes vraiment motivées par son exemple et écoutons avec attention la présentation de son premier cours: «Ce que j'aimerais que vous accomplissiez pendant les 21 prochains jours demande que vous preniez la décision de remplacer systématiquement vos pulsions destructrices par un comportement plus productif. Après trois semaines, vos nouvelles attitudes choisies délibérément s'ancreront dans votre subconscient. Une nouvelle "disquette" positive aura remplacé les messages aliénants de votre mental et vous permettra de maintenir vos décisions saines dans le futur. Pour la mise en pratique de cette théorie, je voudrais maintenant que vous trouviez des comportements substitutifs, faciles à appliquer, lorsque l'envie de trop manger vous prendra.» C'est le moment de montrer notre ingéniosité! Je décide de me mouiller les pieds la première: «Je m'engage à boire deux grands verres d'eau pour calmer mon estomac chaque fois que j'aurai "l'appel du sucre". Je tiendrai ma promesse de boire deux litres d'eau par jour, tout en m'empêchant de faire des excès.» Doreen enchaîne: «Et moi, chaque fois que je me dirigerai vers un dépanneur pour acheter mes chips et ma crème glacée, je ferai un détour vers la plage et nagerai dans la mer jusqu'à ce que j'aie épuisé mon envie.» Cathy lui succède: «J'imagine que je pourrais me laver les dents avec un dentifrice au menthol tout de suite après le plat principal, cela m'empêchera de prendre une deuxième portion et de tomber dans les desserts.»

«Bravo, les filles! dit Carol-Ann, vous êtes sur la bonne voie. Pour demain, trouvez-moi cinq décisions de plus qui vous permettront de reprendre le contrôle de vos actions. Pour les renforcer, je vais vous donner une autre technique: la "thérapie d'aversion". Dès que vous sentez une pulsion destructrice, avant d'avaler la première bouchée, représentez-vous une vision d'horreur de même que l'effet dévastateur que cette action aura sur vous. Par exemple, imaginez votre corps déformé par d'énormes bourrelets avec 5 lb de lard dégoulinant sur votre ventre nu, ou encore, visualisez votre pizza préférée, oubliée sur le comptoir depuis plusieurs jours, le fromage froid figé entre les moisissures du pepperoni. C'est ce morceau que vous devrez manger! Plus l'image vous dégoûtera, plus elle sera efficace. À force de répéter l'exercice, l'aversion associée à la pulsion apparaîtra automatiquement. Je mettrais ma main au feu que cela vous empêchera d'y succomber. Il ne faut jamais sous-estimer le pouvoir de l'autosuggestion!»

À l'heure du repas, nous nous sentons l'âme de couventines polissonnes se racontant des histoires à faire peur, rivalisant entre nous pour savoir qui trouvera la pire vision d'horreur alimentaire pour programmer notre cerveau récalcitrant. Nous inventons des images dégueulasses transformant nos plats péchés en monstres imaginaires. Nous sommes prises d'un tel fou rire autour de la table que même la salade maigrelette et le tofu passent pour un joyeux festin. Ces moments complices nous font vraiment du bien, mais nous ne pouvons nous attarder dans notre salle à dîner «rose», car il nous reste un dernier travail à faire. Avant la fermeture des magasins, dans une heure, nous devons nous procurer un livre relié, aux pages blanches, qui héritera du joli nom de «journal des gratitudes». Ce soir, avant d'aller au lit, nous devrons y inscrire nos petits ou grands bonheurs. Ceux pour lesquels, aujourd'hui, nous voulons dire merci.

Bien installée sur mes oreillers, les yeux pleins de sommeil, je me remémore les personnes, les objets, les moments qui ont éclairé ma journée. «Merci pour mes nouvelles amies, merci pour le spectaculaire coucher de soleil partagé avec elles sur le quai, merci pour le sourire encourageant de Carol-Ann, merci pour avoir passé 24 heures sans crise de boulimie!»

Depuis, j'ai gardé l'habitude d'écrire dans mon «journal des gratitudes». J'y reviens sporadiquement, lorsque les préoccupations du quotidien réussissent à me faire oublier la magie de la vie. Si je n'ai pas de livre à la portée de la main, je prends alors un moment avant de m'endormir pour faire mentalement une prière. Je remercie pour les infimes merveilles qui ont tapissé ma récente existence. Même la pire des journées contient un ou deux éléments dignes de mention! L'état de gratitude fait prendre conscience que la vie, malgré les difficultés, offre des chandelles parfumées dont les volutes purifient les moments sombres. Des choses simples de tous les jours qui, pour le peu qu'on s'y arrête, nous donnent du bonheur. Celui du présent, des plaisirs tangibles et accessibles, pas celui du futur, des désirs inassouvis, nourriciers de nos insatisfactions, ni celui du passé, marqué par les actes manqués, les ombres de nos souvenirs. Le journal des gratitudes est un précieux moyen d'apprécier ce que l'on a, au lieu de lorgner ce que l'on n'a pas!

Selon Anthony Robbins, le grand spécialiste de la performance et du dépassement de soi, il existe deux lois fondamentales pour créer l'abondance et attirer la prospérité: donner avec cœur, toujours plus que ce que l'on reçoit, et éprouver de la gratitude pour en ondulant les doigts, telle une vahiné, pour activer la circulation! Si le programme de santé ne donne pas les résultats escomptés, j'aurai au moins découvert deux étonnants secrets pour garder des ongles griffus et des seins de marbre!

Mon séjour à Key West m'apportera beaucoup plus que d'amusantes recettes de beauté. Cette période faste de ma vie m'ouvrira des horizons plus larges que les seuls bénéfices d'une série de méthodes de conditionnement. Et cela grâce à une femme étonnante, Carol-Ann, notre mentor, la reine mère en charge de notre ruche, solide et sage, au milieu du tourbillon de ses six abeilles ouvrières.

L'impact de cette réunion changera ma vision du monde et provoquera une métamorphose imprévue: la découverte de ma spiritualité. Une quête fascinante qui deviendra ma raison de vivre, mon élixir de vérité. Au fil des ans, une cascade de synchronismes me guideront vers une compréhension différente de l'univers. Une suite d'informations reçues au bon moment, appuyées par la lecture d'œuvres métaphysiques, défieront peu à peu ma rationalité, tout en exaltant mon goût déjà prononcé de l'aventure. Prête à regarder avec des yeux neufs, j'aurai le privilège de vivre des expériences profondes et inusitées. Des initiations révélatrices qui m'aiguilleront petit à petit vers le merveilleux voyage de l'intérieur.

Mon introduction au pays des mystères m'a prise par surprise, un bel après-midi, avec la force inouïe d'un cyclone des tropiques. C'était dans le bureau de Carol-Ann, lors de ma première séance d'hypnothérapie…

Assise dans un fauteuil en cuir confortable, je suis plutôt nerveuse. Je ne connais pas grand-chose à l'hypnose et j'ai la sensation inquiétante de plonger dans l'inconnu. Je m'imagine engloutie dans un baril sans fond, privée de toute mémoire. Dans ce noir non existant s'effectue une étrange alchimie où des messages subliminaux sont transmis à mon cerveau anesthésié. Une magie, aussi

ce qu'on possède déjà. Qui sait, ce petit journal tout simple se révèlera peut-être un véritable écrin à trésors!

À la séance du lendemain, Carol-Ann nous prépare d'autres surprises pigées dans son «grand sac à béhaviorisme». «Ce matin, je fais appel à votre créativité. J'ai là, pour vous, une pile de magazines. Utilisez-les pour fabriquer un collage, sur un de ces grands cartons, représentant une manifestation physique de vos rêves et de vos aspirations. Placez-y tous les mots et toutes les images qui vous inspirent. À vous de jouer!»

Quel plaisir de retrouver ciseaux et pots de colle comme à l'école, et de feuilleter les belles pages glacées pour trouver la photo parfaite, l'expression juste traduisant nos désirs secrets! Deux heures plus tard, notre tâche est terminée. Je suis très fière d'avoir déniché un adorable zèbre massant la cellulite de ses cuisses avec un rouleau à pâtisserie. Il sourit de toutes ses dents, me rappelant que la discipline n'est pas nécessairement morose. Au-dessus du corps athlétique de Jane Fonda, grande prêtresse de la forme, j'ai posé mon propre visage en Rita Toulouse entouré de carottes et de brocolis! Bon moyen de me motiver à me remettre en forme pour mon film. Près de la silhouette taillée au couteau de Sylvester Stallone trône le portrait de Virginia Woolf, la célèbre écrivaine. Ce contraste symbolise deux éléments importants de mon reliquaire: les muscles et la matière grise! Soulignant ainsi que la religion du corps, même si elle a sa place, n'est pas plus importante que le pouvoir des mots, la force de l'esprit.

Carol-Ann nous recommande de méditer chaque jour quelques minutes devant notre tableau, afin d'ancrer nos désirs dans notre psyché et de les concrétiser dans la réalité. Appelez-moi sentimentale, mais j'ai gardé ce carton pendant des années. Je l'ai maintenant remplacé par un autre qui reflète mes nouvelles aspirations. Je trouve l'expérience très stimulante, et ça marche!

Mais mon outil préféré me sera révélé lors de la troisième séance: un marteau-piqueur de la négativité portant le nom inspiré de «cahier des doléances». La philosophie chinoise du Tao, dans sa sagesse millénaire, nous apprend que, pour trouver l'équilibre, il est préférable de suivre la voie du milieu. Comme nous avons bien travaillé l'aspect positif avec le journal des gratitudes et le tableau des désirs, il est primordial maintenant de faire face au négatif, afin de mieux nous en libérer. Le cahier des doléances est une méthode très simple qui a pour effet d'aller chercher nos insatisfactions jusque dans les coins les plus reculés de notre conscience. Il suffit d'écrire, chaque matin, aussi rapidement que possible, sans aucune censure, trois pages de brouillon où nous jetons en vrac nos peurs et nos insécurités, nous donnant ainsi la permission de nous plaindre à satiété et de nous défouler pour le reste de la journée.

Nous pouvons garder ces documents, sans toutefois les relire avant trois mois, ou les jeter au fur et à mesure. Nos pages sont absolument privées. Le fait de ne pas les partager permet une expression totalement libérée. Étonnamment, après quelque temps, les gémissements ont tendance à se transformer en témoignages beaucoup plus positifs. Nous trouvons même des réponses inattendues à nos questions. Les colères et les inquiétudes finissent par se désamorcer, laissant le champ libre à l'inspiration. Des solutions surgissent spontanément au fil des pages écrites ou nous sont transmises en différé sous des formes diverses: un passage de livre, une confidence d'un ami, une entrevue à la télévision. Lorsque la peur s'efface, elle cède la place à la coïncidence révélatrice, au message sécurisant que nous attendons.

Depuis que j'ai commencé à écrire ce livre, j'utilise cette technique avec grand plaisir presque tous les jours. C'est un formidable moyen de libérer sa créativité, de retrouver le plaisir d'écrire, de se connecter à sa voix unique. Je la pratique tôt le matin, au saut du lit, alors que ma logique n'est pas trop réveillée et que mon subconscient fraîchement activé par les rêves est plus facilement accessible. J'écris systématiquement trois pages à la main, d'un seul jet. Ce moyen s'est révélé particulièrement efficace, lors des

blocages devant mon ordinateur, pour pallier la redoutable panne d'inspiration.

Écrire un flot de mots, sans chercher de sens apparent, libère du carcan de la censure. Des associations d'idées originales ont alors le loisir de nous conduire vers des voies inexplorées. Au diable la page blanche! Si un sujet en particulier me donne du fil à retordre, je l'inscris dans le haut de ma page et je laisse mon crayon faire le reste. Il en ressort toujours une phrase, une idée valable et, parfois même, des paragraphes entiers!

Mais revenons à mon séjour au New Life Center. Comme vous l'avez sûrement pressenti, je trouve le programme passionnant. Les semaines passent à une vitesse spectaculaire. Entre les cours de conditionnement physique et les séances d'études quotidiennes, en plus du travail effectué avec les clients du centre, nous n'avons pas une minute de répit. Dans un environnement aussi «contrôlé», il est difficile d'avoir même l'idée d'outre-manger!

Je m'entends très bien avec mes copines de chambre. Notre intimité forcée met en évidence de touchantes «maniaqueries». Chez les compulsives à la recherche de la perfection, les complexes par rapport à l'aspect physique prennent souvent des tournures cocasses. Cathy, obsédée par l'idée de se trouver un mari, prend grand soin de son principal attribut, un buste splendide et entièrement naturel. Elle a tellement peur que sa poitrine marque des signes d'affaissement avant la grande marche nuptiale, qu'elle dort avec deux soutiens-gorge à armature de fer, enfilés l'un sur l'autre pour remonter ses seins pendant son sommeil! Doreen, mon autre compagne, s'occupe constamment de ses ongles incroyablement longs et solides. Avant de se mettre au lit, elle les recouvre d'un liquide transparent dont l'odeur persistante nous perce les narines. Elle s'enduit les ongles d'une solution de formaldéhyde, le bon vieux formol dans lequel les scientifiques trempent les organes pour les conserver! Pour terminer le rituel, elle effectue pendant 10 minutes une danse de main surprenante

précise qu'une intervention chirurgicale, opère sur mon subconscient soumis, qui en émerge défiguré!

D'après les explications rassurantes de Carol-Ann, je suis à mille lieues de la vérité! «L'hypnose est un état de supraconscience, me dit-elle. Les sens physiques sont au repos mais, à l'opposé, l'esprit est aiguisé et totalement réceptif. On a tout simplement apaisé le côté gauche du cerveau, le logique, le censeur, pour donner accès aux couches plus profondes de la conscience. Au moment approprié, je pourrais effectivement suggérer de nouveaux comportements à ton esprit. J'utilise cette technique, par exemple, pour aider mes patients à perdre du poids, à arrêter de fumer ou à se guérir de phobies comme la peur de l'eau ou des foules. Mais rassure-toi, enchaîne-t-elle comme si elle lisait dans mes pensées, avec ma façon de travailler, tu seras totalement éveillée pendant tout le processus. Tu te sentiras dans un état de méditation profonde, et au réveil, tu garderas le souvenir de la séance entière. N'aie aucune crainte, tu ne te feras pas manipuler par un hypnotiseur sans scrupules!», termine-t-elle, avec une lueur coquine dans l'œil. Je me demande quoi penser des numéros de magicien où les pauvres spectateurs soi-disant hypnotisés se rendent ridicules en sautant sur scène comme des gazelles et en aboyant à la lune comme des chiens! Sont-ce des trucages prévus d'avance? Avant que j'aie eu le temps de formuler ma question, Carol-Ann amorce le processus de relaxation. «Ferme les yeux et respire calmement. Dans un moment, je vais commencer à compter. Laisse-toi aller, tout simplement.» Quelques minutes passent, je me sens déjà un peu molle sur ma chaise. «Quinze, quatorze… Ton corps est lourd, dit Carol-Ann d'une voix neutre, sans intonation. Treize, douze… Tes paupières sont lourdes… Onze, dix… Ta respiration est de plus en plus profonde… Neuf, huit… Tu es dans un ascenseur qui descend lentement. Sept, six… Qui descend de plus en plus lentement dans les profondeurs… Cinq, quatre, trois, deux, un… Tu es arrivée à destination. La porte de l'ascenseur s'ouvre lentement, très lentement. Quand tu seras prête, je voudrais que tu sortes de l'ascenseur et que tu me décrives ce que tu vois.»

Mon corps est pesant, comme s'il était enfermé dans une chape de plomb. Je me sens très calme, une étrange sensation d'avoir le corps endormi mais l'esprit excessivement alerte. J'hésite un peu à sortir de l'ascenseur. Qu'est-ce que je suis sensée voir au juste? Aussitôt, une image s'étale avec insistance sur mon écran mental. Une vision inattendue qui me fait tout chaud dans le ventre.

Je vois, aussi clairement que si elle était devant moi, de dos, une petite fille vêtue d'une robe blanche avec une ceinture de satin bleu qui marche dans un grand parc. Je ressens une grande tendresse pour cette enfant, un sentiment d'appartenance me colle au cœur. Je la devine, je la reconnais sans la connaître. Ma vision se met alors à vivre intensément. Des séquences apparaissent en cinémascope, débordantes de détails. Une histoire pressante comme les eaux d'un grand fleuve prend possession de moi. Je n'ai d'autre choix que de suivre le courant, me laissant emporter dans ces effluves de sons et de couleurs. Je suis déjà si loin qu'il me paraît étrange d'entendre le son de ma propre voix lorsque je décris simultanément les images. Mes paroles me semblent une rumeur lointaine par rapport à ce que je vis, à ce que je vois, ici et maintenant, dans l'autre réalité.

«La petite fille a environ 10 ans. Elle marche vers une maison imposante, un manoir. Cela ressemble à la France, vers le milieu ou la fin du XIXᵉ siècle, je n'sais pas exactement. Je vois un jeune homme très beau, dans la vingtaine, qui prend la petite fille par la main. Je sens beaucoup d'émotions. Ils s'aiment énormément. En même temps, il y a beaucoup de tristesse dans leurs yeux, presque du désespoir. La petite fille pleure, parce que le jeune homme, qui est son frère, doit partir à la guerre. Il est tout pour elle, son seul ami. Leurs parents sont morts il y a plusieurs années. La petite fille s'accroche à ses jambes. Elle ne veut pas rester seule avec les vieux serviteurs. Elle a peur que son frère ne revienne jamais.»

Je ne sais pas ce que cette histoire veut me dire, mais je sais qu'il faut que je la suive. Elle est puissante, trop attirante pour que je lui résiste. Immergée à la fois au-dedans et au-dehors, je comprends les motivations et ressens les émotions de tous les personnages. Une euphorique sensation d'omniscience.

«Je vois une autre image, un champ de bataille. Le jeune homme est au front, en première ligne. Un soldat lui donne un coup de baïonnette. Il se tort de douleur. Il n'a même pas eu le temps de se battre. Il se fait tuer à son premier affrontement!»

Je continue à raconter, sans pause ni hésitation, comme si je lisais dans un grand livre.

«Nous sommes à Paris maintenant. La petite fille a grandi. Elle est très aigrie, très amère, furieuse contre tout. Surtout contre les politiciens qui ont envoyé son frère se faire tuer à la guerre. Elle s'associe à un groupe de rebelles, des anarchistes qui rédigent et distribuent des tracts. Elle veut venger la mort de son frère en fomentant des actes politiques contre le gouvernement en place… Je vois un mariage. La jeune femme se marie avec un homme beaucoup plus âgé qu'elle. Il a une position sociale importante, tout le monde le respecte. C'est un médecin. Il l'adore, mais elle l'aime bien, sans plus. Elle est seule dans la vie, et les conventions sociales l'obligent à se "placer". Lui est très amoureux, mais il ignore complètement que son épouse a des activités illégales… Plus tard, elle accouche d'un bébé. C'est une mignonne petite fille, mais elle n'arrive pas à s'y attacher parce qu'elle a trop peur de la perdre, comme son frère. Elle ne s'en occupe pas beaucoup et passe son temps hors de la maison, dans ses réunions clandestines, avec ses collaborateurs. Son mari désespéré, qui ne comprend pas sa froideur, trouve que sa femme est une mauvaise mère. Mais elle rationalise son attitude en se disant qu'elle se bat pour les femmes, pour essayer de leur donner le droit de vote.»

Le film se déroule dans ma tête de plus en plus vite, les images déferlent rapides et précises, des automates bien huilés, d'implacables machines à penser que rien ni personne, surtout pas moi, ne peut contrôler!

«Des policiers arrivent à la maison pour arrêter la jeune femme. Elle proteste. On lui dit qu'elle est accusée d'avoir participé à un attentat. Une bombe a explosé dans un édifice du gouvernement et a fait plusieurs morts. Je la vois en prison, derrière les barreaux. Elle jure à son mari qu'elle n'était pas au courant, qu'elle n'a jamais rien fait d'autre que rédiger des tracts, mais les deux terroristes responsables sont du même groupe qu'elle. Elle va en procès. On la condamne à la prison à vie. Le médecin perd une partie de sa pratique à cause du scandale. Il ne peut plus s'occuper de sa fille. Il l'envoie à la campagne, en foyer nourricier, chez des paysans qui promettent de bien la soigner. Quelque mois plus tard, il y a une épidémie… Oh, mon Dieu! Je vois la petite tremblante de fièvre… elle est malade… elle meurt… Son père est près de son lit complètement bouleversé. Il décide de tout abandonner. Il déteste sa femme. Elle l'a tellement déçu. Tout est de sa faute! Totalement déchiré par la mort de son bébé, il s'enfuit et quitte Paris. Personne ne sait plus où il est. La femme passe des années en prison, 15 ou 20 ans. Elle se sent responsable d'avoir brisé la vie des deux êtres qui l'aimaient. Elle ne se pardonne pas de les avoir détruits par son insouciance. Elle est aussi amère d'avoir été enfermée injustement, car elle est innocente et n'a rien à voir avec les attentats. Elle se sent déchirée entre sa culpabilité et sa révolte.»

Mon débit s'est ralenti. La douleur de mon héroïne m'étreint, me compresse. J'ai envie de pleurer.

«Je la vois des années plus tard. Elle est vieille, très vieille. Elle n'est plus en prison. Elle a été amnistiée par le nouveau gouvernement. Elle vit cloîtrée dans une petite chambre, toute seule. Elle n'est pas en bonne santé. Un jeune couple emménage dans l'appartement d'à côté. Même si la vieille femme est très sauvage, la jeune voisine réussit à l'amadouer en lui rendant des services, en faisant ses courses. Ils ont une petite fille adorable qui a l'air d'avoir à peu près cinq ans. La vieille dame aime bien l'avoir près d'elle, les après-midi. La tendresse de la petite fille lui rappelle beaucoup la sienne, celle qui est morte, bébé. Elle est très touchée par sa bouche, ses petites mains, ses grands yeux. Quand elle l'entend rire, elle oublie un moment sa rancœur, la prison, les années perdues…»

Des larmes s'échappent de mes yeux toujours fermés. J'ai des sanglots dans la voix. Je suis lasse, épuisée par l'étalage de cette vie misérable. Mais qu'est-ce qui m'arrive, c'est ahurissant! Tout à coup, je parle à la première personne!

«Je suis très faible. Ma santé est de plus en plus mauvaise. Je passe mes journées au lit, soignée par ma voisine si généreuse, mon amie. Je reçois la visite d'un homme en noir, un notaire. À ma grande surprise, il m'annonce que je vais recevoir un gros héritage de mon mari, décédé en Amérique. Sans hésitation, je décide de tout donner à ma «nouvelle famille». Je suis reconnaissante et je remercie le Ciel de m'offrir cette occasion de me racheter. J'aurai réussi, au moins une fois dans mon existence, à protéger les gens que j'aime, à leur faire du bien… Ma nouvelle famille est près de moi, autour de mon lit. J'ai de plus en plus de mal à respirer… Je sens une petite main douce dans la mienne… Je sens que je m'en vais… J'entends une voix toute menue, une voix d'ange: "N'aie pas peur, mamie, je suis là." La dernière chose que je vois est le sourire de la petite fille, tellement pareille à mon enfant. Je pars… je meurs… réconciliée avec la vie.»

Je me tais, bouleversée. Le silence pesant se remplit de questions. Je n'ose encore ouvrir les yeux. J'ai besoin de me ressaisir. Je viens de vivre la mort, pleinement, profondément, comme si c'était la mienne. Que s'est-il passé? Pourquoi me suis-je mise à parler à la première personne? Je me suis soumise à l'hypnose, espérant trouver dans mon subconscient des raisons à mes troubles alimentaires, et voilà qu'une histoire incroyable a surgi de mon cerveau, une aventure si familière, si personnelle, que j'en tremble encore d'émotion. Désemparée, je me tourne vers Carol-Ann dans l'attente d'une explication, d'un réconfort. Sa réponse restera pour toujours gravée dans ma mémoire: «Anne, je comprends que tu sois ébranlée, mais tu ne dois pas t'inquiéter. Le phénomène que tu viens de vivre n'a rien d'anormal. Il est survenu de nombreuses fois au cours de mes années de pratique. Au début, moi aussi, j'ai été surprise par l'étrangeté et même la violence émotive de ces rencontres. Mais j'ai compris avec le temps qu'elles n'ont rien à voir avec la crise de folie ou le dédoublement de la personnalité. La réponse est moins inquiétante mais d'autant plus mystérieuse. As-tu déjà entendu parler de la réincarnation?»

Je suis sidérée, elle ne peut pas parler sérieusement. «Oui, je suis familière avec le mot, mais je n'en connais pas grand-chose. À part que les hindous pensent pouvoir se réincarner en vache sacrée!» dis-je, dans un effort pathétique pour détendre l'atmosphère. Je ne suis pas sûre d'aimer la tournure de la conversation. Carol-Ann esquisse un sourire: «Disons que la théorie est un peu plus complexe. Écoute, ce n'est pas moi qui vais mettre des mots sur ton expérience. Je voudrais te proposer de lire *L'amour foudre*, de Shirley MacLaine. Ses écrits feront peut-être la lumière sur ce que tu as vécu aujourd'hui. Après ta lecture, si tu veux, nous en reparlerons.»

En sortant du bureau, je marche dans la rue avec l'impression étrange de ne pas habiter mon corps. Le soleil ardent de midi me fait tressaillir, contraste brutal avec la pénombre sécurisante de laquelle je viens de sortir comme d'un ventre moelleux. Après avoir bu une limonade bien fraîche, autant pour me donner la chance de retomber sur terre que pour apaiser ma gorge asséchée, je décide de me procurer *L'amour foudre*. J'ai besoin de donner un sens au dérangeant périple qui m'a emportée, malgré moi, dans une autre dimension. La librairie locale tient justement plusieurs exemplaires du bouquin. Shirley MacLaine est une auteure très populaire. J'ai d'ailleurs plongé avec avidité dans ses deux derniers essais biographiques, récits de ses voyages passionnants au Bhoutan, en Chine communiste et dans les tribus massaïs d'Afrique. J'ai toujours aimé cette actrice, danseuse et chanteuse de talent. Une femme de tête qui n'a jamais eu peur de s'engager politiquement et socialement. Une survivante à la curiosité insatiable, doublée d'une très habile conteuse. Si j'ai à apprendre quelque chose, je suis bien heureuse que ce soit «Miss Shirley» qui se charge de me l'enseigner.

Encore un peu fébrile, je m'installe sous un arbre près de la plage et me lance dans la première page, le cœur battant! Je dévore les chapitres, enveloppée dans un nuage qui m'isole du reste du monde. Shirley MacLaine a le sens de l'histoire et sait garder le lecteur sur le qui-vive. Le récit de son apprentissage spirituel est si passionnant qu'on croirait lire un roman d'aventures. La comédienne se dévoile avec beaucoup de candeur et d'honnêteté. Elle fait montre d'un étonnant courage en abordant des sujets controversés comme la réincarnation, les transes médiumniques, la vie après la mort. Elle brave les sarcasmes des sceptiques qui ne se gênent pas pour la couvrir de ridicule. Elle, grande vedette hollywoodienne, connue de par le monde, livre avec impudence des hypothèses vertigineuses. La majesté des informations révélées et leur sens profond au sujet de l'avenir de l'humanité l'ont poussée à partager ses convictions nouvelles, en dépit des moqueries des modernistes rationnels et des intellectuels obsédés de logique. Comme elle le mentionne, c'est une décision banale, celle de se rendre à un cours de yoga, qui a déclenché cet exceptionnel destin. Au hasard d'une conversation particulièrement stimulante avec son professeur, elle a commencé sans trop y croire à s'interroger sur la science de l'esprit. Un ami adepte d'occultisme lui a fourni une liste impressionnante d'ouvrages qu'elle a parcourus en quelques semaines. De plus en plus fascinée, elle a poussé à fond ses investigations. Les doutes et les incrédulités du début se sont peu à peu transformés en une vision synergique du cosmos et de tous les mystères constituant sa matrice. Son livre contient des informations exaltantes sur le monde de l'invisible et expose clairement les vérités universelles prônées par les sages et les mystiques à travers les siècles. Je constate avec soulagement que cette femme que j'admire pour son bon sens se pose, tout comme moi, des questions fondamentales sur son identité, son métier d'artiste, la place que l'homme occupe dans l'univers et la relation de ce dernier avec le divin. Si je suis un jour tentée par l'aventure de l'autobiographie, je souhaite m'exécuter avec autant d'honnêteté et de maturité dans mes raisonnements! En écrivant son ouvrage, Madame MacLaine a fait un énorme travail de compilation qui offre la synthèse de connaissances millénaires vulgarisées et aisément compréhensibles pour la profane que je suis. Par ses recherches acharnées et son ouverture d'esprit, elle m'indique la voie à suivre. J'ai l'intuition que son voyage est le signal de départ de ma propre quête.

Je vous rappelle que cette incursion dans les pensées de Miss Shirley ont pour but d'éclairer ma lanterne sur le thème de la réincarnation, à la suite d'une séance d'hypnothérapie assez déstabilisante! Les avenues explorées dans le livre sont phénoménales, mais le plus étrange est que, bien que j'en prenne connaissance pour la première fois, elles sonnent aussi juste qu'une symphonie de Mozart. Au lieu de m'étonner, de me choquer, ces révélations me semblent une évidence. C'est comme si on réveillait en moi un savoir endormi qui avait toujours été présent, niché confortablement sur un petit coussin de ma conscience, attendant sagement qu'on l'interpelle. Voici, en quelques mots, ce que j'ai réappris cet après-midi-là, assise sur une plage blanche protégée par des palmes, à la pointe la plus méridionale de l'Amérique du Nord.

Nota bene: pour une compréhension plus exhaustive du sujet, je me suis permis d'y ajouter le fruit de mes études et de mes réflexions des 20 dernières années. La jeune fille boulimique d'il y a 20 ans commençait à peine à entrevoir les merveilles qui l'attendaient, alors que l'auteure qui vous parle aujourd'hui a eu le privilège de recevoir de précieux enseignements et quelques inspirations intuitives lui permettant de partager avec vous cet interlude tendrement provocateur.

La théorie de la réincarnation induit le concept de la permanence de l'âme. La mort n'est en fait qu'une étape, un passage où le corps physique disparaît en libérant l'âme et l'esprit qui séjournent alors sur un plan différent: le plan de l'astral. Les Grecs anciens le décrivent dans *L'Iliade* sous le nom de Hadès, le monde des morts. Ce plan comporte plusieurs paliers, inférieurs et supérieurs, qui s'apparentent à nos notions d'enfer et de paradis. Selon notre degré d'évolution, l'âme retourne dans le bas- ou le haut-astral. Mais la bonne nouvelle est que nous n'y restons pas pour l'éternité, car la réincarnation nécessite le retour sur terre pour nous asseoir sur les bancs de l'école de la vie jusqu'à ce que nous ayons achevé notre éducation. En fait, le monde terrestre et le monde invisible sont superposés et coexistent en parallèle. Une partie de nous, notre corps astral, est en constante relation avec le «bas de l'au-delà» (le plan astral inférieur) par le biais de nos émotions.

Avant de vous expliquer le principe de la métempsycose, nom savant qui désigne la réincarnation, j'aimerais vous inviter à me suivre dans une brève explication de la réalité telle qu'elle est pressentie par les adeptes de la métaphysique. Fait remarquable, quelles que soient les origines et les siècles où ont vécu ces grands penseurs, ils décrivent, comme d'un commun accord, les extraordinaires fils invisibles qui tissent notre univers.

Il existe sept plans de conscience.

Le plan physique est constitué du monde matériel: la Terre, notre corps et notre environnement immédiat perçu par la limitation de nos cinq sens.

Le plan vital se compose d'énergie électromagnétique: une force entourant tout ce qui est vivant, soit les plantes, les animaux, les humains et même les planètes. Cette énergie vitale, appelée *prana* en Inde et *chi* en Chine, forme notre corps éthérique, appelé aussi aura, d'où la théorie voulant que tout soit relié et interdépendant dans l'univers.

Le plan astral englobe notre âme et nos émotions situées dans notre corps astral, ainsi que le monde des morts, ces entités désincarnées qui y résident temporairement. Il existe aussi dans ce monde parallèle des entités supérieures très anciennes qui ont la possibilité de communiquer avec le plan terrestre; toutefois, il nous faut être réceptifs pour capter leurs communications. Dans le bas-astral se trouvent des entités aux vibrations très lourdes, qui se révèlent être une plaie pour l'humanité.

Le plan mental contient, dans sa partie basse, l'intellect et l'ego, ou personnalité, ainsi que le subconscient. Dans ses couches supérieures réside notre inconscient, le lien avec notre esprit.

Il existe trois autres plans beaucoup plus élevés qu'il est difficile de décrire, car leur composition dépasse les facultés de perception de la majorité des êtres. Rares sont les humains qui y ont accédé à part les grands messagers tels que Jésus, Bouddha, Mahomet et quelques initiés ou avatars qui ont eu la grande générosité de venir nous instruire à travers les âges. Beaucoup de vrais instructeurs préfèrent agir dans l'anonymat. Mieux vaut se méfier des gourous et des faux prophètes!

La polarité, c'est-à-dire la notion du bien et du mal, prévaut dans les cinq premiers plans. Nos actions, nos pensées et nos émotions y sont positives ou négatives. Les âmes grises du bas-astral peuvent avoir sur nous une influence néfaste, alors que les âmes plus évoluées nous servent parfois de guides. De là le danger de s'adonner à des séances de spiritisme ou de s'amuser avec des jeux comme le Ouija, par exemple, et même de consulter certains médiums. Ce n'est pas parce qu'une âme a des facilités à communiquer avec le monde d'en bas qu'elle est nécessairement avancée dans son évolution. Les entités du bas-astral prennent souvent un malin plaisir à manipuler les hommes en les flattant et en jouant avec leurs peurs et leur crédulité. Elles peuvent s'infiltrer momentanément dans notre corps astral quand nos émotions sont exacerbées: dépression, colère, jalousie... Cela pourrait même expliquer certains suicides ou maladies mentales. Il ne faut pas s'alarmer. La réalité est que le monde occulte n'a aucune prise sur nous si nous surmontons nos peurs du surnaturel et restons conscients. Nous sommes beaucoup plus puissants que l'astral lorsque nous sommes centrés et en relation avec notre esprit – la partie de nous qui cohabite éternellement avec la force universelle, le divin, ou si ce terme est pris dans son essence, Dieu.

Dans les plans supérieurs, composés d'éther et où les vibrations sont élevées, la polarité et surtout la notion du mal n'existent plus. Nous pouvons y connaître l'extase, le Samadhi des hindouistes de l'Inde, le Satori des taoïstes nippons ou l'illumination qui, dans sa plus simple expression, est le retour à la source même de notre existence. Là où nous aurons tous un jour, sans exception, la possibilité de retourner. Cette réalité est occultée pour la plupart d'entre nous, mais «ce n'est pas parce qu'une chose est cachée qu'elle n'existe pas». Combien de merveilles encore voilées couvent comme des braises inaltérables dans le foyer de notre conscience! En étudiant les anciens textes, qu'ils nous parviennent d'Égypte, de Chine, d'Amérique du Sud ou d'Europe centrale, nous découvrons que l'existence de l'âme et de l'esprit est le seul sujet commun à toutes les religions. Devenues dogmatiques, elles ne s'entendent malheureusement pas sur les détails, mais unissent leurs voix sur le fond.

Néanmoins, revenons à notre première question: comment se manifeste le processus de réincarnation? À la mort, le fil d'argent qui relie notre corps astral à notre corps physique se brise, et notre âme retourne dans sa demeure temporaire: le plan astral. L'âme possède un atome permanent, une banque de données contenant l'information de toutes les vies passées. En communion avec l'esprit, elle décide alors de sa prochaine incarnation en relation avec son plan de vie affecté par les choix faits par l'individu de son vivant, lors de son dernier passage sur terre. C'est ce qu'on appelle le karma, ou loi de cause à effet. Avant de renaître, l'esprit choisit un plan de vie général permettant à l'âme d'évoluer, de s'énergiser pour pouvoir un jour quitter définitivement la matière et n'exister que dans les plans supérieurs. Le but de l'existence consiste à parfaire son éducation par le biais de l'expérience pour vaincre les émotions, se débarrasser du poids de l'astral et, éventuellement, fusionner avec l'esprit, notre réel habitacle pour ne plus avoir à nous incarner sur la terre. Chaque vie devrait servir ce dessein et nous permettre d'avancer sur le chemin de l'évolution. Au rythme où nous allons, pas étonnant que ça nous prennent des millénaires! Notre mental et notre ego aiment bien régner en maître et ne veulent pas lâcher prise. Nous suivons volontiers les ordres de notre personnalité et entendons bien rarement les demandes plus subtiles de notre esprit!

De plus, chaque homme possède le libre-arbitre. Selon son degré de réalisation, il a le choix de prendre des décisions, bonnes ou mauvaises, pour son cheminement. Si nous ne suivons pas les directives choisies par notre esprit avant le début du voyage ou si nous brouillons les pistes en privilégiant nos défauts plutôt que nos qualités, nous retournerons à la case départ. Comme au Monopoly, il nous faudra repasser par «Go» après un séjour dans la «prison» du bas-astral sans pouvoir réclamer nos 200 $, à cause de notre dette karmique! Comme il est écrit dans *L'amour foudre* de Shirley MacLaine: «L'âme est libre de progresser ou de régresser. Refuser l'évolution spirituelle équivaut à perdre sa chance.» De la notion du karma découle une lourde responsabilité, chacune de nos pensées et chacune de nos actions pèsent dans la balance. «Chaque jour, nous dictons les termes de notre avenir», précise l'auteure. Les bonnes actions peuvent épurer notre karma, et les mauvaises, l'alourdir. À la fin de chaque vie, nous devons en faire le bilan et récolter ce que nous avons semé. La réincarnation est l'une des plus vieilles croyances de l'humanité. Pythagore, le grand mathématicien, Socrate et Platon, les célèbres philosophes, ont tous traité de la métempsycose dans leurs écrits. Beaucoup d'autres grands hommes, comme les écrivains Goethe et Voltaire, l'inventeur Thomas Edison, le politicien pacifiste Gandhi et même l'un des scientifiques les plus respectés de notre époque, Albert Einstein, ont eu des tendances spiritualistes. Sir Arthur Conan Doyle, le créateur du détective le plus rationnel de la littérature, le célèbre Sherlock Holmes, faisait partie de la confrérie des transcendantalistes, à l'instar des non moins illustres auteurs Mark Twain et Henry Miller. Ils se rejoignaient tous autour du «concept de l'âme comme une entité préexistante venant successivement habiter plusieurs corps avant de redevenir forme astrale».

La réincarnation remonte aux premiers pas de l'histoire humaine et est acceptée de nos jours par des millions de gens comme une «purification graduelle de l'âme vers le retour à sa source, à l'origine de la vie». En Occident, cette tradition s'est perdue quelque part entre le judaïsme et le christianisme. Mais, elle était présente chez les esséniens (secte juive ayant existé du II siècle av. J.-C. à la fin du I siècle de notre ère, dont les membres vivaient en communautés monastiques), qui nous ont légué les fameux manuscrits de la mer Morte. Voici la raison probable pour laquelle certains groupes religieux ne désirent pas rendre publique la totalité de ces textes. Les esséniens, groupes d'initiés vivant aux abords de Jérusalem, furent les professeurs de Jésus. Celui-ci séjourna aussi au Cachemire où il reçut l'enseignement des sâdhus indiens. Ces sages lui révélèrent les mystères occultes et, entre autres, le principe du karma. Il est généralement admis qu'en l'an 553, au cinquième concile œcuménique de Constantinople, les autorités décidèrent d'expurger des textes bibliques toutes allusions à la réincarnation et menacèrent d'excommunier quiconque s'aventurerait à proclamer la préexistence de l'âme. Quel pouvoir auraient les prêtres si leurs ouailles décidaient elles-mêmes de leur propre salut? Une théorie des plus crédibles suggère que les Saintes

Écritures étaient autrefois truffées de références à la réincarnation. Mais il est plus facile de vendre des indulgences lorsque les fidèles croient en un Dieu punitif et vengeur. En fait, contrairement à beaucoup d'idées fausses sur la question, le karma n'est pas une punition mais une mécanique, une loi universelle fonctionnant avec la régularité et la précision d'un métronome. Il n'existe pas de Jugement dernier, chaque homme est son propre juge et récolte les fruits de ses actions, bonnes ou mauvaises. Une partie de nous, malgré nos choix douteux, est parfaite, divine et inaltérable. Nous pouvons la contacter par le silence, la respiration profonde, la visualisation créatrice ou, tout simplement, par la concentration vers notre intérieur, à la recherche de notre authenticité.

Mais coincés dans le maelström des émotions générant les désirs égoïstes de l'ego, nous perdons notre précieux contact avec notre lumière-pilote. Les enfants très jeunes se souviennent de leurs états divins, mais malheureusement l'éducation de leurs sens physiques leur fait oublier leurs origines. Puisque nous revenons encore et encore, enfermés dans la matière et dans le cycle de la vie et de la mort, nous sommes le produit de toutes nos vies passées. Mais alors, pourquoi la plupart d'entre nous ne nous souvenons-nous plus de nos passages antérieurs? Les grandes vérités sont cachées, mais cela ne signifie pas qu'elles ne soient pas des vérités. Il est possible, comme nous l'avons vu précédemment, de se souvenir de ses anciennes incarnations au cours de séances d'hypnose, de *rebirth* (respirations dynamiques) ou de régressions. Certaines personnes réussissent d'elles-mêmes à remonter les trames de leurs vies antérieures et à consulter, avec leur esprit, une énorme compilation de mémoires communément appelée les annales akashiques. Le psychologue Carl Jung a été l'un des premiers de nos contemporains à évaluer ce concept d'inconscient collectif. Dans ces annales sont imprimées, sous forme d'énergie électromagnétique, toutes les informations sur ce qui a été ou sera. Car dans les plans supérieurs, le temps n'est plus linéaire mais holographique et multidimensionnel. De là la possibilité pour certains médiums ou voyants (attention toujours aux charlatans!) de prédire l'avenir. La voyance n'est pas un don, mais une facilité à lire dans les annales ou à communiquer avec des esprits élevés ayant accès à ces données. Cet état est à la portée de tous et serait plus répandu si nous étions moins préoccupés par les soucis de notre quotidien et un peu plus en harmonie avec notre divinité! D'ailleurs, il existe des moyens de réchauffer ce canal, cette liaison avec l'esprit. Dans un avenir rapproché, la prémonition deviendra aussi ordinaire que l'action de boire une tasse de thé! Il nous suffira de garder en mémoire que «lire dans l'avenir» est relatif, puisque nous avons le libre-arbitre. Ce pouvoir décisionnel nous offre la possibilité de faire des choix. Ces décisions, en accord ou non avec le plan de vie choisi par notre esprit avant la naissance, accélèrent ou retardent notre évolution. Une conscience bien développée peut se remémorer à volonté ses vies antérieures. Mais si pour beaucoup d'entre nous celles-ci restent voilées, c'est pour mieux ancrer l'incarnation présente, qui recèle, d'une manière ou d'une autre, toutes les leçons et toutes les initiations nécessaires à notre cheminement. Imaginons un comédien s'immergeant dans un rôle exigeant (notre vie présente sur terre), il doit faire abstraction de ses préoccupations pour vivre à fond dans la peau de son personnage. S'il se laisse influencer par des pensées sur ce qui lui est arrivé la veille, il risque de perdre sa concentration et de perturber la qualité de son interprétation. La même difficulté pourrait survenir si un trop-plein d'informations venait court-circuiter notre vie présente. Nous avons parfois du mal à comprendre le fonctionnement de notre unique personnalité, nous n'avons pas besoin d'en percevoir des centaines ou des milliers! Pour avoir plongé dans les mémoires de plusieurs de mes vies passées, j'ai constaté à quel point ces expériences sont exigeantes sur le plan émotionnel! Notre esprit veille avec amour sur notre développement et décide du moment opportun pour nous livrer les parcelles d'éblouissement, appelées intuitions ou inspirations, et nous divulguer des vérités fondamentales en nous guidant patiemment, à petites doses, vers le chemin de l'illumination. Encore faut-il être à l'écoute! Il est possible d'avoir accès à certaines de nos vies antérieures, si leurs connaissances nous aident à assimiler des leçons de vie. D'ailleurs, les incarnations qui refont parfois surface ne se révèlent pas par hasard et ont toujours un enseignement à nous apporter. Elles nous évitent de recommencer éternellement les mêmes erreurs. N'est-ce pas une pensée remarquable que de concevoir que nous sommes multiples? Qu'il est possible d'être soi tout en ayant été des milliers d'autres, tous ancrés dans les mémoires de nos cellules comme autant de fourmis «vibratoires» à l'œuvre pour construire le nid de notre réalisation? Une usine perpétuelle, bien qu'inconnue, qui forge pourtant l'essence même de notre âme. Un bouillon formateur d'expériences qui dessinent nos goûts, nos habitudes, nos qualités et nos défauts. Rien ne se perd, rien ne se crée, tout se métamorphose! L'énergie est éternelle, la parcelle de «vie», l'essence divine en nous est intemporelle. Nous survivons à la mort, qui n'est qu'un passage, que la fin d'un cycle. Notre vie présente n'est qu'un acte d'une pièce interminable, qu'une œuvre d'art créée en communion avec la voix intérieure qui nous relie à l'infiniment grand.

Je me rends compte que ces révélations sont pour le moins déconcertantes. L'ego aime se croire unique, et les hommes préfèrent généralement se déresponsabiliser face aux épreuves qu'ils traversent. Il est plus facile de blâmer le hasard ou la fatalité que d'accepter d'être les principaux artisans de nos vies. Personnellement, je crois au principe de la Trinité réinventée: le fils, qui est l'homme, le père, qui est l'âme, et l'esprit, liés ensemble dans une danse universelle. Le maître Krishnamurti a dit: «Tout être est un univers et se connaître, c'est connaître le tout.» Il est rassurant de constater qu'en nous se trouvent les réponses à toutes nos questions. J'aime les préceptes de la réincarnation, car ils me permettent de mieux comprendre les injustices sociales, les difformités physiques, les accidents et toutes les embûches auxquelles nous avons à faire face, au cours de nos excursions terrestres. Si les hommes embrassaient l'idée d'une justice cosmique et gardaient en mémoire le sens de leur mission individuelle, de leur raison d'être sur cette planète, il y aurait moins de cupidité, de conflits, de compétition effrénée. La violence et l'intolérance ne seraient pas conçues comme des actes gratuits, mais comme des actions attirant à leurs auteurs d'irréductibles et très lourdes conséquences. Les dettes karmiques ne se paient pas toujours immédiatement, mais la note arrive inexorablement et son prix est inévitablement trop élevé. Si nous respections la loi de la causalité, peut-être aurions-nous plus de bienveillance envers les autres et plus de discipline envers nous-mêmes. Et puisque les pensées inspirées de Shirley MacLaine m'ont éclairée au tout début de ma démarche, j'aimerais partager avec vous les phrases de son ouvrage qui m'ont semblé les plus révélatrices.

«Tout travail social ou politique commence par soi-même.»

«Nous sommes les artisans de notre karma, ce qui compte, c'est comment nous menons notre vie. Nous ne sommes pas venus ici par hasard, tout procède d'un dessein beaucoup plus vaste.»

«Si chacun de nous acceptait de se libérer de sa peur en découvrant sa spiritualité, en l'acceptant et en élargissant son champ de conscience, l'effet de ricochet serait spectaculaire.»

«La réincarnation n'est pas une théorie, mais un code d'éthique pratique affectant directement la moralité humaine.»

Et enfin, ma citation préférée:

«L'amour est invisible et pourtant il existe!»

Les affirmations des pages précédentes sembleront simplistes à certains, hérétiques ou tout simplement farfelues à d'autres. Je ne demande à personne de me croire sur parole ou plutôt... sur écrit! J'espère seulement que cet exposé vous permettra d'ouvrir une petite porte sur un domaine réservé autrefois aux seuls initiés. Peut-être aurai-je assez piqué votre curiosité pour vous donner envie de mieux connaître ces phénomènes, de pousser plus loin vos recherches. Il est toujours préférable de se bâtir une opinion personnelle en toute connaissance de cause. La majorité des personnes affirmant ne pas croire à la réincarnation n'ont jamais lu un seul livre sur le sujet! Et puisque la vraie intelligence est l'ouverture d'esprit, je souhaite que ces informations vous aident à mieux accepter la position difficile de l'humanité face aux adversités qui l'entourent et de garder espoir en la présence des formidables capacités tapissant les recoins pourtant accessibles de notre conscience. Il est possible pour chacun de nous, et ce, à tout âge et quelles que soient nos expériences passées, de nous ouvrir à de nouvelles perspectives et de changer notre façon de percevoir pour éventuellement transcender le plan matériel de l'existence.

Trêve de philosophie, revenons à la plage de sable chaud où nous avons laissé une comédienne tourmentée s'adonnant à une lecture passionnante qui allait changer sa façon de penser pour toujours! Malheureusement, la connaissance n'est pas le vrai savoir, celui qu'on intègre par l'expérience du vécu. Mes incursions toutes fraîches dans le monde métaphysique ne régleront pas mes problèmes en un après-midi, loin de là! Même si ces vérités me semblent bien réelles, elles ne pourront pas pour autant colmater les fêlures et le manque de confiance qui me poussent vers la boulimie. Au contraire, la constatation de mon «immortalité» me culpabilise et me fait détester encore plus mon insignifiance et mon manque de contrôle. Je ne mérite vraiment pas d'avoir une parcelle de divin en moi!

Même si je suis religieusement les conseils béhavioristes de Carol-Ann, j'ai beaucoup de rechutes et me cache régulièrement dans les chambres inoccupées de la Russell House, m'enfermant à clé pour vider rageusement des pots de crème glacée Häagen-Dazs. J'ai l'impression d'avoir la tête dans le ciel, à cause de mes lectures, et les deux pieds dans l'enfer de la bouffe. Je suis bien placée pour représenter la polarité du monde physique, un paradoxe vivant!

Ma période d'internat est maintenant terminée. Comme j'ai encore un peu de temps avant le début de la préproduction du *Crime d'Ovide Plouffe*, je décide de me louer un appartement pour les trois semaines qui restent au lieu de retourner à Montréal.

Le studio d'allure monacale entièrement blanc inspire l'ordre et la pureté, deux éléments que j'aimerais bien consolider dans ma personnalité! En fait, après les exigences incessantes de mon récent travail au centre, j'ai besoin de me ressourcer. Il me semble y avoir encore tellement de mystères à découvrir, de sentiers à défricher par rapport aux profondeurs sublimes de l'univers et celles beaucoup plus obscures des méandres de mon incompréhensible cerveau! Si j'ai souffert de solitude à Paris, j'ai eu l'occasion, à Key West, de m'immerger dans les relations humaines, en exerçant mon rôle de «gentille organisatrice» de Club Med! Je vais chérir mes prochains moments de tranquille contemplation. Petit luxe appréciable, le jardin derrière ma cellule de moine possède un bain tourbillon. Il est tout simplement divin de pouvoir s'y tremper la nuit, sous les étoiles, en costume d'Ève.

Regardant le ciel immense, perlé d'éclats argentés et nimbé de silence, j'essaie de syntoniser la force subtile qui m'a amenée jusqu'ici. Je perçois que mes problèmes de comportement forment un labyrinthe semé d'embûches que je dois conquérir pour retrouver le vrai sens de mon existence. Peut-être que la boulimie est un moyen détourné qu'a choisi mon «Esprit» pour me forcer à regarder à l'intérieur et à redécouvrir une autre dimension de mon être. Je trouve quand même la leçon un peu dure à avaler!

Le corps détendu, flottant mollement dans cette eau délicieuse, je fais le bilan des expériences enrichissantes, des joyaux qui ont décuplé la valeur de mon séjour sur cette île. Cette terre sacrée où Circé l'enchanteresse, libérant de ses flancs un flot d'épreuves formatrices, ne m'a pas épargnée!

D'abord, j'ai dû cultiver la patience et l'humilité, car être au service d'une vingtaine de clientes n'est pas toujours chose facile. Surtout lorsqu'elles sont émotives et déstabilisées par le fait de ne prendre que des jus de fruits et des bouillons de légumes pendant plusieurs semaines... En période de désintoxication, non seulement le corps mais aussi la tête ont parfois des réactions intempestives. Des inconvénients même légers peuvent soudain prendre l'allure de montagnes insurmontables. Mon rôle était de veiller sur le confort de toutes ces dames fragiles comme des pantoufles de verre!

Une femme d'affaires new-yorkaise m'avait prise en grippe, probablement parce que je lui faisais l'affront d'être plus jeune et un peu moins grosse qu'elle. Rien n'était jamais à sa convenance: le matelas trop dur, l'eau du pichet dans sa chambre pas assez froide, les serviettes trop rêches, sa perte de poids insignifiante et, détail des plus agaçants, je lui pinçais soi-disant la peau en prenant sa tension artérielle tous les matins! Son ton autoritaire et ses remarques acerbes n'épargnaient personne, mais étaient dirigés le plus souvent de mon côté depuis que j'avais découvert, en faisant le ménage sous son lit, des papiers d'emballage de croustilles et de tablettes de chocolat. Malgré tout l'argent qu'elle avait dépensé pour cette cure amaigrissante, elle n'arrivait pas à se contrôler.

Nos similitudes auraient dû me la rendre sympathique, mais elle était vraiment impossible. L'une de mes collègues, en faisant ses rondes nocturnes, l'avait surprise en train d'essayer de faire cuire des pommes de terre sur les pierres volcaniques du sauna, à 3 h du matin. La nuit suivante, un scorpion (qui se ressemble s'assemble!) s'est introduit dans sa chambre. Au lieu de s'adresser à l'interne de garde, elle a traversé la rue et est venue me tirer du lit en hurlant. Nous réveiller en plein cœur de la nuit, mes deux compagnes et moi, après toutes les heures de travail que nous abattions dans une journée, relevait de la cruauté mentale. J'ai eu beau essayer de la convaincre que je venais d'un pays nordique et que je ne connaissais rien aux insectes et aux araignées des régions tropicales, rien n'y fit. Elle avait décidé que c'était moi qui devais affronter la bête! Comme elle avait l'air terrifié, j'ai dû me résoudre à la suivre jusqu'à sa chambre, essayant de cacher que j'étais, moi aussi, morte de trouille. Le monstre trônait au beau milieu du tapis, la queue recourbée, prêt à passer à l'attaque, semblant me dire: «Approche pour voir! Mon dard pointu et bien empoisonné t'attend.» Quand je suis mise au défi ou, comme dans ce cas-ci, au pied du mur, une guerrière valeureuse qui en temps ordinaire se prélasse au fond de sa grotte fait alors miroiter le côté brillant de son bouclier pour me signaler qu'il est temps de passer à l'attaque. Un côté de moi, animé par l'orgueil sans doute, voulait se montrer à la hauteur et ne pas faiblir devant cette femme qui avait choisi toutes les façons de m'humilier depuis son arrivée. Mais une autre partie de moi, un peu mère Teresa, ressentait vraiment le besoin de la protéger, car elle avait l'air pitoyable d'une petite fille en détresse venant de voir un fantôme sous son lit. Sentant monter un sursaut de courage, je me suis précipitée sur l'animal armée d'un balai et d'un porte-poussière. Après quelques efforts infructueux (elles sont rapides ces bêtes-là et, en plus, j'avais vraiment peur de me faire piquer!), j'ai réussi, tout en poussant un hurlement digne d'un samouraï, à coincer l'infâme entre mes deux instruments de ménage. J'ai descendu prudemment les escaliers avec ma conquête bien enserrée dans mon artillerie de fortune et je l'ai lancée de toutes mes forces au beau milieu de la rue. À notre grand soulagement, le destin cruel a voulu que la bestiole à moitié assommée n'ait plus assez de réflexe pour éviter les pneus meurtriers d'une vieille Volkswagen aux ailerons rouillés. Sortant de la nuit noire, la Beetle a écrasé le scorpion, mettant un point final à nos tribulations.

À partir de ce moment, mon adversaire de la Big Apple a commencé à me traiter respectueusement Je me suis rendu compte que dans les situations conflictuelles avec des «supérieurs hiérarchiques» (je remplissais effectivement le rôle social d'employé à ce moment-là), la générosité et le respect de ses propres valeurs morales sont plus efficaces que la contre-attaque ou la vengeance. J'aurais pu me plaindre de son comportement à la direction ou refuser de l'aider en prétextant que ce n'était pas ma responsabilité. Mais le fait d'avoir surmonté mon antipathie pour elle et ma peur des scorpions avait créé une solidarité nouvelle, un rapport différent. Et cette femme constamment en position d'attaque s'était soudainement adoucie. Rendre le mal par le bien inscrit sûrement de bonnes notes dans notre bulletin karmique! Plus tard, j'ai essayé de me remémorer cette leçon dans d'autres situations de confrontation, pas toujours concluantes d'ailleurs. Mais ma période de sainteté a été de courte durée. Lorsque ma nouvelle copine m'a demandé de lui prêter ma bicyclette pour aller à la plage, alors que toutes les autres clientes s'y rendaient à pied pour faire leur exercice journalier, j'ai tout de même refusé.

Reste sur tes gardes, ma fille, tes problèmes avec la nourriture te rendent vulnérable et les prédateurs ont un odorat développé pour humer la chair tendre!

Le deuxième événement, d'une tristesse inouïe, a définitivement fait disparaître les derniers vestiges d'apitoiement sur mon sort qui planaient sur les pénibles souvenirs liés à ma maladie. Je n'étais peut-être pas au bout de mes souffrances, mais la triste histoire d'une jeune femme de 22 ans atteinte d'une névrose beaucoup plus redoutable que la mienne m'a obligée à «relativiser» mon propre désarroi.

Cindy était en jeûne avec nous depuis bientôt deux semaines. Dotée d'une silhouette filiforme à son arrivée au centre, en 15 jours, elle avait beaucoup trop maigri. Enid, la propriétaire, lui a alors suggéré de recommencer tout doucement à s'alimenter. Elle a refusé, disant qu'elle se sentait en pleine forme et qu'elle désirait continuer la désintoxication pour se débarrasser d'un problème d'acné qui semblait s'être nettement amélioré durant la cure. Depuis quelques jours, elle pratiquait le jeûne intégral, à l'eau seulement, refusant même de boire son cocktail de potassium (eau de source dans laquelle des morceaux de pomme de terre crue ont trempé pendant 12 heures), précaution nécessaire pour éviter la perte d'électrolytes durant les restrictions alimentaires prolongées. Enid lui a conseillé de continuer à jeûner pour une période de 24 heures, sans plus, tout en buvant du jus d'orange frais toutes les deux heures afin de commencer à récupérer. Le lendemain, la cuisinière nous rapportait qu'elle avait vu Cindy vider son pichet entier de jus d'orange dans l'évier. Devant son entêtement et son refus catégorique d'ingurgiter quoi que ce soit, nous avons dû nous rendre à l'évidence: la jeune femme souffrait d'un trouble profond, l'anorexie nerveuse. La clinique devenait souvent le refuge de femmes fragilisées et même dépressives, mais le but premier de la maison était uniquement de favoriser les cures de jus, sans aucune prétention médicale. Il se révélait parfois difficile de jauger le profil psychologique de nos clientes. Essayant d'aider Cindy du mieux qu'elle pouvait, Enid a fait venir une psychologue. Mais Cindy s'enfermait dans son mutisme, ne voulant communiquer ni avec la thérapeute ni avec sa famille. Nous n'avions aucun moyen d'avertir les proches de notre cliente puisqu'elle ne voulait pas nous donner leurs coordonnées. Tout ce que nous savions, c'était que Cindy venait d'une famille juive aisée de l'est des États-Unis.

La malheureuse refusait absolument de se nourrir, elle n'écoutait aucune recommandation et commençait à mettre sa santé en danger. Enid a dû, à contrecœur, lui demander de partir. Cindy est alors venue s'installer dans l'appartement au-dessus du mien. C'était un spectacle déchirant de voir son corps de plus en plus décharné et son visage émacié à la peau transparente comme un vieux papyrus. Elle était dans une phase obsessionnelle, marchant des kilomètres, nageant d'interminables longueurs dans la piscine communautaire (Key West est une petite ville, tout se sait) et ne dormant presque plus. Je l'entendais faire des allers-retours incessants dans sa chambre, au-dessus de ma tête, marmonnant des mots incompréhensibles pendant une bonne partie de la nuit. La jeune femme était majeure et ne contrevenait à aucune loi. Elle refusait tout contact. Personne ne pouvait rien pour elle. Nous étions les spectateurs impuissants de cette tragédie et soupçonnions qu'elle n'avait rien mangé, ou presque, depuis plus d'un mois. L'anorexie est une maladie terrible que les gens associent à tort à la boulimie. Il ne faut pas confondre les périodes où une boulimique s'affame temporairement pour essayer de retrouver son poids après de trop grands excès et l'*Anorexia nervosa*, un problème beaucoup plus difficile à surmonter. Les boulimiques ont une énorme pulsion de vie qu'elles n'arrivent pas à canaliser. Elles mangent pour combler le vide entre leurs rêves trop exigeants et la dure réalité. Elles tentent de s'anesthésier avec la nourriture, d'endormir leurs angoisses en espérant se cacher momentanément de leurs insuffisances fictives. Les anorexiques ont par contre une pulsion de mort. Elles haïssent leur corps au point de le voir comme leur pire ennemi. Si on ne soigne pas leur obsession à temps, celle-ci les incitera à se faire disparaître pour transcender leur physique tant détesté. Les personnes anorexiques essaient de vaincre leur corps en lui prouvant qu'elles peuvent le contrôler et exister sans s'occuper de lui par la seule force de leur volonté. Dans les cas graves, elles doivent être hospitalisées régulièrement et nourries par intraveineuse. Au bout de quelques années, si les thérapies sont infructueuses, leur pauvre cœur affaibli par les privations peut tout à coup cesser de battre.

Nous allions régulièrement frapper à la porte de l'appartement de ma voisine d'en haut pour prendre de ses nouvelles, mais elle faisait la morte, se terrant dans la solitude de sa chambre. J'en venais à espérer qu'épuisée, Cindy s'évanouisse dans un endroit public, qu'un ambulancier la recueille et l'emmène à l'hôpital où elle pourrait être nourrie sous la surveillance d'un spécialiste. Mais elle semblait avoir une énergie à toute épreuve, et je continuais à la voir se promener telle une automate, le regard vide, montant et descendant les escaliers qui menaient à sa chambre, évitant de croiser mon regard et de répondre à mes sourires. Contrairement à ma récente aventure avec la difficile New-Yorkaise qui s'était, somme toute, assez bien terminée, je me retrouvais cette fois devant un mur de silence et d'incompréhension. Malgré mes impulsions de bonne Samaritaine, je ne savais pas comment apprivoiser Cindy, elle m'effrayait. Et ce sentiment d'impuissance me hantait particulièrement aux petites heures du matin, lorsque je l'entendais remuer les meubles, exerçant je ne sais quel rituel, essayant sans doute de contrôler son univers en replaçant constamment les chaises et les tables de son antre, où personne n'avait le droit de pénétrer. N'y tenant plus et craignant vraiment pour la vie de Cindy, je me suis confiée à Enid, qui s'est résolue à alerter les autorités et à demander à la police de faire des recherches pour retrouver ses parents. Deux policières se sont présentées à l'appartement de Cindy, mais elle a refusé de leur ouvrir. Les représentantes de l'ordre ont crié à travers la porte qu'elles repasseraient au cours de la journée et qu'elles se verraient dans l'obligation de demander les clés au propriétaire si elle s'obstinait à les empêcher d'entrer. Lorsqu'elles sont revenues en fin d'après-midi, le nid était vide. Cindy avait disparu en emportant toutes ses affaires.

Nous n'avons jamais su ce qu'elle est devenue. Cindy était brillante. Elle avait une maîtrise en histoire. Elle avait aussi de magnifiques cheveux roux. Je ne peux me débarrasser de l'horrible certitude qu'elle n'est plus de ce monde, que sa maladie l'a isolée au point de rompre les liens avec ceux qui l'aimaient. Elle s'est probablement envolée loin des siens, loin de sa famille qui a compris trop tard la gravité de son état.

J'ai été témoin en partie de cette irrémédiable dévastation. J'ai vu le corps meurtri de cette jeune femme, ses joues creusées par son acharnement à se détruire, sa démarche de spectre. Je n'ai pas su l'aider, mais peut-être était-ce elle qui devait livrer un message. Par son exemple tragique, j'ai compris qu'il n'y a pas de guérison possible sans le partage de ses peines, pas de délivrance sans la confession de ses démons intimes. Pour trouver le repos de l'âme, nous avons besoin d'un confident, d'un allié compétent doté d'une infatigable patience et prêt à nous accompagner sur le long fleuve boueux de notre tristesse afin de nous empêcher de nous perdre dans le puits sans fond de nos morbides introspections.

J'aime la vie profondément, passionnément, et je ne veux pas la gaspiller comme la pauvre Cindy. Je veux trouver le sage, le conseiller qui m'aidera à me libérer, celui qui m'inspirera à la fois confiance et respect, celui avec qui j'aurai le courage de plonger dans l'argile sombre pour en ressortir cicatrisée, débordante d'espoirs nouveaux. Un tel oiseau rare demande une longue et méticuleuse chasse, mais je fais le serment de tout mettre en œuvre pour le découvrir.

Depuis que je n'habite plus à la Russell House, j'ai pris l'habitude de manger, plusieurs fois par semaine, des plats végétariens dans un charmant café, quartier général des adeptes du Nouvel Âge de Key West. J'aime bien y passer du temps à discuter avec des gens fort sympathiques et mieux informés que moi sur les vastes sujets touchant à la parapsychologie, un domaine où la novice que je suis en a encore beaucoup à apprendre. Dans la société en général, lorsque j'essaie d'entretenir une conversation abordant les notions d'ouverture de conscience et d'évolution spirituelle, je fais très souvent face à des réactions sceptiques et incrédules, pour ne pas dire totalement fermées à la possibilité même d'une discussion. Dans certains milieux cependant, ces mots magiques me permettent d'entrer immédiatement dans une confrérie de chercheurs généreux et de philosophes qui n'hésitent pas à partager leurs connaissances et à suggérer des titres d'ouvrages ayant récemment répondu à leurs interrogations. Ce sont des moments précieux, car ces préceptes sont tellement éloignés de l'expérience vécue dans mon quotidien, que j'ai souvent l'impression, comme le petit prince de Saint-Exupéry, d'habiter toute seule sur ma planète!

Avant de me régaler d'un bon hamburger au tofu (non, non, ne riez pas, bien apprêtés, ils sont délicieux!), je jette un regard au babillard où sont affichées des offres de services divers, allant de l'acupuncture aux cours de taï chi en passant par les massages californiens. Je remarque un grand papier bleu sur lequel apparaît la photo d'un homme intrigant ayant l'air de me suivre des yeux avec son regard étrange quoique bienveillant. Une société de Virginia Beach annonce pour la fin de semaine suivante la tenue d'un séminaire sur les facultés extrasensorielles. En fait, j'ai devant moi le visage d'Arthur Ford, un des plus grands spirites de notre siècle. Il a quitté ce monde dans les années 70, mais de sa lignée directe descendent de nombreux élèves. La plus reconnue étant Madame Ruth Montgomery, journaliste politique respectée à Washington qui, après avoir rencontré le médium, a consacré le reste de sa carrière à écrire sur ses enseignements. Comme quoi il n'y a pas de hasard, mais seulement des coïncidences, je viens juste de terminer le célèbre *best-seller* de l'étonnante journaliste intitulé *A Search for the Truth* (*À la recherche de la vérité*). Les cours seront donnés par les deux directeurs adjoints du centre Arthur-Ford. Vite, vite, que je trouve un crayon pour noter le numéro de téléphone et m'inscrire!

Vendredi soir, dans la salle de conférence exiguë située au-dessus de la librairie ésotérique, nous sommes 10 braves ayant répondu à l'appel, frétillants comme des truites saumonées à l'idée de ressortir de ce séminaire transformés en supermen de la voyance! J'ai vraiment peur de ne pas passer le test car, à ce que je sache, à part mon voyage-surprise dans une de mes vies passées, je n'ai jamais vécu d'expérience spectaculaire en divination! Nos enseignants, un couple dans la trentaine, vont s'appliquer à nous exposer patiemment les techniques de développement des facultés paranormales. Ils passent surtout beaucoup de temps à nous encourager et à essayer de nous convaincre que nous sommes de bons candidats. Le programme est varié, car il existe effectivement de nombreuses façons de percevoir en-dehors de nos cinq sens.

La clairvoyance est la forme la plus familière. Nous avons tous entendu parler de Madame Irma, qui lit l'avenir dans sa boule de cristal. Mais pas besoin de toutes ces simagrées pour prédire le futur. Comme je l'ai déjà mentionné, il suffit de trouver en soi une porte calme et de vérifier que les peurs et les incertitudes n'en possèdent pas la clé. Une fois entrés dans cet espace neutre, nous pouvons accéder à notre esprit omniscient, qui nous donnera les informations demandées s'il juge nos questions pertinentes. Les réponses apparaîtront sous formes d'images, de visions passant du flou à la précision, selon la réceptivité du demandeur. Chacun a la capacité d'y arriver, mais le principal obstacle réside dans notre difficulté à faire abstraction de nos doutes ou à croire en la véracité de nos réponses. Certains ont la facilité de «voir» depuis l'enfance, d'autres ne développeront jamais leurs capacités latentes. L'idéal serait de ne consulter un voyant que pour valider nos propres données. Pour stimuler le pouvoir de réceptivité, il est possible d'utiliser des supports comme les cartes de tarot ou les pendules. Certaines tribus africaines préfèrent les entrailles de poulet ou les ossements des morts! Je préfère de loin la méditation!

Une autre faculté extrasensorielle est la clairaudience. Cette faculté permet d'entendre les messages donnés par les âmes désincarnées et les guides supérieurs. Elle est peu pratiquée, car il devient très difficile de discerner à qui nous avons affaire. Les voix ne sont pas toujours angéliques et peuvent nous tromper. Il faut avoir une foi sans limites pour s'y retrouver, demandez à sainte Jeanne d'Arc!

La transe médiumnique, de loin la plus impressionnante, implique la possession du corps physique par une ou plusieurs entités qui utilisent une personne réceptive comme canal inconscient. L'un de nos professeurs est lui-même médium, et une séance publique est prévue à la fin des cours. Je suis vraiment intriguée par le phénomène.

Malgré nos efforts, aucun des élèves présents ne semble avoir de disposition particulière pour réussir cet exploit. Même qu'en attendant d'être «possédé», un des participants s'endort sur sa chaise, canalisant un formidable esprit ronfleur! Les sons tonitruants qu'il émet ressemblent aux grognements d'un cochon en mal d'amour. Vous imaginez l'effet que ces ronflements disgracieux ont sur notre concentration. Évidemment, l'exercice se termine par un immense fou rire. Nous désespérons de connaître une réussite, si minime soit-elle.

Peut-être aurons-nous un peu plus de succès avec la télépathie? Nous devons essayer de deviner les inscriptions composées de chiffres ou d'images collées au revers de petits cartons. Après quelques exercices de concentration, les membres d'une de nos équipes obtiennent des résultats remarquables. Il faut dire qu'ils sont mariés depuis plus de 10 ans. La grande complicité et la tendresse évidente qu'ils ressentent l'un pour l'autre leur permettent peut-être d'unir leurs esprits. Neuf fois sur dix, ils tapent dans le mille en décrivant correctement les effigies: une vache, un pot de fleurs, l'as de cœur. Les amoureux sont certes seuls au monde, car personne d'autre ne réussit aussi bien l'exercice!

Courage, moussaillon! Demain, il te reste encore trois faits d'armes à entreprendre. Tout n'est pas perdu. Tu as encore le temps d'amorcer ta transfiguration en oracle de Delphes!

Si hier la télépathie semblait un jeu d'enfant, aujourd'hui nous nous attaquons à un sérieux phénomène: la télékinésie ou l'art de faire bouger les objets à distance.

Je me tape un sérieux mal de tête à force de fixer un stylo qui s'entête à ne pas vouloir se déplacer! Tout à coup, j'entends un cri triomphal. L'un des participants est en train de faire bouger un cendrier sur la table, rien qu'en le regardant! Je suis bouche bée et dois bien me rendre à l'évidence que son cendrier danse la polka sur la nappe cirée, alors que mon satané stylo me nargue de son œil plastifié et refuse totalement de coopérer! Ce n'est pas demain la veille que je participerai à l'érection des pyramides d'Égypte ou des statues de l'île de Pâques… Je commence à désespérer de trouver un exercice où je pourrai briller d'un éclat surnaturel. Je n'ai pas plus de chance avec l'observation des auras. À un moment donné, je crois discerner une mince lueur rougeâtre autour d'une tête blonde, mais je me suis probablement frotté les yeux un peu trop fort!

Tout va basculer en fin d'après-midi lorsque nous nous attaquons au phénomène de la vision à distance. L'opération délicate consiste à tenir un objet personnel dans nos mains, soit une montre, un crayon ou une photographie, et d'en tirer des informations. Nous devons laisser monter à la surface de notre conscient tout ce qui nous passe par l'esprit en évitant toute censure. J'opte pour une photographie banale représentant un escalier. La participante à qui cette photo appartient vient se placer devant moi. Survient alors un événement aussi inattendu qu'inespéré. Abracadabra! Ma performance effacera d'un trait tous mes efforts infructueux accumulés depuis le début du séminaire. Cela m'aura pris deux jours pour enfin trouver mon «créneau paranormal». En tenant la photographie de cet escalier ordinaire, une foule d'images déferlent dans ma tête. Je «vois» que cet escalier se situe dans une vieille maison blanche en Pennsylvanie et que cette maison appartient à la grand-mère de ma partenaire. Je «devine» même la couleur du tablier que la vieille dame porte lorsqu'elle passe le balai et je «ressens» que son arthrite dans les genoux lui donne beaucoup de difficulté à monter les marches. À mon grand étonnement, ma compagne sidérée me jure sur l'honneur que mes renseignements sont véridiques. Quel triomphe! Pourtant, l'expérience m'a semblé rapide et naturelle, sans que j'aie eu besoin de réfléchir. Les informations me sont apparues de façon claire et précise. Je n'ai eu qu'à émettre les sons!

L'explication de cette facilité tient peut-être dans le fait que j'ai toujours été excessivement visuelle et que j'ai un sens inné des détails. Les gens de mon entourage sont d'ailleurs souvent embêtés par ma propension à toujours voir la petite chose qui cloche: le papier sur le sol, le cheveu sur le vêtement, la fissure sur le mur, et j'en passe! Cette aptitude un peu maniaque m'a peut-être aidée à développer mes jeunes talents de visionnaire, sait-on jamais… J'aurais dû faire une carrière de détective privé!

Le séminaire se termine sur cette note heureuse. J'y ai passé un bon moment, sans toutefois avoir reçu de révélations transcendantales. Pour tout vous dire, je me sers rarement de mes facultés, car j'ai parfois du mal à croire que «voir» puisse être aussi facile. Pas toujours évident de se mettre en état méditatif dans le tourbillon du quotidien! Pourtant, lorsque je prends la peine de me centrer à l'intérieur de l'œil du cyclone, loin du brouhaha des désirs et de la bataille des indécisions, je trouve presque toujours «le calme qui parle». Le plus difficile est de me rappeler, au milieu de l'agitation, que ce havre de paix est à portée de cœur.

Il ne faut qu'un peu de vide intérieur pour traverser les rapides tumultueux de nos pensées et s'amarrer, sereins et détachés, au quai des inspirations. Les dons divinatoires sont des facultés intrigantes. Beaucoup pensent que le développement de ces dernières les mèneront sur le chemin de l'illumination. Voilà une charmante illusion. Les phénomènes paranormaux ne sont que des symptômes qui accompagnent parfois le processus d'évolution, mais qui ne constituent pas la preuve irréfutable de notre avancement. Il vaut mieux éviter de créer une dépendance aux voyants et aux occultistes de tout acabit. Certains sont étonnants de justesse et peuvent nous éclairer. Je connais deux femmes merveilleuses, une qui réside à Repentigny, l'autre, à Paris, que je dois me retenir de consulter plus d'une fois par année! Mais nous devons garder en mémoire que ces facultés sont le propre de tout être humain. En temps et lieu, dans cette vie-ci ou dans une autre, chacun saura les utiliser à volonté, et elles deviendront la normalité. L'important est de vivre avec simplicité chaque jour en choyant son petit karma. Le reste, s'il doit venir, viendra.

Au diable nos tentatives d'amateurs, voici enfin le moment d'assister à une véritable séance de spiritisme donnée par notre instructeur. L'excitation dans la salle est à son comble lorsque Jerry vient s'installer dans un grand fauteuil, face à l'assistance. Le médium annonce que si tout se passe normalement (!), plusieurs entités parleront à travers lui. Avouons que les prémisses promettent du «spectaculaire»! Affichant le visage confiant d'un bouddha au repos, notre conférencier nous explique le début des procédures. «Je vais mettre un bandeau sur mes yeux pour favoriser ma concentration. Je vous demanderais d'observer quelques minutes de recueillement jusqu'à ce que la première entité se fasse connaître. Les séances se déroulent la plupart du temps de la même façon: l'entité se nomme, puis nous livre son message. Ensuite, elle accepte de répondre à vos questions. Cette période terminée, la «présence» se retire pour faire place à une autre «voix». Généralement, trois ou quatre entités viennent nous rendre visite. Je serai alors totalement inconscient. L'événement sera enregistré sur bande sonore, car je ne me souviens jamais des paroles prononcées par les esprits.»

Je ne sais pas si je dois rire ou pleurer, tout ceci semble tellement délirant. Des petits frissons secs me traversent l'échine. Et si c'était possible? Si une âme venait vraiment s'incarner à quelques pieds de moi dans un corps tout chaud et bien vivant? Pour vous dire franchement, j'angoisse un peu!

La tête de Jerry se penche doucement vers l'avant, il semble dormir. Le silence profond nous fait presque entendre les molécules d'oxygène s'entrechoquer telles de minuscules et indisciplinées boules de billard. L'air est croquant, léger et salé comme un biscuit au sésame. Ouvre-toi, portail de l'autre monde! Laisse donc venir tes visiteurs! Le corps du médium est secoué d'un long et terrible tremblement. Il relève la tête et dit d'une voix faible et enrouée: «Bienvenue, je m'appelle John et suis enchanté d'être parmi vous.» Très poli, cet esprit! La «voix» continue à s'exprimer lentement et les sons se font de plus en plus audibles. À croire que les cordes de l'instrument s'ajustent à leur nouveau maître. L'entité John se révèle un fervent adepte de philosophie. Il discourt pendant près de 20 minutes sur les lois du cosmos et de l'amour universel. De belles et grandes paroles, un vrai pasteur baptiste. Je ne sais que penser.

À cause de mon métier, je suis familière avec les diverses techniques de transformation de la voix, en changeant le timbre, l'accent et les intonations. Mais quelque chose d'indéfinissable, une impression intimidante presque révérencielle me force à penser que cette expérience est authentique. La façon de parler et d'articuler du médium est intrigante. Il n'est pas facile de changer si profondément la nature de ses cordes vocales, en gardant le visage impassible et le corps totalement immobile. À moins d'être ventriloque, ce qui est toujours une possibilité! Pendant la période de questions, la situation se corse. Un homme dans l'assistance demande des éclaircissements sur son propre divorce. John lui donne des détails troublants sur ses antécédents, ses problèmes émotifs et les principales raisons qui ont provoqué l'amère bataille entre les deux conjoints. Prolifique, notre Salomon prodigue ensuite de judicieux conseils pour régler leur différend. L'homme a l'air tout à fait abasourdi puis soulagé. Cet intermède, il est vrai, a pu être répété avant la séance. Mais si c'est le cas, chapeau à l'époux désabusé. Son interprétation est vraiment digne d'un oscar!

Après nous avoir salués solennellement, John le baptiste cède la place à une autre présence, et une voix féminine rauque et sensuelle aux inflexions rappelant la chaleur du Moyen-Orient se fait entendre. «Bonjour, je suis Aïcha. Je suis venue pour vous parler de votre enveloppe physique. Les hommes ne la traitent pas avec assez de respect. La santé est précieuse pour ceux qui veulent atteindre les portes de l'éternité.» Quelle poétesse! La voix est étonnante. Si Jerry le fait exprès, il a plus de talent qu'André-Philippe Gagnon! Aïcha répond très précisément à toutes les questions portant sur les maladies. Elle révèle même à une dame assise à côté de moi que son problème d'eczéma est psychosomatique et qu'il est dû à une trop grande soumission à son mari! La pauvre femme éclate en sanglots. Heureusement que son époux tyrannique n'est pas dans la salle. Il risquerait de faire un mauvais sort à notre guérisseuse d'outre-tombe! La soirée est de plus en plus mystifiante. Je ne comprends pas comment le médium, portant un bandeau sur les yeux, pourrait voir «physiquement» l'état des mains d'une dame assise au sixième rang!

Une troisième entité nous fait ensuite l'honneur de sa visite. Un drôle d'individu parlant avec un pur accent cockney (caractéristique des quartiers de l'est de Londres) et utilisant des expressions d'un autre siècle sorties directement des romans de Charles Dickens. «Salut, je suis Tommy. Je viens toujours le dernier pour détendre l'atmosphère. Les deux autres trouvent que je ne suis pas assez sérieux! Laissez-moi vous décrire comment ça se passe là-haut après notre passage sur terre.» Tommy nous fait alors une description en détail et plutôt rassurante du monde des âmes désincarnées. Il nous parle de la vie après la mort et de la réincarnation. Il a beaucoup d'humour et nous fait rire à plusieurs reprises! Puis, il lance soudainement: «Une minute, j'ai un message à transmettre de la part d'un de mes collègues, ça s'adresse à Michel. Ton oncle veut te dire que le peuplier qui vient de mourir devant la maison avait été planté par lui, il y a 30 ans. Il voudrait que tu le remplaces en sa mémoire.» Un jeune homme assis au fond de la salle s'exclame: «Mon Dieu, c'est vrai, le peuplier devant chez moi a été frappé par la foudre, il y a une semaine!» De quoi réfléchir!

Notre amical compère nous fait ses adieux. Le corps de Jerry sursaute légèrement. Il relève doucement ses mains des accoudoirs du fauteuil. Il semble tout à coup étrange de le voir se mouvoir, lui qui est resté parfaitement immobile pendant plus de deux heures. Son assistante lui retire le bandeau. Il paraît pâle et désorienté. L'atmosphère de la pièce redevient compacte, d'une densité presque palpable comparée à la légèreté et à la fluidité de l'énergie caractéristique de la présence des «visiteurs».

La séance est terminée. Supercherie ou expérience surnaturelle? Ce soir-là, rien n'a pu être prouvé, vérifié. Ne me reste que le sentiment d'avoir été témoin d'un événement extraordinaire. Jerry a-t-il vraiment prêté son corps à des entités astrales? Je n'ai pas de réponses à cette question. Mais j'aurais plutôt tendance à croire en l'authenticité du phénomène.

J'ai répété l'expérience à Montréal des années plus tard, en séance privée, et le résultat a été impressionnant. Francis, un médium réputé, avait canalisé un guide, un ancien médecin chinois, qui connaissait tous les détails de ma vie et mes secrets les plus intimes! J'ai encore en ma possession l'enregistrement de cette séance. Chaque fois que je la réécoute, j'ai des frissons dans le dos. Était-ce tout simplement de la clairvoyance ou était-ce une force étrangère qui venait réellement emprunter le larynx d'un homme consentant? En tout cas, les médiums sont payés le même prix à l'heure que les voyants! S'ils pouvaient nous donner les mêmes réponses en lisant dans les cartes de tarot, je crois qu'ils préféreraient ce moyen beaucoup moins épuisant. Après chaque séance, les «canalisateurs» ont besoin de se reposer longuement et ne peuvent généralement supporter plus de deux ou trois séances consécutives. Éveillés, ils n'ont plus accès aux connaissances profondes qu'ils divulguent pendant qu'ils sont en état de transe.

Plus tard, j'apprendrai à mes dépens que jouer dans les plates-bandes de l'astral n'est pas un sport pour amateur. L'histoire vaut la peine d'être racontée… mais n'anticipons pas!

Après ces débordements bizarres, j'ai besoin d'un peu de quotidien, de «petite vie», de tarte aux pommes! Il me reste quelques jours avant mon départ pour Montréal. Quelques moments précieux avant d'affronter mon retour sur un plateau de cinéma.

Je n'ai pas envie de partir. Comment vais-je réagir hors de mon bocal, lancée dans la haute mer des tentations? Dans un environnement protégé, je n'ai pas réussi à éliminer totalement mes pulsions. Comment vais-je m'en sortir une fois remise en liberté, avec la pression d'un tournage et d'un premier rôle sur le dos?

À la suite de mes crises récurrentes, j'ai encore plusieurs livres en trop et je ne ressemble plus du tout à la Rita du premier film. Dans la deuxième partie des *Plouffe*, le personnage a vieilli et se retrouve maman d'une petite fille de sept ans. J'espère que cela peut justifier ma prise de poids!

En ce lundi matin, malgré mes inquiétudes, le soleil est au beau fixe. Rien d'étonnant sur cette île où les saisons n'existent pas. Les sirènes de la plage m'appellent de leurs chants pénétrants. Dans ce pays proche de Cuba, elles sonnent plutôt comme Carmen Miranda! En Europe, j'ai pris l'habitude de me faire bronzer les seins nus. Dans les Vieux Pays, la plupart des femmes le font. Sur la Côte d'Azur, sur la Costa del Sol et même en Sicile, c'est la tradition. Personne ne semble s'en formaliser. Il n'est pas rare de voir des femmes en monokini jouer au volleyball. Je n'irais pas jusque-là. Avant tout parce que je suis nulle avec un ballon. Vaudrait mieux passer incognito! Mais m'étendre au soleil, sans haut de maillot, dans un coin discret de la plage ne me pose aucun cas de conscience. Et comme à Key West personne ne me reconnaît, je me sens libre d'exposer mes petits bourrelets sans crainte de me faire demander un autographe!

L'ignorance est mauvaise conseillère, personne ne m'a prévenue que cette «mode» est bannie aux États-Unis. La nudité est effectivement interdite dans les endroits publics, sauf sur quelques plages «spécialisées» et rarissimes, majoritairement fréquentées par des messieurs entre eux! Je dois sûrement attirer les regards avec mon «indécence». Mais les yeux clos, allongée paresseusement sur ma serviette, je suis imperméable à toutes convoitises. Soudain, une voix profonde vient me tirer de ma rêverie. «Pardon mademoiselle, pourriez-vous surveiller mes affaires pendant que je vais à la mer?» Les affaires brandies à deux pouces de mon visage consistent en un vieux t-shirt et une bouteille de bière. Je me prépare à repousser l'importun quand je vois apparaître derrière le coton chiffonné une créature de rêve. Un Adonis blond et musclé sortant tout droit de l'émission *Alerte à Malibu*! Mes hormones se mettent à bouillir. Il y a des lustres que je n'ai pas eu de contact intime avec un représentant de la gent masculine, et mon célibat commence sérieusement à me peser! Mais j'hésite quand même à me remettre sur le marché. J'ai tellement l'habitude de voir mon corps comme un ennemi, pourrais-je faire la paix avec lui, le temps d'un flirt? Dis! Anne chasseresse, un peu de courage, sors ton arc et tes flèches! Sous l'œil masculin, peut-être que mes rondeurs, tel un tableau de Rubens, se révèleront appétissantes?

Lorsqu'il revient de sa baignade, mon bronzé aux cuisses d'airain me fait remarquer avec un sourire en coin que le «déshabillage» n'est pas légalisé en Floride. Oups! Prise d'une soudaine crise de pudeur, j'enfile ma robe à la vitesse d'un coureur de Formule 1 durant un Grand Prix! Une heure plus tard, nous sommes toujours en train de converser. Les Américains sont d'une franchise étonnante. À la première rencontre, ils confient souvent des détails très intimes de leur vie, allant de leur situation financière jusqu'à leur préférence sexuelle. Leur pudeur par rapport à la nudité frise l'hypocrisie, car ils sont tout à fait impudiques dans leurs propos. Tout le contraire des Européens qui n'ont aucune pudeur physique. À Paris, j'ai fréquenté des salles de danse et des saunas où les vestiaires mixtes ne semblaient choquer personne. Par contre, pour ce qui est des confidences, ils restent plutôt sur leurs gardes et ne se livrent qu'après une longue période d'apprivoisement.

J'aime bien la façon américaine et intempestive de faire connaissance. En tant que comédienne, je dois souvent me familiariser avec des inconnus qui en quelques heures doivent devenir un mari ou un amant... d'où la nécessité de faire très vite connaissance! Richard, c'est le nom de mon bel interlocuteur, et moi sommes donc devenus proches en très peu de temps. J'apprends qu'il était, en des jours plus cléments, joueur de golf professionnel. Enrôlé dans la guerre du Vietnam, il y a subi une méchante blessure à la tête. Depuis ce temps, il souffre de migraines à répétition et de troubles de la vision l'empêchant d'exercer sa profession et de concourir dans les championnats. Lorsqu'il est revenu du front, déjà déstabilisé par les chocs post-traumatiques, il a découvert que sa femme légitime l'avait abandonné pour un de ses meilleurs amis. Et comme si ce n'était pas assez, elle s'était assurée de vendre tout ce qu'ils possédaient en plus de vider leur compte en banque. Atteint de sévères dépressions (on le serait à moins!), le pauvre homme a passé plusieurs années entre l'hôpital des vétérans et une clinique de repos où ses parents l'ont fait admettre. Remis sur pied, il décide de tenter un nouveau départ. «Je suis à Key West depuis quelques jours seulement, me dit-il, les yeux brillants, j'espère repartir à neuf. Il paraît qu'on peut trouver facilement du travail dans les bars.» Occupation des plus lucratives dans cette ville où, depuis la venue d'Ernest Hemingway, se soûler est pratiquement un sport national.

Malgré les bouleversements pénibles de la vie de Richard, il émane de lui une chaleur et un charme dévastateurs. Je suis troublée. Il n'a pas l'air bien méchant et bouge avec la grâce d'un gentleman. Son histoire me touche. Après tout, moi aussi, il y a très peu de temps, j'errais dans le désert. Après quelques secondes d'hésitation (faudrait quand même pas passer pour une fille facile!), j'accepte son invitation à danser le soir même. J'ai de la chance, Richard semble être d'avis que les hommes préfèrent les rondes! Sur cette terre tropicale, bouger en cadence est le meilleur moyen de filtrer nos angoisses et de dépoussiérer nos soucis. Ça nous fera le plus grand bien! Allons pousser l'ananas et moudre le café!

Je passe donc mes dernières journées et nuits… avec mon athlète aux yeux fatigués. Richard est un compagnon attentionné, sauf qu'il boit démesurément. Il s'endort parfois avant d'avoir fait ses devoirs de prince charmant. Pour une fille en mal d'amour, c'est plutôt frustrant! Mon cavalier n'aura sûrement pas de mal à se faire engager comme barman, il a déjà goûté à tous les cocktails inventés depuis la nuit des temps!

Le jour de mon départ, à l'aéroport, mon fiancé repentant m'offre un énorme bouquet de fleurs. Je sais qu'il n'en a pas les moyens et je me demande s'il n'a pas été le piquer dans le cimetière de la rue Olivia! Dans le parc funéraire de l'île, les chers disparus ne dorment pas sous les pierres tombales, ils reposent dans des cryptes superposées, blanchies à la chaux. Elles sont décorées d'immenses gerbes fleuries. Peut-être en manque-t-il une? Allons mauvaise fille, assez de pensées mesquines! Mais mon prétendant arbore la mine contrite d'un garçonnet venant d'échapper la jarre à biscuits. Il ne faut que quelques secondes pour que le chat sorte du sac: «Écoute, Anne, je suis vraiment mal à l'aise de te demander ça. J'ai trouvé un boulot pour ce soir, mais j'ai besoin d'un uniforme: un pantalon noir et une chemise blanche. Pourrais-tu me prêter 60 $? Je promets de te les renvoyer dès que je le pourrai.» C'est vrai qu'il ne peut pas travailler avec le jeans déchiré et la chemise pâlotte qu'il porte depuis cinq jours! «Bien sûr, ça me fait plaisir de te dépanner», lui ai-je répondu. Je suis à peu près sûre de ne jamais revoir la couleur de mes sous. Mais c'est un bien petit geste pour remercier cet homme qui m'a fait redevenir femme. Quel beau cadeau il m'a donné, moi qui ne m'étais pas sentie désirée depuis si longtemps! Il m'a réconcilié pendant quelques sublimes instants avec ce ventre tant haï, celui des excès, des ballonnements, des douleurs dans les tripes. Il a rassasié un appétit plus noble, loin de la honte, du dégoût et de l'immonde solitude. Pour cela, j'aurai toujours pour lui une infinie tendresse et une sincère gratitude.

Je suis triste de quitter mon oasis. Je sais que là-bas, dans le Nord, m'attend un énorme défi. Ai-je accumulé assez de force pour l'affronter?

CHAPITRE 5

UNE ÉCLAIRCIE
DANS
LA TEMPÊTE

美

À L'AÉROPORT DE MIAMI, un voyageur inexpérimenté aurait du mal à se croire aux États-Unis. Le personnel des boutiques et des restaurants parle espagnol couramment mais baragouine l'anglais. Les couloirs gris et sans âme sont interminables. Et, nous, infortunés nomades, avons l'impression de devoir nous rendre à notre destination à pied! Évidemment, l'avion nous attend toujours au bout du monde: à la dernière barrière au fond du corridor. Après la sécurité, plus droit aux chariots. Il faut nous organiser avec nos bagages. Je transporte à bout de bras une énorme boîte contenant ma nouvelle acquisition: une centrifugeuse ultraperfectionnée, au moteur aussi lourd qu'une enclume. Il y a quand même un bon côté à cet épuisant exercice: les quelques livres que j'ai encore à perdre risquent de fondre avant d'arriver à mon siège! J'ai besoin de ramener un morceau de Key West avec moi. Un symbole pour m'aider à maintenir mes bonnes résolutions. Si la pression devient trop forte, si je perds mon contrôle pendant le tournage, j'aurai au moins une sortie de secours. Les fins de semaine, je pourrai faire une cure express et ne prendre que du jus, afin de limiter les dégâts. Je me berce encore d'illusions. Une boulimique qui sent le besoin de planifier ce genre de stratégie est loin d'être guérie…

Les passagers ont presque tous embarqué. Je me demande si le siège près de moi restera libre. À moins qu'un homme d'une beauté à couper le souffle ne vienne s'y installer à la dernière minute. Ma récente aventure m'a un peu redonné confiance. Quand on en attire un, on les attire tous! Pas de chance, les portes de l'avion se sont refermées et toujours pas de sublime chevalier assis à mes cotés. J'aurai au moins le loisir d'étaler mes bouquins ésotériques sans causer de commotion.

Avant d'aborder ma lecture, je m'accorde un moment de réflexion. La récolte de mon séjour à Key West s'est révélée d'une richesse inespérée, semée d'expériences contrastées et inattendues. J'ai quand même dans la gorge une amère déception. Pourquoi, malgré ma vigilance à suivre le programme, n'ai-je pas réussi à me débarrasser de cette tare, de ce scorpion venimeux qui me pousse à manger? Quand la «voix» impérieuse semblant ne pas m'appartenir me donne l'ordre d'engloutir, rien, ni ma volonté ni mon désespoir, ne peut l'affronter. Je dois lui obéir. Rationnellement, ce manque de contrôle n'a aucun sens. Moi qui ai toujours approché la vie avec une fougue inaltérable, je ne peux m'empêcher de me salir et de m'empoisonner. Les exercices béhavioristes paraissaient pourtant excellents. Qu'est-ce qui n'a pas fonctionné? Pourquoi suis-je encore tombée de Charybde en Scylla? Entre le choix de me couper du monde, en rémission constante dans des centres de santé, et celui de m'abandonner entre les griffes du cyclope, vivotant dans la honte, n'ayant d'autre identité que celle de la maladie, criant intérieurement: mon nom est «Personne»!

Où trouver à Montréal le soutien dont j'ai besoin sans alarmer mon entourage, mes parents et mes amis? J'en suis au stade où j'ai n'ai pas la force d'admettre publiquement mon problème. Passer son temps à cacher, à dissimuler demande une énergie formidable. Aurai-je l'endurance de jouer dans un film tout en me battant contre le monstre? J'espère trouver quelqu'un capable de m'épauler durant ces longs, trop longs six mois de tournage.

Je suis, malgré tout, heureuse de refaire du cinéma. Le rôle est magnifique et tous les membres de la distribution occupent une place particulière dans mon cœur. J'ai hâte de les retrouver. Mais que vont-ils penser de moi, si je commence à m'empiffrer et à grossir de prise en prise? L'avenir me semble délicieux et terrible à la fois, mêlé d'espoir de moments heureux et de grandes frayeurs, celles de ne pas être à la hauteur et de «révéler» malgré moi mon douloureux secret.

Allez, assez trempé dans ton purin, petit porcelet. Qui vivra, «verrat»! Replonge-toi dans les mystères de la grandeur cosmique, ils ont au moins l'avantage de relativiser tes problèmes!

À partir du moment où mes études sur la réincarnation ont ébranlé mes schémas de pensée, à mesure que je découvrais l'étendue du potentiel humain et de mon propre rôle dans la roue du karma, il s'est passé en moi une étrange bataille entre le profane et le sacré. Deux loups affamés, ayant beaucoup de mal à cohabiter. Un combat existant depuis les débuts de l'humanité, une lutte perpétuelle entre l'âme et l'ego. Comme beaucoup d'autres êtres, je suis déchirée entre mes désirs légitimes du monde matériel et ma volonté de comprendre ma vraie nature pour essayer de m'élever jusqu'à elle. Plus facile d'atteindre la sainteté, enfermé dans une grotte de l'Himalaya, que de rester intègre au milieu des tentations de la civilisation moderne! Comment équilibrer mes désirs de sexe, de bouffe, d'argent et de célébrité avec les sphères éthérées de l'imagerie créatrice et de la méditation? Comment amalgamer les indulgences de l'Occident avec les aspirations épurées de l'Orient? Je crois savoir que je ne me suis pas incarnée dans ce monde et à cette époque par hasard, que mon lieu de naissance a été choisi d'avance, d'après le plan de mon «esprit», pour parfaire un apprentissage nécessaire à mon évolution. J'aimerais avoir l'humilité d'accepter que mon avancement réside dans les décisions en apparence banales prises dans ma vie de tous les jours, en accord avec des valeurs «écologiques» pour moi-même et mon entourage. Que ce qui m'est demandé est d'affronter les épreuves en toute simplicité, pour parachever mon expérience karmique. Mais je n'ai pas encore cette sagesse, ce détachement.

J'aimerais mieux bénéficier d'un destin «spirituel» plus spectaculaire, peuplé de révélations et de miracles, plutôt que de m'enliser dans une bataille sordide. J'aimerais mieux fuir dans mon imaginaire au lieu de me retrousser les manches en vains efforts pour garder la tête hors de l'eau. Mais les faits parlent d'eux-mêmes. Les insécurités et les angoisses, nourries par mes désordres alimentaires, prouvent qu'avant de passer au salon, j'ai encore beaucoup de ménage à faire dans la cuisine! Mieux vaut retourner à mes lectures existentielles, je replonge dans mon livre sur *Edgar Cayce et la réincarnation*.

Edgar Cayce est un célèbre médium américain qui a donné au début du siècle plus de 14 000 séances, toutes répertoriées. De nombreux ouvrages ont été publiés sur ses enseignements, révélant de précieuses informations sur des sujets aussi variés que l'interprétation des rêves, la psychologie, l'alimentation saine, la guérison par les méthodes naturelles et le sujet de prédilection des bonnes âmes communiquant à travers Cayce: comment comprendre les difficultés de notre vie présente à la lumière de nos expériences passées dans les vies antérieures.

C'est ma première incursion dans le monde étrange d'Edgar Cayce et un passage m'intrigue particulièrement. On y raconte la triste histoire de Flora, figure tragique atteinte de boulimie et de dépression chronique. Le récit de sa vie pince en moi quelques cordes sensibles. Flora Lingstrand était considérée comme un cas désespéré. Après de nombreuses visites dans des sanatoriums, les psychiatres traitants l'avaient déclarée hystérique et incurable. Née en 1879, elle avait alors 46 ans. Flora avait vécu toutes ses années de femme mariée dans la peur panique de tomber enceinte et repoussait tout contact avec son mari. Sa mère, autoritaire et possessive, ne l'avait pas désirée, et lui avait transmis son dégoût des enfants. Pour soigner sa soi-disant «hystérie», ou plutôt son refus d'accomplir son devoir conjugal, on lui administrait des drogues qui la poussaient vers la dépression. Elle avait déjà fait plusieurs tentatives de suicide. En dernier recours, elle décida de consulter Edgar Cayce. L'entité parlant par le biais du médium divulgua, pendant la séance, que les craintes de Flora venaient d'une de ses vies passées. Deux cents ans auparavant, dans une colonie de la Caroline du Sud, elle avait perdu ses deux enfants dans un incendie. Le choc insupportable de n'avoir rien pu faire pour les sauver s'était transmis par sa frayeur présente d'enfanter. Sa culpabilité latente se transposait dans le présent en crises de boulimie incontrôlables.

J'étais troublée, je ne pouvais m'empêcher de voir des similitudes entre son histoire et la mienne. Moi non plus, je n'avais jamais voulu avoir d'enfants. Cette décision avait toujours été un fait tenu pour acquis sans que j'en analyse vraiment les raisons. Pendant ma séance d'hypnothérapie avec Carol-Ann, mon premier souvenir était aussi lié à la mort d'une petite fille, dans une existence stérile où, grugée par les remords, je m'accusais à tort de sa disparition. Cette vie antérieure avait quand même eu une fin positive, et connu une belle réconciliation grâce à cet autre enfant, ce petit ange qui m'aida à passer de l'autre côté dans la paix. Mais est-il possible que j'en ressentes encore les séquelles? D'après Cayce, Flora avait ramené son obsession dans sa vie présente, se traduisant comme une impossibilité d'être mère. En ce temps-là, le blâme, la pression de la société sur les femmes mariées sans enfant étaient énormes, et la pauvre épouse avait préféré se laisser sombrer dans la folie. De mon côté, je n'avais pas su interpréter correctement le «message» de ma vie passée. Me suggérait-t-il d'examiner mon rapport à la féminité, à la maternité? La nourriture est associée à la mère et à la petite enfance.

Je n'aime pas mon corps. Est-ce que je refuse d'être femme?

J'ai peur de vieillir. Est-ce que la responsabilité d'être adulte m'effraie?

Je ne veux pas d'enfants. Est-ce que je ne me sens pas digne d'être mère?

Je n'ai pas le courage de plonger dans le gouffre creusé par ces questions. Les réponses seraient trop douloureuses, trop lourdes de conséquences. Je comprends que je dois fouiller dans les images de l'enfance, de la femme et de la maternité, que dans ces méandres se trouve le nœud à démêler, le pus à expulser. J'en avais déjà l'intuition, mais la peur immense de plonger dans la souffrance pour peut-être ne jamais en ressortir m'a toujours empêchée d'enjamber cette barrière. Une prise de conscience terrifiante me tort les viscères: j'ai peur de guérir! Qu'est-ce que je deviendrai après? Puisque la boulimie remplit mon «vide», si elle meurt, est-ce que je disparaîtrai avec elle? Je n'ai pas envie de jeter du sel sur des blessures à vif, de me faire jouer dans la tête par une thérapie déstabilisante. Pourtant, si je ne me relève pas à temps, je risque de tomber pour de bon au fond de l'abîme. Je suis confuse, désemparée, forcée de regarder en face l'ampleur de mon impasse. Je ne suis pas prête à abandonner, mais je ressens trop de honte pour partager mon fardeau. Cependant, je ne peux plus fuir, je vais jouer dans un film. J'ai la responsabilité, envers ma productrice et mon réalisateur, de ne pas leur présenter de la marchandise avariée!

Les similitudes entre Flora et moi continuent de s'étaler, alors que le médium en transe décrit ses traits de caractère: «Une personne aimable de bien des façons, remplie de très hautes aspirations dont la majorité n'ont pas été atteintes. Le but semble toujours lui échapper. Ses intentions sont bonnes, mais ses actions et l'usage de sa volonté laissent à désirer. Ses relations avec les autres sont généralement excellentes, mais sa relation avec elle-même: négligeable.» Un personnage que je pourrais jouer avec facilité!

En fin de séance, l'entité suggère un puissant antidote: «Flora doit apprendre à se respecter, car elle-même se bloque la voie.

Elle doit aussi détruire le mur qui la sépare des autres. Commencer à partager avec les êtres qui ont été placés karmiquement sur sa route, pour l'aider à se développer sur le plan physique. Les forces de l'esprit sont toujours prêtes à s'éveiller pour exercer leurs prérogatives dans la vie de chaque individu. Mais la lassitude et l'apitoiement doivent être subjugués d'abord, pour arriver à cette fin.»

Je suis toute retournée, j'ai l'impression que ce chapitre a été écrit expressément pour que je le lise! J'ai acheté ce bouquin par curiosité parce que Shirley MacLaine parle longuement d'Edgar Cayce dans son propre ouvrage. Je ne m'attendais pas à y trouver un tel à-propos!

Flora, ma sœur spirituelle, suivit apparemment ces conseils avec le désespoir d'une noyée. Malgré sa gratitude, elle fut déçue du contenu des recommandations, s'attendant plutôt à une recette miraculeuse qui lui aurait demandé peu d'efforts. Hello! Est-ce que ça sonne une cloche dans votre beffroi, Miss Létourneau?

L'histoire se termine bien. «Après avoir suivi ces judicieuses suggestions, Flora sortit de sa dépression et développa un talent latent pour l'écriture. Elle choisit de partager une philosophie constructive, cherchant à exercer une influence positive sur ses lecteurs.»

Encore des recoupements! Depuis que je suis toute petite, une impulsion profonde me pousse à écrire. Je ne l'écoute plus depuis des années. Jeune, j'écrivais beaucoup, surtout de la poésie, jusqu'au jour fatidique où, à l'âge de 12 ans, je commis un poème, *La dame en rose*, que je jugeai pourri, d'une banalité désolante. Je n'ai jamais repris la plume depuis. Maudit perfectionnisme, paralysante terreur de n'être pas assez douée, de manquer de talent. Voilà le terne cristal de ma fragilité, un pays morne où je préfère me tuer à petit feu plutôt que d'affronter mes limites ou de risquer l'échec.

Je sens confusément que, dans un avenir lointain, ma destinée me poussera à écrire. J'espère que mon besoin de créer, d'inventer trouvera un jour un exutoire, sinon je vais m'ensevelir dans un trop-plein d'idées. Tous ces avortons me pèsent déjà sur la conscience. J'ai commencé un journal mais, comme pour beaucoup de mes résolutions «créatrices», j'ai abandonné en cours de route. Pourtant les mots crépitent à l'intérieur. Je refuse de leur donner la parole, alors ils implosent en moi, milliers de foyers d'infection, de virus dévastateurs. Je mange aussi pour calmer leurs frustrations, pour étouffer mon cri, ma peur de m'exprimer. Je possède apparemment plusieurs clés de mon énigme, pourtant je n'arrive pas à la résoudre. Cette impuissance est si lourde, si suffocante. Lorsque je suis emprisonnée dans ses bras, je vois des centaines de portes que je n'arrive pas à ouvrir, recelant de fabuleux trésors que je ne parviens pas à admirer.

Pas tout à fait le bon état d'esprit pour entreprendre un marathon cinématographique… Chaperon rouge, tu te jettes résolument dans la gueule du loup!

C'est le moment fatidique du premier essayage de costumes pour *Le crime d'Ovide Plouffe*. Nicole Pelletier, la conceptrice, avait fait un magnifique travail dans le premier film. Rita Toulouse a toujours été très coquette, et Nicole et moi avions eu un plaisir fou à choisir les tissus et les coupes pour la rendre belle à croquer. Mes courbes opulentes ne semblent pas créer de problèmes pour l'instant. On me dit même que mes rondeurs me rendent plus sexy! Dans mon délire paranoïaque, je me demande si les gens me disent la vérité ou s'ils essaient simplement de me rassurer. La costumière me suggère tout de même de porter une gaine pour que les vêtements tombent mieux. L'avantage de mon surplus pondéral: plus besoin d'artifices pour gonfler ma poitrine. Elle a presque doublé, malheureusement mes fesses aussi! Problème que bien des femmes connaissent: quand le haut est «gorgeux», les cuisses sont souvent débordantes, et quand, après de terribles efforts, le bas redevient mince, ce sont nos seins qui ont disparu!

Les robes que Nicole a dessinées pour Rita sont excessivement moulantes. Les coutures explosent déjà sur mon corps. Je tremble de trouille, comment vais-je faire pour entrer dans cette deuxième peau, si je n'arrive pas à me contrôler?

Le tournage des scènes d'intérieur, dans les studios de l'Office national du film, a débuté depuis trois jours. La situation est ambiguë, et l'atmosphère, bien différente de celle du premier film. Les producteurs, pour gagner du temps, ont décidé d'employer deux réalisateurs pour le projet. Gilles Carle tourne les quatre premières heures de la série télévisée, et Denys Arcand prend en charge le long métrage, qui constitue aussi les deux derniers épisodes pour la télévision. Arcand, bien sûr, est un excellent metteur en scène, ayant déjà tourné des flambeaux du cinéma québécois, entre autres *Gina* et *La maudite galette*. Il a tout mon respect, même s'il n'a pas encore connu les grands succès internationaux du *Déclin de l'empire américain* et de *Jésus de Montréal*. Mais je trouve quand même délicat de parachuter un autre créateur dans une œuvre achevée que Carle a admirablement bien servie deux ans auparavant. Je sais que Gilles est déçu de ne pas filmer le scénario dans son intégralité. Les personnages sont déjà établis, un deuxième metteur en scène a nécessairement une vision différente, pas facile pour les interprètes de s'ajuster, surtout lorsqu'ils tournent des scènes avec les deux «patrons» dans la même journée! Évidemment, mon allégeance va à Gilles, et je dois faire beaucoup d'efforts pour ne pas considérer Denys comme un intrus sur son propre plateau. Après tout, l'envie d'écrire une suite est venue de Carle et Lemelin. Ils ont eux-mêmes pondu l'ingénieuse idée d'amalgamer le sort de la famille Plouffe et le fait divers de la «bombe meurtrière», envoyée dans un avion par l'horloger Berthet. Un crime célèbre à Québec. Ce dernier avait fait exploser 22 passagers au-dessus du fleuve Saint-Laurent. Je me demande quand même si c'est mon ancien amoureux qui a pris la décision de me faire mourir au milieu du film!

149 美

Ma position est difficile, en tant qu'ex-blonde du réalisateur, je me sens mal à l'aise. Pour le film précédent, j'avais eu le privilège de vivre au centre de l'action et d'assister à toutes les étapes de la production: de l'écriture des dialogues au montage final. Maintenant, je suis coupée de tout, mise au rancart. À Québec, lors du premier tournage, nous formions une belle grande famille, vivant dans le même hôtel, mangeant ensemble le soir après les visionnements. À Montréal, tout le monde a ses occupations, la confrérie n'existe plus. Mes rapports avec Gilles sont cordiaux, mais tendus et gênés. Je me sens terriblement seule. Je rentre tous les soirs dans une maison vide, un duplex de la rue Victoria que ma mère et moi avons acheté quelques années plus tôt. Monique est partie pour sa résidence des Cantons-de-l'Est pour l'été. Une bénédiction pour elle d'ailleurs, car je suis si déprimée que je laisse tout traîner. Moi qui suis d'habitude très rangée, notre appartement prend des allures de «soue à cochons». Montagne de vaisselle pas lavée, piles de vêtements par terre, poubelles débordantes d'emballages vides. Mon environnement reflète mon désordre intérieur. Déracinée depuis plus d'un an à Paris, loin de ma ville natale, je flotte maintenant à la dérive, sans port d'attache. Dans mon désarroi, j'ai évidemment recommencé à me gaver comme une oie.

Dans le scénario, le mariage d'Ovide et Rita connaît aussi des déboires. Trop différents, elle et lui ne se comprennent pas. Délaissée, un après-midi Rita fait l'erreur de se laisser tenter par Stan Labrie (Donald Pilon), son ancien cavalier devenu entremetteur, qui lui offre d'avoir une aventure avec Bobby (Yves Jacques), un architecte de la Haute-Ville. Ovide, l'apprenant, ne lui pardonne pas. Il tombe amoureux d'une belle et mince Française aux goûts raffinés: la douce Marie, d'une culture au diapason des ambitions érudites de l'ancien séminariste, à l'opposé de la frivole Rita. Dans ce cas-ci, la réalité s'associe à la fiction. Je me sens aussi délaissée que mon personnage. Une belle complicité s'est établie entre Gabriel Arcand (Ovide) et Véronique Jannot (Marie). Ils jouent ensemble au tennis les fins de semaine. Elle est svelte, sportive, adorable. À côté d'elle, j'ai l'air d'un saucisson avec une perruque blonde! Rita est attachante mais superficielle. J'ai l'impression que son image déteint sur moi, comme si les gens me confondaient avec le personnage et me voyaient comme une poupée sans substance. Imagination ou réalité, chaque fois qu'un des frères Arcand m'adresse la parole, je crois déceler une pointe d'ironie dans ses yeux et une inflexion paternaliste dans sa voix. Peut-on les blâmer, je suis tellement mal dans ma peau, Dieu sait ce que je projette! Mes relations avec Gilles ne se réchauffent pas, trop de non-dit pèse entre nous. Le soir, après le travail, il retourne voir sa Chloé, à qui il a donné un rôle dans le film (merci pour sa délicatesse, il lui fait jouer une amie de Cécile [Denise Filiatrault] dans des scènes où Rita n'apparaît pas), tandis que moi je passe des nuits blanches entre le Dunkin' Donuts et le St-Hubert BBQ.

Je ne suis plus la femme de Gilles. Je ne suis plus la femme d'Ovide. Je suis un «porc» qui engraisse à vue d'œil! Les robes ne se ferment plus, la costumière doit m'acheter un corset en cachette. Mortifiée, honteuse, je ne sais plus à quel saint me vouer. Le plus étrange, c'est que personne pendant les six mois du tournage n'a jamais fait une seule allusion à mon problème. Impossible de ne pas l'avoir remarqué: entre le début et la fin j'ai pris au moins 20 livres, au point où je ne suis plus «raccord» d'une scène à l'autre. Mais ni la productrice, ni les metteurs en scène, ni mes collègues comédiens n'osent aborder le sujet. Je les comprends, j'aurais sans doute fait la même chose, mais ce silence est une vraie croix à porter. Ma déchéance est un cri de détresse que personne n'entend. La culpabilité me serre la gorge comme un étau.

Évidemment, mon intention d'utiliser ma centrifugeuse pour faire des cures express et tenter de contrôler ma silhouette n'a jamais été mise en pratique. Quand le «lieutenant-dévoreur» est à la barre de mon navire, l'ordre et la discipline sont mis aux fers dans la cale. Je suis quand même illuminée par des sursauts de détermination, des éclairs furtifs de survie. Je n'oublie pas la promesse que je me suis faite de me faire soigner, après avoir connu le triste exemple de Cindy, l'anorexique au corps et à l'existence dévastés. Je décide de chercher de l'aide pour survivre aux douleurs du tournage et me débarrasser, ne serait-ce que temporairement, du «rongeur affamé» qui m'habite. Je me rends un dimanche après-midi dans un sous-sol de la rue Saint-Joseph où se tiennent les réunions hebdomadaires des Outre-mangeurs Anonymes. Ce système obtient de bons résultats avec les alcooliques. Peut-être y trouverai-je enfin ma planche de salut.

J'arrive à mon premier rendez-vous le cœur rempli d'espoir mais la tête pleine de réticences. Je me sens vulnérable d'exposer ainsi, par ma seule présence, ma maladie dans un groupe d'étrangères. Surtout que certaines d'entre elles ne manqueront pas de me reconnaître. La séance commence par les témoignages très touchants de deux femmes d'âge mûr au sujet de leurs problèmes de poids et du rôle qu'elles occupent en tant qu'organisatrices et pourvoyeuses des repas de la famille. Elles décrivent comment elles ont appris à associer la nourriture avec la tendresse et l'amour qu'on leur porte. Plus on mange à la maison, plus elles se sentent valorisées: une dépendance sécurisante et très difficile à briser. Bien que je compatisse avec elles, j'ai du mal à me reconnaître dans leurs préoccupations. Peu de ces femmes voient effectivement le bout de leurs peines car, malheureusement, dans les réunions, aucun soutien thérapeutique n'est suggéré. Le système de «parrainage», s'il apporte un soutien efficace aux buveurs invétérés, s'applique moins bien aux outre-mangeurs, car il se révèle impossible pour nous de pratiquer l'abstinence. Il faut manger pour vivre, à partir de là, toute la philosophie des A.A. est faussée dans notre contexte. On peut se passer d'alcool mais pas de nourriture.

Une chanteuse très connue que je ne nommerai pas (après tout, les réunions se déroulent dans l'anonymat!) monte sur le podium avec beaucoup de courage pour nous raconter ses déboires.

Après de très intimes détails sur sa vie amoureuse mouvementée, elle nous confie sa nouvelle trouvaille pour s'empêcher d'«outre-manger»: au lieu de finir son assiette, elle y laisse toujours une portion importante pour les anges! Son subterfuge est charmant, mais je la trouve bien audacieuse de se livrer avec tant d'abandon. Une journaliste ou une personne peu discrète pourrait se trouver dans l'assistance. Cette éventualité me met mal à l'aise et m'en-lève le sentiment de sécurité dont j'aurais besoin pour m'adonner à un déballage aussi flagrant de mes sentiments intimes. Je conçois que ces réunions fournissent un soutien important à de nom-breuses femmes ayant besoin de se confier. Mais elles partagent du même coup d'autres secrets beaucoup moins productifs. À la pause, j'ai surpris deux d'entre elles en train d'échanger des re-cettes de gâteaux! Plus tard, j'ai analysé pourquoi les membres des Outre-mangeurs Anonymes, dont la majorité sont des femmes, montraient des résultats peu probants. J'en ai tiré cette conclusion: la plupart des femmes, pour guérir, ont besoin de s'interroger en profondeur, de chercher des explications, d'obtenir des réponses avant de pouvoir refermer leurs blessures, d'où la nécessité d'un échange avec un intervenant professionnel équipé pour répondre à leurs angoisses. Un groupe de soutien ne suffit pas pour régler leurs désordres alimentaires souvent très complexes. Assurément, les Outre-mangeurs Anonymes ne possèdent pas les clés de mes énigmes. Après deux réunions, je décide de m'abstenir.

Le tournage se poursuit dans la belle région de Charlevoix. Nous logeons au merveilleux Manoir Richelieu. Dans le scénario, Ovide, mon mari, part en voyage d'affaires en compagnie de Marie, la belle Française, sa soi-disant secrétaire. La première nuit de son escapade, il rêve que Rita lui tire dessus à bout portant avec un revolver. Pour tourner cette très courte scène, j'ai dû mon-ter jusqu'à Baie-Saint-Paul. Je me sens comme une intruse en voyant Gabriel Arcand et Véronique Jannot roucouler comme deux colombes en émoi. Ce symptôme se manifeste souvent sur les plateaux où s'établit une complicité entre les acteurs qui jouent les amoureux alors qu'une légère indifférence peut s'immiscer entre ceux qui incarnent des ennemis. Débordements naturels des émotions que les acteurs doivent exploiter dans certaines scènes. Comme mon personnage de Rita, j'ai l'impression d'être de trop. Un fait sans doute loin de la vérité, mais je ne m'aime pas, il m'est donc difficile de me sentir acceptée.

Vendredi soir, dernière journée de travail dans la région. La discothèque de l'hôtel nous offre un antre idéal pour décompresser. Je n'ai pas l'habitude de boire beaucoup, mais ce soir j'ai envie de «décoller», de fuir un peu la tristesse qui me grisonne le cerveau. J'y vais un peu trop fort dans les margaritas et aboutis dans la chambre de Serge, un des membres de l'équipe caméra. Un gars solide et bien bâti qui m'a fait la cour toute la soirée. Je le trouve bien sympathique même s'il n'est pas vraiment mon genre. Flattée par son ardeur, je cède à ses avances. Je suis tellement étonnée qu'il veuille de moi! En ce moment, je ferais n'importe quoi pour sentir un peu de tendresse, de chaleur humaine, pour susciter un peu de désir. S'ensuit une nuit de sexe effrénée, une séance sportive, sans amour. Toutes les positions du *Kama sutra* y passent, et même d'autres que je ne connaissais pas! Très peu souvent dans ma vie me suis-je laissée aller à ce genre d'ébats. Grande romantique, je préfère de beaucoup être amoureuse de mon partenaire, même si ce n'est que passager. Le lendemain, je suis gênée de m'être laissé emporter par un homme pour qui j'ai de la tendresse mais très peu d'affection. Pendant le reste du tournage, j'évite son regard jusqu'au jour où, le croisant dans un corridor, il me lance: «Est-ce que j'ai rêvé ou si on a déjà couché ensemble?» Je voudrais être six pieds sous terre! Le baromètre de ma pudeur est au plus bas, je n'ai pas d'estime pour la «Anne» qui troque ses valeurs pour un peu d'affection. Je me mets résolument à la recherche d'un thérapeute, pour commencer à me retrouver.

J'apprends que l'hôpital Hôtel-Dieu offre un programme pour les désordres alimentaires. Deux semaines plus tard, j'obtiens une consultation. Le médecin traitant me pose des questions très personnelles d'un ton distant, frisant le mépris. Pas le genre d'homme à qui j'ai envie de me confier et d'ouvrir mon cœur! Après deux séances réfrigérantes, je n'ai plus le courage d'y retourner. Je commence à comprendre qu'il est aussi difficile de trouver un bon thérapeute que de dénicher le conjoint idéal. Faut en essayer plusieurs avant de trouver le bon! Je lis par hasard dans un journal spécialisé un article sur la boulimie écrit par une psychologue qui me paraît pleine de bon sens. Elle a un bureau rue Monkland, près de chez moi, et accepte de me recevoir assez vite. Je me retrouve devant une jeune femme souriante, qui a au moins l'avantage d'être chaleureuse et de sembler à l'écoute. Mais elle n'a pas beaucoup de personnalité et manque de charisme. Il faut bien que je me rende à l'évidence: malgré mes problèmes, j'ai un tempérament bouillant d'actrice extravertie. J'ai l'impression de jouer au chat et à la souris avec ma thérapeute, sauf que c'est moi qui incarne le félin! Déçue encore une fois, j'abandonne la partie. Je commence à désespérer de trouver chaussure à mon pied ou plutôt «chapeau à la mesure de ma tête»!

Le tournage est très exigeant et, malgré mes efforts infructueux pour trouver de l'aide, je dois continuer de faire bonne figure, de jouer à la fille splendide et sexy. Une farce pathétique, une terrible imposture. J'ai plutôt l'air d'une poupée gonflable, format extra-large, appartenant à un vicieux propriétaire ne pouvant s'arrêter de souffler dedans. Je ne suis que seins et fesses, chairs molles et boudinées, explosant à l'intérieur d'un corset trop serré.

Une petite fête est organisée en l'honneur des producteurs français, venus nous rendre visite. Dans le studio de l'Office national du film, un énorme buffet est servi, amenant un peu d'opulence dans le décor austère servant de cuisine à la famille Plouffe. Tous les acteurs et techniciens sont ravis de terminer la semaine avec des libations gratuites et un moment de relaxation bien mérité. La journée a été longue. Les visiteurs sur un plateau sont toujours étonnés de constater le temps interminable qu'il nous faut attendre entre les prises. Au cinéma, les éclairages sont souvent complexes et perfectionnés. Leur préparation exige plusieurs heures et ils doivent être modifiés dès que le directeur photo change l'angle de la caméra. Le grand acteur de théâtre Louis Jouvet se moquait bien des saltimbanques du grand écran en concluant que: «L'art de l'acteur de cinéma est de savoir se trouver une chaise.»

Aujourd'hui, je n'ai travaillé qu'une demi-heure, une très courte scène, encadrée de plus de 10 heures d'attente. Facile, tentant et, pour moi, inévitable de passer le temps autour du *craft*, une table gorgée de biscuits et de muffins de toute sortes, accompagnés d'énormes percolateurs de café brûlant. Pour ne pas trop attirer l'attention, j'ai pris l'habitude de cacher discrètement mes provisions dans un grand sac, pour ensuite les avaler derrière la porte barricadée de ma loge, tel un écureuil se préparant à passer un trop long hiver!

Ma culpabilité est une compagne pesante, un galet aux bords tranchants niché au creux de mon diaphragme. Durant la fête, pour atténuer ses aiguillons, je trinque un peu trop souvent à la santé de nos visiteurs, faisant honneur aux bouteilles de bordeaux alignées sur le poêle à bois de Joséphine. Un peu pompette, il me prend l'envie d'explorer la pièce voisine, un grand hangar où sont entreposés les décors. Tout en haut d'un échafaudage, j'aperçois un grand cercueil, bâti sur mesure pour le comédien Gérard Vermette. Dans une scène à l'humour plutôt noir dont Gilles Carle a le secret, le corps du corpulent acteur doit passer au travers du coffre et tomber sur les marches de l'église avant les funérailles! À l'instar de la divine Sarah Bernhardt, je me suis toujours demandé quel effet cela ferait de s'étendre vivante dans un cercueil. Encouragée par le vin et faisant fi de mes talons aiguilles, je décide d'escalader l'échafaudage et de m'installer dans ma couchette improvisée. Je referme le couvercle pour que l'effet soit plus réaliste… et m'endors presque aussitôt, entendant à peine la faible rumeur de la musique disco provenant de la fête à côté. Je me réveille dans un silence mortel. Combien de temps suis-je restée enfermée dans mon tombeau? J'essaie de soulever le couvercle, il est coincé! J'ai beau pousser de toutes mes forces, rien ne bouge! Avant de paniquer, j'essaie de me convaincre du ridicule de la situation. Allons! Anne, c'est un accessoire, un cercueil pour rire, il doit bien avoir un moyen de l'ouvrir de l'intérieur. Les accessoiristes ont dû penser à un système pour que l'acteur puisse se libérer! Après de très longues minutes à tâtonner dans le noir, je trouve enfin un loquet et réussi à m'extirper de ma prison.

Mon aventure n'est pas terminée pour autant. Il faut que je redescende de mon échafaudage sans me casser le cou! J'y arrive tant bien que mal, en m'écorchant quand même le genou sur un énorme clou sortant sa méchante tête exprès pour me narguer. L'horloge du studio m'apprend avec un sourire narquois qu'il est 4 h du matin! Vivement que je passe dans ma loge pour prendre mon manteau et retourner à la maison. Mais… la porte du studio ne s'ouvre pas… je suis enfermée. Je me souviens avec horreur que nous sommes vendredi, que personne ne viendra me délivrer au cours des 48 prochaines heures! Je commence à angoisser pour de bon, comme dans un cauchemar. J'ai froid, j'ai soif, j'ai les muscles du dos serrés dans un étau. Défaite, je m'assois sur un vieux tapis, espérant ne pas devoir en faire ma demeure pour la fin de semaine.

À la recherche d'une issue, mes yeux fatigués font une dernière fois le tour de la pièce quand j'aperçois, à moitié dissimulé derrière un mur de la bijouterie d'Ovide et Rita, un escalier de métal menant à une mezzanine. Le cœur battant, je me précipite vers les marches. Il y a bien une porte au-dessus! Merci, chers saints apôtres, elle s'ouvre du premier coup sur un couloir libérateur! Prise dans un labyrinthe institutionnel qui semble ne jamais finir, je me retrouve finalement dans un ascenseur me conduisant au rez-de-chaussée où j'apparais dans toute ma splendeur devant un gardien de nuit, ébahi. « Mais qu'est-ce que vous faites-là?» me lance-t-il, derrière ses lunettes épaisses qui lui font des yeux de hibou apeuré. «J'aimerais avoir les clés de ma loge, s'il vous plaît» est tout ce que je trouve à lui répondre. «Je ne peux pas vous les laisser, je vais vous accompagner», me dit-il d'une voix préoccupée. Le miroir de ma loge m'accueille par un reflet à faire peur. Je ne suis pas belle à voir: les cheveux en bataille, les yeux beurrés de noir, le mascara coulant sur le haut de mes joues, les bas filés, un genou en sang. Le pauvre homme croit probablement que j'ai été victime d'une agression sexuelle! Je prends mon manteau et mes clés de voiture sous son regard inquisiteur et retourne enfin chez moi, où je dors 12 heures d'affilée! Lundi matin dans la salle de maquillage, j'ai la malencontreuse idée de raconter ma mésaventure. Mes compagnons, avec raison, se moquent gentiment de moi, et l'histoire se répand sur le plateau comme une traînée de poudre. J'hérite du doux surnom de «Vampirella», ou celle qui aime dormir dans les cercueils! Au party, à la fin du tournage, un accessoiriste malicieux m'offre même un tombeau miniature avec une poupée «Rita-Vampirella» étendue dedans! Ce ne sera pas la dernière fois que ma témérité m'aura fait coucher dans de mauvais draps…

Pendant la période difficile du tournage, je suis sans cesse obligée de faire face à un maelström d'émotions contradictoires: l'exaltation, la joie, le remords, le dégoût. Je n'ai pas la discipline d'utiliser ma centrifugeuse pour me faire des cures, par contre j'ai toujours une machine dans la tête qui broie, concasse, malaxe mon cerveau. La seule façon de garder un peu de santé mentale est de m'évader à Key West dès que j'ai quatre ou cinq jours de libres. Ces voyages éclairs m'offrent un peu de répit. Cachée sous un grand chapeau et des lunettes noires pour ne pas altérer mon teint d'albâtre de jeune femme des années 40, je profite de l'air marin et bois des jus de fruits sur la véranda. Ici, je réussis tant bien que mal à contrôler mes pulsions, grâce à l'aide précieuse de mes amies, Enid et Carol-Ann, confidentes expérimentées, toujours prêtes au dialogue.

Sur cette presqu'île du bout du monde, j'ai pris pendant plusieurs mois de saines habitudes. Elles ont laissé une empreinte indélébile sur mon comportement. Il m'est plus facile d'arrêter de manger car j'ai associé la sensation de jeûne et de «vide supportable» avec les murs de ma chambre, les odeurs des rues, la couleur de la mer. Instinctivement, dès que je pose le pied sur le sol à l'aéroport, je respire déjà mieux, mais je n'arrive pas à maintenir cet état bien longtemps. Comme un vin trop fragile, mon bien-être voyage mal et perd de sa saveur avant d'atteindre les rives de Montréal ou du lointain Paris.

Pour contrôler leur poids, toutes les boulimiques se purgent d'une façon ou d'une autre après leurs excès, soit en se faisant vomir, soit en s'administrant des lavements. J'avais découvert le jeûne. Les deux premières fois, sous prétexte de me désintoxiquer, j'avais arrêté de manger plus de 21 jours. À l'époque, je n'étais pas encore malade, mais ces jeûnes répétés étaient sans doute les prémisses, l'indicateur de mes désordres alimentaires à venir. Biologiquement, mon corps affamé avait le réflexe de vouloir se faire des réserves avant la prochaine famine, amorçant un cercle infernal. Il existe un terme médical pour les boulimiques qui se privent de manger momentanément: la boulimirexie. Bien que l'anorexie et la boulimie soient des maladies différentes aux symptômes contraires, il est courant, au début, d'osciller entre les deux, avant de trouver sa douloureuse «voie».

Le tournage est terminé, je suis exténuée. Il était temps que ce calvaire prenne fin. Je n'en pouvais plus de mentir, de vivre dans la honte et la culpabilité perpétuelles tout en faisant semblant d'être heureuse. Me voici donc de retour à Key West, où j'essaie encore une fois de me remettre d'aplomb avant de rentrer à Paris. Je suis au garde-à-vous car, quelques semaines plus tard, j'ai deux rendez-vous importants pour des projets de film et de comédie musicale. Je n'ai pas envie de gâcher mes chances en ressemblant à un chapon engraissé pour l'abattoir! J'ai toujours gardé ma passion pour la danse et, tous les soirs, je passe de longues heures à la célèbre discothèque The Coppa. Tout le monde m'y connaît maintenant. Je peux m'énerver sur la piste, toute la nuit si ça me chante, sans être dérangée. Mes amis gay sont de toute façon trop occupés à flirter entre eux. Mais ce soir, un nouveau venu attire mon attention. Grand, brun, élégant et mystérieux, il danse seul. Son corps souple est animé de mouvements originaux et expressifs. Un Nijinski sensuel perdu dans un parterre de grandes folles! Nos regards se croisent. En connaisseur, il me sourit. Nous faisons partie du même monde, lui et moi, celui des fous de la danse, des exaltés du rythme. Respectant notre bulle d'inspiration, notre contact ne va pas plus loin, mais pour admirer son art, je le lorgne souvent du coin de l'œil, et je le surprends à me rendre la pareille. Je rentre chez moi, la tête pleine de visions. Il est fascinant! Peut-être sera-t-il là demain? Peut-être aurai-je le courage de lui parler? Je retourne religieusement au Coppa et ferme la discothèque pendant toute une semaine. Pas de traces de mon inconnu! Je suis déçue. Depuis mon beau Rémi à Paris, je n'ai jamais eu de béguin aussi fort pour un homme. D'ailleurs, s'intéresse-t-il aux femmes? Un instinct assez sûr me suggère que oui, mais encore faudrait-il que je le revoie!

Presque en chaque début d'après-midi – mes réveils sont plutôt tardifs après ces nuits blanches –, je prends mon jus de fruits frais et ma tisane dans un café sympathique, fréquenté par les locaux. Le même où j'avais aperçu quelques mois auparavant la publicité du séminaire sur les pouvoirs paranormaux. Après avoir lu mon journal et rêvassé à souhait de mon ténébreux danseur, je m'apprête à retourner à la Russell House pour ma classe de yoga. La porte du restaurant est munie d'une vieille moustiquaire à ressort. Instinctivement, pour éviter qu'elle ne se referme sur la personne que je sens derrière moi, je tends le bras sans me retourner.

Au lieu du froid contact du métal, je sens un cœur qui bat! Je pivote d'un bond, prête à m'excuser, et constate que j'ai mis la main directement sur la poitrine de mon fantasme! Il m'avait suivie! Je retire mes doigts, toute rougissante, me retenant de ne pas caresser la peau nue sous le col échancré de sa chemise. Tout ce temps, il était là, dans un coin de la pièce, et je ne l'avais pas vu. Voilà qu'il se précipite derrière moi pour me parler. J'ai peur de m'évanouir!

«Je vous ai regardée danser l'autre soir. Vous êtes merveilleuse! Demain, c'est samedi, je serai au Coppa. Est-ce que je vous verrai là-bas?» me dit-il de sa voix chaude. «Oui, oui, absolument!» Je ne trouve rien de mieux à lui répondre, tellement je suis émue! «Alors à demain», murmure-t-il, me glissant du coin des lèvres le plus craquant des sourires. Je flotte dans un rêve, marche sur des nuages… et dire que je ne sais même pas son nom!

Le lendemain, j'arrive à la discothèque vers 22 h, l'heure des touristes. Évidemment, il n'est pas encore là. Aucun habitué n'y met les pieds avant 23 h 30. Mais je me suis retenue pour ne pas faire le pied de grue devant la porte depuis 21 h, tellement j'ai hâte de le voir! Je me lance sur la piste de danse, contente de pouvoir oublier ma nervosité, en bougeant au rythme déchaîné de la musique. Ce soir, pour souligner l'événement, j'ai demandé au disque-jockey de passer quelques-unes de mes chansons préférées. Je suis aux anges, bougeant les hanches sur *Jump* des Pointers Sisters, *I Feel Good* de James Brown et d'autres succès de Marvin Gaye, Stevie Wonder et The Doobie Brothers. Cette nuit, je me sens *funk*, je vibre *soul*, défiant la gravité avec mes souliers magiques aux semelles souples et légères, habillée de ma jupe à volants qui fait une si jolie corolle autour de mes cuisses. Un effet épatant lorsque je pivote sur moi-même pour les pirouettes enchaînées d'un bout à l'autre de la salle! Une éternité est déjà passée et toujours pas de trace de mon cavalier. Je jette à tout moment un regard nerveux vers la porte, je ne veux surtout pas rater son entrée! Soudain j'aperçois, derrière une colonne, son beau visage, éclairé par la lumière du stroboscope qui s'allume avec intermittence, façonnant d'étranges flammes dans ses yeux noirs. Depuis combien de temps est-il là, à m'observer? Nos regards se croisent. Il s'approche doucement. Nos corps s'effleurent, se fondent dans une parfaite communion de gestes et de cadences. Nous apprivoisons nos âmes dans le flot luxuriant des rythmes et des sons.

Je n'apprendrai son nom qu'à 3 h du matin. Il s'appelle Paul, Paul Mikolay. Assis l'un en face de l'autre dans un insipide snack-bar ouvert 24 heures, les cheveux collés au front par des heures de danses effrénées, nous nous dévorons de questions avec un insatiable appétit. Comme si notre avenir en dépendait, nous voulons déjà tout savoir sur nos goûts, nos vies et même nos précédentes histoires d'amour. Il me parle de lui avec une voix douce et posée, avec une attention aux détails et une minutie qui me font penser à un frère jésuite. Il est érudit, sophistiqué. Je suis attirée par ses mains grandes et fortes, dont il se sert avec une exquise mobilité pour ponctuer chacune de ses paroles. Il exulte de toute sa personne une grâce et une élégance peu communes, comme s'il venait d'une famille noble ou de la haute société. Pourtant, il est issu d'une famille très modeste du Connecticut et gagne sa vie à restaurer des maisons anciennes. Son côté aristocrate lui vient peut-être de ses ancêtres russes et polonais. Il parle comme un universitaire tout en faisant un travail manuel. Il est perfectionniste, discipliné et pourtant il prête son corps à la musique avec abandon. Il me semble mystérieux et accessible à la fois. Je suis fascinée.

En vrai gentleman, il offre de me reconduire à pied jusqu'à mon studio, celui que je loue à chacun de mes séjours prolongés à Key West. Je lui offre d'aller détendre nos muscles endoloris dans le jacuzzi, situé juste derrière ma chambre. Modestement, j'enfile un maillot de bain. Il garde son sous-vêtement. Après avoir plongé avec délices dans l'eau tourbillonnante, nous continuons à discuter sous les étoiles. Presque aussitôt, ne pouvant plus résister à notre attirance mutuelle, nous nous embrassons doucement, délicatement. Au petit matin, nous nous endormons côte à côte dans mon petit lit. Mes rêves doucement bercés par un ange salvateur et ses songes probablement habités par une nymphe volubile et charnue!

À notre réveil, il est tendre, attentionné et suggère avec enthousiasme un plan détaillé pour passer la journée ensemble. Je suis à la fois intriguée et soulagée que rien de sérieux ne se soit passé entre nous. La nuit dernière, nous étions tellement fatigués. J'imagine qu'il patiente pour créer les circonstances idéales et faire de nos premiers ébats un moment privilégié. Je trouve son attitude très romantique. J'apprendrai plus tard qu'il planifie les moindres événements de sa vie avec la même circonspection.

Paul est un hôte parfait, le dimanche après-midi se déroule sans un pli. Balade en bicyclette pour la visite de son chantier, un projet délicat: il restaure une maison victorienne immense appartenant à un millionnaire américain, à laquelle il doit ajouter un troisième étage, tout en restant fidèle à l'authenticité du style. Nous arrêtons ensuite dans sa propriété, qui offre tout un contraste: une ravissante ruine entourée de bambous géants, qu'il espère avoir le temps de retaper un jour! Nous continuons la visite chez son voisin, horticulteur amateur, qui possède une impressionnante collection de palmiers nains: plus de 300 variétés. Je n'imaginais même pas qu'il en existait autant! Paul connaît le nom latin de chaque espèce, et m'énumère patiemment leurs origines et les conditions nécessaires à leur croissance, prenant soin de me mettre en garde contre un arbuste en apparence anodin qui cache de formidables épines le long de ses palmes pour se protéger des insectes, oiseaux-mouches et autre prédateurs. Ses connaissances m'impressionnent. Il est autant passionné par la flore que par les maisons anciennes. Membre fondateur d'une organisation protégeant les monuments historiques et les sites naturels de l'île, il a beaucoup d'amis qui l'aiment et le respectent. Avec lui, je découvre un côté fascinant de Key West, la vraie vie de sa communauté.

Nous terminons notre excursion par un délicieux repas sur la plage. Au menu: crabes frais du jour et vin blanc, servis sans façon dans une petite hutte tenue par des Jamaïcains. Un autre endroit extraordinaire dont j'ignorais l'existence. Que d'efforts et d'imagination il a déployés pour me faire passer la journée idéale! J'ai de la chance d'avoir rencontré ce bijou, ce diamant d'homme! Combien de temps aurai-je le privilège de garder ce trésor?

Le lendemain, Paul me demande: «Tu n'aurais pas envie d'emménager chez moi?» J'ai le cœur qui palpite: «Oui, absolument!» Je m'empresse d'apporter mes petites affaires, ne voulant pas perdre une minute de sa compagnie, le peu de temps qu'il me reste à passer sur son île. En attendant de refaire sa bicoque, Paul a loué une jolie maison en bois, de style créole. Au-dessus de son lit dans l'angle du toit se dessine une grande fenêtre. Nous dormons à ciel ouvert, et ses caresses me font voir des étoiles! Le livre de chevet préféré de mon amant est un traité anthropologique sur les mœurs sexuelles des indigènes du Togo! Il m'initie avec virtuosité aux positions de l'autruche et de la gazelle, des acrobaties qui n'ont vraiment rien à voir avec la position du missionnaire. De plus, pour être fidèle aux traditions ancestrales d'accouplement, qui soi-disant renforcent la virilité, Paul favorise la position accroupie. À mon avis, le mouvement idéal… si on est un chimpanzé!

Mon amoureux semble calquer toutes ses actions sur des prémisses rigoureusement étudiées. J'envie son sens de la discipline mais trouve que son existence manque un peu de spontanéité. Jusqu'à maintenant, je n'avais jamais eu besoin de consulter un bouquin pour avoir du plaisir en faisant l'amour! En partageant le quotidien de Paul, je me rends compte qu'il vit pratiquement comme un moine zen, le sexe en plus. Son emploi du temps est d'une précision militaire. Tous les matins, il se lève à 5 h pour faire des exercices de yoga et de respiration, avant d'aller travailler. Sauf aujourd'hui, dimanche, où il se donne le droit de se lever un peu plus tard avant de «bruncher» au restaurant. Je n'ai jamais rencontré d'homme menant son existence avec autant de rigueur. Je suis fascinée, moi qui ne suis que laxisme, abandon et rechute.

Alors que nous sommes attablés devant une copieuse omelette, je lui pose la question qui me brûle les lèvres depuis notre rencontre: «Est-ce que tu as toujours vécu avec autant de discipline? Où vas-tu chercher toute cette volonté?» Une lueur triste assombrit les yeux de Paul. «Il y a trois ans, me répond-il gravement, j'ai vécu une période pénible. Je ne prenais goût à rien, je ne pouvais même plus travailler. Depuis, je me suis juré de ne plus jamais perdre le contrôle de ma vie.» «Il a dû se passer quelque chose de terrible pour te mettre dans un tel état?» lui demandé-je, d'une voix compatissante, espérant qu'il veuille bien me dévoiler la suite. «La femme que j'aimais m'a quitté. Tu l'as déjà vue, c'est Antonia, la propriétaire du restaurant italien. J'ai travaillé pour elle et son mari. Je refaisais le plancher de la salle à manger. Elle et moi, ç'a été le coup de foudre. Rien ne s'est passé, jusqu'au jour où Marc, son mari, a été envoyé en prison pour trois ans, une histoire de drogue. Antonia, complètement bouleversée, est venue vivre avec moi. Je l'adorais, nous étions inséparables. Quand son mari est sorti de prison, après bien des déchirements, et des allers-retours entre nous deux, elle m'a quitté pour retourner avec lui. Je ne m'en suis pas remis. J'ai sombré dans la dépression et ensuite j'ai attrapé l'hépatite B. Je n'avais ni la force ni le goût de vivre. Pendant plus d'un an, je suis resté enfermé chez moi, incapable de travailler, accumulant les dettes. Voilà pourquoi je ne prends jamais de vacances: j'ai d'énormes emprunts à rembourser.»

Je continue sur ma lancée: «Mais ta dépression, tu t'en es sorti tout seul?» «Pas du tout. J'ai eu la chance de rencontrer un thérapeute extraordinaire. Quand ma santé est revenue, je suis allé le consulter toutes les semaines, à Miami, jusqu'à ce que ma tête revienne aussi.» « Ç'a eu l'air d'être efficace!» lui dis-je, une pointe d'excitation dans la voix. «Oui, c'est une méthode passionnante: l'orgonomie, inventée par Wilhelm Reich. Une approche basée sur l'énergie du corps et la mémoire cellulaire. Le thérapeute, en plus de dialoguer avec le patient, lui fait des manipulations physiques pour débloquer les empreintes négatives ancrées dans les muscles et les tissus. L'orgonomiste propose de passer par le corps pour nettoyer l'esprit.»

Je n'en reviens pas de ma chance, j'ai rencontré mon sauveur. Un homme qui lui aussi est tombé au fond de l'abîme et qui grâce à une efficace thérapie en est ressorti, semble-t-il, plus fort que jamais. Je m'imagine déjà, vivant à ses côtés, voyageant à Miami chaque semaine pour goûter à ce merveilleux remède et apaiser enfin les tourments qui me rongent. Malgré ses confidences, je ne veux pas lui parler de ma boulimie, pas encore. J'ai tellement peur de le décevoir…

Depuis que nous nous sommes rencontrés, j'ai réussi à me contrôler. C'est presque un miracle, plus de crises de bouffe! Je lui ai avoué que je me trouvais quand même un peu ronde et désirais me remettre en forme. En parfait esthète, il m'a confié: «J'adore les femmes minces et bien musclées, tu devrais t'entraîner plus régulièrement.» Venant de sa bouche, cela paraît si simple! S'il suffisait de faire de l'exercice pour régler mon problème, j'aurais déjà couru plusieurs marathons!

Je me fais déjà tout un scénario dans ma tête, mais je me demande si j'aurais le courage de vivre comme lui. Chaque chose ayant sa place, chaque minute ayant son activité, chaque événement étant précédé d'un rituel préparatoire. Avant d'aller danser le samedi soir, il se prépare des heures à l'avance. Il mange d'abord légèrement, une soupe de légumes biologiques, puis il cire ses chaussures de danse avec amour, avant de repasser son pantalon noir, choisi spécialement pour mouler ses fesses de danseur. Il prend ensuite un bain de vapeur, en laissant couler l'eau très chaude, toutes portes et fenêtres de sa salle de bains closes, puis se couvre le corps d'eau d'hamamélis avant de faire 15 minutes d'étirements pour réchauffer ses muscles. Tout cela avec un calme presque religieux. Il semble avoir tellement de contrôle sur ses actes! Est-ce que je pourrais m'adapter à cette vie monastique? peut-être trop rigide pour mon tempérament d'artiste? Qu'à cela ne tienne, je le suivrai là où il faut aller. À deux, tout va mieux. De toute façon, je l'admire. Il met en pratique les principes de la thérapie béhavioriste sans même le savoir et a assimilé naturellement ce que j'essaie d'adopter depuis des années. Une vie de guerrier, de spartiate, où il n'y a plus de place pour la paresse, la léthargie, l'apitoiement sur soi-même.

Paul, veux-tu être mon guide, mon nord à moi?

Dans un univers aussi contrôlé, il n'y aura plus de place pour mes excès. Je me mets à espérer qu'en suivant son rythme je pourrai me débarrasser de mes obsessions. Ses côtés excessifs, un peu maniaques, me paraissent une influence idéale pour régulariser mes compulsions et m'empêcher de sombrer de nouveau. Si je réussis à lui cacher la vérité et que je copie tous ses faits et gestes, je deviendrai, moi aussi, une ascète! J'aurai gagné la guerre contre ma volonté défaillante, la bombe intérieure sera à tout jamais désamorcée, je connaîtrai enfin la paix!

Au contact de Paul, j'ai envie de me dépasser. J'ai toujours aimé apprendre des hommes. Pour moi, l'amour et l'admiration vont de pair. Voilà sans doute pourquoi j'ai un penchant pour les hommes mûrs, les hommes de carrière déjà réalisés, avec qui je peux évoluer, grandir. La seule contradiction: je n'ai jamais supporté qu'un amoureux me dise quoi faire. M'enseigner, oui, mais me diriger, non! Paul est plein d'attentions mais recherche tellement l'excellence en toute chose que je me sens surveillée, épiée dans mes moindres mouvements. Surtout lorsqu'il me montre comment effectuer les tâches les plus banales: je dois essuyer le comptoir de cuisine avec un linge non pas mouillé mais légèrement humide avec des mouvements circulaires, s'il vous plaît! Je retiens mon agacement. Je tiens à être une élève modèle. Cet homme, après tout, possède les clés de ma survie. Au cours de ma jeune vie, j'ai vraiment eu le don de m'accoupler avec des Pygmalion. J'avais déjà été très bien servie avec Gilles Carle, mais Paul a l'avantage de n'avoir que 10 ans de plus que moi.

Je me vois quand même soulagée l'après-midi où nous devons annuler mon initiation à la voile, pour cause de mauvais temps. Les sports nautiques n'étant vraiment pas mon fort, je suis inquiète de ne pas être à la hauteur des attentes de mon professeur. Par contre, s'il veut mettre à l'épreuve mon côté «exploratrice sur terre», il verra que j'ai du répondant. Je me réjouis d'aller en excursion avec lui, le lendemain, dans les marais des Everglades. Une randonnée de plusieurs heures dans une jungle à la Indiana Jones, tout à fait dans mes cordes, où devrais-je dire dans mes lianes! Nous partons vers 5 h du matin pour la grande aventure, après avoir passé la nuit chez des amis de Paul, propriétaires d'une ferme d'agriculture biologique aux abords de Miami. Notre destination: une forêt d'orchidées nichée en plein cœur des mangroves, ces bosquets aquatiques aux racines entremêlées, formant des îlots flottants entre ciel et mer. Mon prévenant chevalier a pris soin de me munir de guêtres fixées au-dessus de mes solides chaussures de randonnée pour protéger mes mollets d'éventuelles rencontres avec des serpents. Il a emmailloté mon chapeau d'un tissu à mèche transparente pour que mon joli minois ne soit pas dévoré par les moustiques, transmetteurs potentiels de fièvres tropicales. Encore heureux que nous n'ayons pas besoin de machette pour nous ouvrir le chemin, les sentiers abruptes étant relativement accessibles. Je me sens comme une héroïne britannique du début du siècle à la recherche d'une cité perdue, enfouie dans la jungle, sauf qu'il n'y a pas d'arrêt prévu au campement pour le thé! Je marche derrière Paul, faisant des efforts pour paraître calme. J'ai bien sûr omis de lui mentionner que j'ai une peur panique des serpents! J'ai les yeux rivés au sol, épiant la moindre brindille pouvant se transformer en éventuel reptile, je suis tellement préoccupée que j'en oublie d'admirer la nature qui m'entoure. Après une heure de marche, mon éclaireur s'arrête soudainement pour ce que je crois être une pause bien mérité. Comme je regarde toujours à la hauteur de mes pieds, je ne connais pas la raison de son geste. Je fonce tête baissée dans une énorme toile d'araignée qui nous bloque le chemin! Estomaquée, j'aperçois alors une forme noire et velue suspendue tout près de mon visage. Une énorme araignée agite ses vilaines pattes, à deux doigts de ma joue! Je me recule d'un bond, soulagée que la créature n'ait pas eu le temps de réagir. Je suis couverte de filaments transparents, collants partout à mes vêtements. J'aurais compris que la bestiole veuille se venger de l'abominable prédatrice qui a détruit son garde-manger! Paul, bien entendu, s'amuse comme un fou de ma brève rencontre du troisième type avec un arachnide. «Tu ferais mieux de regarder devant toi, *my darling*!» s'empresse-t-il de me dire. Et moi de répondre mentalement: «Mon Dieu, soyez clément, j'ai déjà failli m'évanouir à cause d'une araignée, faites que je ne tombe pas sur un serpent!»

Nous continuons notre avancée sans nouvel incident. Au fur et à mesure de notre randonnée, calquant avec précaution mes pas sur ceux de mon valeureux guide, je prends de plus en plus d'assurance. J'ai le loisir d'admirer la faune qui s'ébat autour de moi, les oiseaux-mouches, les papillons et même une poignée de flamants roses perchés délicatement sur leur unique jambe, formant au loin une haie d'honneur en attente de je ne sais quel fier ambassadeur du royaume des animaux.

Nous marchons d'un bon pas, entourés d'une humidité pesante. Mes vêtements sont trempés de sueur. J'ai chaud, j'ai soif… et me mets à penser que tout ce chemin parcouru, il faudra aussi le refaire à l'envers! Paul, comme s'il lisait dans mes pensées, s'arrête au même moment pour m'offrir un peu d'eau fraîche, précieusement conservée dans sa gourde de métal. «Courage, nous sommes presque arrivés. Tu vas voir, c'est magnifique!» Au détour du sentier, une vision majestueuse s'offre à nous. Des centaines d'orchidées mauves et blanches poussent cavalièrement à même les troncs d'arbres noueux. Les fleurs d'une délicatesse exquise forment un contraste charmant avec l'écorce rude, couverte par endroit d'un lichen fluorescent. Je ne regrette pas un instant les heures d'efforts accomplies pour mériter ce trésor. Les délicieuses corolles voltigent à fleur d'eau, au-dessus du marais. Pour s'en approcher, nous devons naviguer sur des bois morts flottants dans un étang boueux. Nous avançons avec prudence, la vase instable abritant possiblement des cheptels de serpents! J'ai des sueurs froides mais décide de surmonter mon angoisse, pour mieux admirer cet incroyable cadeau de la nature. Je pose les pieds avec soin sur les morceaux me paraissant les plus solides, tout en m'appuyant aux arbres pour garder mon équilibre. Tout à coup, le tronc sur lequel je suis précairement installé se met à bouger et plonge littéralement sous l'eau, dans un tourbillon putride. Prise par surprise, j'ai à peine le temps de m'accrocher à une branche sur laquelle je grimpe, comme un singe apeuré, pour éviter de sombrer dans le marais. Je regarde mon tronc d'arbre s'agiter dans la vase et constate avec horreur que je viens de marcher sur un énorme alligator! Je suis pétrifiée, m'agrippant de toutes mes forces à mon abri de fortune. Paul s'arme d'une solide branche et se met à taper dans l'eau avec frénésie pour dissuader toute autre créature qui aurait la triste idée de vouloir bouffer nos tibias pour déjeuner! «Anne, bouge très lentement, je vais te tracer le chemin. Suis-moi pas à pas. Je vais te sortir d'ici», me dit mon preux chevalier. Je me demande où je vais trouver le courage de remettre les pieds dans ce piège infernal. On se croirait à Fort Boyard! Sans doute ennuyée par ce remue-ménage, la bête est partie sans demander son reste. Je réussis à me frayer un chemin sur les troncs pourris malgré mes jambes chancelantes. Mon cœur bat à cent milles à l'heure. Tant pis pour les orchidées, je repars sur la terre ferme!

Au retour, oubliant la fatigue, je marche sans m'arrêter. J'ai hâte de quitter ces lieux peu hospitaliers, où une méchante surprise m'attend au détour de chaque sentier. Des apparitions plus inquiétantes et surtout plus réelles que les monstres de la maison hantée du Parc Belmont, qui déjà me terrorisaient dans ma jeunesse! Plus tard, Paul et moi avons beaucoup ri de ma mésaventure. Je m'en suis même servie dans l'émission *Les détecteurs de mensonges*. Mais sur le coup, j'ai vraiment eu une belle frousse!

Le lendemain matin, enfin remise de mes émotions, je décide d'aller me promener dans les grands champs autour de la ferme des amis de Paul, ayant pour la première fois la chance de visiter des cultures de légumes biologiques à grande échelle. Je marche pieds nus pour sentir la rosée matinale, suivant les interminables rangs de carottes et de laitues. Soudain, une douleur insoutenable me sort de ma rêverie. Mon pied est recouvert de fourmis rouges enragées! Je viens d'écraser leur nid! Des milliers d'aiguilles en feu me transpercent la peau. On avait oublié de me prévenir contre les dangers de ces terres, en apparence bucoliques! J'ai eu le pied enflé comme un ballon de football pendant 48 heures. Visiblement, la vie avec mon nouveau cavalier ne sera pas de tout repos. J'ai besoin d'aiguiser mes instincts d'exploratrice!

Quelques jours plus tard, bien en sécurité dans ma petite maison de Key West, je reçois une nouvelle qui me replonge avec bonheur dans une réalité plus familière. J'ai été choisie pour incarner la belle d'Ivory, dans une publicité tournée par Francis Mankiewicz. Avec tout cet exercice au grand air, j'ai effectivement l'air d'une fille saine, au teint radieux! Je ferai donc un saut d'une semaine à Montréal pour le tournage, avant de retourner à Paris, pour une entrevue avec un jeune réalisateur prometteur, Didier Haudepin. Ma vie semble vouloir changer de cap. Les flèches de Cupidon ont bloqué ma roue de fortune à la position «nouveau départ»!

J'ai malgré tout le cœur déchiré de quitter mon nouvel amoureux. Tel un porte-bonheur, un talisman magique, j'aimerais l'emporter avec moi. Nous nous laissons avec la promesse de nous écrire et de nous téléphoner le plus souvent possible. Nous n'avons passé que trois semaines ensemble, mais sommes déjà très amoureux. Rien de plus fort que deux compulsifs qui ont besoin l'un de l'autre. Je ne sais pas ce que l'avenir nous réserve, mais Paul va jusqu'à promettre de prendre des vacances très vite et de venir me retrouver en France pour que nous ne soyons pas séparés trop longtemps. Lui, le bourreau de travail, l'obsédé de l'horaire, accepte de faire l'ultime sacrifice: me consacrer un mois de son temps. Je reprends l'avion, émue, heureuse. La tête baignée d'émotions contradictoires, me demandant combien de temps son dévouement pourra alimenter ma nouvelle et fragile stabilité.

Dans Les Plouffe de Gilles Carle, j'incarne Rita Toulouse. Cette scène se déroule au château Frontenac.

DR

MA CARRIÈRE: *Les Plouffe* de Gilles Carle

La première danse
d'Ovide
(Gabriel Arcand)
et Rita.

*La partie de baseball avec Rita Toulouse, Stan Labrie (Donald Pilon)
et Denis Boucher (Rémi Laurent).*

Ma carrière: *Les Plouffe* de Gilles Carle

Gilles et Anne, en vacances, peu après la sortie des Plouffe *(1980).*
Je suis au-dessus de mes affaires!

MA CARRIÈRE: *Les Plouffe* de Gilles Carle

Première des Plouffe *à Cannes, en 1981, avec Gilles Carle et Nicole Liss.*

*Sur les marches du Palais des Festivals, Rémi (Laurent) et moi,
surpris par le nombre effarant de paparazzis!*

Ma carrière: *Les Plouffe* de Gilles Carle

Rita est malheureuse. Son mariage à Ovide bat de l'aile.

M<small>A</small> C<small>ARRIÈRE</small>: *Le crime d'Ovide Plouffe* de Denys Arcand

Photo: Piroska Mihalka

*Ovide est séduit par Marie (Véronique Jannot), serveuse chez Gérard,
sous les yeux inquiets de Rita.*

Photo: Piroska Mihalka

*Rita se laisse entraîner par Stan et trompe Ovide avec un architecte,
Bobby (Yves Jacques), aux chutes Montmorency.*

MA CARRIÈRE: *Le crime d'Ovide Plouffe* de Denys Arcand

Dans le film Elsa, Elsa, *je tiens le rôle d'Yvonne Cendrars, une vedette de cinéma, inspirée de la comédienne Jeanne Moreau.*

DR

Photo: Monica Douek

Une scène où je joue avec le petit Maxime Campion qui fait fondre mon cœur!

MA CARRIÈRE: *Elsa, Elsa* de Didier Haudepin

*Sur scène
dans My Fair Lady,
je joue Eliza,
la petite marchande
de fleurs.*

Photo: Jean-Pierre Grisel

THEATRE MUNICIPAL LAUSANNE

1er, 3, 4 janvier à 20 h.

MY FAIR LADY

D'après «PYGMALION» de G.B. SHAW
Musique Frédérick LOEWE
Mise en scène et chorégraphie Paul GLOVER
Direction musicale Jean-François MONOT
Bernard DHERAN de la Comédie Française
Anne LETOURNEAU · Paul MERCEY
ORCHESTRE DES RENCONTRES MUSICALES
Production Nick VARLAN   Editions DO-FA

*Eliza, devenue
une dame,
prend le thé
avec Mme Higgins*

Photo: Jean-Pierre Grisel

MA CARRIÈRE: *My Fair Lady*

Dans le film Flag, *avec Richard Bohringer. Le policier et la pin up de banlieue, un peu éméchés, à la sortie d'un bar.*

Une rencontre intime entre le flic parisien et la «midinette des faubourgs»!

MA CARRIÈRE: *Flag* de Jacques Santi

*La Maison Deschênes,
premier téléroman
quotidien au Québec:
Carla, la styliste de mode,
dans son bureau.*

*Carla a été kidnappée
par un admirateur fou
et enchaînée dans une cave…
avec des rats!*

MA CARRIÈRE: *La Maison Deschênes* (François Côté, réalisateur)

Dans le film
La Révolution française:
Mme Élisabeth,
sœur de Louis XVI,
pendant son arrestation.

DR

La reine
Marie-Antoinette
(Jane Seymour),
sa fille, le petit dauphin
et Mme Élisabeth,
emprisonnés
à la Conciergerie,
font la prière du soir.

DR

MA CARRIÈRE: *La Révolution française* de Robert Enrico

Danse lascive avec Michael Lamont-Lyttle.
Quelle pièce d'homme!

MA CARRIÈRE: *Shéhérazade* (Yves Décary, Anne Létourneau)

*Les deux esclaves sont venus voir leur amie Shéhérazade, déguisés en femmes.
On s'amuse!*

*Le numéro acrobatique
sur la chanson* Désir. *Michael
est un danseur formidable!*

*Shéhérazade a gagné
le cœur du sultan
et devient reine de Bagdad!*

MA CARRIÈRE: *Shéhérazade* (Yves Décary, Anne Létourneau)

Dans la série
Maxime et
Wanda:
Wanda, espionne-
cambrioleuse,
est habillée
par le designer
Thierry Mugler.

Wanda
transformée
en gitane.

Photo: Communications Papineau-Couture

Dans la télésérie La Belle Époque, *écrite*
par le cinéaste François Truffaut.

MA CARRIÈRE: *Maxime et Wanda* et *La Belle Époque*

Baiser à l'américaine: avec Nick Mancuso, dans Double Identity, *tourné pour la télévision par Yves Boisset.*

Baiser à la française: avec François Perrin dans la télésérie Maxime et Wanda, *où nous avions les rôles-titres.*

MA CARRIÈRE: *mes meilleurs baisers à l'écran*

Baiser à l'italienne: avec David LaHaye, dans le film La fenêtre *de Monique Champagne.*

Baiser à la japonaise: avec Serge Dupire, dans le film L'automne sauvage *de Gabriel Pelletier*

MA CARRIÈRE: *mes meilleurs baisers à l'écran*

CHAPITRE 6

L'AMOUR
TROMPEUR

L'AMOUR OUVRE LES PORTES DU CIEL. De retour à Paris, la beauté m'interpelle jusque dans les recoins sombres de ma petite chambre qui me semblait sinistre, huit mois auparavant. Comme si mon bonheur en attirait un autre, les portes blindées des maisons de productions se sont enfin entrebâillées pour me laisser entrer du sacro-saint côté du métier. J'obtiens coup sur coup deux rôles mirobolants. Une diva du cinéma dans *Elsa, Elsa*, un long métrage de Didier Haudepin, et le rôle principal d'Eliza dans la comédie musicale *My Fair Lady*. Moi qui n'ai vécu que d'amères déceptions depuis deux ans en France, voilà que l'on m'offre du travail aux premiers rendez-vous! Je dois projeter un nouveau bien-être qui suscite le désir. Le fait d'être reconnue par mes pairs et aimée par un homme que j'admire attise en moi une confiance nouvelle. Plus une femme est épanouie, plus elle devient attirante. J'offre pourtant la même marchandise, les mêmes qualités d'actrice, mais elles peuvent maintenant être perçues sans le voile de culpabilité et de dégoût qui formait un barrage inconscient entre moi et les autres. Mes insécurités provoquaient un effet repoussoir, et c'était pourtant au milieu de cette détresse que j'avais le plus besoin d'être acceptée. À Key West, inspirée par mes nombreuses lectures et ateliers métaphysiques, j'avais pris conscience d'une loi inexorable expliquant beaucoup de malheurs et d'injustices dans les rapports humains. Notre mal-être est inconsciemment projeté tout autour de nous, formant un nuage de pensées négatives. Malheureusement, qui se ressemble s'assemble. Ces mauvaises ondes se greffent «énergétiquement» aux scories de nos interlocuteurs et nous sont renvoyées, tel un réflecteur impitoyable, créant plus de misère et d'incompréhension dans nos existences. Dans ce genre d'échange, nous prenons une sorte de «bain de saletés psychiques». Notre malaise nous est rendu comme dans un miroir vicié, amplifié par les peurs et les angoisses nichées dans le subconscient de nos proches, qui à leur insu deviennent nos bourreaux. Le mal de vivre enferme nos pensées dans une ronde d'insécurités obsessionnelles difficiles à interrompre, teintant chacune de nos rencontres. De là l'importance de faire un travail profond pour trouver notre moi authentique, pour calmer nos émotions intérieures et, de ce fait, changer le cours de notre existence.

Le sentiment amoureux semble être un palliatif efficace. Profitant de ce répit, je nage dans le bonheur du devoir accompli. Je vais jouer un rôle stimulant dans un bon scénario français, et relever le défi de chanter sur scène le rôle écrasant d'Eliza Doolittle, dans la célèbre *My Fair Lady*. Avec un certain sens de l'ironie, le destin me fait jouer dans la comédie musicale inspirée de *Pygmalion*, pièce de George Bernard Shaw. L'histoire d'un mentor qui apprend à une jeune marchande de fleurs comment devenir une lady. Bien entendu, celle-ci tombera amoureuse de son professeur! N'est-ce pas le reflet flagrant de mon propre schéma de relation de couple?

Ces incroyables occasions m'arrivent alors qu'une bonne partie de mes pensées vont toujours vers Key West. Je suis aimée, heureuse. Soudain, mon entourage souhaite partager un peu de cette lumière intérieure. Je deviens un petit satellite brillant que les producteurs ont envie de voir graviter autour de leurs grosses planètes. J'ai enfin retrouvé un peu de pouvoir sur ma vie. La quête de travail, les résultats d'auditions ne sont plus une obsession.

Mon cœur est nourri ailleurs. Le fait de ne plus être en position de demande, assoiffée de reconnaissance, me rend moins menaçante, moins à l'affût sur le plan émotionnel. Peut-être a-t-on l'impression d'engager une professionnelle au lieu d'un petit œuf qu'on doit couver avec précaution pour éviter qu'il ne se casse! C'est inimaginable, j'ai du travail devant moi, pour une année complète, à Paris!

Malgré mes projets exaltants, Paul me manque énormément. Nous nous appelons souvent, mais communiquons surtout par écrit. Ses envois sont toujours intrigants, truffés de citations de ses poètes préférés et agrémentés de photos superbes. J'aime particulièrement celle où il est nu de dos, étendu sur la plage, montrant son célèbre postérieur dans toute sa splendeur!

J'attends sa venue avec impatience. Mon cher esthète n'a jamais visité la France mais se passionne déjà pour son architecture. Paul est tellement prévoyant qu'il fait déjà une heure de français chaque soir. J'avoue que j'ai hâte qu'il comprenne ma langue. Je n'ai jamais eu de «fiancé» anglophone et, bien que je sois à l'aise en anglais, il m'est parfois difficile de traduire mes émotions et de garder la concentration nécessaire pour m'exprimer avec fluidité. Je trouve particulièrement laborieux d'essayer de faire de l'esprit dans une langue étrangère. Le temps de mettre mes idées en ordre, le bon «timing» est déjà passé. Pas facile d'être spirituelle lorsqu'on cherche le mot juste. Au moment où on est prêt à embarquer, le train est déjà parti! Pour moi, l'humour est si important dans une relation. J'adore faire rire mon bel Américain. Je crois lui apporter une bouffée de fraîcheur, un brin de fantaisie. Enfin, je peux libérer «l'ondine mutine», «la nymphe rigolote» trop longtemps garrottée, étouffée sous l'emprise de la «princesse des ténèbres».

Mon nouveau chevalier me donne sûrement de l'allant. À notre première rencontre, Didier Haudepin m'offre un rôle formidable dans son film autobiographique *Elsa, Elsa*. J'incarnerai Yvonne Cendrars, une star de cinéma des années 60, inspirée de Jeanne Moreau. Je suis très flattée. L'une de mes chansons préférées, *Le tourbillon*, est interprétée par la grande actrice. Sa voix rauque a bercé mon enfance, et je l'ai tant admirée dans *Jules et Jim*. Didier, un jeune metteur en scène de 30 ans bourré de talent, la connaît bien. Étant lui-même comédien, il a joué avec Madame Moreau. À l'âge de six ans, il travaillait déjà avec elle! Qu'il pense que j'ai assez de talent pour incarner cette légende vivante à l'écran m'emplit de fierté.

À Paris, les acteurs passent des entrevues, pas des auditions. Manière des plus civilisées qui me plaît énormément. Les metteurs en scène rencontrent les comédiens et passent une demi-heure à discuter. Si les réalisateurs sont vraiment intéressés, ils donnent le scénario à lire et revoient les artistes pour entendre leurs réactions. Il s'agit plus d'un échange que d'un examen. S'il subsiste encore des doutes ou si les producteurs l'exigent, deux ou trois interprètes triés sur le volet vont faire des essais. Un vrai *screen test*, avec décors, costumes et éclairages appropriés. Les scènes sont jouées par des acteurs chevronnés, déjà choisis pour faire partie de la distribution du film. Toutes les chances sont vraiment mises de notre côté. Il n'y a plus qu'à jouer, en s'oubliant, avec confiance.

Au Québec, les gens du métier ont adopté le système à l'américaine. Quinze à vingt comédiens peuvent auditionner pour un seul rôle. Travail qui demande d'apprendre par cœur de nombreuses scènes, plus d'une dizaine de pages, le plus souvent à un où deux jours d'avis. Les acteurs sont filmés sur vidéo dans des éclairages crus qui n'avantagent personne. Le réalisateur n'est pas toujours présent. La réplique est donnée généralement par un jeune comédien assis sur une chaise droite hors champ, à côté de la caméra. Pas de complicité avec le partenaire, peu de contact avec le metteur en scène. Ne reste plus qu'un concours ressemblant à la roulette russe: l'acteur tire un coup et a une chance sur vingt que la balle atteigne la cible! Des heures de préparation pour un jeu de hasard. Parfois les scènes apprises ne sont même pas toutes demandées.

Les auditions pourraient offrir un avantage, celui de nous permettre de surprendre et de montrer des nouvelles facettes de notre art. Mais on demande rarement à un comédien d'auditionner à contre-emploi. C'est pourtant un merveilleux défi à relever. Après tout, personne n'a choisi ce métier pour interpréter toujours le même genre de rôle. Il est tellement plus simple de placer les acteurs dans des niches. Tout au long de ma carrière, on m'a toujours demandé d'incarner des filles sexy, ultrasophistiquées. Bien entendu, je suis toujours honorée qu'on pense à moi pour un rôle. Mais j'aimerais tellement jouer des filles simples, vulnérables, écorchées, beaucoup plus près de ma vraie nature que les divas et les *bitch* de la haute!

Pour en revenir au choix des comédiens, n'est-il pas beaucoup plus humain d'éliminer les candidats après une discussion entre professionnels, plutôt que de nous soumettre encore et encore à un jugement sommaire, après des heures de travail et d'espoirs déçus?

Malgré tout cela, j'aime encore passer des auditions. Cela me permet d'exercer mes «muscles» d'actrice, de me tenir sur la corde raide. Mais je préfèrerais le faire dans de bonnes conditions, après avoir lu le scénario et rencontré le metteur en scène, sachant qu'il existe un réel intérêt et un début d'atomes crochus entre nous.

Avec Didier Haudepin, tout s'est passé à merveille puisque, à mon grand étonnement, il m'a donné le rôle sur-le-champ. Je suis folle de joie. La distribution est étincelante: Catherine Frot, Tom Novembre, François Cluzet, de jeunes acteurs très prisés dans le métier. Quelle chance inouïe de faire partie de leur clan! L'héroïne du film est interprétée par Pascale Augier, une star montante, fille d'une comédienne célèbre de la Nouvelle Vague, la pétillante Bulle Augier. Pascale, malgré son talent, a la réputation d'être difficile sur un plateau. Je ne l'ai jamais rencontrée et attends de me faire ma propre idée. Les rumeurs de ce genre se révèlent parfois surfaites. Les gens envieux disent n'importe quoi! Qu'à cela ne tienne, si je sens une quelconque froideur à l'horizon, j'ai plusieurs tours dans mon sac pour amadouer les caractères les plus récalcitrants. Ma technique: rester à ma place, être d'un professionnalisme sans faille, toujours savoir mon texte, toujours être à l'heure, traiter toute l'équipe avec la même politesse, du stagiaire aux acteurs principaux en passant par les assistants et les figurants. Essayer de ne pas trop participer aux commérages de plateau (sans doute le plus difficile!), ne pas avoir d'aventure avec mes partenaires masculins (encore plus dur!, si on ne peut vraiment pas résister, s'en tenir à un seul membre de l'équipe technique, pas marié de préférence...) et aborder ceux qui se prennent pour d'autres avec chaleur et simplicité. Avec cette attitude, j'ai acquis la réputation d'être «un rayon de soleil sur les tournages». Appellation dont je suis fière, et que j'ai chèrement obtenue, car elle exige de la retenue, de la discipline et une bonne dose d'humilité. Pas toujours facile quand on est dans une position de pouvoir de ne pas en abuser. Pas toujours évident de marcher sur notre orgueil et de faire les premiers pas quand une vedette au titre mérité ou pas nous regarde de haut!

En bon petit soldat, il semble que j'aie toujours eu le sens de la responsabilité et du devoir, au travail. Cette rigueur m'a été inculquée très jeune par mes parents, tous deux metteurs en scène et professeurs d'art dramatique. Ma vie intérieure a été sérieusement chavirée depuis la montée de ma maladie. Mais l'artisane dévouée à son métier, la bonne élève, réussit malgré tout à sauver les apparences et à livrer sur le plateau un travail respectable.

Nous prévoyions tourner en Grèce, particulièrement les scènes de *flash-back*, souvenirs antérieurs à l'action principale, où la divine Yvonne Cendrars – votre humble serviteur – fera ses caprices de star. Situation amusante, car nous tournerons un film dans un film. Là, ce sera moi qui aurai le droit d'être hautaine, du moins sur pellicule. Faute de budget, l'équipe devra finalement se rabattre sur la Provence, pauvres de nous!

Notre productrice, Sandra Alvarez de Toledo, en est à ses premières armes. Fille d'un riche armateur argentin, elle a eu envie de déployer ses ailes dans le cinéma. Belle, à peine 25 ans, elle est mince, élégante, dotée d'un solide caractère et d'une passion toute hispanique! Je dois à sa détermination le bonheur de me retrouver dans cette aventure. En voyant *Les Plouffe* dans un avion, deux mois auparavant, elle a été émue par le personnage de Rita Toulouse et m'a tout de suite pressentie dans son film. Elle a fortement suggéré à Didier de m'engager, alors qu'il ne me connaissait pas du tout. Il y a parfois des anges qui passent comme ça dans nos vies. Le mien parle couramment cinq langues et habite un sublime atelier d'artiste dans Montmartre. Un appartement princier, entièrement vitré, avec mezzanine.

Ma généreuse marraine, apprenant que je vis dans un trou de souris à peine digne d'une Cendrillon, m'offre d'habiter chez elle, le temps de tourner le film et de me trouver ensuite quelque chose de mieux. Je suis soulagée, car je viens d'apprendre que je dois libérer ma chambrette, le propriétaire voulant la reprendre pour son fils. Qu'il la garde, on me reçoit au palais! Ma chance a décidément tourné. J'ai un homme dans ma vie, une merveilleuse amie et un rôle «juteux» à me mettre sous la dent. Je n'ai plus besoin de me faire du mal. Meurt, disparaît, abandonne, maudite boulimie, arrête de me coller au corps que je commence enfin à vivre!

Trois semaines avant le début du tournage, une terrible nouvelle secoue les membres de l'équipe. Pascale Augier, notre comédienne principale, est trouvée morte d'une overdose d'héroïne. Nous sommes atterrés. Elle si jeune, pleine de promesses. Peu d'entre nous la connaissions intimement, mais nous portons le deuil de son départ avec gravité. Les problèmes de drogue et d'alcool sont une calamité dans le cinéma français, et cet incident résonne dans nos cœurs comme un écho. À Paris, de nombreux acteurs mènent un sérieux combat contre la poudre ou la bouteille. Combien de fois ai-je côtoyé des comédiens titubant sur le plateau, balbutiant leur texte, au point où les prises de la journée étaient inutilisables? Certaines très grandes vedettes doivent être constamment sous la tutelle d'un assistant bienveillant. Ces «nounous» dévouées les suivent pas à pas, même après les heures de plateau, afin de s'assurer que les beuveries nocturnes de leur star ne mettent pas le film en péril. Une attitude inacceptable dans un contexte québécois. L'artiste en question aurait bien du mal à se faire réengager après de si piètres performances. Mais en France, le star-système veut que presque tout soit toléré chez les vedettes, y compris les pires caprices et écarts de conduite, sous prétexte qu'ils attirent des spectateurs dans les salles. J'avoue que c'est très dur pour les collègues de travailler avec un partenaire rond comme une barrique ou *speedé* comme une balle… Faut le voir pour le croire, mais la plupart des gens concernés, voulant éviter les histoires, agissent comme si de rien n'était.

Je suis bien mal placée pour juger qui que soit, moi qui cohabite depuis si longtemps avec ma propre compulsion malsaine. Par la force des choses, beaucoup de personnalités hypersensibles sont attirées par les feux de la rampe. Trop d'écorchés vifs, abîmés par les rejets, les déceptions. Trop d'émotions à fleur de peau, données en pâture à l'opinion publique, aux critiques cyniques et autres requins vidangeurs. Dans ce métier, pas de milieu, on vous déteste ou on vous adule, ou encore pire, on vous ignore! Mais le spectacle continue, la chanteuse Lio se joint à nous, et le tournage commence dans les délais prévus.

Est-ce l'odeur suave du romarin ou l'ombre douce des micocouliers bordant les chemins de Provence, mais je me sens légère comme une plume sur un oreiller de soie. La troupe m'accueille à bras ouverts. Mon intimité récente avec Sandra, la généreuse mécène de notre projet, me sert de carte de visite. Madame la

Productrice m'héberge dans ses appartements à Paris: très bon pour mon standing! Actrice étrangère soit, mais quand même foutrement bien placée dans la hiérarchie! Mon amie a judicieusement créé une aura particulière autour de ma petite personne, décrivant à qui veut l'entendre comment elle a déniché la «perle rare chez nos cousins canadiens», insistant sur le fait que personne d'autre ne pouvait incarner Yvonne avec le même panache, et patati et patata. En France, la réputation est primordiale. Il faut être introduit, présenté selon les règles et «avoir l'air» d'être quelqu'un, même si ce n'est que du vent! Je me prélasse donc dans mon nouveau statut, coussiné et odorant. Un mélange enivrant d'excitation et de confort, d'inconnu et de familier. En d'autres mots, je profite pour l'instant de ma gloire temporaire même si je ne suis pas dupe de ma soi-disant «remontée sociale».

Bien dans ma peau, bien dans ma tête, je reçois mon petit remontant d'amour périodique en parlant avec Paul. Dans nos conversations outre-mer, il n'a qu'à me susurrer à l'oreille *«my little diamond»* ou *«my sweet pearl»* pour que mon cœur chavire et que le reste de ma journée se passe au septième ciel. Au travail, j'ai infiniment de plaisir à incarner ma pin up capricieuse, établissant une synthèse de toutes les divas de cinéma et grandes dames de théâtre que j'ai côtoyées au cours de ma jeune carrière. Je porte des robes sublimes, des coiffures et des maquillages ultrasophistiqués, mettant en valeur «mes grands yeux de biche et mes lèvres pulpeuses à la Betty Boop», remarque judicieuse faite par un critique du magazine *Première* à la sortie du film. Je me sens belle et désirable, à l'aise sur le plateau comme un poisson dans sa rivière. J'ai quand même des sursauts d'angoisse, me comparant aux autres belles actrices, scrutant les éventuels bourrelets qui viendraient me faire la honte d'épaissir ma nouvelle silhouette de sirène. Mais Didier, un homme calme et sensible, sait me mettre en confiance. C'est un auteur-réalisateur instinctif et brillant, dirigeant son navire avec une assurance surprenante pour un deuxième film. Et ce, malgré les interventions de son ex-copine, la comédienne et future réalisatrice Christine Pascal, qui croit encore avoir des droits sur lui et qui traite toutes les autres nanas avec dédain. Elle coupe la parole aux autres comédiennes à table et parle du scénario comme si elle l'avait écrit, s'appropriant les bonnes idées à grand renfort de «moi, je». Son petit jeu passe cent pieds au-dessus de ma tête, sans atteindre ma bulle, qui flotte bien haut dans le nirvana. Mes rapports avec Didier, Sandra et le reste de l'équipe sont inébranlables, forgés de complicité et de respect mutuel.

Cette semaine, j'ai plusieurs scènes à tourner avec un garçonnet mignon à croquer représentant Didier enfant. À six ans, Maxime est d'un naturel désarmant devant la caméra. Quelques années plus tard, il a d'ailleurs été choisi pour interpréter le rôle écrasant de Louis XIV «L'Enfant-roi», dans le film du même nom. Ses parents étant restés à Paris, Maxime m'a choisie comme son adulte préféré. Son affection n'a plus de limites, il me suit partout, me couvre de bisous, monte sur mes genoux, s'accroche à mon cou, me réclame près de lui pour faire sa sieste. Je deviens sa doudou, son rayon de soleil, son oxygène! Je suis complètement retournée. Fille unique, je n'ai jamais eu de rapports intimes avec de jeunes enfants, n'ai jamais fait de *baby-sitting*. J'ai deux demifrères, Marc et Richard, les fils de mon père, mais il n'y a pas de grande différence d'âge entre nous. À 21 ans, dans *Les Plouffe*, j'ai tenu un bébé dans mes bras pour la première fois et j'étais plutôt malhabile... De voir ce petit bonhomme marcher sur mes pas et me donner tant d'affection me semble proche du miracle. Goûter à cet amour inconditionnel est une formidable source de joie. Moi qui ne veux pas avoir d'enfants, je me surprends à penser que ses parents ont bien de la chance. Et surtout, je me questionne: pourquoi a-t-il jeté son dévolu sur moi qui n'ai aucune expérience avec les mômes et les considère plutôt comme d'étranges créatures? Aurait-il senti en moi un instinct maternel, profondément enfoui, là où je ne l'avais pas encore découvert? La maternité, le rôle de la mère est un sujet douloureux sur lequel je ne veux pas m'attarder. Ce petit garçon serait-il un poignant messager? Un petit ange venu caresser mon cœur de ses mains potelées?

À l'aéroport d'Orly, lorsque Maxime me quitte pour se précipiter dans les bras de sa mère, j'ai le cœur serré. J'aurais dû savoir que j'étais une maman d'emprunt, un prix de consolation en attendant le gros lot. Mais j'aurai bientôt l'occasion de me consoler. Paul arrive la semaine suivante! Sandra, en hôtesse généreuse, accepte avec empressement de l'accueillir dans son appartement. Selon l'aménagement des pièces, je dispose au premier étage d'un quartier privé avec chambre, petit salon et salle de bains, la perfection!

J'ai organisé la visite de mon chéri américain avec le plus grand soin. Pour notre premier soir, j'ai voulu un souper romantique. Nous avons une réservation au Coupe-chou, une coquette maison de pierre située sur la montagne Sainte-Geneviève, près du Panthéon. Ce restaurant offre aux clients une atmosphère chaleureuse, intimiste, plutôt rare à Paris. On se croirait dans une auberge de campagne: éclairage à la chandelle, cuisine raffinée, digestifs au salon devant un feu de foyer.

J'ai besoin d'avoir mon homme tout à moi, pour réinstaller la magie, pour nous donner le temps de nous réapprivoiser en douceur. Voilà huit semaines que nous nous sommes quittés, j'appréhende un peu nos retrouvailles. Après tout, nous avons à peine eu le temps de nous connaître. Malgré nos conversations téléphoniques passionnées, ponctuées de *«I love you»*, je me demande si l'effet sera toujours aussi vibrant en personne. Au premier «Mon amour, tu m'as tellement manqué» chuchoté à mon oreille, je fonds comme neige au soleil. Je suis rassurée. Notre relation est toujours au même point, avec en prime l'anticipation délicieuse engendrée par l'absence et la sensation de manque, de vide enivrant qui en découle.

Après une douce nuit passée endormis dans les bras l'un de l'autre, le réveil est beaucoup moins gracieux. «*Good…* atchoum… *morning…* atchoum! » me dit Paul, en éternuant à répétition comme une locomotive à vapeur. Mon pauvre chou fait peur à voir, les yeux gonflés, le nez rouge. «*My God!* Est-ce qu'il y a un chat ici?» enchaîne Paul, jetant un regard paniqué dans la pièce. «Oui, Sandra a un angora, qui s'installe souvent dans la chambre quand il n'y a personne.» « Je suis totalement allergique!» s'écrie Paul en se précipitant hors du lit. Il vient d'apercevoir derrière nos oreillers le mur tendu d'un tissu beige, littéralement recouvert de poils de chat! «Je ne peux pas rester ici… atchoum!» D'un geste décidé, Paul commence à ranger ses affaires dans sa valise.

«Écoute, il faudrait pas paniquer, dis-je d'un ton qui se veut rassurant. Si je passe l'aspirateur partout et que je frotte les murs à la brosse, ça réglera sûrement le problème. Sandra peut garder son chat au deuxième étage. Ce serait dommage de partir, l'appartement est magnifique et franchement mon budget ne me permet pas de passer un mois à l'hôtel!» Je me lève vaillamment, enfile un peignoir et me dirige d'un pas déterminé vers le placard à balais. Voilà que je me retrouve à faire le ménage, au lieu du sexe torride et du petit-déjeuner au lit que j'avais imaginés! Depuis tout ce temps, j'ai fantasmé sur la photo de Paul nu, étendu sur la plage, affichée sur le miroir de ma salle de bains, au point que les coins en sont tout recourbés à cause de la vapeur!

Pendant que «bobonne» nettoie, j'entends des éclats de rire venant de la cuisine. Paul et Sandra ont fait connaissance. J'espère au moins qu'ils nous préparent un petit-déjeuner copieux et du café fort! Notre hôtesse parle un anglais impeccable. Cultivée, mondaine, elle a le charisme d'une vedette de cinéma. Je suis fière d'être son amie, et très contente d'initier Paul à la vie parisienne grâce à une si captivante ambassadrice.

Après une heure de travail acharné, j'ai finalement réussi à neutraliser l'ennemi, la chambre est plus aseptisée qu'une salle d'opération. Je vais rejoindre mes deux amours sur la terrasse. De les voir m'accueillir avec deux magnifiques sourires j'en oublie tout de suite ce malheureux incident. Sandra m'interpelle, une lueur amusée dans l'œil: «Anne, je ne te connaissais pas un si grand talent de ménagère, je devrais te garder pour de bon! Viens manger, tu l'as bien mérité.» Nous passons ensemble un moment précieux: croissants, fous rires et espresso.

Sandra accepte de garder sa bête au deuxième, Paul ne semble pas avoir de réactions en entrant dans la chambre, tout va bien! Pour m'assurer que la suite des événements prenne la tournure voulue, je m'approche lentement de mon beau mâle et lui donne un de ces baisers légers et sensuels dont j'ai le secret. Entrouvrant à peine mes lèvres, j'effleure sa bouche tel un papillon ivre. Ça ne rate jamais de faire son effet! Paul se dégage, avec l'air penaud d'un garçonnet venant d'échapper le pot à biscuits. «Anne, je suis désolé. Il faut que je te dise, ça ne sera pas possible d'aller plus loin. Je… disons que… j'ai un problème.» Je suis stupéfaite, n'osant même pas imaginer la suite. «Sans doute à cause de mon hépatite, j'ai aussi attrapé le virus de l'herpès. Je suis en pleine crise. Ça vient sans prévenir, surtout lorsque je suis fatigué. J'ai travaillé comme un malade pour pouvoir prendre le temps de venir ici, en plus du stress du voyage. Je suis désolé, mais nous ne pourrons pas faire l'amour.» Pour ajouter du poids à sa déclaration, il baisse son pantalon et me montre, sur ses parties intimes, un essaim de cloques transparentes. Rien de bien horrible, elles se voient à peine sur la peau veinée, mais elles semblent me regarder d'un drôle d'air comme pour me dire: «Trop tard, ma belle, meilleure chance la prochaine fois!»

Je suis mortifiée, pour lui, pour moi. L'herpès est une maladie récurrente et hautement transmissible. Les crises peuvent durer des semaines. Beau cadeau de retrouvailles! J'essaie de cacher ma déception et lui dit: «Ne te sens pas mal, ce n'est pas grave. Il y a tant de choses à faire, à voir à Paris. Je suis tellement contente que tu sois venu. Tu vas passer des vacances formidables. Allez, habillons-nous, on sort.» Nous sommes soudain mal à l'aise d'être seuls tous les deux, près d'un lit. Paul essaie de faire bonne figure: «D'accord, mais il s'est mis à pleuvoir, qu'est-ce qu'on va faire?» Je lui réponds d'un ton enjoué: «Dans cette ville, si on attend qu'il arrête de pleuvoir pour vivre, on a le temps de se changer en statue de sel! Je t'emmène au Louvre!»

À l'entrée du musée se trouve une superbe boutique remplie de reproductions d'objets d'art et de bijoux anciens. Paul s'y attarde trop à mon goût, j'ai envie de voir les vrais! Il s'arrête ensuite devant une série de panneaux expliquant les futures rénovations de l'aile Richelieu, scrutant le tout en détail. Cela fait une heure que nous sommes au musée et nous n'avons pas encore vu un seul tableau. Je ne peux me retenir: «Tu sais, cet endroit est immense, faudrait pas passer tout l'après-midi dans le vestibule…»

Nous passons donc à la galerie, où j'ai de la peine à entrevoir la *Joconde* au travers d'une foule de Japonais en délire, frustrés sans doute de ne pas pouvoir la prendre en photo. J'ai envie de voir les peintres italiens de la Renaissance, mais mon chéri préfère la sculpture. D'accord, va pour la sculpture! Depuis l'intermède de ce matin, Paul et moi n'avons plus la même complicité. Il nous arrive de parler en même temps, de nous frapper en marchant. On ne réussit plus à trouver notre rythme, à nous mettre au diapason. Si nous étions deux instruments de musique, nous produirions une vraie cacophonie! J'ai les nerfs à fleur de peau. Les petites maniaqueries de Paul, au lieu de m'inspirer, commencent à m'agacer religieusement.

Comme toujours, j'essaie de prendre sur moi, de cacher mes émotions pour agir en parfaite petite amie doublée d'une guide attentionnée. Je tente de lui faire passer un superbe après-midi, tâche délicate car son humeur s'assombrit à vue d'œil. Au retour à la maison, c'est à peine si Paul m'adresse la parole. Un nuage noir semble s'être installé au-dessus de sa tête. J'ai toujours eu un faible pour les beaux ténébreux, imbus de mystère, mais là, je fais face à un mur, dépressif en plus! J'essaie de ne pas trop m'inquiéter, me disant que cela doit être très dur pour son ego de ne pas pouvoir assumer son rôle d'amant.

Ce soir, j'ai concocté pour lui une soirée du tonnerre qui le mettra, je l'espère, dans de meilleures dispositions. Nous allons aux Bains-Douches, le restaurant-discothèque le plus *in* de Paris, installé dans l'étonnant décor d'anciens bains publics. J'y ai réuni plein de gens sympathiques, des acteurs, des techniciens de cinéma qui, chose rare en France, parlent tous l'anglais. Je suis vraiment fière de ma table, même Rémi est de la partie. Depuis que nous ne sortons plus ensemble, nous sommes restés bons amis. Il vient ce soir avec son copain Jean-Pierre. Ensemble, ils sont drôles comme des singes. Les convives s'amusent énormément. Le vin aidant, nous nous payons de formidables crises de rire. Paul a plutôt l'air coincé, il est pourtant traité en invité d'honneur. Tout le monde s'efforce de l'inclure dans la conversation, lui traduisant les mots d'esprit et autres blagues idiotes qui fusent de toutes parts. Qu'à cela ne tienne, après le repas nous attend la fameuse discothèque à la musique d'enfer! Voyons s'il pourra résister à ça!

Nous dansons comme des Zoulous un soir de pleine lune. Un peu trop frénétiquement d'ailleurs, si l'on en croit le regard désapprobateur des «branchés» agglutinés avec nonchalance autour de la piste. J'ai à mes côtés de très compétents partenaires avec qui j'ai l'habitude de secouer mon corps. Rémi et moi avons écumé les bars à notre époque et mon copain Christian, un comédien québécois vivant maintenant à Paris, fut mon compère de boîte, rue Stanley, à l'heure gay du Limelight. J'ai un seul problème, je danse avec plein d'hommes sauf le mien. Paul est resté assis, à boire de l'eau d'Évian, sans participer une seule fois à nos bacchanales, affichant un air d'enterrement qui se marie plutôt bien avec le reste de l'assistance. Je suis désemparée, lui, le Nijinsky des Amériques, ne veut pas danser, mais ne veut pas non plus rentrer à la maison. Il reste là, boudeur, à nous regarder. Je me sens presque coupable de m'amuser!

Je ne sais plus à quel saint me vouer. Depuis trois jours, Paul est toujours aussi dépressif. Je déballe des trésors d'ingéniosité pour essayer de le sortir de sa torpeur: visites, sorties, bons restaurants, rien n'y fait. Aujourd'hui, je suis presque soulagée de devoir l'abandonner pour aller travailler. Sandra a offert de l'emmener sur le plateau, en fin de journée. Espérons que Monsieur sera de meilleure humeur.

Je suis vraiment la reine de la non-communication. Je ne sais pas comment faire entendre mes besoins, exprimer mes mécontentements. Je garde tout à l'intérieur. J'essaie d'être gentille, patiente avec Paul, alors que j'ai envie de crier ma déception, ma frustration. Je continue pourtant à faire la bonne fille tellement j'ai peur de ne plus me faire aimer. C'est épuisant, toujours camoufler ses pensées, ses envies. À la cantine, le midi, pour me défouler, je mange comme une défoncée. Je suis tellement perturbée que je ne m'aperçois même pas que le monstre, installé dans mes tripes, s'est réveillé.

Le reste du séjour de mon «fiancé» se poursuit sur la même note sombre, avec quelques éclaircies. Résultat: je visite le réfrigérateur plusieurs fois par jour en cachette. Je ne sais pas quoi faire d'autre pour empêcher le trop-plein d'exploser. Je le colmate par le dessus. J'avale pour mieux ravaler ma voix.

Un soir, n'en pouvant plus, à la suite d'un repas en tête-à-tête morose, je lâche presque malgré moi: «Tu sais, Paul, quand tu es dans cet état, je m'ennuie avec toi.» Je vois immédiatement que mes mots l'ont blessé. À voir son air, j'ai l'impression d'avoir enfoncé un couteau dans la plaie d'un mourant. «Je ne suis peut-être pas aussi divertissant que tes amis du cinéma. Mais je ne suis pas bien, ici. Je ne parle pas la langue, je ne contrôle pas les événements. Je ne sens pas à ma place, c'est tout.» «Je suis désolée d'avoir été aussi abrupte. Mais ta visite à Paris ne se passe pas du tout comme je l'avais espéré.» Nous rentrons à l'appartement de Sandra, sans ajouter un mot et sans nous regarder. Tous les deux, perdus dans nos réflexions, sans doute peu flatteuses pour l'autre.

Quelques jours avant son départ, Paul sort de sa morosité. Ses nerfs fragiles sans doute reconstitués par la vie aisée d'un touriste en visite ont enfin lâché prise. Mon chéri m'annonce avec fierté que sa crise d'herpès s'est résorbée. Un poids énorme semble être tombé de ses épaules. Ce matin-là, il me fait l'amour presque sauvagement. Pour me prouver qu'il est encore un homme, pour s'assurer que je suis toujours à lui. Je me prête au jeu, secrètement heureuse qu'il ait envie de me reconquérir. Il était grand temps! Nous passons le peu de temps qui nous reste à nous réinstaller petit à petit dans notre état amoureux. Le courant passe déjà mieux. Peu à peu, nous retrouvons l'intimité qui nous avait enchantés à Key West: longues conversations, promenades main dans la main.

Une chose est sûre, je n'ai jamais été rancunière. J'essaie toujours de laisser le bénéfice du doute à ceux que j'aime, au point que j'oublie facilement le mauvais pour mieux profiter du bon. Une attitude qualifiée de naïve par certains, qui m'a causé beaucoup de déceptions, occasionné bien des trahisons. Mais j'ai toujours refusé de m'en départir. J'aime voir le bon côté des choses et des gens. Je chéris mon innocence et mon cœur d'enfant. Je pense sincèrement que plus je suis en contact avec cette partie de moi, plus les gens s'ouvrent. Bien sûr, je me suis fait avoir quelquefois. On a abusé de ma bonne foi, ce qui m'a rendue plus prudente. Mais j'aurai toujours un côté résolument vulnérable et accessible pour ceux qui auront mérité ma confiance. Je préfère me brûler les ailes et avoir des rapports vrais et intenses plutôt que de me caparaçonner derrière des défenses protectrices et limitées.

Je me relance donc avec élan dans mon histoire d'amour avec Paul, prête à passer l'éponge. D'ailleurs, il est tellement attentionné qu'il réussit à me faire oublier sa terrible mélancolie. Je suis de nouveau mordue, encore accrochée à l'hameçon. Destin cruel! Juste au moment où il doit repartir!

Je n'ai pas vraiment le temps de faire le deuil de son départ. D'abord, je dois déménager. Je ne veux pas abuser de l'hospitalité de Sandra, maintenant que le tournage du film est terminé. J'ai trouvé un studio confortable, rue Pigalle. Une seule pièce très modeste mais quand même plus spacieuse que ma cabine de bateau du Marais. Mon choix est vraiment limité. Pas facile de trouver des propriétaires acceptant de louer à une «intermittente du spectacle». Ceux-ci préfèrent de loin les locataires «fonctionnaires» aux fiches de paye hebdomadaires!

Mon nouveau logis a l'avantage d'être tout près de la place Clichy, là où je commence les répétitions de *My Fair Lady*. Joignant l'utile à l'agréable, mon studio est aussi situé à cinq minutes de chez Sandra. Nous nous donnons souvent rendez-vous dans un charmant salon de thé de la place Saint-Georges, à deux pas de l'hôtel particulier où vécut George Sand. Cet après-midi, j'ai tellement hâte d'annoncer l'incroyable nouvelle: «Sandra, je viens de décrocher le rôle-titre dans une télésérie. Jean-Christophe Averty m'a engagée pour jouer Gaby Deslys. Il va tourner l'histoire de sa vie en six épisodes.» Je lui décris dans les menus détails l'existence passionnante de cette célèbre meneuse de revues, connue pour sa carrière internationale, sa liaison avec le roi Manuel du Portugal et sa fortune en bijoux. Une étoile filante du début du siècle qui fut même soupçonnée d'espionnage, avant de mourir à 37 ans d'une consomption. «Tu te rends compte! m'écriai-je, les joues rosies d'excitation. Ce rôle, c'est Mata Hari qui rencontre la Dame aux camélias. Je vais devoir chanter et danser. Les maquettes des costumes sont tout simplement fabuleuses, inspirées par Herté, le célèbre illustrateur.»

Quel extraordinaire retour du destin! Deux ans auparavant, un autre producteur m'avait choisie pour un projet similaire devant être tourné dans des studios hongrois. À mon grand désespoir, ce producteur avait fait faillite et mon beau rêve avait sombré avec lui. Et voilà que j'obtiens un second tour! Quelles sont les probabilités qu'une actrice québécoise soit choisie, non pas une mais deux fois, pour incarner un des fleurons du music-hall français? Cela devait être écrit dans le ciel! Mais les Folies Bergères devront attendre un peu, le temps que je me familiarise avec la bienséance des salons londoniens.

Tous les matins, à 10 h précises, je me rends au Studio Clichy pour répéter *My Fair Lady*. Seul nouveau membre de la troupe, j'ai énormément de pain sur la planche pour rattraper le reste de la distribution. Le spectacle tourne déjà depuis un an. Je remplace, dans le premier rôle féminin, Madame Claudine Coster, une comédienne de renom qui quitte la tournée pour jouer dans *Jules César* de Robert Hossein. Il me faut en quatre semaines apprendre les dialogues, la mise en place, les mélodies avec le chœur, et mes nombreux solos. Le défi est de taille, beaucoup plus énorme que ce que j'avais imaginé. Ma tâche est encore plus délicate du fait que Madame Coster est la compagne de Roger Manuel, le metteur en scène! Il tient à ce que je joue exactement comme elle!

Eliza Doolittle a 19 ans dans la pièce, j'en ai 25. Je l'imagine donc en dynamique jouvencelle. Sauf que Madame Claudine, dont je dois m'inspirer, est une femme mûre de quarante ans passés. Léger décalage! En plus, je ne me sens pas à la hauteur vocalement. J'arrive à m'en sortir dans les airs enlevés qui demandent du «chien», mais les mélodies plus lyriques sont une vraie torture. Ma voix n'a jamais été entraînée pour chanter soprano. J'ai du mal à atteindre certaines notes haut perchées que je devrai tenir plusieurs mesures, au-dessus d'un orchestre de 35 musiciens, sans micro!

L'album de *My Fair Lady*, interprété par Julie Andrews, est un classique, vendu à des millions d'exemplaires de par le monde. C'est une honte de dénaturer ces chansons tellement connues et appréciées du public. Pour essayer de m'en sortir, je prends des cours de chant, le soir, avec une diva espagnole aussi dure que le roc de Gibraltar et qui, d'emblée, au deuxième rendez-vous me lance: «Mais, ma pauvre petite, en un mois, vous n'y arriverez jamais!»

Mon ego est aussi plat qu'une tortilla! Je suis frustrée de devoir imiter une autre comédienne dans ses moindres faits et gestes, jusque dans ses intonations. On me montre même une vidéocassette du spectacle pour que j'étudie en détail les manières de Madame Coster. «Mets ton pied comme ceci, pose ton regard là!» Si son mari désire une réplique identique de sa femme, il n'a qu'à commander sa statue de cire au Musée de Madame Tussaud!

Pour ajouter encore de la pression, Jean-Christophe Averty m'annonce que la bande sonore des six épisodes de Gaby Deslys, y compris le générique de l'émission, sera enregistrée dans trois semaines. Je dois apprendre et chanter en studio 14 nouveaux airs! Je travaille sans relâche, de 6 h du matin à minuit pour ancrer toutes ces notes et ces mots dans mon ciboulot. La France et l'Angleterre engagent une bataille symphonique dans mon cerveau surchargé.

Heureusement que le bon Dieu m'a fait cadeau d'une mémoire exceptionnelle. Surtout pour les mélodies, que je connais pratiquement par cœur à la première écoute. Cet étonnant phénomène doit me venir de mon enfance où mon cher père, metteur en scène d'opéra et d'opérette, m'a fait assister à des dizaines de répétitions. Il paraît, selon les dires de papa Jacques, qu'à cinq ans j'aidais parfois les chanteurs qui avaient des trous de mémoire, leur soufflant les mots et les airs dans le bon tempo! Je connaissais en entier les principaux morceaux de *La belle Hélène*, de *La Périchole*, de *La flûte enchantée*. Sans cette divine facilité, je n'aurais jamais pu passer au travers de toute cette musique en si peu de temps!

Heureusement, les chansons de Gaby Deslys sont dans ma tonalité et dans un style naturaliste qui sied bien à ma voix. Ces chansons de la Belle Époque, bien que je les chante pour la première fois, font vibrer une corde familière. Je les ressens jusqu'au plus profond de mon âme. Je sais d'instinct, semble-t-il, comment les interpréter. À la première répétition, Jean-Christophe Averty en est bouche bée. «Ma parole, Anne, tu sonnes exactement comme les chanteuses de l'époque, une vraie Mistinguett. Où as-tu appris ça?» Évidemment, je n'ose pas lui dire que je crois fermement avoir déjà vécu à cette époque et que ma prestation est due à une mémoire de vie antérieure… Mais le fait est qu'entrer dans la peau de Gaby Deslys est comme revêtir la robe de lumière de Peau d'Âne. Je me sens transfigurée!

Les quatre jours d'enregistrement en studio, pour la bande sonore de *Gaby*, se passent dans le bonheur. Je suis fière du résultat. J'ai même réussi à chanter une berceuse avec l'accent marseillais. Pas mal, pour une Québécoise! Le tournage doit commencer après trois longs mois de préparation, délai nécessaire à la construction des décors et à la fabrication des costumes qui promettent d'être époustouflants. Juste assez de temps pour me laisser souffler après la tournée de *My Fair Lady*, et le projet qui devrait me faire connaître en France débutera. J'attends énormément de ce rôle magnifique. La série sera présentée aux heures de grande écoute, à grand renfort de publicité. J'interprète un personnage payant montrant toute les facettes de ma personnalité. Je ne pouvais espérer mieux!

Autant le projet de *Gaby* est tout ce dont j'ai toujours rêvé, autant les répétitions de *My Fair Lady* sont ardues, parfois même humiliantes. Au Studio Clichy, on me traite avec condescendance. Le producteur de la comédie musicale m'a même confié: «Je t'ai engagée parce que tu es plus grande que les vraies chanteuses qui ont auditionné. Comme ça, je n'aurai pas besoin de refaire les robes de Madame Coster.»

Chanter un rôle de cette envergure pour la première fois, sans préparation où presque, est totalement téméraire. Je suis très gênée de ne pouvoir livrer la marchandise. Depuis le début de ma carrière, c'est la première fois que je me sens incompétente. Je me défonce dans la première partie en petite marchande de fleurs. Là, au moins, je me sens plus libre de m'amuser. Mais je trouve mon Eliza des trois actes suivants engoncée et pataude. J'aimerais la jouer moins soumise, plus moderne. Ce n'est pas le point de vue du mari de l'ex-star du show!

Dans toute cette agitation, Paul continue de me téléphoner et de m'écrire fidèlement. Il promet même de venir me voir à l'Opéra de Lausanne, en Suisse, pour la première du spectacle. Je suis contente mais inquiète à la fois. Et si ma performance tournait au désastre?

À la première répétition avec les musiciens, le chef d'orchestre me prend en pitié et me donne quelques trucs pour me sortir des passages difficiles. Finalement, à force d'essayer, mon travail vocal est acceptable, à part deux grands airs lyriques qui me donnent des cauchemars la nuit. Quant au jeu, même si j'ai un peu de plaisir dans la première partie, je me sens définitivement mauvaise à partir du deuxième acte. Mais je n'ai aucune latitude et on me force à jouer comme un perroquet qui a bien appris sa leçon.

Comme il fallait s'y attendre, toute cette tension, toutes ces responsabilités pèsent lourd sur mon fragile équilibre. Je me sens écartelée entre deux pôles, un sentiment de grande joie quand je travaille avec l'équipe de *Gaby* et une détresse profonde avec *My Fair Lady*. Je ressens dans la même journée des émotions si contradictoires que je crois deviner les abîmes de la maniaco-dépression. Bipolaire de passage, je n'ai pas besoin de médicaments. Je peux me réfugier dans les bras de ma dépendance, comme une femme attirée par l'amant malsain qui la bat. Tous les soirs, en rentrant dans mon studio, je me tape une crise de boulimie. Les répétitions ont commencé il y a un mois à peine et j'ai déjà engraissé de 15 livres. Je dissimule tant bien que mal mon ventre gonflé sous une gaine amincissante, aussi solide qu'une armure médiévale. J'ai du mal à trouver mon souffle tellement mon corset de lycra m'écrase le diaphragme. Pratique pour une comédie musicale!

Bien sûr, je n'ai pas parlé de mes récidives à Paul, qui ignore tout de ma maladie. Il arrive le lendemain à Paris. Je suis affolée. Lui, si esthète, si sévère, comment va-t-il réagir à mes nouveaux bourrelets? J'imagine qu'il va avoir un choc. Il n'est pas du genre à comprendre et à accepter ce laisser-aller.

J'ai donné à Paul l'adresse de mon studio, n'étant pas certaine d'être assez en forme pour l'attendre à l'aéroport à 7 h du matin. Après une nuit agitée, je décide de partir pour Roissy. J'ai à peine une heure pour m'y rendre, en métro et en train. En arrivant à la station, je me rends compte que je n'ai pas un franc sur moi. Prise de court, je décide de faire comme beaucoup de Parisiens et de sauter la barrière sans payer! À la gare de l'aéroport, juste à la sortie des quais, je me retrouve en face d'un contrôleur à la mine patibulaire: «Votre billet s'il vous plaît.» Je suis prise sur le fait! Je balbutie quelques lamentables excuses: «Je suis désolée! Je suis étrangère, je croyais qu'on payait à la sortie.» Il me dévisage avec ironie et s'empresse de me donner une contravention de plusieurs centaines de francs, à régler immédiatement. Je n'ai évidemment pas de quoi le payer. Il me dit d'un ton courroucé: «Montrez-moi votre carte d'identité.» Je lui tends mon passeport. « Vous devez me suivre au poste!» aboie-t-il en pitbull vertueux.

J'imagine la tête de mon amoureux, furieux, m'attendant dans la rue, assis sur ses valises. Un vent de folie me passe dans la tête. Si je pars avec lui, je vais rater Paul! S'il ne me voit pas en descendant de l'avion, il se rendra directement à l'appartement comme prévu. Et j'aurai fait tout ce chemin pour rien! Je me mets à courir de toutes mes forces vers l'aéroport, laissant le contrôleur estomaqué, mon passeport dans les mains!

Je parviens à bout de souffle devant la porte des arrivées. Sifflant comme une vieille locomotive, je scrute du regard la salle immense qui semble étrangement sous-peuplée. Aucune trace de Paul! Pour faire exprès, son avion a atterri avec 20 minutes d'avance.

Je dois retourner à la maison le plus vite possible, par la même route «illégale». Je n'ai qu'une obsession: arriver à mon appartement en quatrième vitesse pour ne pas faire attendre Paul dans la rue.

Le cœur dans les talons, je refais le chemin inverse, me cachant derrière les colonnes pour m'assurer que la voie est libre. Pas de contrôleur à l'horizon! Je me faufile sur les quais, comme une espionne du temps de la guerre froide. Malheureusement, je ne vis pas dans un roman de John Le Carré. Je n'ose imaginer la catastrophe si je me fais pincer une deuxième fois! Les gendarmes vont-ils me traîner au commissariat, menottes au poing?

Il doit exister un bon ange pour les amoureux. Je descends à la station de métro Pigalle, sans me faire arrêter. J'arrive devant chez moi, échevelée, les joues rouges, les nerfs tendus comme une courroie de moteur. Paul fait les cent pas sur le trottoir, avec un air de vierge offensée. «Je t'attends ici depuis plus d'une heure! Te souvenais-tu que j'arrivais ce matin?» «Oui, bien sûr. Je suis désolée. J'arrive de l'aéroport.» Je lui raconte ma mésaventure en l'aidant à monter ses bagages au quatrième. «Je vais retourner à l'aéroport cet après-midi, avec de l'argent pour payer l'amende. Il faut absolument que je récupère mon passeport. On part pour la Suisse dans quatre jours, pour les générales à l'Opéra de Lausanne.» «Tu ne le récupéreras jamais, me répond-il d'un air sévère. Tu sais combien vaut un passeport canadien au marché noir? Au moins 15 000 $!»

En mettant le pied dans l'appartement, Paul me lance, agacé: «L'air est tellement sec ici, on étouffe. Je vais faire couler un bain bouillant, ça servira d'humidificateur.» Comme le studio est minuscule, je lui offre de le laisser s'installer. «Si tu veux te reposer. J'ai quelques courses à faire. Je reviendrai avec des croissants.» «Vas-y mollo sur les croissants! me répond-il. Mon Dieu, que tu as engraissé!»

Je ressors de l'appartement les larmes aux yeux. Quelle méchanceté, quel manque de tact! D'accord il est fatigué, de mauvaise humeur, irrité d'avoir attendu à la porte, mais ce n'est pas une excuse. Au fond, je me doutais de sa réaction. Voilà sans doute pourquoi j'ai provoqué l'acte manqué de ce matin.

En début d'après-midi, laissant Paul dans les bras de Morphée, je m'active pour récupérer mon passeport. Après être passée à la banque, je refais le long chemin vers l'aéroport, mais cette fois-ci, en autobus. Je finis par dépister le centre de sécurité, après une demi-heure de recherche absolument frustrante! Avez-vous déjà remarqué qu'un Français qui ignore la réponse à vos questions sur une direction à prendre n'aura aucun scrupule à vous envoyer n'importe où, pour ne pas vous avouer qu'il n'en sait rien? Je m'approche de la guérite, l'air penaud, ma contravention à la main. Quelle histoire vais-je bien pouvoir inventer pour justifier l'abandon de mon passeport? J'opte pour la vérité, qui semble si incroyable que le fonctionnaire debout devant moi de l'autre côté du comptoir me dévisage comme si j'étais la folle de Chaillot!

«Non, Madame, personne n'a rapporté de passeport ici. De toute façon, nous ne sommes pas les objets perdus!» L'homme est petit, moustachu, avec l'air de ne pas s'amuser souvent. «Je ne l'ai pas perdu, Monsieur. C'est un de vos contrôleurs qui l'a en main.» «Je n'ai pas été avisé. Les contrôleurs du matin sont partis. Ils m'ont laissé les copies des contraventions, mais aucun ne m'a mentionné une histoire de passeport.» «Mais ce n'est pas possible, je pars en voyage dans quatre jours, j'en ai absolument besoin!» «Écoutez, Mademoiselle, ce n'est pas mon problème et ce sera 500 francs pour l'amende.»

Il n'y a plus rien à en tirer. J'aurais envie de lui jeter mon papier à la figure, mais j'ai eu assez d'ennuis avec les autorités pour aujourd'hui! Je paie ma contravention la gorge nouée, sentant mon sang battre furieusement à mes tempes. Je déteste le sentiment d'impuissance provoqué par l'indifférence des fonctionnaires, dignes et bornés représentants des institutions. Il faut avouer que cette fois-ci, je l'ai bien cherché!

Mon passeport s'est bel et bien volatilisé. Ma seule porte de sortie: l'ambassade canadienne. Après m'être montrée si irresponsable, on va sans doute me retirer ma citoyenneté!

Après m'être fait vertement sermonnée par l'ambassadrice, elle accepte, magnanime, de me faire remplir un formulaire de demande sur lequel est apposé le sceau «urgent». Je dois encore revenir le lendemain avec des photos, signées par un répondant. Heureusement, j'ai chez moi un duplicata de mon acte de naissance. En un temps record, je remplis toutes les formalités. Je n'ai plus qu'à espérer un miracle. Vingt-quatre heures plus tard, on me remet un nouveau passeport. Vive l'efficacité nord-américaine!

Paul est de nouveau dans ses jours sombres. Déçu par mon physique, c'est à peine s'il m'a embrassée depuis son arrivée. Je suis à bout de nerfs. La dernière générale, en salle de répétitions, se passe très mal. Je n'arrive plus à chanter. Les sons restent coincés dans ma gorge. Pour arranger le tout, dès que j'essaie d'ajouter un peu de personnalité à mon jeu, le metteur en scène me rabroue: «Mais non, tu ne peux pas le faire comme ça! Rappelle-toi la vidéo, avec Claudine!» Ce ne serait pas si pénible si ladite Claudine n'était pas dans la salle, pour assister à ma déconfiture!

Avec ces tribulations, j'ai presque oublié que le lendemain, c'est Noël! Je réserve à la dernière minute une table dans un restaurant russe appelé Schéhérazade. (Nom prédestiné!) Un antre byzantin, scintillant de dorures, dont le décor exceptionnel a attiré les vedettes de Hollywood d'avant-guerre, de Marlène Dietrich à Douglas Fairbanks. L'extravagant repas est accompagné d'un spectacle typique: violons tsiganes et danseurs athlétiques, virevoltants au son des balalaïkas. J'espère ainsi faire vibrer les racines slaves de Paul, mais surtout éviter les longs moments de silence embarrassé qui parsèment nos rencontres. Souhaitant que l'atmosphère de fête et la vodka lui inspireront un peu de bonheur. Peine perdue, il critique tout de la soirée: la nourriture, la marchande de roses, le total de l'addition. C'est la nuit de Noël la plus triste que j'aie passée dans ma vie.

Je débarque à Lausanne, le moral à zéro. Mon Américain lunatique continue de me bouder. Encore pire, il ne m'a pas encore touchée! Nous sommes logés dans un charmant hôtel situé tout près du théâtre. Paul se plaint que notre chambre n'est pas assez claire. Aimablement, la direction nous en offre une autre. «C'est trop petit, je n'aurai pas de place pour faire mes exercices de yoga, s'exclame Paul. Pendant que tu répètes, moi je vais passer toute la journée ici. Il faut que je m'y sente à l'aise.» Si j'avais des griffes, je lui égratignerais la face! Il n'a aucune considération pour ma situation. Une actrice avant une première est fragile comme le verre. Il faut la cajoler, la dorloter, l'encourager. Mais Monsieur s'occupe uniquement de son bien-être. Alors que moi, j'ai de la difficulté à respirer tellement j'ai la trouille. J'ai le diaphragme tordu comme un boyau d'arrosage!

La première générale est une catastrophe. Dans un nouveau théâtre, il y a toujours des difficultés techniques à surmonter: le son, les éclairages, les changements de décors et de costumes. Le déroulement est chaotique. Nous vivons le moment fatidique où le spectacle semble en péril. Où tous les membres de la troupe, envahis par le doute, se disent: «On ne sera jamais prêts à temps!» Pourtant, le miracle s'accomplit chaque fois, devant un public innocent, ignorant nos frissons de la veille.

À mon retour à l'hôtel, après la journée éprouvante que nous venons de passer, je n'ai qu'une envie: manger une bonne soupe dans ma chambre et me pelotonner dans des draps bien chauds. Il fait un froid de canard dehors. Je suis crevée et inquiète. Presque tous les chanteurs sont grippés, y compris l'acteur principal, Monsieur Bernard Dhéran de la Comédie Française, s'il vous plaît, qui a une sérieuse toux et la voix à moitié éteinte. La dernière chose dont j'ai besoin c'est d'avoir le larynx en flamme et du mucus plein la gorge. J'annonce donc à mon cher amoureux: «Je voudrais manger à l'hôtel, ce soir. J'ai pas envie de prendre froid, et j'aimerais être au lit de bonne heure. Demain, on fait le show deux fois en entier.» Et Monsieur de ronchonner: «Mais j'ai envie de sortir moi, de voir du monde. C'est la première fois que je viens en Suisse.» Là, c'est la goutte d'eau qui fait déborder le vase.

«Tu es vraiment d'un égoïsme! Est-ce que tu te rends compte que j'ai une première dans deux jours et que c'est un rôle écrasant? Peux-tu comprendre que je dois me reposer. J'ai des difficultés en scène et je suis morte de peur!» Et lui de me répondre: «Si c'est comme ça, je retourne à Paris. Je ne suis pas bien ici.» Je n'en reviens pas de sa cruauté. Il sait comme ce défi est important pour moi. Il ne m'a jamais vue jouer et, au lieu de se montrer intéressé, de m'épauler, il se sauve en France! Je suis profondément blessée. L'image de mon beau chevalier, de mon modèle spartiate vient de s'effondrer. Moi qui avais fondé tant d'espoir sur cette relation, imaginant Paul en sauveur, debout sur son piédestal de rectitude. Quelle dégringolade!

Qu'il parte, tant pis, je pourrais mieux me concentrer sur mon travail. Mais pour ajouter l'insulte à l'injure, Paul me dit encore: «Tu devrais me réserver un billet de train, ce soir. Je ne parle pas assez français pour me faire comprendre.» «Écoute, débrouille-toi, demande au concierge de l'hôtel. Moi, je mange et je me couche. Fini, bonsoir, oublie-moi!»

Je quitte la chambre pendant que Paul est à la salle à manger pour le petit-déjeuner le lendemain matin. Je laisse les clés de mon studio sur la commode près du lit. Nous ne nous sommes pas dit un mot depuis la veille.

À la deuxième enfilade, je me sens plus à l'aise sur scène et m'habitue à suivre le chef d'orchestre. Le cher homme fait tout ce qu'il peut pour m'aider, me donnant des signes d'attaque très clairs et amenuisant les ardeurs des musiciens qui ont tendance à jouer beaucoup trop fort quand je chante. Mais, je n'aime toujours pas la façon dont je suis dirigée dans le troisième acte. Je trouve mon personnage mièvre alors qu'il devrait avoir de l'abattage. Après tout, Eliza, pauvre marchande de fleurs, s'est transformée en grande dame de la société britannique. Elle devrait agir comme tel, avec noblesse, sincérité et autorité.

Ma mère, bravant elle aussi une grippe carabinée, est arrivée à Lausanne dans la matinée. Assise pour le repas du soir à une minuscule table dans le restaurant de son hôtel, je discute de ma vision du personnage avec elle, lui racontant toutes les tribulations avec mon metteur en scène depuis le début des répétitions. Monique, en tant que professeure du Conservatoire d'art dramatique, en a vu d'autres. Elle me rassure: «Bien sûr, tu as raison. Ta façon de voir Eliza est juste. Elle devrait être jouée comme ça.»

Arrive le moment fatidique, la fameuse première de *My Fair Lady* à l'Opéra de Lausanne. La salle est bourrée à craquer. Mille connaisseurs, avides de talent, sont assis devant nous. Des amateurs de musique, connaissant par cœur chaque note de la partition, attendant avec impatience l'exécution de leurs airs préférés par des voix exquises et bien timbrées!

Au moins, je n'ai pas attrapé de rhume. Je me suis bourrée de gélules homéopathiques et, miraculeusement, j'ai été épargnée par l'épidémie. J'ai vraiment besoin de toute ma voix! En entendant les premières notes de l'ouverture résonner majestueusement dans cette salle centenaire, je sens une bouffée de fierté m'envahir, un chaud frisson venant presque apaiser les papillons fous qui s'ébattent dans mon estomac. Qui l'aurait cru? Ce soir, je vais chanter et danser sur la scène d'un opéra en Europe!

Avivée par l'instinct, la bête de scène se réveille. Je passe à travers le premier acte en y prenant un plaisir fou. La réaction du public est chaleureuse, malgré mes deux couacs dans *J'aurais voulu danser*, un air que je n'arriverai jamais à rendre convenablement.

À l'entracte, encouragée par notre succès, je décide de faire fi des indications du metteur en scène et de jouer Eliza dans ma vérité. Un coup de tête, une inspiration! Je dois le faire, sinon j'aurai l'impression de saccager mon intégrité. Je me lance dans la deuxième partie comme un kamikaze piquant une vrille vers un porte-avion américain! Bernard Dhéran, suave et impeccable Professeur Higgins, me jette des regards surpris. Beau joueur, d'un grand professionnalisme, il ne semble pas trop déstabilisé par mes fantaisies et supporte avec patience l'apparition de ma nouvelle Eliza au goût amélioré. J'ai parié gros en changeant de direction à la dernière minute mais, ma foi, je suis assez fière de ma prestation!

Après le spectacle, ma mère pénètre dans ma loge, pleine de félicitations. «Bravo, ma chérie, le dernier acte était très réussi! Tu l'as joué moderne, dynamique.» Au même moment, j'entends des cris venant de la coulisse. Je reconnais la voix éraillée de mon metteur en scène, Dieu sait que je l'ai beaucoup entendue ces derniers temps! Une tornade de vociférations s'engouffre dans ma loge. Ce petit homme semble avoir avalé mille démons: «Qu'est-ce que tu as osé faire? C'est horrible. Tu as dénaturé le personnage. Jamais tu n'as joué aussi mal!» Je n'ai rien à répondre. J'ai toujours eu très peur des cris et des affrontements, mais une voix intérieure me dit que j'ai eu raison. Je suis peinée qu'il soit si en colère contre moi, mais de toute façon, c'est fini. Il retourne le lendemain à Paris.

Quelques minutes plus tard, alors que le mari trahi a finalement abandonné le terrain faute de répondant, apparaît dans l'embrasure de ma porte Monsieur Dhéran. Je scrute avec inquiétude l'expression de son visage. Il n'est pas très souriant. La pièce est conçue comme un charmant duel entre nos deux personnages et son opinion m'importe énormément. «Écoute, mon petit, ce n'est pas le genre d'entourloupettes que j'apprécie en général. Changer ton jeu le soir de la première, d'une façon si cavalière! Mais... je dois avouer que tu m'as surpris. J'aime bien cette nouvelle version.»

Ouf, sauvée! Si mon partenaire est d'accord – et c'est ce qui compte le plus –, je vais continuer de lui donner la réplique à ma façon.

Au cours des cinq autres représentations à Lausanne, je prends de plus en plus d'assurance. Sauf pour le numéro *J'aurais voulu danser* où je n'arrive assurément pas à tenir la dernière note. Mais qu'à cela ne tienne, j'y vais à fond avec toute l'énergie dont je suis capable, espérant faire oublier au public cette lacune. Même les critiques sont magnanimes et disent: «Quelle bonne idée d'avoir engagé une comédienne pour chanter le premier rôle. Adorable Eliza, elle rend à merveille toutes les facettes du personnage. Les dialogues, directement tirés de *Pygmalion* de Bernard Shaw, sont criants de vérité. Roger Manuel a bien eu raison de privilégier le jeu.» Douce revanche! Le metteur en scène, en lisant cette critique, me pardonnera peut-être «ma rébellion». Seule ombre au tableau, je n'ai aucune nouvelle de Paul, même pas un coup de fil le lendemain de la première. En plus, il habite dans mon appartement!

Ma mère, restée à Lausanne pour la durée des représentations, combat toujours une grippe débilitante qui ne veut pas lui donner de répit. Après l'abandon de Paul, j'apprécie d'avoir à mes côtés une présence amie. Nous déjeunons ensemble le midi, puis nous nous reposons calmement dans nos hôtels respectifs. Moi pour être en forme sur scène, et elle pour ne pas avoir trop de quintes de toux pendant le spectacle!

J'ai commencé à me mettre au régime. Il me reste encore un peu de fierté et je tiens à montrer à Paul qu'il a eu tort de me rejeter. Monique adore la gastronomie. Nous fréquentons assidûment les excellents restaurants de la ville, mais je réussis à me contenir. De toute façon, les boulimiques mangent généralement très peu devant les autres. C'est un de leurs signes distinctifs. Mon petit succès et l'amour du public remplissent pour l'instant mon vide émotionnel. Je peux momentanément remplacer ma drogue par une autre.

Ce soir, nous célébrons le Nouvel An. Après le spectacle, un buffet gargantuesque nous est offert, élégamment disposé dans la salle de bal de l'Opéra. Nous trinquons au champagne, je mange modestement. La soirée est brillante sous les feux des lustres de cristal, mais je ne peux m'empêcher de penser à Paul. Quel gâchis! J'aurais aimé qu'il soit là, qu'il soit content de mon succès envers et contre tout. J'aurais voulu tellement de choses!

Bernard Dhéran, au courant de ma triste histoire, m'offre un cadeau tout à fait approprié: deux jolis petits canards chinois en paille tressée. «Ils représentent le symbole de l'amour et du couple épanoui, me dit-il gentiment. Espérons qu'ils te porteront chance pour te trouver un nouvel amoureux. Celui-là ne te mérite pas.»

En revenant de Suisse, j'ai prévu de déménager dans un appartement plus spacieux. Un compatriote comédien, Christian Bordeleau, m'a offert de partager un grand cinq-pièces, dans Belleville. Un H.L.M. situé en plein quartier arabe, rempli de marchés et de troquets colorés. Le logement nous est sous-loué par un professeur algérien en année sabbatique. Je demande à Christian de m'héberger un peu plus tôt. Monsieur Mikolay est toujours installé dans mon studio, rue Pigalle. J'y passe prendre quelques affaires. Mon locataire temporaire a transformé l'appartement en hammam: des bols d'eau partout, des serviettes mouillées sur tous les meubles! «Il fait tellement sec ici, je ne pouvais plus respirer.» De la vapeur s'échappe de la baignoire et du lavabo de la cuisine remplis d'eau chaude! Mais, moi, je reste plutôt froide. Je lui donne mon numéro de téléphone pour qu'il me prévienne de son départ et repars aussitôt m'installer dans mon nouveau chez-moi. J'ai l'air de bien me tenir, mais je suis déchirée. Je trouve cette situation insupportable de ridicule, d'étrangeté et d'ingratitude de sa part.

Mon dilemme avec Paul m'affecte profondément. Je vois la décomposition de notre amour comme mon propre échec. Pour mieux me flageller, je me dis: «Si je n'avais pas grossi autant, je n'aurais pas déçu les attentes de mon homme. Il aurait sûrement été plus patient, moins intolérant.» Je suis catastrophée par son indifférence. N'est-ce pas là une preuve flagrante que je ne suis pas digne d'être aimée?

Paul repart donc dans ses Amériques. Nous avons rompu lors d'un repas sinistre où je lui ai finalement avoué ma boulimie. Il m'a laissé tomber sèchement. «Je n'ai pas les nerfs, le courage de supporter des semaines de séparation pour arriver devant une femme qui a des problèmes. La France est un pays où je ne me sens pas à l'aise. Je ne peux imaginer faire ma vie ici. À Key West, nous aurions peut-être une chance, mais dans ces conditions, avec ta maladie… C'est un fardeau trop lourd à porter. En tout cas, moi, je n'ai plus la force d'investir dans cette relation.»

Ça y est, le mot est lâché, il ne peut supporter ma boulimie, ne veut pas cohabiter avec le monstre. Je m'en doutais, voilà pourquoi je ne lui en avais jamais parlé. Aveuglée par la peine, j'occulte son épouvantable comportement pour ne m'arrêter que sur une évidence: il ne veut plus de moi parce que je suis trop grosse. Je suis une malade, sans maîtrise et sans volonté. J'oublie à ce moment tout ce que j'ai de bien, tout ce que j'ai de bon. Mon homme, mon fiancé me rejette parce que je n'ai pas su dompter la bête vorace. Je suis une ratée, une carpette qu'on peut utiliser et jeter après usage.

Je le regarde partir, espérant qu'il se retourne une dernière fois en souvenir du bon temps passé ensemble, par respect pour les sentiments que nous avons eus l'un pour l'autre. S'il me regarde encore une fois, il me restera un peu de dignité. Comme si, malgré tout, me quitter n'était pas si facile. J'implore secrètement un dernier contact, un dernier sourire, pour conclure que nous sommes toujours amis, qu'il regrette un peu son départ. Mais rien, pas un regard. Paul sort du restaurant, presque en courant. Je reste attablée, immobile, le souffle court. Prise d'un soudain vertige tellement le vide est insupportable.

Malgré mon désarroi, la vie continue. Il me reste à donner six autres représentations de *My Fair Lady* en banlieue parisienne, ensuite Madame Coster reprendra le rôle. Tant de travail pour une quinzaine de spectacles seulement!

Mon statut va sûrement s'améliorer avec mon nouveau projet. Je mise beaucoup sur le début du tournage de *Gaby*. Après tout, ce sera moi la star. À Paris, ce terme prend toute sa signification. Le traitement royal dont jouissent les acteurs principaux en France est étonnant. Ils sont chouchoutés par une armée de jeunes assistants prêts à assouvir leurs moindres désirs. Toujours disponibles pour aller chez le nettoyeur, faire les courses à la pharmacie, apporter nourriture et boissons à toute heure. Les interprètes de premiers rôles sont totalement pris en charge. Cela me fera du bien de me retrouver dans un cocon de soie. Après tout ce que je viens de vivre, j'ai mérité de me faire gâter un peu!

Trois semaines avant de commencer le tournage (je m'en souviendrai toujours, c'était un lundi matin vers 11 h), je reçois un coup de fil de Sandrine, mon agente: «Anne, j'ai une très mauvaise nouvelle. Averty, le réalisateur de *Gaby*, se tape une dépression nerveuse. Il vient d'entrer en clinique. Le projet est remis à une date inconnue.» Pourquoi est-ce que le sort s'acharne sur moi? Je récolte le bonheur au compte-gouttes. On me donne à peine le temps de reprendre mon souffle avant de me replonger dans les sables mouvants.

Deux jours plus tard, j'apprends l'irréversibilité de mon sort. Mon agente, avec tout le tact dont elle est capable, me transmet l'affreux message: «Le nouveau directeur de TF1 n'a jamais aimé le projet. Il profite de la dépression de Jean-Christophe pour annuler définitivement le tournage.»

Cette nuit-là, j'ai rêvé que j'étais enfermée dans une grande armoire. Un trou noir à l'odeur de moisi où je me dessèche lentement, sans que personne n'entende mes plaintes, mes gémissements, sans aucun espoir de secours! Tout s'effondre, je n'ai plus de travail, plus de *chum*. Me voilà encore victime d'un destin implacable. Je passe mes journées au lit ou affalée sur le divan devant la télévision. Je ne sors que pour m'acheter des gâteaux, des munitions pour mieux achever de me punir. Christian rentre à la maison pour trouver le frigo et les armoires vides, mêmes ses provisions personnelles y passent. La digue s'est effondrée. Je ne peux plus m'arrêter de pleurer, de manger, de m'enterrer vivante...

Eh oui, écrasez-moi, tordez-moi les viscères, passez-moi dans la broyeuse, la tordeuse, et bobinette cherra! Après tout, je suis un petit chaperon rouge sans défense. Mon sort est tracé d'avance. Je vais finir dans le ventre du loup. Je dévore ma vie, mes ambitions pour être digérée et expulsée comme un étron malodorant. Voilà comment je me sens, comme de la merde!

La perte du rôle de Gaby est le coup le plus dur que j'aie eu à encaisser dans ma carrière. Une déception «atomique», un typhon détruisant la meilleure occasion que j'aie jamais eue de me faire connaître en France, de réaliser mon rêve «olympique» de comédienne. Je pensais avoir touché le fond, l'année précédente, après mon agression à la pointe d'un couteau, ma perte de conscience dans mon appartement, les longues nuits d'agonie à essayer de digérer mes méfaits alimentaires, mon humiliation pendant le tournage du *Crime d'Ovide Plouffe*. Je n'avais pas imaginé une telle dévastation, un tel trou noir. Je suis tellement mal que j'en deviens une abrutie, une loque, une serpillière. Plus rien ne bouge à l'intérieur, si ce n'est deux mâchoires mécaniques, sans âme, qui broient, avalent, aspirent tout ce qu'elles trouvent. Je ne peux plus subir les pertes, le rejet, le vitriol sur mes plaies à vif. Je ne peux que m'anesthésier avec ma dépendance acérée, dévastatrice et pourtant si familière. Un réconfort empoisonné, le pacte de

Faust, trop cher payé pour un répit fugace, un infime sursis contre l'abandon de mon corps au diable. Je n'ai plus de résistance, trop vulnérable et sans défense devant le flux de mes émotions, à la merci des reflux du destin.

Je ne sors pratiquement plus de l'appartement. Je ne peux aller plus mal. Christian me laisse encaisser ma peine en silence. Un soir, gentiment, il m'apporte quelques magazines pour essayer de me distraire. Est-ce une coïncidence ou l'a-t-il fait exprès, sur la couverture du *Elle* on annonce un article sur la boulimie. Une interview de fond avec la thérapeute Catherine Hervais, qui semble obtenir des résultats en ateliers de groupe.

Sans même y réfléchir, je compose son numéro de téléphone et laisse un message sur le répondeur: «Je suis boulimique. J'ai lu votre article. Pouvez-vous m'aider? Rappelez-moi bientôt. S'il vous plaît!» Dans cet état d'esprit lamentable, je me force pourtant à m'habiller, à sortir pour ma première consultation avec Catherine Hervais. Ayant sans doute entendu la détresse dans ma voix, elle m'a donné rendez-vous pour le lendemain. Son bureau se trouve rue des Saints-Pères, dans Saint-Germain-des-Prés. Tout près de l'hôtel du même nom, le préféré de mes parents, où j'ai résidé plusieurs fois, adolescente. À deux pas du studio, rue Jacob, où nous avions été si heureux, Gilles Carle et moi, lors du montage de son film *Fantastica*. Le voisinage de ces beaux souvenirs est peut-être un signe me révélant que je suis enfin arrivée à bon port. Je l'espère de toutes les fibres de mon âme. Après tout ce que j'ai essayé comme thérapies sans résultat et après cette dernière débâcle – le départ de Paul et la perte de *Gaby* –, je suis vidée, meurtrie, à bout de ressources, à bout de tout.

J'entre dans la salle de consultation avec en tête l'image d'une naufragée flottant tant bien que mal sur une mer déchaînée, accrochée pitoyablement à sa petite valise. La malheureuse croit que cette bouée peut la sauver mais son bagage trop lourd, rempli de pensées boueuses, l'attire vers l'abîme. Pourtant, elle ne veut pas le lâcher. C'est le seul secours qu'elle connaît, même si son poids l'entraîne implacablement vers le fond, dans la noirceur marine.

La salle où je me trouve ressemble à un antre de conspirateurs, c'est une ancienne cave bordée de poutres et de pierres, un endroit propice aux confidences, à la renaissance, un espace «utérin», protecteur. Entre Catherine: une grande petite femme d'où émane une énergie sage et pourtant ludique, une voix contenue mais vibrante. Je me sens tout de suite en confiance car, derrière ses paroles de professionnelle compétente, je sens la femme passionnée, mais aussi la petite fille ayant gardé le sens du jeu et de l'émerveillement. Elle impose le respect et la sympathie. Comment peut-on être toutes ces femmes à la fois et se montrer si authentique, si épanouie?

Pendant la première demi-heure, je m'épanche, essayant de traduire en mots un mal de vivre qui m'étouffe. Catherine m'écoute avec intensité, hochant la tête en signe d'assentiment. Pas de fausse politesse entre nous, elle me tutoie d'emblée et me prie de l'appeler par son prénom, pas de Madame Hervais, s'il te plaît! En racontant mon histoire, je pleure toutes les larmes de mon corps. Un trop-plein qui déborde, une écluse ouverte d'où fuit un torrent d'émotion. Entre deux hoquets, Catherine me tend une boîte de Kleenex. «Anne, je sais que ta souffrance est réelle. Ici, on a les moyens de l'amadouer, de la comprendre, pour ensuite l'intégrer et la dépasser. Tu n'es pas seule, beaucoup d'autres femmes vivent comme toi. Je comprends cette souffrance car je suis moi-même une ancienne boulimique. Après des années d'étude et d'analyse, j'ai finalement créé un concept de thérapie de groupe, le meilleur moyen d'après moi de faire bouger les blocages. Si tu t'engages à venir une fois par mois, tu seras en compagnie d'une vingtaine d'autres femmes pour un week-end entier. J'anime seule les ateliers, mais il y a beaucoup d'interaction entre les participantes. Ces rapports, ces échanges, pas toujours agréables, tissent la trame de fond de vos guérisons. Par expérience, j'ai observé qu'une thérapie dure en moyenne de deux ans à deux ans et demi. J'ai justement un groupe demain. Tu es la bienvenue.»

Je m'engage donc à revenir, samedi matin, pour entreprendre ce nouveau voyage. Un périple qui se révèlera difficile, éprouvant, mais empreint de profondeur et de vérité. Un chemin de croix me menant douloureusement vers la résurrection, où j'apprendrai à me pardonner mes fautes, réelles mais surtout présumées. Celles que j'ai inventées dans mon délire d'autodestruction.

Chapitre 7

Catherine la tsarine: une thérapeute hors du commun

Cette nuit, des milliers de petits démons aux ailes palpitantes ont pour mission de m'empêcher de dormir. Chauves-souris avides, elles remplissent mon nez, ma bouche, mes oreilles de leurs corps velus. Je m'éveille en sursaut, à moitié étouffée, essayant de cracher, d'expulser mes inquisiteurs imaginaires. Ils sont si implacables, insistants dans leur malice que je ne serais pas étonnée de trouver, au matin, une rognure de griffe ou un morceau de fourrure teigneuse au fond de ma gorge. Je me débats comme un diable dans l'eau bénite, pour tenter d'échapper à leurs attaques, m'entortillant dans les draps mouillés de sueur. Je passe une nuit d'enfer. Demain, c'est mon premier atelier avec Catherine.

Je me prépare dans une agitation extrême. Bon Dieu, pourquoi ai-je accepté d'aller me mettre à nue devant des inconnues? Et puis, qu'est-ce que je vais me mettre sur le dos? Je me la joue comment? Dois-je me cacher derrière mon statut d'actrice, masquer mes peurs avec un miroir bien propre, me protéger en créant une image de star, armée de chic et d'élégance? Ou est-ce que j'y vais en survêtement, sécurisée par la simplicité de mon coton ouaté, en bonne copine sympathique à qui l'on peut facilement s'identifier? Quand je me sens piégée, je me retranche derrière ma façade «gravure de mode». Une belle grosse pomme rongée de l'intérieur dont la peau bien rouge et bien cirée attire les regards gourmands.

C'est la première fois que je vais me retrouver en tête-à-tête avec une vingtaine de boulimiques. Comment vont-elles me percevoir, comme une complice ou comme une menace? J'ai la trouille encore plus que le soir de la première de *My Fair Lady*. Mes résistances ont une formidable poussée de fièvre. Et si la technique de Catherine était trop douloureuse ou, pire encore, inefficace? Vais-je m'écorcher vive devant tout un groupe, et me mettre en danger pour rien? Si je commence à pleurer, j'ai peur de ne plus pouvoir m'arrêter.

Instinctivement, je sens que cet atelier sera le catalyseur d'une force libératrice. Je me dois de nettoyer mon dépotoir pour moissonner mon champ de blé. Cette denrée précieuse, cette nourriture de l'âme qui ne demande qu'à pousser sous son tas d'immondices. Je veux transformer mes tourments en fumier, composter mes délires, pour récolter enfin le droit de m'aimer. Mais mon jugement persécuteur, ma raison raisonnable trouve toutes les excuses du monde pour m'empêcher d'y aller. Heureusement cette fois-ci, c'est mon instinct qui gagne la partie.

J'arrive rue des Saints-Pères avec une demi-heure d'avance pour renifler l'odeur de ma cage et essayer d'amadouer une ou deux bêtes fauves avant de sauter dans l'arène. J'ai finalement choisi mon costume de «gladiatrice»: vêtements impeccables et bien coupés, cheveux laqués, maquillage parfait. Une protection dérisoire, puisque dans 20 minutes j'aurai les yeux bouffis d'une grenouille pataugeant dans sa boîte de Kleenex! Une dizaine de participantes occupent déjà l'antichambre. L'atmosphère est lourde, la tristesse palpable, telle une aura sombre et pernicieuse flottant autour de leurs corps. Plusieurs sont assises, toutes seules, le regard vide, essayant de se rendre invisibles. D'autres conversent avec aisance au centre de la pièce. Tiens, elles sont comme moi, celles-là! Elles savent masquer leurs douleurs sous une bienséance sociale. On dirait qu'elles viennent prendre le thé. Le club des taciturnes est décidément trop dur à affronter, je me range du côté des «épanouies» pour épater la galerie. Je connais bien ce jeu-là, je le pratique depuis des années.

«Bonjour, je m'appelle Anne, c'est ma première fois ici, pourriez-vous m'expliquer un peu comment ça se passe?» «Ici, c'est simple, me dit une grande mince frisée plutôt jolie, tu en baves, tu en chies, mais tu comprends.» Elle me fait grâce d'un large sourire. Ses dents jaunes sont presque déchaussées. Je reconnais le symptôme, pour l'avoir déjà vu au centre de Key West. Quand une femme se fait vomir plusieurs fois par jour, l'acide chlorhydrique qu'elle recrache fait fondre l'émail de ses dents. Son commentaire n'a rien de rassurant. Je décide de ne plus m'aventurer dans les questions… j'ai plutôt envie de me sauver en courant!

Catherine arrive enfin, rayonnante, pleine de vie. Tous les visages se tournent vers elle, comme si c'était le Messie. Je vois tant d'anticipation, tant d'espoir dans le regard de ces filles. Tout à coup, je me sens très émue, solidaire de toute cette détresse. Je comprends qu'en chacune de nous, derrière nos différents masques, se cache une petite fille terrorisée. Que les pauvres âmes affalées sur les banquettes, murées dans leur silence sont tellement lasses, tellement épuisées par leur lutte contre le monstre qu'elles n'ont plus la force de s'occuper des autres. Elles doivent conserver le peu de feu qu'il leur reste, pour survivre.

C'est l'heure de l'exécution. Les brebis, en minijupes et en talons, en baskets et en pantalon, sont menées à l'abattoir. L'avantage d'être en groupe: je ne serai peut-être pas écorchée la première! Nous sommes assises directement sur le sol, le long des murs, le dos appuyé sur des coussins. Deux longues journées enfermées dans un rectangle de pierre et de bois, aux allures de cave à vin d'un château du XVIIe.

J'ai envie de me fondre dans les fleurs du tapis, seul petit luxe de cette pièce austère, son motif imprimera une marque indélébile au fond de mes yeux rougis. Il deviendra mon allié, mon ami, quand je le fixerai pour éviter le regard perçant de Catherine. Quand je frotterai ses fibres rugueuses pour redescendre dans mon corps, pour revenir à la réalité dans les moments où la douleur trop vive me forcera à m'échapper, à me perdre, je verrai alors sa couleur beige, terne, rassurante, qui me remettra au neutre et m'empêchera de trop penser, de trop souffrir. Ce tapis sera mon repaire, mon refuge, ma «ture»: la couverture en flanellette de ma petite enfance, puisque dans les plus durs moments de la thérapie, je me sentirai aussi vulnérable et impuissante qu'un nourrisson.

Catherine est assise au milieu de nous. D'emblée, elle interpelle une femme aux traits tirés, affichant un sourire plaqué, contrastant tout à fait avec le langage de son corps lourd et fatigué. J'apprendrai très vite qu'aucune ruse, aucune façade ne résiste à la grande Catherine, elle lit en nous comme dans un livre ouvert. «Héloïse, tu sembles bien gaie aujourd'hui! Tu veux nous en parler?» «Je suis assez contente. Cette semaine, je n'ai fait que deux crises de boulimie, et encore, j'ai mangé beaucoup moins que d'habitude, à peine trois petits paquets de gâ…» «Héloïse, tes problèmes de bouffe ne m'intéressent pas! lui lance Catherine d'une voix ferme et pourtant emplie de compassion. Tu devrais savoir depuis que tu viens ici qu'on se fout des symptômes! J'aimerais que tu me dises comment tu te sens, ici et maintenant.» La pauvre femme a le regard paniqué d'une biche aux abois. «Bien, je ne sais pas, j'ai l'impression que…» «Vos impressions, c'est de la merde! (Un leit-motiv que Catherine répètera à toutes celles qui tentent d'échapper à la responsabilité de leurs émotions en utilisant cette expression.) Dis-moi plutôt pourquoi tu souris sans arrêt, alors qu'il me paraît évident que tu as envie de pleurer.»

Je regarde, atterrée, notre thérapeute faire son boulot de fin limier pour démasquer nos fausses identités, percer nos systèmes de défense et nous amener à retrouver l'authenticité, que nous avons toutes condamnées par peur d'être rejetées. Sans y penser, j'attrape à bras-le-corps un gros coussin pour m'en faire un rempart. Ce geste révélateur n'échappe évidemment pas à notre «tsarine», surnom bien mérité qu'une participante a trouvé pour nous rappeler la main de fer d'une autre grande Catherine, tsarine de Russie. «Ah, mon Dieu, elle se tourne vers moi, me dis-je affolée. J'aurais jamais dû bouger!» «Anne, c'est ton premier atelier, voudrais-tu nous dire ce qui t'amène parmi nous?» Je me racle la gorge en essayant de rassembler mes esprits. Vingt paires d'yeux sont rivées sur moi. «C'est un peu difficile, je ne connais personne ici. J'ai un peu peur d'être jugée.» Ma tête est prête à exploser. Je ne peux pas croire que j'ai dit une chose aussi insignifiante! «Eh bien, on va le savoir tout de suite», répond Catherine en souriant. Qui dans cette salle est en train de juger Anne? Toi, Françoise, dis-moi ce que tu penses d'elle.»

J'essaie d'avoir l'air calme, en enlevant nonchalamment une petite mousse sur le tissu de mon coussin. Du vent, de la frime! À l'intérieur j'ai les boyaux noués! Elles vont me couper en morceaux et m'avaler toute crue!

«J'aime bien ses grands yeux tristes. Elle a l'air douce, très sensible», dit Françoise, une jeune femme dans la vingtaine qui pourrait aussi répondre à cette description. «Pas de généralités. Adresse-toi à elle directement», lui demande l'intransigeante Catherine. «Tu as une peau de pêche, tu irradies. Vraiment, je te trouve ravissante», enchaîne Françoise.

Je suis toute bouleversée. Jamais je n'aurais pensé qu'accepter un compliment soit si difficile. Qu'une femme, une consœur dans la peine me dise des paroles gentilles comme ça, gratuitement, fait ressortir une émotion si forte que je ne peux m'empêcher de pleurer. Je me trouve si laide, si sale à l'intérieur, et pourtant elle a vu en moi une éclaircie, une petite qualité qui vaut peut-être la peine d'être sauvée.

«Eh bien moi, elle ne me plaît pas du tout. Je la trouve trop sophistiquée, trop élégante. Ça cache quelque chose», dit une forte fille en survêtement, prête dirait-on pour un combat de lutte! Je reçois le coup, un peu sonnée. Bonjour, les montagnes russes! Je suis montée là-haut pour en redescendre deux fois plus vite. Mais, dans le fond, je sais qu'elle a raison.

«Très bien, enchaîne Catherine, puisqu'on est si bien parties, faisons un exercice. Chacune de vous, à tour de rôle, va nommer trois personnes dans le groupe qu'elle n'aime pas et nous dire pourquoi.» «Jamais! Jamais, je ne pourrais faire ça, criai-je intérieurement, m'agrippant à mon coussin comme si ma vie en dépendait. Moi, la petite fille modèle, qui ne s'est jamais permis d'exprimer quoi que ce soit de déplacé ou d'inconvenant. Moi qui ai toujours ravalé mes colères, mes impatiences, au point d'en oublier même leur existence. Moi qui ai sacrifié ma vérité, mon moi profond pour me créer l'illusion d'être acceptée. On va m'obliger à prendre parti, on va me mettre dans une position où je risque de faire de la peine, de faire du mal à une autre? C'est impossible!»

Le jeu cruel commence. À part la lutteuse, personne ne m'a encore nommée. On ne me déteste pas encore, du moins pour le moment. C'est mon tour de parler. J'ai vraiment la trouille, une peur profonde, irrationnelle. J'ai envie de hurler: «Mais vous ne comprenez pas, si j'attaque, c'est moi qui serai piétinée, anéantie! Si je blesse quelqu'un, je vais mourir!»

Catherine me fixe de son regard pénétrant, je n'ai plus le choix, il faut que je parle. Avec un pauvre sourire, je réussis à balbutier: «Vous savez, je... je viens d'arriver. Il n'y a personne que je n'aime pas... Bon... À première vue, Johanne, tu me sembles... dure. Ton visage est fermé. Ton cou est raide, dressé comme... Tu me fais penser... à un serpent! Ça ne me donne pas envie de te parler.» C'est tout ce que je peux dire. Même que ces paroles m'ont demandé un courage phénoménal. Mes tempes et mon cœur font une compétition de percussions, à qui battrait le plus fort, le plus vite! Dans ma tête, je n'ai qu'une seule pensée: «Si tu n'es pas gentille, si tu te révoltes, on va te tuer, te tuer, te tuer!» J'attends haletante que le châtiment me tombe dessus.

Mais rien... Rien ne se passe. Pas de commentaire, pas de réaction. Le serpent et la thérapeute se sont déjà retournés vers une autre participante, qui doit vider ses tripes. J'ai survécu, indemne! Une énorme nœud se dénoue dans mon ventre. J'ai exprimé une opinion, un désaccord sans déclencher une tornade. Le jugement et le regard réprobateur de l'autre ne m'ont pas détruite. Je peux exister, vivre même si je dis ce que je pense! C'est incroyable. C'est renversant. C'est une délivrance. En écoutant ces filles expliquer pourquoi elles n'aiment pas telle ou telle participante, j'ai eu une révélation: on ne peut pas plaire à tout le monde, même si on se tue à essayer.

Les gens observent et jugent à travers le filtre déformé de leurs propres croyances, appliquant une projection tout à fait subjective qui n'a souvent rien à voir avec la réalité de ceux qu'ils croient dévoiler. Les défauts que nous remarquons et qui nous agacent chez autrui sont des travers occultés qui nous appartiennent en propre mais que nous nous refusons à reconnaître. Nous définir uniquement par les autres en étouffant nos propres besoins est une abomination, une négation de notre être, de notre vérité. Un état contre nature qui nous force à manger, à boire ou à nous droguer pour nous oublier et nous punir d'être si faibles, si démunis.

À l'heure du déjeuner, je ressens un tel remue-ménage intérieur que j'en ai presque la nausée. Les émotions fusent de toutes parts. Ma tête et surtout mon plexus solaire sont bombardés de feux de Bengale lâchés par des artificiers fous! Est-ce comme ça que fonctionne la thérapie? Les pauvres participantes sont tellement à l'envers qu'elles n'ont même plus envie de bouffer! Nous sommes toutes assises dans un petit café, boulevard Saint-Germain. Catherine, en chef de clan, nous rappelle de commander ce qui nous plaît. «N'oubliez pas, pendant toute la durée des ateliers, vous pouvez manger tout ce que vous voulez, sans vous priver. Vous ne devez en aucun cas vous mettre au régime. Il ne faut plus vous préoccuper de ce que vous avalez. La nourriture n'est pas le vrai problème, ce n'est qu'un symptôme. Aujourd'hui, on mange ensemble en y prenant plaisir, sans culpabilité, entre copines.»

Wow! Juste d'avoir tout à coup la «permission» de la part d'une «autorité» de ne plus voir la nourriture comme une ennemie, d'essayer de normaliser, de «socialiser» un repas, sans faire une obsession des calories, du contenu, sans avoir peur de se trahir, en mangeant trop ou trop vite, sans avoir à se retenir, à se cacher, est un pas énorme, un pas de géant.

Les boulimiques ont toujours beaucoup de difficulté à manger en public. Nous grignotons généralement du bout des lèvres, de peur de trahir notre secret. Nos crises de bouffe orgiaques et dégueulasses ont lieu en privé, là où nous perdons toute dignité humaine pour devenir des bêtes suintantes, baveuses, au ventre distendu, au regard vitreux. Un amas de chairs inconscientes, prisonnières d'une implacable transe, victimes d'un mauvais sort qui se jette sur nous, comme un sorcier vaudou.

Sophie, une avocate dans la trentaine, assise à la table à côté de moi, nous raconte une de ses crises: «Quand je commence, j'ai l'impression de ne plus être là, d'être sortie de mon corps. Une fois, je me suis retrouvée couchée par terre, hurlant tellement le ventre me faisait mal. Je ne me rappelais même plus tout ce que j'avais bouffé. La porte du frigo était ouverte, la cuisine remplie de boîtes de conserve vides, d'emballages déchirés. Je me suis endormie au milieu des assiettes sales et des papiers gras, sur le plancher, comme un animal.» Nous l'écoutons en silence. Toutes, nous la comprenons, car nous avons connu la même déchéance, la même humiliation.

C'est la première fois que j'entends une boulimique raconter son intimité. Savoir qu'une autre femme partage les mêmes angoisses, les mêmes tourments me va droit au cœur et me rassure.

Car la solitude, l'isolement est une des choses les plus difficiles à vivre dans le cercle vicieux de ma maladie. Partager mon vécu avec des filles qui connaissent la même détresse est un immense soulagement. J'entendrai d'ailleurs, au cours de l'année, des histoires tellement horribles, tellement tristes qu'elles relativiseront ma propre expérience. Moi qui pensais être un des pires déchets de l'humanité, je me rendrai compte que mon cas est moins sinistre, moins douloureux que celui de beaucoup de mes consœurs. Leurs confidences balaieront tout le spectre de la misère humaine: parents alcooliques, incestes, viols, tentatives de suicide, divorces, pertes de la garde de leurs enfants, chômage, pauvreté. Rien de mieux pour arrêter de s'apitoyer sur soi-même que d'être confronté à la tragédie des autres.

À la séance de l'après-midi, je prends un peu de répit. Je me fais plutôt observatrice. L'effet miroir est puissant dans un groupe. L'atelier devient un laboratoire de la vie où nous devons réapprendre à entrer en relation avec nous-même et surtout avec les autres. Mes nouvelles amies changent, souffrent, se rebiffent, s'exposent en me disant tellement de choses. Certaines participantes sont très volubiles, parfois trop. Catherine n'a de cesse de nous ramener à l'essentiel et prend bien soin de recentrer nos délires. Canalisant notre attention dans le présent, loin de nos vieilles histoires, celles que nous avons tendance à rabâcher et qui nous empêchent d'avancer. Par ailleurs, il y a aussi des filles fermées comme des huîtres, murées dans leur silence, avec le visage buté des rebelles ou le regard absent des terrifiées. De temps en temps, Catherine va les débusquer dans leur retranchement, tel un bon chien de chasse faisant sortir le gibier de sa tanière.

En face de moi, recroquevillée sur elle-même, se trouve une jeune femme dont je n'ai pas encore entendu le son de la voix. Elle semble totalement transparente, inexistante, une coquille vide, cassée. «Bon, Johanne, dit Catherine, ça fait deux rencontres que tu restes là, dans ton coin, sans participer. Il faut te mouiller, ma grande. Jette-toi à l'eau. Il n'arrivera rien si tu ne fais rien. Tu dois t'investir.» «J'ai rien à dire», répond Johanne d'une voix si faible que je dois tendre l'oreille pour comprendre. «Mais si! On a toutes quelque chose à dire. C'est d'ailleurs pour cette raison que tu es ici.»

«J'ai pas envie de parler. J'ai comme un gros poids, là… (Elle touche son diaphragme.) J'ai du mal à respirer.» «D'accord, imagine que tu es ce poids. Fais-le parler. Qu'est-ce qu'il dit?»

Grand silence. «Johanne, enchaîne Catherine, pas prête de lâcher prise si facilement. Je veux que tu te lèves et que tu viennes au centre du groupe. Tu vas faire un jeu de rôles. D'un côté, tu es ton poids qui s'exprime, de l'autre, tu es Johanne qui lui répond. Vas-y, qu'est-ce qu'il te dit?» Johanne sait que ce n'est pas la peine de protester, plus on montre de réticences, plus notre thérapeute nous en demande! Mortifiée, elle se lève, lâchant un soupir si déchirant qu'il attendrirait un despote. Elle prend place au milieu du cercle, petite fleur blonde et fragile, le corps tremblant comme une tige au vent, s'apprêtant à nous livrer ses plus intimes pensées. «Les examens approchent. J'ai peur, je ne dors plus et ne fais que manger au lieu d'étudier. J'ai toujours le souffle coupé comme si j'allais étouffer.» «D'accord, répond doucement Catherine. Deviens le poids maintenant. Pourquoi es-tu là?» «Je suis là pour empêcher Johanne d'avoir son diplôme, je ferai tout pour ça!» Johanne enchaîne: «Mes parents veulent absolument que je réussisse. J'ai peur de les décevoir. Ils me croient plus intelligente que je ne le suis!» Catherine intervient: «Laisse ta famille de côté, s'il te plaît. L'intelligence, ça ne veut rien dire. Pour moi, une personne qui se lève le matin, qui vit sa journée et se couche le soir est intelligente.» «Oui, réplique Johanne, mais les autres comprennent plus vite que moi! » «Chacun son rythme, tu as le droit d'avoir le tien! Vas-y, laisse parler le poids.»

Un flot de larmes inonde le visage de la jeune femme. Son regard troublé montre qu'elle se prépare à rouvrir une blessure qui lui fait mal. Il règne un silence gêné dans la pièce. Après une longue hésitation, elle se remet à parler, jouant le rôle du poids: «Johanne a peur de l'avenir. C'est pour ça qu'elle s'accroche à moi. Elle dit qu'elle n'est pas à la hauteur. Elle se croit incapable de trouver un boulot, de se bâtir une vie toute seule. Si je l'empêche d'étudier… elle aura une raison d'échouer. On ne pourra plus l'accuser d'être stupide!»

«Non, non. Je ne suis pas stupide! s'écrie Johanne. Moi aussi, j'ai le droit de me tromper, de faire des erreurs! Tout le monde me demande toujours d'être parfaite. J'en ai assez! Je suis comme je suis, ni meilleure, ni plus nulle qu'une autre!»

«C'est bien, tu peux retourner t'asseoir», dit Catherine en lui tendant gentiment une boîte de mouchoirs. Puis s'adressant au groupe, elle poursuit: «Les jeux de rôles servent à faire ressortir vos dialogues intérieurs. Johanne a mis ses peurs en évidence, pour comprendre son syndrome de la bonne élève: celle qui n'a que la course aux bonnes notes pour se prouver qu'elle n'est pas nulle. Elle a eu peur qu'une épreuve intellectuelle révèle son soi-disant manque d'intelligence. Maintenant, elle sait qu'elle n'a rien à prouver, son terrible poids peut la lâcher. La psychothérapie, c'est ça: faire le ménage des vieux clichés, des schémas cristallisés et imprimés dans votre esprit, ceux qui actionnent tous vos automatismes sans qu'ils aient jamais été remis en question. Ensuite, vous en trouverez des tout neufs, plus appropriés pour les remplacer. Tout alors fonctionnera mieux, plus harmonieusement, d'une autre manière.»

Combien de filles se sont reconnues dans ce qui vient de se passer! Aujourd'hui, par personne interposée, tant de questions, de troubles et d'évidences ont remonté à la surface. J'ai envie de prendre Catherine dans mes bras pour la remercier d'être si perspicace, si généreuse. Mais je ne le ferai pas, pas encore, parce que sa force m'intimide.

Il est déjà presque 20 h, un groupe de filles va prendre un verre dans un bistrot voisin. J'ai bien envie de les accompagner pour mieux faire connaissance, pour ne pas briser le lien fragile qui vient de se tisser entre nous. J'ai un peu peur de me retrouver seule dans l'appartement, avec mes émotions rugissantes. Mais j'ai aussi besoin de faire le point, pour essayer d'intégrer les formidables pièces du casse-tête qui se sont révélées durant l'atelier. La journée a été aussi excitante qu'éprouvante. J'aime mieux garder mes énergies pour le lendemain. Je rentre à la maison me faire couler un bon bain chaud et m'enfoncer ensuite sous les couvertures, bien à l'abri dans mon cocon. Ce soir, les bras de Morphée me semblent plus doux, plus berçants qu'à l'accoutumée.

Sept heures du matin, j'ai dormi d'un sommeil profond. La psychothérapie a peut-être continué d'agir pendant la nuit, mon inconscient m'a peut-être joué des tours, relâchant symboles et fantasmes, mais je n'en ai guère eu connaissance. Je ne sais pas si j'ai rêvé, en mal ou en bien. Je me prépare à retourner rue des Saints-Pères pour la deuxième journée de mon atelier. La plus dure, la plus déstabilisante à ce que j'ai cru comprendre en écoutant mes compagnes converser au restaurant hier. Le dimanche, c'est le jour de la «sellette». Chacune des participantes vit son «moment de gloire», 20 minutes assise sur une petite chaise droite, pour sortir son «méchant» devant le groupe. Je crois que j'aimerais mieux avoir un rendez-vous chez le dentiste pour un traitement de canal, sans anesthésie!

J'avale deux tasses de café au lait avec une seule tartine au beurre. Je n'ai toujours pas envie de manger. Au moins ça de pris! Je suis trop fébrile, trop anxieuse. Difficile de dévoiler ses pensées, puantes et déplacées, d'avouer ses difformités devant une tribu de presque étrangères. Je ne sais pas du tout comment je vais réagir, mais on m'a prévenu: Catherine ne donne aucune échappatoire, aucune porte de sortie. Elle nous remet constamment face aux parties de nous-mêmes que nous nous efforçons de taire, de faire disparaître.

En entrant dans l'antichambre, je suis moins désorientée que la veille. J'ai des points de repère: quelques filles sympathiques avec qui j'ai amorcé un début de relation. Mais la peur est palpable dans la pièce, un malaise indéfinissable. Personne n'est à l'aise dans l'attente de la «sellette». On sait que ce procédé va brasser, tordre, secouer, arracher nos armures, pour nous laisser vulnérables, sans défense. Avec la mission de nous reconstruire patiemment, à mesure que les couches boueuses de notre inconscient remonteront à la surface, pour être filtrées, nettoyées et replacées au bon endroit.

Aujourd'hui, je verrai 22 filles défiler sur la sellette, 22 plongées dans la noirceur de l'ombre, 22 traversées du désert. Certains témoignages me feront trembler d'émotion, d'empathie et de compassion. D'autres me paraîtront faux, affectés, trompeurs, malgré les techniques éclairées de Catherine. Dans ces cas-là, la peur aura remporté la partie. Les défenses auront gagné le combat. La lutte contre nos ancrages et nos obsessions est longue et douloureuse. Deux ans pour apprendre à gérer notre trouille et à exprimer l'inexprimable.

Françoise, une belle femme tout en rondeurs, hôtesse de l'air pour Air France, est appelée la première. Personne n'aime briser la glace. Elle s'assoit, visiblement impressionnée, sur la petite chaise devant le groupe. Ses mains manucurées reposent sagement sur ses genoux, comme une couventine. Un modèle de bienséance. Après une longue pause qui paraît une éternité, elle se décide à parler. «C'est l'horreur! Je suis vraiment inquiète pour mon travail. Avant-hier, j'ai eu un blâme de mon employeur. J'ai tellement pris de poids ces derniers temps qu'on m'oblige à me peser une fois par semaine dans le bureau du patron. C'est tellement humiliant, j'en crève! Si je dépasse encore une fois les 65 kilos, je serai suspendue. La pression est tellement forte que je ne n'arrive plus à me contrôler. L'autre jour, une autre hôtesse m'a surprise dans l'avion en train de me gaver du reste des plateaux des passagers! Je me suis sentie dégueulasse. J'ai tellement honte!» Je vois des têtes qui acquiescent, des regards mouillés dans l'assistance. Beaucoup s'identifient au cas de Françoise. La honte est un état qui nous est familier.

Au tour d'Angela, une grande femme aux longs cheveux noirs et aux traits arqués, qui s'habille de façon provocante. Plusieurs filles l'ont nommée hier parmi celles qu'elles n'aimaient pas: «Elle a l'air méchante. Une sorcière!» disaient-elles. Pourtant, elle s'exprime avec une voix très douce et des expressions de petite fille qui semble porter le poids du monde sur ses épaules. Aujourd'hui, elle veut parler de son père, un cinéaste juif très connu: «Je gagne un très petit salaire à enseigner dans un lycée. J'ai une maîtrise en histoire, pourtant je vis dans une chambre de bonne. Mon père pense que je suis une ratée. Il a tellement d'attentes, d'exigences. Les rares fois où on mange ensemble, il parle sans arrêt, de lui, de ses histoires. Il ne pose presque jamais de questions sur moi, sur ma vie. Et même là, il ne m'écoute pas. C'est tellement pénible. Pour dire un mot je dois l'interrompre, mais il reprend bien vite son monologue avant que j'aie pu dire quoi que ce soit d'intéressant ou de personnel. Quand je suis avec lui, je n'existe plus, il prend toute la place! Je n'ai jamais osé lui en parler. J'ai peur de l'affronter. Il est très orgueilleux mais aussi très sensible. Alors je subis, je subis. Ça dure depuis des années. Mon père a réalisé un film sur les camps de concentration qui a fait le tour du monde. Il me parle toujours de la misère juive. Je me sens tellement coupable, tellement souillée que je m'oblige à laver les sous-vêtements que je porte plusieurs fois par jour, même dans les endroits publics.» Angela, grâce à son candide témoignage, a changé la perception que plusieurs avaient d'elle. Les filles qui la jugeaient hier, la traitant de «sorcière», la regardent maintenant avec sympathie. Nous faisons montre d'une grande présomption lorsque nous assumons que nous connaissons les gens en nous fiant uniquement sur des apparences, des impressions.

Marilou, la grande blonde qui m'a accueillie avec panache hier dans l'antichambre, succède à Angela sur la «chaise à confidences».

Jeune mère de famille de 24 ans, elle en paraît 40, avec son sourire ravagé et ses yeux globuleux presque sortis de sa tête à force de se faire vomir 10 fois par jour. «Je vis sur la montagne de Chamonix, seule avec mes deux enfants. Cette semaine, j'ai pris tout l'argent de mon maigre budget pour mes crises de bouffe. Il ne me restait plus rien pour faire manger mes enfants. Ils avaient faim, ils pleuraient, je n'avais plus rien à leur donner! Je suis allée chez la boulangère, pour lui quémander du pain de la veille. Tout ce qu'ils ont eu pendant deux jours, en attendant mon chèque de la sécu, c'est du pain rassis. Je suis une mauvaise mère, un monstre! J'aimerais mieux m'arracher le cœur que de voir souffrir mes deux filles et pourtant j'ai fait cette chose horrible! Cette semaine, j'ai vraiment pensé au suicide. Juste à voir mes marmots, qui n'avaient que du pain et de l'eau, par ma faute… J'ai écrit des pages et des pages, j'ai noirci des tonnes de papier, pour m'en sortir, pour me calmer.» Marilou nous lit un extrait de son journal intime. Son texte est beau, puissant. Elle a un réel talent d'écrivain original, percutant. Elle sait communiquer toutes les facettes de sa détresse et connaît les moindres méandres de son esprit torturé. Pourtant, elle en est encore victime, rageant d'impuissance, révoltée. En écoutant son récit, je comprends qu'il faut apprendre à pardonner nos faiblesses et à faire preuve de patience car l'horrible, l'innommable ne desserre ses griffes qu'avec réticence. Il faut nous résoudre à affronter le pire avant de recréer le meilleur.

J'ai entendu beaucoup de témoignages ce matin, mais peu m'ont autant émue que celui de Pauline. Une jeune fille timide, effacée, dont les yeux brillent d'intelligence, montrant une force qui ne demande qu'à s'émanciper. Elle a 19 ans à peine mais souffre de boulimie depuis l'âge de 14 ans. Enfant unique, elle vit seule avec sa mère, une femme qui semble lui en faire voir de toutes les couleurs. «Ma mère n'a que moi dans la vie. Elle me dit que je suis chanceuse de l'avoir comme amie, parce qu'elle est tolérante, ouverte, épanouie. C'est une femme forte que beaucoup de gens admirent, mais elle me manipule comme si j'étais son jouet. Devant les autres, elle me coupe la parole, me dit des choses blessantes, humiliantes. Elle veut toujours avoir raison. J'aimerais avoir confiance en elle, la voir comme une alliée. Mais dès que je me confie, elle trahit mes secrets et déforme la réalité pour s'en servir contre moi. Si j'ai le malheur de la contredire, elle sort l'artillerie lourde. Elle crie et hurle. C'est un tank qui écrase tout sur son passage. J'aimerais qu'elle m'aime, qu'elle soit fière de moi, mais elle trouve toujours la petite bête noire, la réflexion qui me blesse. C'est Godzilla contre Bambi! Elle s'approprie tout ce que je fais, tout ce que je dis, comme si j'étais sa chose. Je suis sa seule fille, alors je ne peux m'empêcher de me sentir responsable de son bien-être. J'ai l'impression de lui devoir quelque chose, même si elle me traite plus comme une employée que comme sa propre enfant. Je voudrais m'en aller... briser son emprise... mais je la prends en pitié. Avec son caractère difficile, elle n'a que moi pour la supporter, que moi pour s'occuper d'elle, que moi pour lui tenir compagnie. Je ne sais plus comment m'en sortir. Je me sens piégée. J'ai peur de devenir comme elle. Au moins, quand je bouffe, je suis en sécurité. C'est la seule chose que je peux faire pour moi, juste pour moi!» Pauline éclate en sanglots, gémit et renifle comme une petite enfant fragile, désemparée. Je suis sûre que toutes les femmes dans la salle sont touchées par sa souffrance. J'aurais envie de la bercer, de la cajoler jusqu'à ce que l'énorme «bobo» disparaisse.

D'une voix douce, Catherine s'empresse de lui répondre: «Pauline. Tu n'es pas responsable de ta mère. Tu as droit au respect. Si elle est aussi forte que tu le dis, elle peut se débrouiller sans toi. Personne n'a le droit de t'écraser. Arrête de lui accorder tant de pouvoir. Ta mère se projette en toi. Elle vit à travers toi, te suce la moelle. Et toi, tu es en fusion avec elle. Tu dois apprendre à séparer ce qui est à elle et ce qui t'appartient. Tu as peur de lui ressembler et pourtant tu es tellement différente. Tu dois te redéfinir, trouver ta propre voix. Elle ne changera pas, ne lâchera pas son emprise tant que tu n'imposeras pas tes limites. Bientôt, tu te feras assez confiance pour arrêter de lui donner des munitions, des armes à utiliser contre toi. Enfant, tu ne pouvais pas te défendre. Tu étais à sa merci. Maintenant, tu as non seulement le droit mais le devoir de te protéger, de ne plus te laisser faire. Tu ne lui dois rien, mais tu te dois tout! Apprends à poser tes conditions. Personne, même pas ta mère, n'a le droit de t'imposer ses vues et de manipuler tes émotions. Tu passeras peut-être par la haine, puis l'indifférence, mais je te souhaite de trouver le pardon, car n'oublie pas que ta mère fait sans doute du mieux qu'elle peut avec ce qu'elle a.» Le visage de Pauline s'illumine. Elle se redresse, animée par un nouvel état de confiance, un nouvel espoir. Catherine vient de lui insuffler une bonne dose d'estime de soi, ce dont elle avait bien besoin. Je suis impressionnée par la profondeur, la compassion de notre thérapeute, par son travail ciselé et précis d'orfèvre. Avec quel talent, quel doigté fait-elle resurgir les diamants emprisonnés dans leur gangue d'acier!

C'est mon tour d'aller sur la sellette. Je n'ai plus peur de me livrer, j'ai plutôt envie de me défaire d'un poids, de déverser mon trop-plein. Une phrase unique me martèle la tête: «Seule, toujours seule!» Je commence à parler, très vite, comme si j'avais peur qu'on m'arrête avant la fin, peur qu'on ne veuille plus m'écouter. «Partout où je vais, je me sens toujours différente, une Martienne parmi les Terriens. Je ne sais pas comment avoir une relation d'égal à égal. Je me place toujours au-dessous ou au-dessus des autres. J'ai du mal à me comporter simplement. Si je n'ai pas un statut privilégié, un rôle à jouer, j'ai peur qu'on découvre que sous la façade il n'y a rien! Je dois être "spéciale". Si je ne suis pas le centre d'attraction, je n'existe pas. Quand j'étais petite, j'ai été entourée d'adultes. Je suis bien dressée socialement, mais je suis toujours une petite fille en dedans. Je crois qu'on m'aime pour ce que je fais, pour mes accomplissements, mais jamais pour ce que je suis. On m'a toujours dit que j'étais bourrée de talents, de dons extraordinaires, mais je m'identifie à une partie de moi qui est sous-développée, affamée… Je n'ai jamais assez de compliments, jamais assez d'amour. Je rêve de belles amitiés mais je ne sais pas comment m'y prendre. On ne m'a pas appris. Au moins, j'évite les conflits. Je ne peux pas supporter les affrontements. J'ai peur de m'écrouler, de disparaître si je découvre qu'on ne m'aime pas, ne serait-ce qu'une minute! Je me sens en sécurité quand je vis dans mes livres, dans mon imaginaire, quand je passe mes journées au cinéma. Mais dans le fond, j'ai tellement besoin de contacts! Pourtant, quand je suis avec les autres, je me sens seule, toujours seule...»

Il se passe alors une chose extraordinaire. Catherine demande aux filles de se lever et de me prendre à tour de rôle dans leurs bras. Je suis bouleversée, liquéfiée. Tant d'affection, d'amour pour la petite Anne. Jamais, je n'oublierai ce moment, ce bijou que je garderai dans mon cœur longtemps, longtemps.

Arrivent les dernières minutes de notre assemblée. Je n'ai pas envie de briser ce délicieux sentiment d'appartenance. J'ai besoin de m'enrober de cette amitié naissante et veloutée, et ne veut surtout pas m'isoler après avoir reçu cette magistrale dose d'amour. Catherine m'en offre une belle occasion en nommant les participantes venues de province qui se cherchent un foyer pour la nuit. J'offre mon hospitalité avec empressement. Christian, mon colocataire, est parti pour le week-end. Avec sa chambre et le divan du salon, j'ai de la place pour trois. Le cas est vite réglé. Sophie, Pauline et Marilou dormiront chez moi.

Je suis ravie. Il y a des années que je n'ai pas eu un vrai «pyjama party». Mon quartier de Belleville ne paie pas de mine et la tour où je réside, rue Jean-Pierre Timbaud, a l'air d'un bunker de troisième zone, mais par contraste l'intérieur de mon appartement est moderne et spacieux. La grande pièce de séjour et les deux chambres à coucher sont confortables, plus lumineuses que la plupart des logements de l'arrondissement, typiquement sombres, vieillots et mal isolés.

Nous sommes toutes les quatre bien installées dans nos fauteuils, une tasse de thé chaud à la main. Les couleurs fades et sans âme des meubles de location sont loin d'être inspirantes, mais la bonne compagnie nous suffit. Chacune des membres de notre quatuor affiche des goûts bien distincts quant au choix de ses vêtements de nuit. Votre hôtesse dans un ensemble d'intérieur avec imprimé léopard. Pauline toute frêle dans son pyjama à fleurs. Les yeux d'azur de Sophie rehaussés par une robe de chambre traditionnelle en velours de la même couleur. Et Marilou, fidèle à elle-même, en survêtement rouge arborant sur la poitrine une tête de bulldog rieur! La conversation va bon train, comme si nous étions galvanisées par les événements de la journée. J'ai la tête bourrée de questions. J'entends bien profiter de l'expérience de notre avocate maison, une habituée des groupes depuis plus d'un an.

«Dis-moi, Sophie, as-tu déjà rencontré des filles qui ont été guéries? Toi, depuis le temps, est-ce que tu vas mieux?»

«Bien sûr. Catherine invite parfois d'anciennes participantes à nous rencontrer. J'en ai entendu plusieurs raconter comment elle gèrent leur nouvelle vie. Paraît que notre "impératrice" obtient 90 % de résultats. Ça fait beaucoup de guérisons! Moi, en tout cas, j'ai vu une nette amélioration. Au début, j'étais tellement dépressive que j'avais du mal à sortir de chez moi. Au bout de sept mois, je suis retournée au bureau. Je ne peux pas te dire le comment ni le pourquoi. L'intégration s'est faite petit à petit. Je ne raterais pas un groupe pour tout l'or du monde, même si tous les samedis matins, avant de m'y rendre, je suis morte de trac. On ne sait jamais comment on va réagir, ce qui va sortir. Les premiers ateliers ont été si troublants qu'il m'a fallu presque le mois entier pour m'en remettre.»

«Je ne sais pas si ta réponse m'encourage ou me terrorise, lui dis-je en souriant. Comment se fait-il qu'il n'y ait pas d'anorexique à l'atelier?» «Elles ne pourraient pas le supporter, s'écrie Marilou. Elles n'auraient pas l'endurance de faire tout un weekend. La dénutrition les rend trop fragiles, trop vulnérables. Et puis, comment une anorexique pourrait s'identifier à toutes ces femmes qui bouffent sans arrêt? Elles qui mettent leur santé en danger tellement elles abhorrent l'idée de manger! Il leur faut beaucoup de soutien, de suivi au jour le jour pour éviter d'être hospitalisée. Catherine leur suggère des thérapies individuelles, beaucoup plus encadrées. C'est comme pour les mecs, tu as sûrement remarqué, qu'il n'y en a pas à l'atelier. Pourtant, notre maladie soi-disant de femmes atteint de plus en plus de messieurs, mais ils sont gênés d'en parler, surtout devant 20 gonzesses! Moi, j'aimerais bien essayer une thérapie mixte pour voir.»

«Je sais pas, répond la petite Pauline. Je ne serais pas à l'aise de dire certaines choses. Comment expliquer à des garçons que la semaine dernière j'ai paniqué à l'idée d'aller à une fête parce que la balance indiquait un kilo de plus? Je me pèse plusieurs fois par jour et, ce soir-là, je me trouvais trop grosse. Ça faisait une semaine que j'essayais de maigrir, que je prenais des tonnes de diurétiques pour pouvoir me montrer devant mes amis. En rentrant du travail, ma mère m'a dit: "Tiens, t'as pris un peu de poids. Ça te va bien. Je te trouve plus ragoûtante!" Je voulais mourir! Quand elle est partie se coucher, je me suis lancée dans une défonce. J'ai engouffré un pot de Nutella au complet, ensuite j'ai récupéré les restes de nouilles froides et de vieux pâté qui traînaient dans la poubelle. Je pourrais jamais raconter ça devant des hommes!»

«Moi, ce qui m'énerve, enchaîne Marilou, ce sont les femmes qui font un peu d'excès de table et qui disent: "Je sais pas ce qui m'a pris hier, j'ai fait une boulimie." Si elles savaient dans quel enfer nous vivons, elles voudraient pas en faire partie! Beaucoup de gens amenuisent et même ridiculisent notre problème parce qu'ils ne comprennent pas. Ils pensent qu'on manque de discipline et qu'on devrait juste se mettre au régime.» «T'as raison, répond Sophie, beaucoup de gens mal informés mélangent les problèmes d'obésité ou d'excès de poids avec la boulimie. En un an, j'ai seulement vu deux femmes aux ateliers qui étaient corpulentes. La plupart d'entre nous préféreraient mourir plutôt que de se voir grosses. Il y a une différence entre manger ses émotions en compensant momentanément et manger sans faim, par obsession.»

«Mais d'où vient cette différence, est-ce qu'on le sait?» demandé-je perplexe. «Il y a une théorie qui lie le problème à la petite enfance, répond Sophie. Catherine nous en parle souvent. Dès les premières semaines, certains nourrissons ne peuvent établir un contact étroit avec leurs mères. Soit que celles-ci ne sont pas assez disponibles physiquement ou émotionnellement. Dans leur inconscient, les bébés interprètent cette distance comme un rejet, un abandon. Le lien primordial ayant été rompu, ces enfants souffrent ensuite d'insécurité chronique et ne réussissent pas à former une estime d'eux-mêmes appropriée. Ces bébés deviennent de jeunes adultes affectivement immatures et souvent inhibés par un complexe d'infériorité.»

«De toute façon, dis-je en me frottant les yeux, si j'ai bien compris ce qui s'est passé aujourd'hui, ce n'est pas en analysant le problème de façon intellectuelle qu'on va réussir à s'en sortir. Bon, c'est bien beau les théories, mais moi, je suis crevée. Je propose de déléguer le boulot à nos subconscients pour la nuit!» Nous éclatons de rire en écho. Heureusement, il nous reste encore l'humour, la dérision et une franche camaraderie. Ils deviendront de précieux atouts pour affronter les fureurs et les tempêtes qui nous prendront d'assaut dès que nous serons de nouveau plongées dans la mer houleuse de nos illusions.

Le difficile mais fascinant périple continuera pendant presque une année. Je vivrai pauvrement, incapable de travailler, attendant avec impatience et anxiété la rencontre de groupe suivante. Je me lierai d'amitié avec Angela, la professeure d'histoire. Ensemble, nous irons même faire un pèlerinage à la basilique Sainte-Thérèse de Lisieux, prêtes à tout pour donner un coup de pouce aux miracles de Catherine. Quelle motivation pour une juive et une catholique non pratiquante! Je me rendrai religieusement rue des Saints-Pères un week-end par mois pour apprendre à renaître. Mes symptômes seront parfois hors de contrôle, amplifiés par le nettoyage de mes blessures. Au bout de quelque temps, ils se feront beaucoup moins présents. Jusqu'au jour où ils cesseront de diriger ma vie. Par moments, le sentiment de vide sera insupportable. Je me sentirai perdue, déracinée, arrachée à la terre, démontée comme une horloge sortie de son boîtier, tous ses mécanismes exposés à l'air libre.

Le processus me rappelle un étal de boucher où mes organes et mes viscères seraient étalés dans une vitrine. Je suis obligée de les regarder avec leurs merveilles et leurs salissures, pour en faire le tri. Rependre ce qui m'appartient réellement et rejeter les parties greffées par la société, la famille, les institutions. Ne garder que ce qui me correspond vraiment. Quand on se débarrasse de ses masques, de ses systèmes de survie, on a l'impression de perdre pied, de tomber dans un trou sans fond. Puis, on apprend à se reconstruire lentement, à se solidifier. Pas facile d'abandonner la logique, la pensée rationnelle pour laisser remonter l'inconscient. Pour chasser ces vilains «gremlins», ces vices cachés au plus profond de notre psyché. La volonté n'a aucune prise pour les débusquer, les neutraliser. La guérison se fait en dehors de l'intelligence et du contrôle. Une expérience terrifiante, mais aussi l'une des plus belles aventures que l'on puisse s'offrir.

Avec le recul, je vois ma boulimie comme un cadeau. Cette épreuve m'a forcée à entreprendre un voyage intérieur que je n'aurais probablement jamais fait autrement. Le travail sur soi n'est jamais fini. Nous sommes des êtres conscients, constamment en ébullition, essayant d'intégrer les leçons apprises au quotidien.

Pendant ma période de thérapie avec Catherine, j'ai touché à l'essentiel, ou du moins à ce qui deviendra ma «vérité». Des principes qui ont façonné la femme que je suis aujourd'hui. Je n'ai pas la prétention de me définir comme une œuvre achevée, bien au contraire. Dans l'éventail de mes nouvelles croyances, de mes nouvelles valeurs, certaines sont bien assimilées, alors que d'autres me donneront sûrement du fil à retordre jusqu'à un âge très avancé. En plus, je m'octroie le droit d'en changer! Mais elles constituent un merveilleux programme, un cheminement que j'entreprends avec foi et enthousiasme, puisque ces découvertes m'ont assurément aidée à me guérir et à mieux vivre.

Je remercie Catherine et toutes mes compagnes d'avoir été si disponibles, si courageuses. Sans la dynamique du groupe, sans leur générosité, je n'aurais jamais pu m'en sortir.

Même si je ne souffre plus de boulimie depuis bientôt 15 ans, certains traits de ma personnalité restent encore fragiles. C'est ma responsabilité d'en pendre soin, de les préserver et de les soutenir, afin qu'ils atteignent leur pleine maturité. Chacune de ces qualités demande de la maîtrise et du lâcher-prise pour être pleinement développée. Cent fois sur le métier je suis prête à redéposer mon ouvrage, car je suis convaincue qu'il détient la réponse à mon ultime quête d'harmonie. Cet assemblage constitue la somme des réalisations et des prises de conscience qui m'ont éclairée pendant la thérapie. Bien d'autres me seront données par la suite et j'espère continuer à en recevoir toute ma vie.

J'ai déjà mentionné que ce procédé me rappelait une autopsie, où on pèse le pour et le contre de ses organes pour mieux comprendre ses états d'âme. En m'examinant le foie, j'ai appris à moins me faire de bile, à être plus tolérante envers mes faiblesses. Ce maréchal filtreur qui gère les poisons de l'organisme m'a montré à m'aimer avec le beau et le moins beau. Le foie se donne droit à l'erreur. Il fait une bonne crise, se libère de ses toxines et repart à neuf. Si sa tâche devient trop lourde, il n'hésite pas à demander de l'aide aux reins fidèles, dont le travail incessant nous libère de nos venins. En les regardant, j'ai compris la valeur de l'effort, de la discipline. Prendre conscience de ses talents est une chose, mais ils ne valent rien si on ne les met pas en pratique.

Avec mes poumons, j'ai retrouvé mon droit à la parole et commencé à respirer à mon propre rythme. Grâce à ce souffle retrouvé, j'ai pu rebâtir ma propre identité. Ce qui m'a amenée au cœur. En écoutant ses battements, j'ai pu discerner et respecter mes besoins. Pour éviter qu'il s'emballe, j'ai dû apprendre à dire non et à cesser de répondre à toutes les attentes. Pour l'honorer, j'ai dû être plus honnête avec moi-même. Ce qui a eu comme effet de libérer mon estomac. J'ai arrêté de le nourrir de chimères, quand j'ai choisi de vivre dans la réalité. Je l'ai libéré d'un grand poids, le jour où j'ai commencé à apprécier la simplicité.

Le corps humain présente une merveilleuse synergie, où toutes les fonctions sont interreliées. En observant ces échanges, en parfait équilibre, j'ai su comment entrer en relation avec les autres. J'ai quitté mon île sauvage pour mieux savourer la force du voisinage, et me donner enfin le droit d'exister.

Les dernières pages de ce chapitre sont dédiées aux jeunes femmes souffrant de boulimie ainsi qu'à leurs parents et amis. J'espère que ces réflexions sauront projeter un trait de lumière sur les eaux troubles de cette maladie et redonner un peu d'espoir à celles qui en souffrent.

LETTRE À MES SŒURS,
PERDUES AU CŒUR DE LA TOURMENTE.

La boulimie est une force vive, semée de tumultueux rapides, d'écueils sanglants. Un mal incompris, solitaire. Une maladie honteuse que l'on croit devoir cacher.

Enfermées dans un délire, nous sommes prisonnières de nos têtes, de nos croyances, de nos perceptions faussées. Nous voulons sauver le monde mais l'extérieur nous apparaît menaçant, effroyable. Nous sommes des chevalières déchues, habitées de grandes aspirations, mais se croyant inaptes à les accomplir. Incapables de dévorer la vie, nous dévorons nos émotions refoulées.

Ce manège peut prendre des proportions démesurées.

Personnellement, pendant les cinq années de mon calvaire, j'ai gagné et reperdu plus de 250 livres. J'étais devenue un yoyo humain, une pendule affolée, s'empiffrant pendant des jours pour ensuite ne plus rien avaler. Le jeûne alors devenait ma religion, ma forme de purgation.

Abuser mon corps de la sorte a entraîné de graves répercussions sur mon métabolisme.

Le fait de s'affamer puis de se suralimenter a des effets très néfastes sur le système hormonal, qui affecte à son tour le système de pensées. Les désordres alimentaires sont d'abord une maladie de l'esprit, amplifiée par un dérèglement physiologique.

C'est après m'être imposée toutes sortes de restrictions, des diètes trop strictes, des jeûnes prolongés, que je suis devenue une boulimique chronique. Ces actions se sont manifestées dans mon corps par un mal qui me rongeait déjà l'âme.

Le fait de vouloir plaire et d'être aimée à tout prix a créé un état d'esprit où je préférais me détruire plutôt que de risquer le jugement d'autrui. Dans cet enfer, j'avais peur de tout, mais surtout du regard des autres. Encagée à l'intérieur d'une spirale sans fin, je frayais quotidiennement avec l'anxiété, la dépression. Étouffée par les cris que je ne pouvais pas pousser, par les vagues de colère, de frustration que je ne me donnais pas le droit de ressentir. Entravée, pieds et poings liés par le syndrome de la bonne fille, par le rôle de la bonne Samaritaine, de la femme qui aime trop.

Pour s'évader de ce carcan, plus d'autre choix que de tomber dans l'excès de nourriture, pour endormir le mensonge, anesthésier les plaies. Ce stratagème devient un moyen de survie, une façon de ne pas affronter notre potentiel, souvent formidable. De couper les liens avec notre créativité, notre expression profonde, pour ne rien avoir à accomplir et éviter de risquer l'échec.

Se fabriquer un faux soi, ne vivre que pour lui, épuise l'esprit et le vide de toute substance. La chose prend alors une tournure démentielle. C'est l'hystérie des calories, la fureur du sucre, la folie des douceurs. Et les rapports avec les autres deviennent impossibles, torturés.

Quand on ne sait plus qui on est, on attire les envahisseurs. Reniflant nos carences émotives, les prédateurs comprennent très vite à qui ils ont à faire. Ils en profitent pour se servir de notre vulnérabilité, de notre générosité mal placée. Facile de berner, de subjuguer une jeune femme qui est prête à se trahir, à se perdre, à étouffer ses désirs, pourvu qu'on veuille bien un peu d'elle.

Nous provoquons la trahison dans nos vies, parce que nous nous trahissons tous les jours. Nous provoquons le rejet parce que nous rejetons notre propre vérité.

Arrive maintenant la question que nous devrons toutes nous poser un jour: que faire pour s'en sortir?

La guérison de cette dépendance passera toujours par la quête de notre authenticité. Au début, détruire le faux soi provoque une réelle panique. Bardé de défenses, il fera tout en son pouvoir pour empêcher de ramener à la lumière la personne vivante, originale, autonome.

L'important est de sortir de l'isolement, de chercher de l'aide, de participer à des groupes de soutien et surtout d'entreprendre une thérapie. Apprendre à nous reconnaître, à nous

redécouvrir demande des années de courage et de dévoue-
ment. Il faut retrouver notre vraie identité, loin de celle qui
veut aider et plaire à tout prix. Loin des images imposées
par les médias, loin des actrices, chanteuses et mannequins
rachitiques, dont les photos sont de toute façon retouchées,
trafiquées. Il est irréaliste de nous mesurer au quotidien à ces
icônes inaccessibles, qui forcent des millions de jeunes femmes
à se mettre au régime, à s'affamer pour essayer de leur res-
sembler.

Il faut arrêter de nous identifier uniquement à ce corps-
bourreau. Faire un effort conscient pour nous libérer de cet
enfermement où chaque jour, chaque heure, chaque minute
est une ronde obsessionnelle autour de l'image de soi.

Je souhaite que mon témoignage encourage les personnes
atteintes à sortir de l'ombre et à entreprendre une démarche
personnelle.

Par expérience, je sais que l'on sort vainqueur de ce
voyage, dans une nouvelle splendeur, dans la valorisation de
nos qualités… et de nos défauts. Pas une superwoman, *pas*
une perfectionniste mais une femme, une vraie, qui accepte
ses défaillances et ses limites. Une femme qui comprend que
ses déceptions ne sont qu'un pas de plus vers le succès, l'évo-
lution et le déploiement de son âme.

La guérison de ma maladie aurait pu sembler une fin en soi.
Bien que je considère cet accomplissement avec fierté, il n'a fait
qu'alimenter une soif de connaissances, devenue depuis le moteur
de ma vie. Ce désir pressant m'a aiguillée sur une voie prédestinée. Lorsqu'un être commence à trouver des réponses à ses questions, le destin malicieux se charge de lui offrir d'autres énigmes

à résoudre, encore plus vastes et plus profondes. Au cours des années qui suivront, j'aurai le loisir de continuer mes recherches, en m'immergeant au sein de différentes cultures. J'aurai le privilège de rencontrer de fascinants professeurs: moines, chamans, yogis, séminaristes et conférenciers, qui m'initieront à leurs rituels et à leurs philosophies. Après avoir réussi à apprivoiser le profane, j'aurai maintenant envie de me tourner vers le sacré. Après m'être libérée des épreuves terrestres, je recevrai un appel, celui de m'envoler vers les portes du ciel.

CHAPITRE 8

SON SOLEIL A RENDEZ-VOUS AVEC MA LUNE: UNION DE LA GÉNÉTIQUE ET DE LA MÉTAPHYSIQUE

美

UN MIRACLE N'ARRIVE JAMAIS SEUL. Maintenant que je suis sortie de ma chrysalide, de mon invisible prison, les potentats du showbiz parisien daignent me voir à nouveau comme un papillon acceptable. Comme une recrue potentielle pouvant partager quelques gouttes de leur nectar qu'ils imaginent si rare et si précieux qu'ils ne le présentent qu'à quelques heureux élus et encore avec parcimonie!

Je reçois une offre, sans audition (un vrai miracle!), pour un rôle au cinéma, dans le premier long métrage de Jacques Santi. Un acteur viril qui a eu son heure de gloire dans *Les chevaliers du ciel*, une télésérie très populaire dans les années 70. Son scénario, *shooté* à la testostérone, s'intitule *Flag* pour «flagrant délit», et se décrit comme une intrigue policière musclée, bourrée de flics et de filous.

Mon personnage, Josy, est une midinette sexy qui fraternise avec des truands tout en tombant amoureuse du commissaire de police qui les poursuit. Un rôle qui ressemble beaucoup à celui dans *La balance*, cette magnifique occasion qui m'avait échappé deux ans plus tôt, quand j'étais encore «une femme sous influence» (titre d'un de mes films préférés de John Cassavetes, où la géniale actrice Gena Rowlands joue une femme qui sombre dans la dépression). C'est le juste retour des choses. Ah! la roue du karma. L'univers a attendu que je fasse consciemment mes devoirs, que je nettoie mon propre «caca», avant de m'envoyer une récompense. J'aurai tout de même un bon défi à relever pour interpréter cette fille délurée qui parle un argot parisien typique. Les dialogues sont truffés d'expressions que je ne comprends pas, du genre «y vont t'faire marron!», ce qui veut dire en bon québécois «y vont t'awôire!» Pour moi, c'est presque du chinois!

Dans ce chassé-croisé policier, je devrai me démener entre deux acteurs formidables, Richard Bohringer et Pierre Arditi. Des artistes aguerris, au style de jeu totalement différent. Le premier est un intuitif, un sanguin connu pour ses coups de gueule, le second est un cérébral distingué. Arditi est l'un des acteurs fétiches du cinéaste Alain Resnais, doublé d'un homme de théâtre respecté. Je devrai avoir une bonne capacité d'adaptation pour me plonger tour à tour dans le feu et l'eau qui émanent de ces deux animaux disparates, tout en affichant l'accent et les manières d'une «poupoune de bas étage»!

Fait surprenant, au Québec j'auditionne surtout pour des rôles de femmes sérieuses et sophistiquées, alors qu'à Paris je joue des filles du peuple dans des comédies! Autres pays, autres mœurs… J'avoue que c'est beaucoup plus stimulant de se transformer et de jouer des personnages éloignés de sa propre personnalité. Mon père m'a toujours dit que j'étais un clown dans un corps de jeune première!

Le film est une coproduction franco-canadienne. Pour joindre l'utile à l'agréable, la maquilleuse et le directeur de la photographie choisis pour l'aventure, Marie-Angèle et François Protat, sont des amis très chers. Nous avons déjà travaillé ensemble dans *Les Plouffe* et sa suite, *Le crime d'Ovide Plouffe*. François et Marie-Angèle sont des artistes. Je suis assurée d'être en beauté et bien éclairée. De plus Donald Pilon, l'interprète de Stan Labrie dans les deux mêmes longs métrages, sera aussi de la partie. On se retrouvera donc en famille. J'avoue que cet arrangement me sécurise, car je suis encore fragilisée par ma longue traversée du désert.

Mais depuis ce temps, j'ai reconquis ma personnalité d'enthousiaste, d'amoureuse de la vie. Finis les mirages, les miroirs déformants de mon imagination. Je veux de l'action!

Parlant de reconquérir, j'ai encore sur le cœur le départ abrupt de Paul, l'hiver précédent à Paris. Avant de commencer le tournage de *Flag*, je décide sur un coup de tête d'organiser un voyage éclair à Key West, histoire de faire le point avec mon ex-tyran américain. J'ai envie de le titiller un peu. Qu'il me voie mince et bronzée et qu'il se morde les doigts de m'avoir si lâchement abandonnée. Je n'ai eu aucune nouvelle de lui depuis notre rupture. Il m'a vraiment humiliée et j'ai envie en tout bien tout honneur de le lui faire regretter.

Son action, que j'ai considérée à l'époque lâche et sans compassion, a quand même eu un effet positif. Car elle a donné le coup de grâce qui m'a forcée à toucher le fond. Sans cet ultime échec, je n'aurais pas pris la difficile résolution d'entreprendre la thérapie avec Catherine. La peine qu'il m'a infligée en m'abandonnant au moment où j'avais tellement besoin d'un appui a engendré une blessure, un cri silencieux si aigu que j'étais prête à tout pour le faire taire.

Je crois sincèrement que dans la vie rien n'arrive par hasard. Paul a été le déclencheur d'une incroyable tornade dont je suis sortie blanche et javellisée, lavée de toute souillure! Maintenant que je suis guérie, je ne peux résister à l'envie de pavaner devant lui, la nouvelle Anne améliorée.

J'emménage donc pendant cinq jours dans le nouveau complexe de la Russell House, à Key West. De ravissants pavillons avec vue sur jardin, entourant une grande piscine. Un arrangement luxueux et beaucoup plus spacieux que le précédent. Je suis très heureuse de retrouver ma chère Enid, l'imposante et attachante propriétaire de l'établissement, et l'étonnante Carol-Ann, mon premier mentor en matière de spiritualité. Après Montréal et Paris, Key West est vraiment devenu mon troisième chez-moi.

Dès mon arrivée, je joins Paul par téléphone. Il est plutôt estomaqué de m'entendre au bout du fil et de me savoir sur son île! Nous n'avons eu aucun contact depuis 11 mois, le temps qu'a duré ma thérapie. Une fois la surprise passée, mon ancien fiancé accepte de bonne grâce de venir dîner le soir même au Kyushu, notre restaurant japonais préféré d'autrefois.

Arrivée à l'avance sur les lieux, je me poste à une table stratégique. Je ne veux surtout pas rater son entrée. Je suis assez nerveuse mais me garde bien de le montrer. J'affiche un air *cool* et assuré, tout en sirotant mon saké. Paul entre dans le restaurant, tout à fait à l'heure comme à son habitude. Il est toujours aussi élégant, mais a le teint pâle et les yeux tirés.

Au départ, l'atmosphère est plutôt tendue. Notre conversation est entrecoupée de moments de silence gêné. Tous les deux mal à l'aise, nous fixons nos regards sur la copieuse assiette de sushis posée au centre de la table. Mais l'amitié que nous avions l'un pour l'autre reprend vite le dessus. Au début du repas, Paul me complimente avec galanterie sur ma grande forme. Un bon point pour lui! Un peu plus tard il m'avoue: «Anne, je suis désolé d'être disparu si brusquement à Paris. La pression était trop forte. Je ne me sentais pas à la hauteur. Les longues attentes entre nos rencontres étaient trop difficiles à supporter. J'ai besoin de plus de stabilité dans ma vie.» En fait, je suis plutôt d'accord avec lui, les amours à grande distance sont très éprouvantes. «Allez, me dis-je dans ma tête, sois mature, ma vieille. Passe l'éponge. Toi aussi, tu sais ce que c'est que de paniquer quand tu ne peux pas tout contrôler.»

Je n'ai jamais pu garder de rancœur envers les hommes que j'ai vraiment aimés. Je suis faite comme ça. D'ailleurs, ils étaient presque tous présents à mon mariage. Mais ça, c'est une autre histoire!

Vers la fin de la soirée, Paul et moi avons eu tous les deux un petit coup de nostalgie. Nous sommes allés nous promener, main dans la main, sur la plage, au clair de lune. Nous nous sommes arrêtés sous un bouquet de palmiers pour regarder les étoiles. Et là, assis sur le sable encore chaud, nos visages caressés par un doux alizé, nos épaules se frôlant au rythme des vagues, j'ai fermé les yeux… et je n'ai rien ressenti! J'ai alors compris que c'était bel et bien fini.

Le lendemain, je décide de prendre rendez-vous avec un voyant qui a une très bonne réputation dans la population locale. Monsieur Gary sait, paraît-il, lire le tarot avec beaucoup de panache et une exactitude troublante. Maintenant qu'un énorme chapitre de ma vie est terminé, je suis curieuse d'entrevoir la suite. D'ailleurs, avant de quitter Paris, mon agent m'a confié que le projet télévisé sur Gaby Deslys allait peut-être ressusciter après sa mort prématurée. Ce serait fantastique!

Pour moi, les énergies de Key West ont toujours été en parfaite harmonie avec les expériences occultes. En consultant ce voyant, j'ai envie de me replonger dans les mystères du monde astral, pour sonder les trames des annales akashiques, cette mémoire vibratoire où tous nos plans de vie sont enregistrés. J'ai bien le droit d'y jeter un petit coup d'œil à l'avance, puisque je crois fermement que mon propre esprit a concocté lui-même son tracé bien avant ma naissance. J'ai la nette impression que je me suis planifié un peu de bonheur pour les prochaines années. J'ai envie de leçons un peu moins dures à avaler. Après tout, je l'ai bien mérité! J'ai très hâte de le rencontrer, il m'a donné rendez-vous quelques jours plus tard.

L'après-midi de la même journée, en revenant d'une baignade à la mer, je trouve un paquet joliment enveloppé, accompagné d'une carte, laissé à la réception à mon attention. Le cadeau vient de Paul! Décidément, il m'étonnera toujours. Je m'empresse de lire le petit mot, artistiquement calligraphié à la plume et à l'encre.

«Chère Anne,

J'ai pensé t'offrir ce livre de Carlos Castaneda, un de mes auteurs préférés. Tu m'as souvent demandé d'où me venaient ma détermination et mon sens de la discipline. Cet ouvrage, *Les leçons de don Juan* m'a beaucoup inspiré.

Hier, je t'ai vue resplendissante, vibrante d'énergie. Tu t'es transformée en une vraie battante, une «guerrière pacifique». Tu trouveras la signification de cette belle expression au fil des pages de ce livre.

J'espère que sa lecture saura t'accompagner longtemps sur le chemin de ta vie.

Avec toute mon amitié,
Paul»

Quelle classe! Mon ex-fiancé vient de remonter dans mon estime! Je suis très curieuse de découvrir mon nouveau trésor littéraire. Comme je n'ai rien prévu pour le reste de la journée, je m'installe sans plus attendre avec mon bouquin sur une chaise longue au bord de la piscine. Dès les premières pages, je suis conquise. Comme à son habitude, l'univers a la générosité de m'envoyer le bon message, au bon moment.

Ce livre est pour moi une révélation. Certaines parties confirment ce que j'ai déjà assimilé sur les mondes parallèles, mais ce qui me fascine dans ces écrits est la relation de maître à élève. Les enseignements chamaniques de don Juan sont étonnement pratiques, même s'il faut carrément suspendre son sens de la réalité pour s'en imprégner. Il est donc possible, par des exercices précis, d'altérer son niveau de conscience pour découvrir un autre monde, invisible pour les yeux. C'est un principe fascinant qui a inspiré de grands auteurs. Mais les écrivains, comme Dante ou Goethe pour ne citer que ceux-là, ont le plus souvent traité ces sujets sous forme d'allégorie ou de légende.

Selon les chamans, la notion du ciel et de l'enfer se décrirait très simplement comme le haut- et le bas-astral. La différence primordiale est que par entraînement précis les initiés n'ont plus besoin de mourir pour y pénétrer. Quand un chaman met en pratique «l'art de rêver», il réussit à transcender la densité de la matière physique et, devenu pur esprit, à pénétrer dans un lieu si étonnant que le commun des mortels n'arrive même pas à l'imaginer. C'est un concept étourdissant, dérangeant. Mais plus j'avance dans ma lecture, plus j'ai l'impression de vivre une libération, comme si une partie de mon subconscient connaissait déjà tous ces secrets et me chuchotait: «Enfin, tu te reconnais.» Contempler l'immense potentiel de ces enseignements me donne le vertige.

Si vous me le permettez, j'aimerais maintenant vous faire un petit résumé de ces précieux écrits. Car pour moi, ils constituent la synthèse d'une vision plus ouverte de l'univers, où l'homme conscient obtient le privilège d'enrayer les affres de sa soi-disant réalité. Un monde redéfini, obéissant à de nouvelles règles où il est possible de conquérir la misère, l'infortune et même la mort.

Les romans autobiographiques de Carlos Castaneda se composent d'une série de huit ouvrages écrits au début des années 70. L'auteur, jeune étudiant en ethnologie à l'Université de Californie, orientait alors ses recherches vers l'utilisation des plantes hallucinogènes dans les rituels sacrés des Indiens du sud-ouest des États-Unis. Sa rencontre avec don Juan Mathus, un célèbre *brujo* (sorcier) mexicain, allait changer sa vie. Devenu son apprenti, il a entrepris, dans le désert du Sonora, un exigeant travail initiatique qui lui a demandé des années de courage et de discipline. Se plongeant dans la sagesse millénaire des Indiens yaquis, il apprendra à percer le voile de la quatrième dimension. Cette autre réalité nommée poétiquement par don Juan «la brèche de l'univers, entre la noirceur et le jour».

Ce savoir mystérieux se retrouve dans les cultures les plus diversifiées de tout le globe: des déserts glacés de Sibérie jusqu'aux forêts équatoriales, en passant par les prairies amérindiennes. Les chamans qui l'exercent sont à la fois devins, thérapeutes et sorciers. Ils utilisent des méthodes ancestrales de transe et de méditation profonde pour apprivoiser le plan astral, appelé par les aborigènes australiens le *dreamtime* ou «monde des rêves». Pour eux, le monde physique tel que nous le voyons à travers l'interprétation limitée de nos cinq sens est une illusion, il faut y englober le plan beaucoup plus vaste de l'astral pour saisir, en fait, toute sa réalité.

Comme le dit don Juan, le professeur de Castaneda, l'autre réalité est aussi réelle, unique, complète et accaparante que la dimension physique. La plupart d'entre nous ne peuvent la discerner, car nous sommes «énergétiquement» conditionnés à percevoir exclusivement notre monde terrestre, et ce, pour notre protection. Pénétrer la quatrième dimension requiert non seulement une configuration de conscience altérée, mais aussi une grande pureté de cœur et un courage à toute épreuve. Pour s'y insérer, Castaneda devra littéralement transmuter sa personnalité d'intellectuel nord-américain et amasser assez de force, d'énergie spirituelle pour pénétrer dans l'autre monde.

Les lois qui régissent le plan astral sont fort différentes des nôtres. Pour les aborder et les connaître, l'apprenti doit faire de nombreux essais. La peur et les doutes qui apparaissent naturellement devant l'inconnu le transforment en proie facile pour les entités qui peuplent le bas-astral. Un endroit hostile où le voyageur inexpérimenté peut facilement se perdre. Ces êtres espiègles et parfois malveillants se nourrissent de nos énergies négatives. De cette façon, ils peuvent même pénétrer dans notre dimension, en s'accrochant à nos peurs et colères. Plusieurs de ces entités se sont d'ailleurs déjà incarnées sur la terre et utilisent ce procédé parasitaire pour soutirer nos forces vitales. Pour les contrer, le guerrier doit gagner la confiance des alliés, des gardiens qui le protégeront et l'aideront à obtenir la force nécessaire pour affronter les dangers.

L'apprenti rencontre ses alliés lors de sa quête spirituelle: un voyage initiatique entrepris seul dans la nature, à la recherche de «visions». S'il est accepté par cette confrérie, le chaman rencontrera ses aides personnels qui lui apparaîtront sous forme d'animaux de pouvoir. Chaque chaman a généralement deux gardiens qui lui permettent d'effectuer son travail de guérisseur et de devin. C'est un choix de vie exigeant, proche du sacerdoce, où la frugalité et la simplicité sont à l'honneur.

Un maître sorcier doit user de beaucoup de discernement avant de choisir son élève. Lorsqu'un «apprenti voyageur» rassemble assez de pouvoir pour se mouvoir à volonté dans les méandres de l'astral, il acquiert des facultés dangereuses si elles sont invoquées pour satisfaire des besoins de convoitise ou des désirs de puissance. Le sentiment d'orgueil lié à la réalisation de ces exploits peut facilement attirer ses utilisateurs dans les écueils du narcissisme et de l'ambition démesurée. Le guerrier pacifique se doit de mettre en pratique, à tout moment, l'honnêteté spirituelle et la compassion.

Après s'être assuré de sa noblesse d'esprit, le maître instruira son élève, afin de l'aider à obtenir une configuration énergétique amplifiée de son corps vital, surnommé «œuf lumineux». Ce plan vibratoire qui entoure le corps physique de chaque homme est généralement affaibli et même troué, selon la dégradation de son état physiologique et psychologique. L'œuf lumineux, une fois vivifié et réparé, permettra à l'apprenti de cultiver la seconde attention, en d'autres mots, de développer «l'art de rêver». Il aura alors la possibilité, après un entraînement ardu s'étendant sur plus d'une décennie, de passer d'une dimension à l'autre à volonté, en état de sommeil ou de veille.

Mais pourquoi faire tant d'effort pour essayer de passer de l'autre côté du miroir? Le chaman travaille à sa propre libération spirituelle mais se doit aussi d'en faire profiter sa communauté.

Dans l'autre dimension, il va chercher des renseignements sur l'avenir, des choses qui ne se sont pas encore réalisées sur le plan terrestre. Il rencontre d'autres voyageurs astraux et forge avec eux des alliances pour influer sur le cours des événements à venir. Il combat les entités négatives qui se sont infiltrées dans les failles émotives des hommes et peut ainsi libérer ceux-ci de ces mauvaises influences. Un chaman aguerri réussit même à contrôler son double astral. Une photocopie vibratoire de chaque être vivant existe dans cet autre plan. Si le maître possède assez de force énergétique, il pourra projeter son double astral dans la dimension physique, ce qui lui donnera le don d'ubiquité, c'est-à-dire la possibilité d'être à deux endroits en même temps. L'un des corps étant réel, en chair et en os, l'autre étant une projection lumineuse venue de l'autre dimension.

Dans l'astral, la création est instantanée, donc un sorcier peut aussi changer l'image qu'il projette et transformer son double à volonté, en prenant par exemple l'apparence d'un de ses animaux de pouvoir. Dans les légendes des peuples, on mentionne souvent des sorciers se transformant en oiseaux ou en félins. C'est en fait leur projection astrale que ces derniers manipulent tel un hologramme.

Mais un véritable chaman considèrera ces facultés extraordinaires comme d'amusantes simagrées, sans trop y attacher d'importance. Sa véritable mission est la réalisation de son être. Son but ultime est de s'énergiser suffisamment pour transcender le portail de l'astral et briser le cycle de la vie et de la mort. Il pénètrera alors dans une vibration beaucoup plus subtile, appelée «domaine de l'aigle», où son âme immortelle se fusionnera avec son pur esprit.

Au-delà de ce plan divin se trouve notre point d'origine. Là où nous réussirons tous à retourner un jour, dans un avenir proche ou lointain, selon notre degré de conscience.

Paul, en m'offrant le livre de Castaneda, m'avait fait un cadeau inspiré. Lorsque j'apprécie un auteur ésotérique, je dévore généralement dans la foulée tous ses ouvrages. Une sorte d'immersion accélérée dans un nouvel univers qui abreuve ma soif de connaissances. J'avais vu, pour l'avoir vécu ces derniers mois, comment la thérapie avait apaisé mon mal de vivre et m'avait littéralement transformée. Je n'avais pas l'intention de m'arrêter là. J'avais compris que mon existence serait un long cheminement semé de bonheurs, d'épreuves et de leçons.

La rigueur du travail chamanique reflète bien ce désir de dépassement. Beaucoup de principes dans les enseignements de don Juan me semblent applicables au quotidien. Ce savoir sérieux et sacré m'apparaît comme la source simple et naturelle d'une existence, davantage en accord avec notre nature profonde. En suivant ces lois spirituelles, nous pouvons désarmer les angoisses engendrées par un mode de vie où le faire et le paraître prennent une importance démesurée. Voici, en quelques mots, les principes élémentaires qui m'ont beaucoup touchée et que j'essaie tant bien que mal d'appliquer encore aujourd'hui.

L'initié, s'il veut toucher à l'essentiel, doit s'efforcer de vivre dans le moment présent. Le passé est mort et le futur est à venir. Le seul moment qui compte réellement est ici et maintenant. Pleurer sur le passé ou constamment rêver à l'avenir amenuise nos facultés et disperse nos talents. Les moments d'inspirations viennent lorsque nous calmons le flot incessant de notre pensée. Pour cela, il est utile de nous concentrer sur les tâches simples, ce qui constitue une forme de méditation active, accessible à tous. Peu importe que nous essuyions un verre ou que nous passions le balai, faisons-le méticuleusement avec toute notre attention. Ainsi, nous trouverons du contentement dans chacune de nos actions, même celles qui nous paraissaient auparavant ingrates ou sans importance. Pensons à l'ordre et au calme que nous créons dans notre environnement et au bienfait qui en résulte pour notre entourage. Si nous vivons dans le moment présent, chacun de nos gestes devient un apprentissage vers la maîtrise de soi.

Chérir les choses simples permet de suspendre notre jugement. Les actions des hommes sont alors appréciées pour leur authenticité et leur degré d'investissement et non plus en fonction d'une hiérarchie sociale ou d'un système de valeurs arbitraire. Un chaman ne juge jamais son prochain. Il ne se laisse pas influencer par les victimes ou les manipulateurs qui croisent sa route, et se garde bien de les condamner. Il sait que dans chaque homme réside le même esprit, tout en comprenant que certains, à cause de leurs mauvais choix, tardent à le découvrir.

Le chaman, dans sa quête de vérité, ne s'attarde pas aux conventions. Le monde tel qu'il le perçoit est tellement plus vaste et plus exigeant que notre modeste réalité! Les mystères intimes et sacrés qui tissent la fabrique de son expérience se partagent difficilement avec le reste de l'humanité, encore aux prises avec le carcan d'un système de pensée limitatif. L'apprenti se doit donc de suivre sa propre voie, sans se soucier des critiques, tout en évitant de se prendre au sérieux pour ne pas tomber dans les griffes d'une dérisoire supériorité. L'initié est profond et léger à la fois. Dans son cheminement, il tente d'atteindre l'équilibre en toutes choses en suivant «la voie du milieu».

Les prenants enseignements de don Juan m'ont emplie d'une nouvelle compréhension, où la possibilité d'un plan parallèle, magique et pourtant réel est devenue pour moi une réalité. À la suite de ces étonnantes révélations, je prends deux résolutions qui contribueront dans l'avenir à déchirer le voile de mes illusions.

Premièrement: celle d'honorer mon originalité. Trop longtemps, par peur d'être exclue, j'avais supprimé ma nature non conformiste. Désormais, je parlerai avec ma propre voix.

Deuxièmement: celle d'arrêter de blâmer les autres ou d'évoquer la malchance pour rationaliser mes mésaventures. Désormais, je prendrai la responsabilité de ma réalité. Celle que je crée pour le meilleur et pour le pire, sachant que l'univers me donnera toujours les outils dont j'ai besoin pour parfaire mon évolution. Autrement dit, finis l'amertume et les regrets puisque j'ai choisi mon destin et qu'en suivant ses invitations je serai toujours au bon endroit, au bon moment.

Il est 2 h du matin, je suis dans ma petite chambre à Key West et n'arrive pas à fermer l'œil. Complètement dynamisée par ma lecture et les réflexions qui en découlent, mes pensées se tournent naturellement vers Paul.

Pourquoi ai-je attiré ce genre d'homme dans ma vie? Malgré ses belles qualités, mon ex-fiancé était rempli d'insécurités qui le rendaient perfectionniste et contrôleur. L'effet miroir, peut-être? J'attendais un sauveur, je me suis commandé un jumeau! Belle façon d'apprendre que la meilleure façon d'être sauvée est de travailler sur soi-même. Bien sûr, il est important d'aller chercher de l'aide mais, ce faisant, il faut éviter d'y laisser son pouvoir. Intrinsèquement, à l'âge adulte, nous devons nous prendre en charge et ne pas nous fier à nos conjoints, à nos parents ou à nos enfants pour combler nos carences affectives. J'imagine ma prochaine relation amoureuse comme un échange, une douce communion. J'ai passé mon envie de dépendre d'un Pygmalion, même bien intentionné!

Au fait comment sera-t-il le prochain homme dans ma vie? Comme pour répondre à ma question, un souvenir remonte à ma mémoire. Dans cette même ville, lors de mon internat au New Life Center, Carol-Ann, son étonnante directrice, nous avait suggéré un moyen fort simple de nous attirer une réalité meilleure. Il s'agissait de créer sur mesure une affirmation positive que nous devions écrire sur papier une dizaine de fois, pendant 21 jours, accompagnée d'une description détaillée de la situation désirée. Pourquoi ne pas essayer son petit procédé, au lieu de me retourner dans mon lit comme une tranche de bacon sur le gril?

(Je conserve cette liste depuis 15 ans, je la retranscris ici telle quelle!)

Voilà, comment j'imagine mon prochain fiancé: je le voudrais sensible et distingué, avec un esprit curieux et inventif. Un homme attentionné qui me respecte. Un esthète qui aime les arts, les voyages, les fêtes. Je le voudrais honnête, loyal, mature mais qui ne se prend pas trop au sérieux. De préférence un étranger qui a une carrière bien établie. Un homme content de sa vie qui ne connaît pas l'envie, la jalousie. Et si possible, qu'il ressemble à William Hurt, mon acteur de cinéma préféré!

Et sous cet inspirant résumé, j'ajoute cette affirmation, qui m'émeut encore aujourd'hui lorsque je la relis:

Moi, Anne, je mérite d'être aimée.
Toi, Anne, tu mérites d'être aimée.
Elle, Anne, elle mérite d'être aimée.

Par expérience, je peux attester que les affirmations écrites avec ces trois pronoms sont plus percutantes. Le «je» programme notre propre subconscient, le «tu» affecte nos proches, notre entourage immédiat, et le «il» ou «elle» travaille à la vision que les autres ont de nous dans la société.

Trois jours plus tard, je me rends le cœur léger à mon rendez-vous avec Monsieur Gary, le réputé voyant. J'ai eu le temps de terminer le premier tome des leçons de don Juan et la partie gauche de mon cerveau, le côté intuitif, fonctionne à pleine vapeur. Qu'est-ce que je donnerais pour avoir la chance de travailler, comme Castaneda, avec un véritable maître de l'occulte!

Bien que je ne m'attende pas à un miracle, les talents de Monsieur Gary piquent ma curiosité. Il aura tout mon respect s'il démontre vraiment sa capacité à syntoniser les informations futures de ma vie aussi facilement qu'une antenne de radio orientée sur le bon canal!

J'arrive donc à l'adresse prévue, une petite maison de bois blanc, toute simple. La véranda est décorée de jolies fleurs orange et fuchsia. Quelle amusante coïncidence, ce sont mes couleurs préférées. Monsieur Gary, un petit homme barbu et tout rond, vient m'ouvrir. Très affable, il me dirige vers la table de la salle à dîner, où trônent des cartes de tarot aux coins racornis. Elles sont très colorées et me semblent beaucoup plus grandes qu'à l'ordinaire. «J'ai peint ces cartes à la main il y a plus de 20 ans. Ce sont des amies fidèles qui ne sauraient mentir», me dit mon hôte en me servant une tasse de thé. Sans plus tarder, il se met à l'ouvrage, me demandant de brasser les cartes et d'en choisir 14 pour commencer. Il les prend une à une et les dispose devant lui sur la table, dans un ordre préétabli.

En peu de mots, voici à peu près ce qu'il m'a prédit: «Vous espérez avoir un travail très important à l'étranger, en rapport avec la télévision. Mais il y a des problèmes. Certaines intervenants sont contre la réalisation du projet. Vous avez mis beaucoup d'espoir dans cette aventure. Je suis désolé, mais ce projet ne se fera pas.» Je suis vraiment déçue. Une émission de télé à l'étranger… Il doit s'agir de Gaby Deslys! Bah, ne mettons pas la charrue avant les bœufs! Peut-être qu'il se trompe, après tout. «Mais c'est quand même étonnant, qu'il me parle justement de cette histoire», pensai-je.

Monsieur Gary regarde les cartes et enchaîne, esquissant un sourire: «Par contre, je vois un grand changement qui arrive très bientôt. Un nouvel homme entre dans votre vie. Il est étranger et son travail a rapport à la médecine. Il a beaucoup d'humour. Il est très différent des hommes que vous avez connus auparavant. Je vous vois formant un couple uni pour une longue période, au moins 25 ans. Ensemble, vous allez énormément voyager et dépenser beaucoup d'argent. Pour tout vous dire, il est tellement proche que je ne serais pas surpris que vous le trouviez en sortant, derrière la porte de ma véranda!» Je suis bouche bée. Autant j'aimerais qu'il se trompe avec sa première prédiction, autant je frétille de plaisir au sujet de la seconde. La description de mon futur fiancé ressemble étrangement au résumé que j'ai concocté pas plus tard que la veille. Par ailleurs, j'ai un peu d'inquiétude en ce qui a trait à la médecine, c'est un monde si différent du mien. En plus, je n'ai pas trop envie de rencontrer mon homme aux États-Unis. Merci, mais j'ai déjà donné pour ce qui est des amours outre-Atlantique. Je voudrais un amoureux disponible et facile d'accès!

La consultation me laisse un peu confuse. Je me demande en fin de compte si je n'aimerais pas mieux prendre un petit congé des hommes pour l'instant et jouer dans la série sur Gaby Deslys. Ah! la question du siècle: prendre l'argent et la gloire, ou l'amour? De toute façon, d'après ce que j'ai compris des paroles de Monsieur Gary, je n'ai pas vraiment le choix!

En sortant de la salle à manger, je jette un regard fébrile sur le palier, à travers la porte vitrée. Mon cœur fait un triple saut car j'aperçois une ombre sur le plancher de la véranda. Il y a quelqu'un dehors! J'ouvre la porte toute grande… et me retrouve devant une vieille dame à lunettes, attendant sagement son rendez-vous. La pauvre âme n'a jamais dû comprendre pourquoi je la regardais avec des yeux si perçants. Elle ignorait sûrement que d'après mes prédictions je m'attendais presque à trouver à sa place le prince charmant!

Voici déjà le moment de quitter Key West. Pour la première fois, je pars de mon île bien aimée avec un sentiment de plénitude. Sans avoir dans le ventre la crainte sournoise de laisser mon refuge pour me retrouver seule à Paris, là où d'habitude le monstre endormi se réveille. Non, je sais que c'est bien fini: mes crises de boulimie sont choses du passé. Comment en suis-je certaine? Parce que le système de pensée illogique qui me poussait dans cet abîme s'est transformé. Le changement s'est fait en douceur mais en profondeur. Pendant les 11 mois de thérapie, j'ai filtré mon inconscient, reprogrammé mon subconscient. Je sais qu'il n'y aura pas de récidive pour la simple raison que je ne suis plus la même! J'ai réglé les blessures du passé, fait la paix avec Paul et l'avenir semble prometteur. Dans quelques semaines, je serai avec de vieux amis en train de tenir un rôle juteux dans un bon scénario. Quoi demander de mieux!

Nous sommes à la fin d'août. La période du Festival des films du monde de Montréal. Je dois m'y arrêter avant de retourner à Paris, car le film *Elsa, Elsa* du metteur en scène Didier Haudepin y sera projeté. C'est une œuvre rafraîchissante où je me suis beaucoup amusée à incarner une star de cinéma capricieuse et alcoolique.

Je suis ravie de participer encore une fois au festival. Ma dernière incursion ayant été ma présence à la soirée d'ouverture pour la présentation du *Crime d'Ovide Plouffe*, à une époque où me montrer en public, enflée et boudinée, était encore un supplice. Cette fois-ci, ce sera bien différent. Je suis aussi très heureuse de revoir ma famille, puisque ces dates coïncident avec mon anniversaire, le 31 août. Cela fera une petite Vierge du deuxième décan bien contente cette année!

Lors de mes déplacements aériens, je voyage par une compagnie américaine pratique et peu chère appelée People Express. La traversée de Bruxelles à Burlington dans le Vermont coûte 130 $ à peine, et un vol New York-Montréal s'obtient pour la modique somme de 29 $. Les voyageurs montent dans l'avion comme dans un autobus, sans place assignée, en payant leur billet une fois assis à bord. Ces aubaines sont une vraie bénédiction pour ceux qui voyagent fréquemment, à condition que les utilisateurs tolèrent l'absence de repas et d'alcool, et surtout les nombreux retards.

Venant de Miami, la salle d'attente où je me trouve en transit, à l'aéroport de Newark dans le New Jersey, est d'une tristesse désolante. Les murs de ciment institutionnels sont peints d'un abominable bleu poudre, rappelant les hôpitaux et les écoles construits sans aucun goût dans les années 50. Et les bancs plastifiés y sont encore moins confortables que ceux du Stade olympique... J'ai 40 minutes d'attente avant le départ et commence déjà à trouver le temps long, quand la préposée au vol nous annonce de sa voix nasillarde que l'avion aura plus d'une heure de retard à cause d'un bris mécanique. Elle nous explique qu'après inspection, une des lumières extérieures de l'appareil semblait défectueuse. Un technicien, en dévissant l'ampoule pour la changer, a vu tomber sur la piste, une pinte de liquide hydraulique! Ce petit incident commande un besoin urgent de réparation sinon les roues de l'avion ne pourraient pas se déployer avant l'atterrissage...

Il n'y a pas grand-chose à faire dans ce triste hangar. Je m'amuse donc à observer les gestes et attitudes des autres passagers, un exercice auquel s'adonnent souvent les comédiens pour se forger un stock d'informations physiques en vue de créer de nouveaux personnages. J'ai de la bonne matière sous les yeux, car au centre de la pièce un groupe de Parisiens très animés pour ne pas dire très en colère gesticulent à tout venant pour exprimer leur mécontentement. Tout à coup, une charmante vision apparaît devant moi: une petite fille aux longs cheveux blonds, habillée d'une ravissante robe fleurie, parfaite incarnation d'Alice au pays des merveilles. Elle est adorable. Je suis du regard son petit bras gracile, pour m'apercevoir qu'elle tient la main de son papa, un homme, ma foi, vraiment superbe. Bronzé, les cheveux très blonds, doté d'un beau visage noble et d'yeux bleus impressionnants, il a fière allure, avec sa chemise de lin écarlate et son panama de paille beige. Détail touchant, il porte sous le bras un énorme caniche en peluche blanc, du genre de ceux qu'on gagne dans les fêtes foraines. Intriguée, je scrute les alentours. Intéressant! Pas de maman à l'horizon!

À ma grande surprise, mon bel inconnu, qui me paraissait anglophone sans que je puisse vraiment deviner sa nationalité, se met à converser avec les Parisiens, installés debout juste devant moi. Il parle très bien le français, avec un joli accent. Sans même réfléchir, je me lève aussitôt pour me mêler au groupe. Très vite, nos interlocuteurs semblent se fondre dans le décor, et la conversation qui incluait au départ plusieurs intervenants se transforme en un dialogue intense où il n'existe plus que nous deux.

J'apprends que le papa attentionné rentre de vacances en Floride, où il a visité Disneyworld avec sa fille. Il est originaire d'Australie mais vit à Montréal, où il travaille comme directeur de recherches d'une grosse entreprise pharmaceutique. Je le trouve animé et plein d'humour. Il est en fait à l'opposé du vieux cliché qui décrit les scientifiques comme des gens ennuyeux, obsédés par leurs formules. L'homme qui se tient devant moi, avec son énorme sourire, exsude sa joie de vivre par tous les pores de sa peau! Qui me semble d'ailleurs absolument délicieuse! «Voyons Anne, tu délires, me dis-je intérieurement. Tu le connais depuis cinq minutes à peine et déjà tu songes à le mordre. Du calme, ma belle!» Mais je dois avouer que je suis très, très attirée!

Une heure plus tard, nous entrons finalement à bord de l'appareil. Séparés par la foule, je me retrouve dans la file d'attente à l'arrière de l'avion, tandis que la petite famille australienne monte à l'avant. Installé le premier, mon bel interlocuteur m'a réservé une place à ses côtés. Je le revois encore, à genoux sur son siège, les yeux brillants, regardant vers l'arrière de l'appareil en agitant la main avec détermination pour être sûr d'attirer mon attention. Décidément, il a aussi envie que moi de me voir assise à côté de lui. Je m'exécute avec empressement, et nous constatons que nous ne nous sommes pas encore présentés. Il s'appelle John Gillard et prononce son nom avec un accent mi-australien, mi-britannique que je trouve terriblement séduisant.

Le voyage passe comme un éclair. Nous parlons de tout, avec sincérité et franchise. À croire que nous nous connaissons depuis toujours. J'apprends qu'il est divorcé et qu'une des raisons de son voyage était de mettre un terme à une relation à longue distance qu'il entretenait depuis quelques mois avec une compatriote vivant à Palm Beach, en Floride. Je lui réponds que je suis allée à Key West exactement pour la même raison!

Assise près de la fenêtre, Annick, sa petite fille, s'ennuie un peu. Pour l'occuper, je lui prête mon baladeur. Elle est aux anges, car j'y avais installé, avant le départ, la cassette de Men at Work, le groupe fétiche de tout Australien qui se respecte. Une autre étonnante coïncidence. Apparemment, notre rencontre était écrite dans le ciel.

Avant de descendre de l'avion, je fais un geste effronté qui me surprend moi-même. Sortant ma carte de visite de mon sac à main, je la tends à Monsieur Gillard, et lui dis: «Je suis à Montréal pour 10 jours, appelez-moi!» Il s'empresse de la prendre avec l'air repu d'un matou satisfait de sa chasse.

Ma famille est venue m'accueillir à Mirabel. Nous ne nous sommes pas vus depuis très longtemps et j'ai des tas d'histoires à leur raconter. Mais je n'ai qu'une envie, parler de l'homme formidable que je viens de rencontrer. Il est beau, il est drôle. Il est gentil, cultivé, intelligent. Il a été professeur à Harvard! Et les superlatifs se succèdent les uns après les autres. Je suis vraiment mordue!

Une journée interminable se passe sans nouvelle de mon nouveau prétendant. Le surlendemain, je reçois enfin le coup de téléphone tant espéré. John m'invite à dîner. Je devine qu'il a attendu 24 heures par délicatesse, pour me laisser du temps avec ma famille et surtout pour ne pas paraître trop empressé.

En cavalier distingué, il vient me chercher à la maison, rue Victoria. Nous allons d'abord prendre l'apéritif au bar de L'Express, ma cantine préférée où règne toujours une joyeuse atmosphère. Puis nous nous rendons à La Sila, un restaurant italien situé aussi rue Saint-Denis, où l'ambiance feutrée est plus propice à un rendez-vous romantique.

J'avoue que j'ai eu le coup de foudre dès que je lui ai parlé à l'aéroport du New Jersey. Mais là, à la fin de cette merveilleuse soirée, je suis carrément subjuguée. Notre conversation a aisément versé dans une intimité rare pour une rencontre si neuve. Nous nous sommes confiés avec abandon sur des sujets souvent délicats à aborder entre homme et femme. Nous avons partagé nos désirs, nos attentes face à la relation amoureuse. Nous avons avoué avec candeur nos déceptions et nos erreurs dans nos précédentes histoires d'amour. Contre toute logique, je lui ai même parlé de mon récent cauchemar à Paris, de la boulimie, de la thérapie. Sans me juger, il m'a écoutée avec patience et compassion. Je crois que je suis tombée sur un trésor!

À la fin de la soirée, en vrai gentleman, John me demande s'il doit me raccompagner chez ma mère. «Non, non, pas question, que je lui réponds. Il ne me reste qu'une semaine à Montréal. Allons chez toi!» Je me sens tellement à l'aise avec cet homme charmant et attentionné que je fais preuve d'une audace inhabituelle. Je n'ai pas envie de perdre une minute de sa présence, sachant que notre précieux temps est compté.

Nous nous voyons presque tous les soirs, profitant pleinement de la période *glamour* du Festival des films du monde où les nuits de notre belle ville s'illuminent de festivités, cocktails et événements de toutes sortes. Les producteurs de cinéma rivalisent d'ingéniosité pour organiser de grandes soirées aptes à distraire les vedettes internationales de passage dans notre province. Nous ne sommes pas à Cannes, mais il y a amplement de quoi s'amuser. Montréal est fidèle à sa réputation de première ville des festivals d'été.

J'ai très envie d'assister à la projection du film *Mélo* du metteur en scène Alain Resnais. Puisque je vais travailler bientôt avec le comédien Pierre Arditi qui est l'un de ses amis, cela me fera au moins une entrée en matière pour la conversation. Le film est en compétition officielle. Impossible de trouver un billet, la salle

Maisonneuve étant pleine à craquer. En tant que comédienne invitée, j'ai droit à un laissez-passer pour une personne mais je suis accompagnée par… vous l'avez deviné, le beau John! Je ne me laisse pas démonter aussi facilement. En vrai passionnée des arts, quand il s'agit d'entrer dans une salle pour assister à un spectacle que je me meurs d'envie de voir, j'ai toujours plus d'un tour dans mon sac. À 15 ans, étudiante en théâtre au cégep de Sainte-Thérèse, je me suis même cachée tout un après-midi sous une pile de rideaux de scène dans l'auditorium du collège pour assister à un concert *sold out* de la chanteuse Véronique Samson, mon idole de l'époque!

Je demande à John s'il est prêt à suivre mon plan d'action. Je vais essayer de le faire passer pour Bruce Beresford, un réalisateur australien qui est membre du jury. Après quelques secondes d'hésitation, il acquiesce en éclatant de rire. Nous nous regardons avec une complicité espiègle comme deux écoliers prêts à jouer un mauvais tour. Je le présente donc avec assurance à la placière postée à l'entrée du théâtre. «Monsieur Beresford vient tout juste d'arriver de Sydney, lui dis-je. Il n'a pas encore eu le temps d'aller chercher sa carte d'accréditation.» Et John, avec un aplomb remarquable, entre dans le jeu. Prenant son plus pur accent australien et son plus beau sourire, il lance à la jeune fille: «*Thank you mate! I owe you one!*» (Merci, copine! Je t'en dois une!)

La ruse a fonctionné et nous entrons dans la salle tout excités, pour nous asseoir dans les meilleurs sièges du centre, habituellement réservés au jury. Personne ne semble s'en inquiéter car nous avons tout de même attendu judicieusement qu'on éteigne les lumières avant de perpétrer notre petit méfait. Car quelqu'un aurait pu remarquer que Monsieur Beresford, un petit brun frisé, s'était mystérieusement transformé en beau blond aux yeux d'azur!

Cette gaminerie sans conséquence a tout même démontré que dès le début de nos fréquentations nous jouissions d'une belle complicité. Le fait est qu'en compagnie de John j'ai toujours l'impression d'être invincible. Le monde autour de nous devient magique. Lorsque nous sommes ensemble, nous créons malgré nous une telle synergie, il émane de la communion de nos deux êtres une telle force de vie, que rien ne semble jamais déplacé, ennuyeux ou trop difficile. Je crois qu'il en est ainsi lorsqu'une femme rencontre son «âme frère». Un homme qui la complète, sans jamais la diminuer. Un état de choses rare qui n'est pas dessiné dans tous les plans de vie. Je remercie mon esprit tous les jours d'avoir permis et manifesté cette extraordinaire rencontre!

Le temps a passé comme un éclair. Je dois rentrer à Paris. Pour mon anniversaire, John m'a offert une paire de draps anciens en satin rose, bordés de dentelles. Ils sont magnifiques et je me promets de les mettre dans mon lit dans mon appartement sans style du quartier Belleville. Je trouve ce cadeau très touchant, très délicat, un bel hommage à ma féminité, même s'il ne correspond pas du tout à mes goûts. John adore ce qui est ancien et victorien, et moi j'adore ce qui est design ou asiatique! En quelques jours, nous n'avons pas encore eu le temps d'explorer à fond notre sens esthétique…

Je repars sans vraiment savoir ce qu'il adviendra de notre lien amoureux. Un océan nous sépare et le monde dans lequel nous évoluons est tellement différent. Peut-être suis-je trop extravertie pour être la compagne d'un scientifique et peut-être est-t-il trop rationnel pour supporter la faune artistique à long terme. Mais le fait est que nous sommes tous les deux absolument à l'aise ensemble où que nous nous trouvions.

Dans l'avion d'Air France, survolant l'Atlantique, j'ai tout à coup une illumination! Il semble que le fait d'être dans les airs accentue l'oxygénation de mon cerveau. À terre, je n'avais pas encore vu ce qui pourtant crevait les yeux: John correspond exactement à la description du voyant de Key West. Il travaille dans les sciences de la médecine. Il est étranger. Il est décidément un épicurien qui a le sens de la fête et possède un humour peu commun. Monsieur Gary m'avait même prédit que notre rencontre était imminente. Je l'ai connu le lendemain!

Je commence à frétiller sur mon siège comme un saumon remontant la rivière au printemps. Mon Dieu, est-ce possible, et si c'était lui, l'homme de ma vie? Le cœur battant, je ressors le papier sur lequel j'avais écrit mes affirmations positives dans ma chambre de la Russell House, le soir précédant ma séance de tarot. En relisant le résumé des qualités de mon amoureux éventuel, je dois bien me rendre à l'évidence que John, encore une fois, correspond tout à fait à la description. Il est mature, a une carrière bien établie, mais ne se prend pas trop au sérieux. Il est sensible, distingué. En plus, et là c'est tout à fait troublant, il ressemble vraiment à William Hurt, l'acteur américain que j'avais inscrit sur ma liste! Est-ce que l'univers a concrétisé mon rêve à la vitesse de la lumière, où est-ce que j'ai tout simplement puisé mon inspiration dans un scénario déjà écrit, ne faisant que transcrire sur papier l'inévitable destin? Que notre rencontre ait été prédestinée ne fait plus pour moi l'ombre d'un doute.

Malgré ces corrélations, je n'ose pas élaborer de projets d'avenir. Au cours des prochains mois, nous allons tous les deux être très occupés, sur deux continents différents! La distance n'a pas aidé ma relation précédente, avec Paul. Mais John est tellement différent. J'ose espérer que notre situation s'améliore d'une manière ou d'une autre car, depuis mon départ, je sens comme un vide dans ma poitrine. Une partie de mon cœur est restée à Montréal.

Malgré notre éloignement, les liens avec mon bel Australien se resserrent de plus en plus. Nous avons installé un petit rituel le plus naturellement du monde et nous parlons au téléphone tous les deux soirs à minuit, heure de Paris. Avec le décalage, cela correspond pour John juste à la sortie de son travail. Je ne suis jamais couchée à cette heure, car la Ville lumière abrite surtout des oiseaux de nuit. Moi qui suis d'ordinaire une couche-tôt et une lève-tôt – un rythme plutôt courant en Amérique –, ici je ne peux suivre mon habitude, car les Parisiens vivent différemment. Ils arrivent au travail à 10 h le matin, prennent une heure et demie pour le déjeuner à midi et rentrent du bureau après 20 h. Comme ils adorent les repas entre copains, même les jours de semaine, il n'est pas rare de recevoir un coup de fil à 21 h pour une invitation à manger… dans une heure! Je suis donc généralement éveillée et en pleine forme quand je reçois mon appel d'outre-mer. J'avoue que la sonnerie de ce téléphone me fait des chatouillis dans le ventre!

Cela fait 10 jours seulement que nous nous sommes pas vus et déjà cela me paraît une éternité. Vite que minuit arrive! Je suis postée près de l'appareil sur le divan du salon depuis un quart d'heure. Je me mets à fredonner comme dans la chanson: «Gaston, j'ai hâte keul téléfon y son!» Enfin, ça y est! J'entends la voix chaude et profonde de mon amoureux: *«Hello, darling.»* Son accent me donne des frissons! «J'ai une belle nouvelle à t'annoncer, me dit mon gentleman chercheur. Je dois participer à un séminaire à Nice dans deux semaines. J'ai décidé de prendre un petit congé. Si tu es d'accord, on se retrouve sur la Côte d'Azur et ensuite je t'emmène en Italie.» *«Mamma mia!* que je m'exclame. Mais c'est fantastique! Bien sûr que je suis d'accord. Le voyage tombe juste dans les bonnes dates. Le tournage ne commence pas avant le début d'octobre. Je suis libre comme l'air. Merci chéri, merci mille fois!»

Mon dernier voyage aux États-Unis a épuisé mes maigres ressources financières. J'utilise mes derniers deniers pour me payer un billet de train de deuxième classe en direction de Nice, où j'irai rejoindre mon nouvel amour. Heureusement qu'avec ma silhouette retrouvée, j'enfile sans problème tous mes vêtements confectionnés sur mesure deux ans auparavant par le styliste Georges Lévesque. Des tenues spectaculaires que nous avions dessinées ensemble pour mes débuts fracassants au Festival de Cannes, à la présentation des *Plouffe*. J'ai toujours adoré participer à la création de mes vêtements. Le stylisme de mode est un art tellement créatif, qui me rappelle les déguisements de mon enfance. Avec du goût, de l'imagination et quelques bouts de tissu, on peut devenir qui on veut!

Je suis donc fin prête pour mon séjour sur la Côte d'Azur. J'ai tellement hâte de retrouver John! Nos conversations téléphoniques se révèlent si intimes, si merveilleuses que je n'ai aucun doute sur notre capacité de former un couple harmonieux en voyage – un test infaillible pour les amoureux: où ça passe, où ça casse!

Le trajet en train pour Nice à partir de Paris s'effectue la nuit et dure plus de 10 heures. J'ai donc réservé une couchette dans un compartiment pouvant loger jusqu'à quatre passagers. J'arrive à la gare à la dernière minute. Le taxi a évidemment été pris dans un embouteillage monstre, ce qui est inévitable à Paris qu'on se balade de jour ou de nuit. Après avoir fait déposer à l'avant du wagon par un porteur mes deux énormes valises gorgées de toilettes fabuleuses, je pénètre dans un minuscule compartiment où deux couchettes superposées sont placées sur les cloisons de chaque côté. J'aperçois à ma droite trois jeunes hommes assis nonchalamment sur un lit, en train de fumer des cigarillos. À voir leurs uniformes on dirait des nouvelles recrues de l'armée. Ce n'est pas possible, j'ai dû mal regarder le numéro sur mon billet. Après vérification, je dois bien me rendre à l'évidence. Je suis au bon endroit!

En plus, ma couchette se trouve en haut, au-dessus des têtes enfumées de ces trois soldats en goguette! Humiliation suprême, je dois grimper sur une échelle juste devant eux pour me rendre à mon insignifiant habitat. Je porte évidemment une jupe «écourtichée» qui n'est absolument pas confectionnée pour être vue par en dessous! Uniquement en France, pays des libres mœurs, peut-on imaginer une situation pareille. Il ne m'était jamais passé par la tête de m'informer au départ si les cabines étaient mixtes ou unisexes.

Au moment où le train démarre, mes compagnons, allongés sur leur lit de fortune se passent une bouteille de gros rouge et boivent de grandes rasades à même le goulot. Je garde la tête plongée dans mon bouquin, le troisième tome des leçons de Castaneda, essayant d'éviter tout contact. J'aimerais arriver à Nice avec mon honneur intact!

La soirée me paraît interminable. Je m'empêche de trop bouger et même presque de respirer pour ne pas attirer l'attention des trois mâles qui pour l'instant, Dieu merci, semblent plus intéressés par leur beuverie et leur conversation gaillarde que par ma personne.

Comme en parle justement don Juan dans le chapitre que je viens de terminer, j'essaie de créer autour de moi un mur d'énergie impénétrable. Jusqu'à maintenant, ç'a l'air de fonctionner! Malgré cela, je suis certaine que dans ma situation embarrassante, je n'arriverai pas à fermer l'œil. J'essaie de faire semblant de dormir, pour les inciter à se calmer un peu, en fermant la petite lampe située au-dessus de ma couchette. Rien à faire. Avec le raffut que font les éternels adolescents d'en bas, je suis incapable de me reposer. Quel gâchis, j'aurais tellement aimé être fraîche et dispose pour retrouver mon bel Australien, le lendemain!

Finalement, vers 2 h du matin, les trois fêtards ayant probablement vidé leur réserve de gros rouge qui tache, décident de calmer leurs transports et de fermer leurs lumières respectives pour la nuit. Je profite de la noirceur et de mon intimité retrouvée pour me mettre à l'aise et enlever mon soutien-gorge qui me serre le haut du diaphragme depuis des heures. Je le pose sur l'inconfortable matelas recouvert d'un immonde vinyle gris. Un matériel désagréable au possible qui couine dès qu'on bouge et qui donne chaud.

On peut imaginer l'odeur qui se dégage de ce poulailler, où trois petits coqs ont allongé leurs carcasses, en dessous d'une belle dinde en train de rôtir sur son perchoir! Quelques minutes après que je lui ai donné son congé, ma malicieuse brassière a la mauvaise idée de glisser sur l'horrible vinyle et tombe en plein visage de l'apprenti caporal d'en bas!

Horrifiée, j'essaie malgré tout de me donner une contenance et, me penchant au-dessus du vide, énonce d'un ton tout à fait bien élevé: «Pardonnez-moi, Monsieur, mais je crois que vous avez en main un objet qui m'appartient.» Ah! je voudrais m'évaporer dans le plafond du train! Aussi estomaqué que je suis mal à l'aise, le jeune homme me remet mon soutien-gorge, le tenant du bout des doigts comme s'il s'agissait d'un serpent venimeux. «Heu! Oui M'dame! Le voilà votr... heu! votr... truc!» Ouf, saine et sauve! Au moins, il n'a pas pensé qu'il s'agissait d'une invitation pas très subtile pour venir me rejoindre sur mon grabat.

Le reste du voyage se passe sans autre fait divers. C'est bien assez, pour une des plus longues nuits de ma vie!

J'arrive à l'hôtel tôt le lendemain matin avec les yeux rougis et un mal de tête carabiné. Heureusement, John, toujours très attentionné, a laissé un mot à la réception me prévenant qu'il était pris pour la matinée mais qu'il passerait me chercher pour le repas du midi. Parfait, j'ai le temps de faire une petite sieste et de me pomponner avant son retour. La chambre très accueillante a pleine vue sur la mer et sur la fameuse promenade des Anglais. Après avoir pris une bonne douche, je me plonge dans le lit douillet avec béatitude. Les petits ennuis d'hier me semblent déjà loin. Je me laisse couler dans les bras de charmants petits anges qui font doucement battre leurs ailes pour m'endormir au frais, en me chuchotant à l'oreille le doux nom de mon bien-aimé.

Mon chéri tant attendu arrive finalement dans la chambre avec presque une heure de retard (j'apprendrai par la suite que c'est son seul petit défaut!), ce qui m'a en fait donné le temps de me refaire une beauté. Il me prend tout de suite dans ses bras en me serrant très fort, avec émotion. Je suis toute bouleversée! Je ressens un grand plaisir qui me réchauffe tout l'intérieur. Au diable le déjeuner, cet après-midi-là, nous n'avons vécu que d'amour et d'eau fraîche!

Lors de ce premier voyage ensemble, nous nous sommes créé des souvenirs inoubliables. Longues promenades dans les marchés du vieux Nice, repas délicieux où nous avons découvert la gastronomie locale: une cuisine légère, gorgée de saveurs ensoleillées. Comme j'en avais eu le pressentiment, voyager avec John est un vrai régal. À l'étranger, nous vivons au même rythme, avons les mêmes envies de découvertes, la même curiosité.

À partir de demain, mon scientifique chéri n'aura plus d'obligations professionnelles, et nous partons pour l'Italie, l'un de mes pays préférés où j'ai déjà séjourné plusieurs fois, entre autres pour assister avec ma mère au Festival des arts de Spolète et pour présenter le film *Les Plouffe* à Rome. Nous partons en voiture, sans plan définitif ou réservation d'hôtel. Au mois de septembre, la grosse saison touristique de la riviera italienne s'achève et nous trouvons plus romantique de nous promener en suivant l'inspiration du moment. La magie qui semble entourer notre couple lorsque nous sommes réunis opère déjà. Sans connaître les environs, nous dénichons chaque jour la charmante petite auberge ou la jolie terrasse-restaurant avec vue imprenable que nous avions imaginée.

Lorsqu'on projette le bonheur, on le récolte. John et moi sommes absolument différents par notre éducation: lui ayant eu une formation universitaire des plus élevées, avec deux doctorats, moi ayant quitté l'école à 16 ans pour me lancer à temps plein dans le métier d'artiste. Pourtant nous nous ressemblons sur un point: nous sommes tous deux amoureux de la vie. Positifs et enthousiastes, nous en apprécions chaque minute. Faisant un choix conscient de fuir le cynisme et le négativisme tout en essayant de nous entourer de gens qui partagent la même philosophie. John a un réel talent pour le bonheur. En soufflant sur les braises endormies dans un coin sombre de mon être, il a ravivé une partie de mon âme que des années de pénitence et de désespoir n'avaient pas réussi à éteindre.

Nous voici arrivés à Sienne, en Toscane. Une ville qui a toujours attisé mon imagination à cause d'un grand festival médiéval, le Palio, organisé chaque année dans ses murs. Pour l'occasion, chacun des quartiers de cette belle cité soutient une équipe de cavaliers, habillés comme à l'époque de pourpoints et de hauts-de-chausse. Une course de chevaux palpitante a lieu sur la grande place, Il Campo, où sont installés, le reste de l'année, des tables et des parasols pour inviter les touristes à se restaurer tout en admirant la magnifique horloge située sur le campanile du Palais. Le Palio est presque une affaire d'État, soulevant beaucoup de passion chez les citadins. Il faut voir avec quelle fierté ils paradent dans les rues, brandissant de magnifiques drapeaux aux écussons multicolores représentant leurs équipes favorites.

Au début des années 60, mon père m'avait rapporté d'Italie des copies de ces jolis étendards. Ils avaient inspiré les jeux de mon enfance. Cette ville a toujours eu une connotation féerique, me rappelant des histoires de preux chevaliers et de damoiselles en détresse. Je suis tout à fait intriguée et heureuse de pouvoir enfin la visiter, même si ce n'est pas encore la période de la fameuse course. Nous n'avons aucun regret, car les rues trop étroites sont alors submergées de visiteurs et il devient impossible d'y circuler. Aujourd'hui, Sienne est d'un calme envoûtant, Sienne nous appartient!

La fin de l'après-midi, lorsque les rayons du soleil ont un peu apaisé leurs ardeurs, se révèle le moment idéal pour grimper les centaines de marches du campanile, la grande tour du Palais. De là-haut, nous admirons les collines de Toscane. À cette heure, le panorama est d'une rare beauté. La terre rouge et ocre est baignée d'une lumière dorée, et la campagne parsemée de vignes et de cyprès majestueux épouse des formes sensuelles, rappelant les silhouettes généreuses des femmes italiennes. Je suis debout, près du parapet, m'abreuvant de cette magnificence, lorsque John s'approche de moi et, entourant ma taille de son bras, pose tout doucement sa main sur ma hanche. À cet instant, j'ai vécu un moment de plénitude extrême, comme si le monde s'était arrêté quelques secondes pour me faire connaître la perfection. J'ai senti dans ce merveilleux silence que j'aimerais toujours cet homme profondément.

Plusieurs années plus tard, lorsque j'ai demandé à John: «Quand es-tu vraiment tombé amoureux?» Il m'a répondu avec émotion: «Pendant notre séjour à Sienne. Sur le haut de la tour, lorsque j'ai posé ma main sur ta hanche.» Je me suis alors exclamée: «Moi, aussi! C'est arrivé là, sur le campanile!» Sans le savoir, nous avions été touchés par la grâce au même moment.

Nous nous sommes tellement amusés durant le voyage que nos petites mésaventures se sont transformées en partie de plaisir. Même le fait de se perdre dans la banlieue de Rome, pour être bloqués dans la circulation pendant deux heures sous une chaleur étouffante, n'a pas réussi à altérer notre bonne humeur. Nous en avons profité pour nous donner un concert mutuel et chanter à tue-tête dans la voiture des chansons folkloriques québécoises et australiennes. Les autres automobilistes doivent s'en souvenir encore!

Les relations amoureuses avec une personne d'une autre nationalité permettent de découvrir un tout autre monde. Les références culturelles sont différentes. Les expressions linguistiques paraissent si colorées que les échanges sont pimentés d'un certain exotisme, ce qui prolonge la fascination qu'on a l'un pour l'autre. Il faut parfois faire preuve de tolérance pour accepter les différences, mais un avantage certain se présente lorsqu'on entend ou utilise une autre langue que la sienne. Les émotions rattachées aux mots qui pourraient paraître durs ou blessants ont très peu de prise, car ces derniers ne font pas partie de notre patrimoine subjectif. Autrement dit, John et moi n'avons jamais réussi à nous fâcher sérieusement car, au bout de quelques minutes, nous pouffons de rire, d'entendre ces drôles de mots dits avec ce drôle d'accent! Comment prendre au sérieux des expressions australiennes délirantes comme «*You have a kangaroo in the top paddock*» se traduisant par: «Tu as un kangourou dans l'enclos du haut», utilisée pour traiter quelqu'un de lunatique. Ou comment réagir négativement si on reçoit cette malédiction: «*May your chooks turn into emus and knock your dunny down*», ce qui veut dire: «Que tes poulets se transforment en émeus et rasent tes bécosses!»

Après ces échanges culturels édifiants, nous pénétrons finalement au centre de Rome. Une ville que j'adore, où je me suis toujours sentie à l'aise. Au cours des jours suivants, je réussis à épater mon amoureux en lui servant de guide comme si j'avais toujours déambulé parmi ces impressionnants monuments et ces piazzas séculaires. (Ce que je soupçonne, d'ailleurs. Comme vous le savez maintenant, je suis une fervente adepte de la réincarnation!) D'un point de vue plus pragmatique, j'ai aussi bénéficié, lors d'un précédent séjour, de l'expertise de l'attaché culturel du Canada à Rome, qui m'a fait connaître les vrais endroits où se retrouvent les Romains authentiques. L'un des meilleurs moyens de palper le cœur d'une ville est de découvrir les restaurants et bars fréquentés par les locaux et tout spécialement par les artistes. Nous avons passé des soirées inoubliables à manger et boire comme des empereurs aux terrasses du vieux quartier de Trastevere. Nous fréquentions des petits bistrots sympathiques et pas du tout touristiques, où il n'est pas rare de côtoyer des stars comme Sophia Loren ou Marcello Mastroianni qui viennent s'y restaurer en toute tranquillité. En Italie, les aliments les plus simples – une tomate bien mûre nappée d'un filet d'huile d'olive – sont si savoureux qu'on croirait y goûter pour la première fois. Impossible de les comparer avec leurs cousins du Canada! Les *porcini*, des champignons géants, sont si délicieux, grillés à l'ail, qu'on les mange en plat principal, en remplacement de l'entrecôte!

Un après-midi, alors que nous nous promenons Via Margutta, la rue des antiquaires où est situé notre hôtel, je me fais interpeller par un beau brun basané, à l'allure du parfait amant italien. Il me dit, avec un sourire aux dents éclatantes: *«Scusi, ma sei una actrice?»* (Excusez-moi mais êtes-vous une actrice?) Un peu étonnée, je lui réponds dans mon italien incertain: «Effectivement, je suis comédienne. Mais comment l'avez-vous su?» Dépistant mon accent étranger, il me dit dans un anglais correct: «Avec votre port de tête et la grâce de votre démarche, je l'ai deviné.» Là, mon fiancé est vraiment impressionné! Il se trouve que ce charmant intrus tient un petit rôle dans un film, tourné dans l'immeuble d'à côté, réalisé par Lina Wertmuller. Une femme à la cinématographie admirable, un pilier du cinéma italien. J'ai vu tous ses longs métrages, mettant en vedette Giancarlo Gianini, un acteur étonnant qu'on a pu voir récemment en inspecteur véreux dans *Hannibal*, la suite du *Silence des agneaux*, un film terrifiant où le grand Anthony Hopkins reprend son rôle du carnassier psychopathe Hannibal Lecter.

Je m'empresse de dire à mon interlocuteur que je suis une fan de la réalisatrice avec qui il a la chance de travailler. Sans plus tarder, il nous invite à l'accompagner dans la cour intérieure d'une villa imposante où une scène est justement en train d'être tournée. Et qui reconnais-je à ses immenses yeux qui lui dévorent le visage et à sa façon d'émettre son dialogue à une vitesse vertigineuse tout en gardant une nonchalance corporelle étonnante? Giancarlo Gianini en personne! Voir travailler ce virtuose est pour moi un moment magique. Mais nous prenons congé assez rapidement. J'ai toujours trouvé indiscret de traîner sur un plateau de cinéma alors que je ne fais pas partie de l'équipe. Les techniciens et les comédiens travaillent dur. Ils ne sont pas là pour amuser la galerie. Trop de curieux altèrent l'atmosphère de calme et d'intimité nécessaires aux acteurs pour leur concentration.

Avant notre départ, notre nouvel ami nous offre une photographie autographiée, souvenir de son apparition dans le film *Novecento* de Bernardo Bertolucci. Je trouve son geste gentil et m'apprête à le remercier lorsque je réalise que, sur la fameuse photo, il se tient debout aux côtés de… Robert De Niro! Un cadeau inespéré!

Notre couple, depuis le premier jour, semble provoquer ce genre d'échanges inopinés et fabuleux. Que les gens soient d'abord attirés par John ou par moi, peu importe, nous faisons généralement des rencontres surprenantes. Comme cette fois où mon sociable compagnon s'est mis à converser avec un couple au Café de Flore à Paris, après lui avoir demandé la permission de consulter sa copie du *Herald Tribune* déposée sur une chaise près de sa table. Il s'est avéré que le mari était un homme d'affaires australien multimillionnaire avec qui nous avons sympathisé et qui nous a invités à passer la soirée sur son yacht privé! Après nous être régalé de foie gras et de langoustes, arrosés de Veuve Clicquot, nous avons valsé tous les quatre sur le pont, tout en naviguant entre les rives de la Seine au clair de lune. Un événement inoubliable et totalement imprévisible.

Notre merveilleux voyage tire déjà à sa fin. Il ne nous reste malheureusement qu'une journée pour visiter Florence. C'est trop peu, surtout que j'y viens pour la première fois. Je suis prête à courir le marathon s'il le faut, mais je veux tout voir: le Duomo (cathédrale), la galerie des Ufizzi (musée), les jardins du Palazzo Pizzi, le Ponte Vecchio (pont couvert), les statues de Michel-Ange… J'ai beaucoup de mal à convaincre John de me suivre dans cet itinéraire insensé, car il a prévu de magasiner pour s'acheter des chaussettes! Il y a quelques années, il avait paraît-il trouvé à Florence des chaussettes de soie extrêmement confortables. Seule ombre au tableau, il ne se rappelle plus du tout l'endroit où il se les était procurées. Je ne suis pas venue dans la plus grande ville des arts pour passer mon après-midi à acheter des bas! J'use de toute ma persuasion féminine pour le convaincre d'abandonner ses recherches. Il acquiesce de bonne grâce et nous réussissons le miracle de contempler les plus beaux attraits de Florence en moins de six heures. Après avoir accompli ma mission, je repars satisfaite pour notre long trajet en voiture vers Nice. La tête et les yeux saturés d'images où se confondent les plus grandes sculptures, peintures et architectures de la Renaissance italienne.

De retour à Paris, je suis immédiatement happée par mon nouveau projet. Le tournage de *Flag* commence dans 10 jours. Les nombreux essayages de costumes, les essais de coiffure et de maquillage, les rencontres avec le metteur en scène et les autres comédiens me tiennent si occupée que je n'ai pas le temps de m'ennuyer de mon chéri. Nous avons passé, John et moi, des vacances si remplies, si complètes, nous avons tellement fait le plein d'amour et de tendresse que notre séparation n'est même pas douloureuse. Tous ces merveilleux souvenirs suffisent à me mettre le sourire aux lèvres et à m'inspirer de doux refrains dans la tête.

Je travaille mon accent parigot tous les jours. Pour jouer le personnage de Josy avec vérité, il me faut vraiment m'exprimer comme une fille des faubourgs. Au cours du tournage du film *Elsa, Elsa*, où je jouais aussi un rôle de Française, j'ai trouvé une astuce pour être sûre de toujours parler vrai. Je m'arrange pour devenir complice de l'ingénieur du son, le technicien qui écoute les voix des comédiens à longueur de journée avec des écouteurs sur la tête, pour enregistrer nos dialogues. À la fin de chaque prise, je lui jette discrètement un regard et il me fait signe pour m'indiquer s'il y a des choses à rectifier. Les mots où l'accent du Québec se trahit le plus facilement contiennent les consonnes «t» et «d» suivies de la voyelle «u» ou «i». Du genre: «Qu'est-ce que tu dis?» Les Québécois ont tendance à les prononcer en écrasant la langue, presque en sifflant, alors que les Parisiens les énoncent d'une manière beaucoup plus précise. Avec l'aide de l'ingénieur du son, je suis sûre de mon coup. Dans les 24 films et téléfilms que j'ai tournés en France, je n'ai heureusement jamais eu besoin d'être doublée. Ce qui n'est pas le cas de plusieurs de mes compatriotes qui ont participé à ce genre de coproduction franco-québécoise.

Imaginez l'humiliation, se faire doubler par un autre comédien dans sa propre langue!

Dans *Flag*, je joue la plupart de mes scènes avec Richard Bohringer. Un comédien devenu célèbre depuis son apparition dans *Diva* de Jean-Jacques Beineix. L'œuvre pour laquelle j'avais remis le César de la meilleure cinématographie au directeur-photo Philippe Rousselot, quelques années auparavant. La boucle est bouclée. Je suis, je l'espère, réadmise dans le cercle des initiés dont Bohringer est l'une des figures de proue. Sous son air d'ours mal léché, mon partenaire cache un cœur d'or mais aussi une profonde insécurité. C'est un homme aux émotions à fleur de peau, qui noie son mal-être dans les fêtes et l'alcool. Son humeur sur le plateau est en dents de scie. S'il est en forme, il reste jovial et chaleureux, mais au lendemain d'une cuite, il devient aigri et assène des coups de gueule à quiconque essaie de l'approcher. Pas facile comme rapport humain! Pour amadouer la bête, je deviens la bonne copine qui agit comme un mec et qui ne joue pas du tout de la féminité ou de la séduction. J'ai appris dans mes lectures que cette technique avait très bien réussi à l'actrice Shirley MacLaine. Très jeune, à Hollywood, elle avait été la seule femme acceptée par le «Rat Pack», un groupe de célèbres amis machos, dont faisaient partie Frank Sinatra et Dean Martin. Sur ce tournage, la situation se compare. Jacques Santi, le metteur en scène, et Richard Bohringer sont de vieux copains. Et je suis la plus jeune comédienne, entourée de mâles tous plus chauvins les uns que les autres. Comme j'ai décidé de jouer la carte de l'humour et du franc-parler, les hommes d'abord franchement étonnés m'ont vite incluse dans leur bande. Les jolies filles en France n'ont pas l'habitude d'être délurées et restent souvent sur leur quant-à-soi. Moi, je préfère faire partie du club. Parler de sexe ou de courses de voitures, ça ne me dérange pas! Et puis ce genre de tempérament sied tout à fait à mon personnage. Avec ma stratégie, je fais d'une pierre deux coups, établissant un très bon rapport avec l'acteur principal tout en approfondissant mon rôle. C'est le pied!

C'est fou ce qu'on se sent bien quand on se sait aimé. John et moi continuons nos conversations téléphoniques avec assiduité. Je ne rate jamais nos rendez-vous de minuit même si je dois me lever à 5 h du matin pour tourner le lendemain. Un soir, mon kangourou adoré me dit: «Tu sais, *darling*, le 10 novembre a lieu le fameux Australian Ball. J'y vais tous les ans. C'est une soirée très chic avec orchestre et tout le tralala. Qu'est-ce tu dirais de venir à Montréal, en week-end, pour m'y accompagner? Je t'enverrais le billet d'avion.» «Ma foi, ça peut s'arranger, que je lui réponds. J'ai justement un trou de quelques jours dans mon horaire à ce moment là.» «Parfait, s'écrie John. Je fais la réservation.» Justement le genre de coup de tête et de voyage éclair qui m'allume. Décidément, cet homme et moi, nous partageons la même folie douce!

Malheureusement, je n'irai jamais à ce fameux bal. Mes dates de tournage ont été modifiées. Nous devons tourner une scène dans un bar-discothèque à la mode, le Diable des Lombards, qui n'est à notre disposition que le dimanche. Adieu, le beau voyage-surprise! Je suis consternée de la tournure des événements. Surtout que John m'a acheté un billet d'avion de dernière minute non remboursable. J'offre de lui remettre les 500 $ déboursés, mais il me répond sans me faire le moindre reproche: «Pas question, chérie! C'était mon cadeau. Mais je suis déçu, car j'aurais vraiment aimé partager ce moment avec toi. On s'amuse toujours beaucoup à ce bal.» Quel être généreux et extraordinaire! Cette fois-là, j'ai vraiment compris que la classe, ça ne s'achète pas!

Ce n'est donc que partie remise. Une fois mon film terminé, à la fin novembre, je promets à John de venir le voir et de rester au Québec jusqu'en janvier pour le temps des Fêtes. Je veux revenir à Paris au début de l'année, car j'espère toujours que le projet de Gaby Deslys soit remis en chantier.

Je m'installe donc pendant quelques semaines dans sa maison de Baie d'Urfé, dans l'Ouest de l'île de Montréal. Notre cohabitation se fait le plus naturellement du monde. John, avant mon arrivée, a même vidé deux tiroirs de la commode de sa chambre pour me faire de la place. Je n'en reviens pas. Les hommes sont d'habitude plus réticents à accepter une femme dans leur intimité. Grande marque de confiance, afin que je puisse me déplacer lorsqu'il est au laboratoire, il me prête même sa voiture! Après 15 jours de vie commune, lorsque je lui confie mon émerveillement au sujet de cet état de fait, il me confie: «Depuis cinq ans, date de ma séparation avec ma femme, aucune de mes conquêtes n'est jamais venue s'installer chez moi. J'ai dû me montrer prudent à cause de ma fille qui habite ici. Mais avec toi, je n'aurais pu imaginer les choses autrement. Tout est tellement facile, harmonieux. J'ai l'impression que nous sommes faits pour vivre à deux.» «Mes sentiments exactement!» me dis-je silencieusement.» Mais nos carrières respectives nous obligent pour le moment à travailler sur deux continents différents. Cela me fend le cœur, et j'ai du mal à envisager une relation à long terme dans ces conditions. Chatte échaudée craint l'eau froide! Mais à bien y réfléchir, je dois me rendre à l'évidence: notre rapport amoureux est si exceptionnel qu'il mérite des sacrifices. Ah! Anne, l'avenir le dira. Pour l'instant, profite pleinement de cette nouvelle folie, de cette nouvelle douceur.

Rien ne m'oblige à revenir à Paris dans l'immédiat. Je décide donc de rester avec John quelque temps. Il est ravi. Et notre petite vie s'installe dans les rires et l'émerveillement. Je m'entends bien avec Annick, sa fille de huit ans, qui passe les fins de semaine chez son père, et j'ai des relations très cordiales avec son ex-femme. J'ai vécu toute mon enfance et mon adolescence avec des beaux-papas et des belles-mamans – la vie amoureuse de mes parents ayant été assez variée! J'ai deux demi-frères, Richard et Marc, et une demi-sœur par alliance, Diane. Les familles reconstituées, ça me connaît! Et tout ce beau monde se retrouve dans la bonne humeur pour les fêtes de famille! Je n'ai donc jamais considéré la maman d'Annick avec animosité et nous sommes devenues de bonnes amies. Pas besoin de dire que John, avec son charme fou, plaît à toute ma famille!

Le destin qui nous a fait nous rencontrer a vraiment décidé que nous resterions ensemble. C'était écrit. Nous sommes à la fin de février et je n'ai aucune nouvelle de mon agent à Paris, aucune audition à l'horizon. C'est plutôt au Québec que je suis de nouveau en demande, bien que je n'y aie rien tourné depuis *Le Crime d'Ovide Plouffe*, deux ans auparavant. J'attrape coup sur coup deux contrats forts intéressants. Un rôle juteux dans le premier téléroman quotidien jamais tourné à Montréal, *La Maison Deschênes*, à TQS, et une campagne de publicité pour Diet Pepsi réalisée par le cinéaste Jean-Claude Lauzon. Merci, les anges! Vous avez tracé la voie, je n'ai plus qu'à la suivre.

J'ai obtenu du travail pour toute une année, ce qui vient rétablir ma situation financière. Et j'ai rencontré un homme remarquable qui désire que je vive auprès de lui. Peut-être est-il enfin temps de rester chez moi, au pays!

Depuis que j'ai digéré les aberrations de ma dépendance, les coïncidences favorables et les petits miracles se multiplient sur ma route, comme des pétales de fleurs odorants surgissant sous chacun de mes pas. Comment puis-je expliquer ce changement? Ce que certains cyniques appellent la pensée magique est pour moi la seule réalité digne d'être vécue. Car j'ai eu maintes fois la preuve que nos existences sont régies par une loi infaillible. Ce que nous ressentons, ce que nous pensons et imaginons se manifeste concrètement dans les événements de notre quotidien. Ces influences se montrent positives ou négatives, selon l'état de nos pensées. Cette réalité s'accorde à deux principes fondamentaux:

- Pour assurer la création positive de notre vie, un profond travail sur soi doit d'abord être amorcé pour enrayer les croyances destructrices qui empêchent notre épanouissement.

- Les événements manifestés ne seront pas nécessairement en accord avec nos désirs superficiels mais suivront plutôt notre plan de vie, choisi par notre esprit avant notre incarnation actuelle. Des éléments de ce plan nous seront communiqués au moment approprié, si nous savons écouter les messages et relever les signes qui nous sont envoyés. Les périodes de silence et de méditation sont particulièrement propices à ces initiations. Mais ces éclairs de conscience peuvent nous être donnés à tout moment.

À l'aurore, notre conscient à peine éveillé est encore imprégné des informations que nous sommes allés chercher dans l'astral durant notre sommeil. Lorsque nous dormons, nous pénétrons dans la seconde attention, une énergie plus subtile où notre propre esprit omniscient et celui d'autres êtres morts ou vivants peuvent aisément nous contacter. La nuit porte effectivement conseil! Ceux qui se réveillent le matin la tête remplie d'idées claires et de pensées illuminées se souviennent simplement de ce qu'ils ont appris pendant la nuit.

Il est parfois très utile de demander les réponses à nos questions et les solutions à nos problèmes avant de nous endormir. Il existe dans le haut-astral une colonie impressionnante de bonnes âmes prêtes à nous aider. Apprendre à nous faire confiance et à développer notre intuition est un des plus sûrs moyens d'activer la réalisation de notre potentiel. Notre évolution bénéficie toujours de ces directions étonnantes qui ne flattent pas toujours notre ego. Souvent, nos préoccupations, nos priorités et nos choix se trouvent très éloignés de la direction indiquée par notre voix intérieure. Nous préférons étouffer cette dernière sous un tourbillon d'activités qui nous donnent une illusion d'importance. Ceux qui auront malgré tout le courage de suivre leur destin en récolteront les multiples bienfaits.

Ici-bas, nous recevons ce que nous croyons mériter. La gratitude de l'univers est proportionnelle à l'amour que nous avons pour nous-mêmes. Je ne parle pas ici des sentiments d'orgueil ou de suffisance, qui nous poussent à toujours désirer plus pour nous sentir mieux que les autres. Je parle d'une profonde estime de soi, basée sur la simplicité et la noblesse de cœur, basée sur la certitude que l'abondance est notre lot puisqu'elle provient de l'infini cosmique dont nous faisons tous intrinsèquement partie. Nous sommes tous des enfants de lumière pour qui les valves du bonheur sont toujours grandes ouvertes. Seule l'ombre de nos insécurités nous empêche d'être irradiés par le flot constant et généreux de la force de vie.

John et moi aurons l'occasion d'expérimenter ces intransigeantes vérités au cours de notre prochain voyage, en Amérique du Sud. Nous sommes en plein mois de février et l'agence de publicité qui m'a engagée doit préparer la campagne estivale pour Diet Pepsi. Très fréquemment dans pareil cas, l'équipe de tournage au grand complet doit se déplacer vers des cieux plus cléments. À nous, les plages du Venezuela! Nous partons sur un vol nolisé de Nationair qui fait l'aller-retour tous les 15 jours. Le tournage dure une semaine, mais il est moins onéreux pour les producteurs de nous payer une semaine de vacances en plus que de nous acheter un billet plein tarif sur un vol régulier. Ils ont la classe d'inviter aussi mon amoureux!

Une semaine avant de commencer le tournage, nous partons donc pour Caracas. Le vol est éprouvant. Une heure après le décollage, le système de climatisation tombe en panne. Il fait une chaleur accablante dans l'appareil. Pour couronner le tout, les hôtesses s'aperçoivent que le chargement d'eau potable n'a pas été fait avant le départ. Tous les passagers crèvent de chaleur et nous manquons d'eau! Lors de l'escale dans une île des Caraïbes, le soleil plombe à pleine force sur l'avion. Nous rôtissons comme des cailles sur la broche, mais les autorités refusent de nous donner l'autorisation de mettre pied à terre. Les hôtesses plaident en notre faveur et obtiennent le maigre droit de nous laisser sortir sur les marches extérieures de l'avion, avec toutefois interdiction de toucher le sol! Nous nous relayons par petits groupes pour avaler notre bol d'air, pauvres baleines en manque d'oxygène à qui l'on octroie quelques précieuses minutes pour remonter à la surface et enfin respirer.

Après ce voyage cauchemardesque, nous nous retrouvons avec une quarantaine d'autres passagers dans l'autobus en direction de l'hôtel Playa del Mar où nous profiterons du même forfait vacances. Notre vol, en plus du manque d'eau et d'air, a eu deux heures de retard. J'entends des cris d'impatience lorsque le chauffeur nous apprend que nous avons encore une heure et demie de route à faire avant d'arriver dans notre lieu de villégiature. Il fait nuit, nous ne pouvons même pas admirer le paysage. Disons que notre voyage aurait pu mieux commencer! John et moi arrivons à l'hôtel exténués et découvrons avec joie le petit appartement qui nous est alloué pour la durée de notre séjour. On y retrouve tous les attributs des maisons des tropiques: murs de crépi blanc, tuiles fraîches, grand balcon avec vue sur la mer. Nous roucoulons de plaisir. Après une bonne nuit de sommeil, nous serons prêts à nous laisser glisser dans l'hédonisme proposé par ce petit paradis.

La vue qui s'offre à nous, le lendemain matin, nous ravit. La piscine de l'hôtel est gigantesque avec cascades, glissades et bar intégré dans l'eau! Nous nous asseyons à une table située à la terrasse avoisinante, lorsque nous remarquons que les autres occupants, les passagers de la veille, ont encore une mine d'enterrement. Nous ne pouvons nous empêcher d'entendre la conversation de nos voisins, deux armoires à glace à moustaches qui n'ont pas l'air dans leur assiette. «C'est du vol. On est arrivés à 8 h icitte, pis y avait pus rien à manger! C'est même pas un vrai hôtel. C'est des condos qui z'ont commencé à sous-louer. Y sont même pas équipés pour les touristes!»

«Comment ça, y a plus rien à manger, me dis-je, mais je suis affamée, moi!» Effectivement, à ce moment-là, le garçon de table se confondant en excuses nous confirme la situation. Notre arrivée les a pris de court, le restaurant n'est pas encore prêt. D'habitude, les propriétaires des condominiums, des Vénézuéliens pour la plupart, se font à manger dans la cuisinette de leur appartement. C'est la première fois que le complexe de copropriétés fait office d'hôtel. On peut nous offrir un breuvage chaud, c'est tout! Sans se démonter, John se rend à la réception pour ramener quelques oranges que nous avions entrevues la veille sur une table près de l'ascenseur. En riant comme des collégiens, nous entamons avec appétit notre déjeuner santé improvisé, composé d'agrumes et de café noir.

Lorsque des inconvénients imprévus nous sont imposés et que nous n'avons pas les moyens immédiats de les améliorer, nous possédons malgré tout une solution accessible. En accord avec la loi de la manifestation, le choix de notre réaction positive ou négative face aux événements influencera leurs dénouements. Ce matin-là, la plupart des clients choisirent de réagir avec colère et agressivité devant le manque d'organisation flagrant de l'hôtel. John et moi décidâmes de prendre les choses en main et de voir comment nous pouvions améliorer la situation.

Le responsable, Philippe, est un sympathique Français de Toulouse fraîchement débarqué sur le site. On lui a imposé la périlleuse mission de donner à ce balbutiement d'hôtel l'allure et les avantages d'un Club Med. Apparemment, il n'a eu ni le temps, ni les moyens d'accomplir grand-chose! Nous lui demandons s'il est possible de se procurer de la nourriture aux alentours. Il nous répond avec son accent du Midi: «Peuchère, il y a un petit marché au village à 10 kilomètres d'ici. Si vous voulez y aller, je vous paie le taxi.» L'offre paraît raisonnable, nous acceptons immédiatement, trop contents d'échapper à la marée humaine, immergée dans son indignation, qui vocifère sur la terrasse depuis une demi-heure. Aucun autre vacancier n'accepte de nous accompagner, prétextant que le forfait comprend tous les repas et que la pénurie n'est pas leur responsabilité. Tant pis! Nous partons seuls au village et passons un charmant avant-midi, à converser avec les marchands grâce aux relents d'espagnol qui me sont restés de mes années d'études secondaires. Nous faisons des provisions de fruits et de céréales pour la semaine. Bonne façon de garder notre indépendance et de nous assurer de pouvoir déjeuner dans le calme.

Pendant notre absence, les choses se sont envenimées. Les occupants, partis sur leur lancée, trouvent à redire sur tout et exigent une réunion le soir même pour protester officiellement. À notre retour du marché, Philippe, trop heureux de pouvoir converser amicalement avec deux vacanciers, nous offre un verre de rhum au bar. À trois, nous essayons de concocter une stratégie pour apaiser les esprits et offrir des propositions de rechange agréables aux touristes en détresse. La cuisine et la salle à manger ne seront pas fonctionnelles avant cinq jours, mais des repas froids pourront être servis autour de la piscine. Pour le soir, Philippe suggère de goûter à la cuisine régionale dans un petit bistrot familial au village. En compensation, il offrira tous les sports nautiques gratuitement et organisera deux excursions: la première, une sortie en bateau pour faire de la plongée suivie d'un barbecue sur la plage, la seconde, une balade sur la lagune pour admirer les oiseaux des marais. Il promet en plus une grande fête d'adieu le samedi soir avec buffet et musiciens dans la fameuse salle à manger, qui sera enfin prête!

Mais ses efforts n'ont pas l'effet souhaité. Le leader du groupe de Montréal répond brusquement qu'ils sont victimes de fausse représentation et que l'endroit n'offre pas les services pour lesquels ils ont payés. Dans ma naïveté, je fais l'erreur de leur proposer de s'adresser à leur agence de voyages au retour pour obtenir un remboursement partiel de leur forfait, en ajoutant que pour l'instant les propositions de Philippe me paraissent de bonne foi et qu'en y mettant un peu de bonne volonté, nous pourrions tous passer une semaine agréable. Malheur m'en prit! Le chef de la mutinerie, un policier de six pieds, bâti comme une montagne, décide de s'en prendre à moi. «On sait ben, l'actrice! Depuis qu't'es arrivée, t'as un traitement de faveur. T'as pas à te plaindre. Toi pis ton chum, vous êtes amis avec eux autres!» John, qui a l'instinct de protection très développé, se lève aussitôt pour défendre sa dulcinée. Il répond d'un ton calme mais autoritaire: «Il faudrait remettre les choses à leur place, Monsieur. Nous essayons de trouver des solutions pratiques pour tout le monde. C'est plus productif dans les circonstances que de se plaindre.» «Eille! toi, mon tabarnak!» crie le policier en se dirigeant vers John, le poing levé.

Je suis terrorisée. Il ne va pas attaquer mon homme tout de même! Philippe se poste devant le grand six pieds et lui dit d'un ton conciliant, rendu encore plus jovial grâce à son accent méridional: «Bon, tout le monde devrait se calmer, maintenant. Soyez certains que je vais me décarcasser pour vous donner du bon temps. Si vous le voulez, je vais essayer d'obtenir une lettre de mes administrateurs confirmant les inconvénients que vous avez subis. Ça pourra vous aider pour la discussion avec vos agents de voyages. Je ne peux rien faire de plus!»

Seulement deux autres couples de Montréal décident de se ranger du côté du bon sens et de remettre le compteur à zéro, acceptant de bonne grâce les excuses et les explications de notre G.O. Des gens forts sympathiques d'ailleurs, que nous fréquenterons beaucoup durant notre séjour. Malheureusement, les autres vacanciers, nous prenant tous en grippe, décident de rester sur le pied de guerre.

Par contraste, dans notre petit groupe de six personnes, c'est la fiesta! Traités aux petits soins par Philippe, nous nous amusons toute la semaine. Notre accompagnateur nous fait faire du ski nautique et des balades en bateau le jour, et nous emmène danser chez ses amis du village le soir! Le reste de la misérable bande toujours pas défâché s'est emmerdé pendant six jours. Nous, les joyeux lurons nous avons choisi la voie positive de la conciliation et du pardon. Les moroses ont préféré rester dans leur réalité subjective, où ils n'ont vu qu'injustice et privation.

Malgré notre attitude positive et notre bonne humeur, deux événements tout à fait anodins ont failli mal tourner. Pendant notre quatrième séance de ski nautique, mon amoureux devenu passablement habile sur deux skis essaie la planche mono pour pratiquer son slalom. Après quelques minutes de cascades fort réussies, il perd l'équilibre et tombe à l'eau. La très étroite lagune où nous naviguons est particulièrement achalandée. Je surveille John depuis l'embarcation pour m'assurer qu'il est toujours à la surface, pendant qu'il tente de récupérer son ski qui flotte un peu plus loin. Il est tombé au centre du chenal où se croisent à toute vitesse des yachts puissants qui passent dangereusement près de la tête de mon bien-aimé. John, conscient du danger potentiel, me fait signe qu'il va nager vers la rive plutôt que d'attendre que le bateau revienne le chercher. Nous ne pouvons faire demi-tour que beaucoup plus loin, vers le large. Je fais part à notre conducteur du plan d'action. Il se retourne affolé vers John qui nage vaillamment vers les berges marécageuses, essayant d'éviter de se faire happer par les chauffards qui conduisent leurs bateaux comme s'ils faisaient la course de Monaco. «*¡No, no señor!* s'écrie notre capitaine. *Muy peligroso. ¡Los cocodrilos!*» (Non, non, monsieur! Très dangereux. Les crocodiles!) J'apprends, horrifiée, que les berges de la lagune où nous skions depuis quatre jours sont infestées de crocodiles! Les affreuses bêtes ne viennent paraît-il jamais au milieu de l'eau à cause des nombreux bateaux, mais attendent férocement leurs proies près de la rive. Mon amoureux risque de se faire déchiqueter par les dents acérées d'un immonde reptile ou empaler par l'implacable hélice d'un yacht en délire! On se croirait dans l'émission télévisée *Survivor*, en pire! Heureusement, l'histoire n'a pas de fin tragique. John, pas du tout rassuré, revient à toute vitesse au centre de la lagune. Je lui lance ma sortie de bain rouge pour qu'il puisse l'agiter comme un drapeau et éviter une collision avec un bateau et lui crie que nous allons passer dans cinq minutes pour le ramener sain et sauf sur le quai de l'hôtel. J'avoue que pendant que nous naviguions à toute allure pour faire tourner le bateau, j'étais morte d'inquiétude et ai prié tous les saints du ciel de protéger mon adoré.

Après ma mésaventure avec Paul et les alligators des Everglades, c'est la seconde fois qu'un de mes prétendants a une rencontre du troisième type avec ces horribles bestioles. Souhaitons que ce soit la dernière! (En fait, un crocodile a encore croisé notre route, lors d'un séjour dans la ville de Palenque, le pays des Indiens mayas au Mexique. Un monstre d'au moins six mètres de long s'est échappé d'un étang avoisinant pour se rendre derrière la porte de notre chambre d'hôtel! Le concierge a dû le chasser à coups de balai pour que nous puissions sortir. John, en bon Australien, semble attirer les crocodiles!)

La deuxième anecdote est arrivée lors de notre excursion dans les marais avoisinants. Pour une fois, tous les Québécois, même les mal lunés, sont de la partie. Il faut dire que le coup d'œil vaut le déplacement. En voguant doucement au fil de l'eau à bord de nos petites chaloupes, nous apercevons au loin derrière un vieux tronc d'arbre emmêlé de lianes des centaines d'ibis rouges qui reposent leur long bec sur leur ventre dodu, enflammant la forêt de taches écarlates. À la suite de cette vision céleste, nous allons nous rafraîchir sur une charmante petite île où des perroquets multicolores ont élu résidence. L'un de nos amis réussit même à garder un des volatiles perché sur son épaule pendant qu'il le nourrit de morceaux de fruits. Un magnifique spécimen à la vive personnalité qui semble vouloir dire «merci» en caressant de son bec la joue de son hôte.

Après avoir passé plusieurs heures dans ce paradis, il est temps de rentrer à l'hôtel. La salle à manger est enfin ouverte et les cuisiniers nous ont promis pour le soir une paella aux fruits de mer. Le minibus de 20 places qui nous a conduits dans ces beaux marécages a dû faire deux voyages. Comme nous sommes 27 passagers, nous devrons encore nous séparer pour le retour. La barque dans laquelle se tient assis notre groupe de six copains est sur le point de s'amarrer au quai, quand une autre embarcation dans laquelle se trouve, entre autres, notre cher compagnon policier nous frappe par derrière. Enjambant notre chaloupe au risque de nous faire verser, ces hommes de Neandertal nous marchent presque sur les genoux pour arriver avant nous! «Vite les gars, faut prendre l'autobus en premier! Au cas où y aurait pas assez de paella pour tout le monde. Comme ça, on va être sûr de manger!»

Nous préférons attendre le retour de l'autobus pour ne pas prendre part à cette course ridicule. De toute façon, s'il ne reste plus de nourriture à notre arrivée à l'hôtel, nous irons manger un bon plat chez notre ami José au village. Il cuisine une délicieuse viande de porc marinée, accompagnée de fèves noires. Une recette typique de la région, bonne à s'en lécher les doigts.

Le véhicule de l'hôtel revient nous chercher 40 minutes plus tard. Le temps de nous rafraîchir dans nos chambres respectives, nous arrivons dans la belle salle à manger toute neuve, une bonne heure et demie après les autres. Pour faire changement, ils sont encore en train de bougonner et de se plaindre. «Comme d'habitude, y avait pas assez de bouffe pour tout le monde! On a même pas eu de fruits de mer! On a attendu tout c'temps là pour manger du riz, hostie!» Nous nous asseyons avec les deux autres couples de retardataires à l'autre bout de la pièce, choisissant la table la plus éloignée possible de ces casseurs de veillée. Ces derniers jours, nous avons bâti avec nos nouveaux amis un bon mur de solidarité pour faire face aux pénibles élucubrations de nos compagnons de Cro-Magnon!

Après avoir entendu les commentaires aigris de nos compatriotes, nous n'espérons plus recevoir un repas gastronomique quand les serveurs arrivent avec deux énormes plats de paella regorgeant de langoustes et de moules. Les cuisiniers, avertis par

centaines de milliers d'hommes et de femmes, dans le
considèrent la mort comme un passage vers une forme de
n, une étape dans le cycle de l'évolution de notre âme im-
. Cette pensée à laquelle j'adhère est réconfortante mais
he pas les questionnements sur le réel impact de notre
. Lorsque Lady Diana et mère Teresa nous ont quittés,
laps de temps très court, je me suis demandé si ces deux
es âmes n'avaient pas décidé, par leur disparition, de nous
tre un important message. Ces femmes, admirées de par
le pour des raisons différentes, se sont particulièrement
ées par leur compassion envers autrui. Une qualité qui
l'essence de la féminité, de la divinité mère retrouvant
u sa place dans un monde où l'énergie agressive et com-
prédomine. Leur décès, fortement médiatisé, a créé une
choc dans tous les coins de la planète, particulièrement
femmes. Qui n'a pas été sensibilisé par les efforts huma-
de ces deux grandes dames, devenues des icônes, que ce
nde, en Extrême-Orient ou dans les pays occidentaux?
ès a poussé des milliers de gens à s'interroger sur leurs
accomplissements et sur l'héritage moral qu'ils laisseront
eux. Cette prise de conscience globale, ces réalisations
t concentrées en quelques semaines, ont certainement in-
positivement notre inconscient collectif. Nous créons ce
pensons. Je crois que leur départ fut une réelle offrande
spiré beaucoup de gens à se réveiller de leur stupeur
ble pour faire quelques pas de plus vers l'accomplisse-
leur destin.

oi-même été frappée par cette vague. Le jour de la mort
Diana, le 31 août 1997, jour de mon anniversaire, j'ai pris
ion de commencer l'écriture de ce livre. Annie Tonneau,
rice, une femme chaleureuse à la fois patiente et tenace,
t proposé six mois auparavant. Mais j'hésitais à entre-
ette lourde tâche. Trop personnel, trop de douleur. Ce

Philippe de notre retard, nous avaient gardé de quoi nourrir une
armée! Nous nous régalons avec amusement, pendant que les sombres vilains nous jettent des regards mauvais. Nous avons même
arrosé le repas avec deux bonnes bouteilles de rosé, cadeau d'adieu
de notre fidèle Philippe. Ce soir-là, j'ai vraiment cru que les grands
gars d'à côté viendraient nous casser la gueule. Heureusement, ils
ont préféré noyer leurs frustrations dans la tequila. Pour résumer
cette histoire, peu importent les circonstances, il est toujours plus
payant d'être poli et respectueux que goujat et mal élevé!

Après cette semaine mouvementée, nous retournons dans la
capitale, Caracas, où doit commencer le tournage des trois pu-
blicités pour Diet Pepsi, dirigées par Jean-Claude Lauzon. John
retourne à Montréal pour son travail et je m'apprête à passer sept
autres jours assez intenses. La réputation de Lauzon le précède.
On le dit difficile, caractériel. Mais j'ai tout même très envie de
le connaître car j'ai adoré son premier long métrage, *Un zoo, la
nuit*. Ce film a d'ailleurs été le seul sujet de discorde artistique
entre John et moi. J'ai trouvé cette œuvre touchante et magnifique, alors que John en a apprécié quelques scènes et trouvé le
reste très décousu. Encore aujourd'hui, il est préférable d'éviter le
sujet, car j'essaie toujours de le convaincre, sans succès d'ailleurs,
que c'est un grand film!

Après avoir eu la chance de travailler avec Jean-Claude, qui
nous a tragiquement quittés il y a quelques années, je peux dire
qu'il était un homme remarquable. Passionné, excessif certes, mais
doté d'un immense talent qui le rendait aussi exigeant envers les
autres qu'envers lui-même. Lauzon ne connaissait pas la demi-
mesure. Il était muni d'une intelligence tranchante comme une
lame de rasoir, et sa quête d'authenticité pouvait le rendre verba-
lement brutal car il acceptait difficilement les compromis. Il était
touchant, mystérieux, avec un charisme fou. Comme pour beaucoup d'écorchés vifs, sous son arrogance se cachaient de terribles

blessures. Mais nous nous sommes entendus comme larrons en foire! J'ai toujours chéri mes amitiés avec les hommes brillants et un peu fous.

Jean-Claude, pendant tout le tournage, s'est amusé à me provoquer pour voir de quel alliage j'étais trempée. Il a vite compris que je ne savais résister aux défis! Un matin, alors que nous nous rendions sur le lieu de tournage à bord d'un énorme remorqueur, il me lance: «Je suppose que tu as la trouille de plonger d'ici dans la mer.» Il faut dire que le pont est au moins à 25 pieds au-dessus des vagues. Par bravade, je lui réponds: «Pas du tout, si tu y vas, j'y vais.» «Très bien», me répond-il. Il enlève sa chemise et se lance aussitôt par-dessus bord! Dans la foulée, sans prendre le temps de réfléchir, je me débarrasse de ma robe de plage et hop!, je me jette en bas du bâtiment de trois étages. Évidemment, j'atterris de travers. L'impact est tellement violent que je crois m'être ouvert la cuisse. Jean-Claude, qui m'attend dans l'eau, éclate de rire et me crie: «Ah! ah! Bravo, Mademoiselle! Je savais que t'étais une courageuse!» «Courageuse, courageuse, il devrait dire complètement inconsciente!» me dis-je à moi-même, encore sonnée par le choc de ma témérité. En relevant la tête pour trouver l'échelle qui doit me ramener en lieu sûr, j'aperçois les producteurs affolés qui sont convaincus d'avoir perdu leur actrice principale dans la mer. Ils ne sont pas très contents, et avec raison! À notre retour sur le bateau, ils suggèrent au réalisateur de faire attention à l'avenir, afin de ne pas abîmer leur investissement.

Mais ce n'est pas ce genre d'avis qui va retenir notre rebelle. Le lendemain, dimanche, jour de congé, il m'annonce au déjeuner: «Prépare-toi, cet après-midi, je t'emmène faire de la plongée en haute mer.» «Tu veux dire avec les bonbonnes et tout le reste, que je lui demande. Mais je n'en ai jamais fait!» «Justement, je suis instructeur certifié», me dit mon metteur en scène qui ne se laisse pas facilement démonter quand il a une idée en tête. «Si ça te tente, je vais t'apprendre.» Il y a deux choses que j'ai toujours eu

envie d'essayer: la plongée sous-marine e[...] sans hésiter, appréciant énormément d[...] sacrifie sa précieuse journée de repos [...] des profondeurs. Mais il était comme [...] partager ses connaissances.

D'ailleurs, pendant le vol de retou[...] le film, il m'a donné un cours d'exper[...] montage. Ça tombait bien car je veu[...] tout, particulièrement sur le cinéma! Claude Lauzon comme professeurs, j'[...]

La séance de plongée se passe san[...] transforme pour l'occasion en un ins[...] tient malgré son tempérament de feu [...] de le voir s'affairer autour de moi po[...] pement est bien installé et que j'ai bie[...] dures. Je n'ai jamais eu peur sous l'eau [...] de moi toute la durée de l'expérience, [...] du regard et m'aidant à remonter à la s[...] geste convenu, avec le pouce vers le b[...] j'en ai assez!» Nous sommes quand [...] d'une quarantaine de minutes. C'est b[...] fois. Mais j'étais relativement à l'aise [...] j'avais la certitude que s'il m'arriva[...] Claude, efficace et confiant, serait à l[...]

Quelques années plus tard, Marie-[...] Lauzon se rencontreront et tomberon[...] la même passion pour la vie. Marie-[...] namique. Elle avait du cran et aim[...] qu'elle se soit bien entendue avec le [...] réelle tragédie de les perdre tous les [...] dent d'avion. Comme beaucoup de [...] soudaine m'a vraiment ébranlée. Cet [...] brutalité, m'a forcée à réfléchir sur n[...] signification de notre passage sur ter[...]

D[...]
mond[...]
libérat[...]
morte[...]
n'emp[...]
existe[...]
dans u[...]
génére[...]
transm[...]
le mo[...]
disting[...]
englob[...]
peu à [...]
pétitric[...]
onde d[...]
chez le[...]
nitaires[...]
soit en[...]
Leur d[...]
propre[...]
derrière[...]
forteme[...]
fluencé[...]
que no[...]
qui a i[...]
confort[...]
ment d[...]

J'ai[...]
de Lady[...]
la résolu[...]
mon éd[...]
me l'ava[...]
prendre[...]

jour-là, j'ai compris que cet ouvrage valait la peine que je m'y consacre. Je l'ai donc entrepris, en espérant que ma modeste contribution puisse donner quelque espoir aux jeunes femmes prises dans l'enfer de la boulimie et du même coup contribuer à stimuler la réflexion sur le monde divin de la spiritualité.

Retournons donc à un sujet plus prosaïque et continuons le récit là où nous l'avions laissé, sur les plages de Caracas, où j'ai réussi à terminer le tournage en un seul morceau, au grand soulagement des producteurs. Le dernier soir, nos employeurs reconnaissants organisent une grande fête. Tous les membres de l'équipe se rincent généreusement le gosier avec une boisson locale aussi délicieuse que dangereuse: un cocktail explosif de jus de fruit de la passion additionné d'une bonne portion de rhum agricole et de Cointreau. Heureusement que personne ne doit se lever aux aurores pour tourner, car nous avons tous la gueule de bois dans l'avion, le lendemain…

De retour à Montréal, mes activités reprennent de plus belle. Je me rends au studio de TQS cinq jours par semaine pour interpréter la pétulante Carla, dessinatrice de mode dans *La Maison Deschênes*. Faire partie de la distribution régulière d'un téléroman quotidien est une entreprise exigeante. Après le tournage de l'émission d'une demi-heure qui occupe toute l'équipe de 6 h du matin à 18 h, les comédiens doivent, en rentrant chez eux le soir, mémoriser jusqu'à une vingtaine de pages de dialogues pour le lendemain. Heureusement, la mémoire est semblable à un muscle qui se développe à force de l'exercer. Au bout de quelques semaines, j'utilise un système qui me permet de décompresser en soirée. Je connais tellement bien les expressions et les tournures de phrases de mon personnage qu'après avoir lu les scènes une fois avant d'aller au lit, je n'ai plus qu'à les réviser en conduisant ma voiture le lendemain matin pour les connaître par cœur. Un exercice à ne pas recommander. Il est sans doute encore plus dangereux que le geste devenu trop fréquent d'utiliser son téléphone cellulaire en auto… Si la mode des feuilletons quotidiens continue, j'imagine que les producteurs devront ajouter une clause à nos contrats pour prévenir les accidents: interdiction aux comédiens de lire et mémoriser leur texte dans leur voiture ou de communiquer avec leurs agents au volant!

Faut dire que j'ai beaucoup de chance, car la chère Carla me fait vivre d'incroyables aventures. Elle se fait enlever par un admirateur déséquilibré qui l'enferme dans une cave insalubre. Les poignets attachés au mur par des chaînes, n'ayant pour tout réconfort qu'un vieux matelas, elle doit affronter son geôlier qui tente de la violer et la force en plus à cohabiter avec une colonie de rats. Heureusement que je n'ai pas peur de ces petites bêtes-là! Je sympathise même avec un rongeur plutôt attachant que je surnomme Roger le Vorace. Il a l'élégance de ne jamais me mordre et de ne jamais agiter sa queue dans mes yeux, même quand l'accessoiriste le dépose près de mon visage, durant tout un après-midi! Avec son intuition animale, Roger le Vorace doit sentir que Carla est prête à tout, car mon personnage se débarrasse finalement de son agresseur en le tuant à coups de couteau!

Pour me récompenser de ma bravoure, l'auteur me fait ensuite tomber amoureuse d'un aventurier millionnaire, interprété par Daniel Pilon. Tout un honneur, car l'acteur très populaire aux États-Unis quitte momentanément son rôle dans son *soap* new-yorkais pour venir jouer avec nous dans quelques épisodes. J'ai établi au cours des années une belle relation d'amitié avec son frère, Donald, et j'ai aussi beaucoup de plaisir à travailler avec Daniel. Probablement parce que nous faisons tous les trois partie de la même confrérie, la belle société de comédiens qui ont participé de très près à l'univers de Gilles Carle.

Un événement cocasse est immortalisé sur bande vidéo alors que nous tournons une scène romantique qui doit prétendûment avoir lieu dans un hôtel de la Jamaïque. Je suis installée dans un petit fauteuil en osier, et Daniel, avec son élégance naturelle, est assis sur le bras du meuble, à ma gauche. Au début de la scène, je dois regarder au loin, savourant le moment, alors que le beau millionnaire doit se pencher tendrement vers moi pour m'embrasser dans le cou. Il s'exécute avec tendresse, je me retourne… et m'aperçois avec stupeur que la fermeture éclair de son pantalon est grande ouverte! J'ai, en plein à la hauteur du visage, la vision indiscrète d'un sous-vêtement très bien garni! Je pousse un cri de surprise retentissant avant d'éclater de rire! Croyez-le ou non, à cause de la célébrité de Daniel, ce moment de caméra-vérité, appelé communément *blooper*, a été diffusé dans les télévisions du monde entier. Pendant des années, j'ai reçu des droits de suite de pays étrangers et exotiques comme le Brésil, le Gabon et même les Philippines!

Je m'amuse énormément à travailler à *La Maison Deschênes*, mais je n'ai pas envie de négliger mon début de carrière en France pour autant. L'attaché de presse du film *Flag* m'appelle fréquemment, essayant de me convaincre avec véhémence de venir à Paris pour le lancement. «Il y a de grandes attentes pour ce film. Je veux la disponibilité de tous les comédiens. J'ai absolument besoin de vous pour la publicité. Certains journalistes sont intrigués par le fait que vous soyez Québécoise. Il y en a même un qui croyait que vous étiez une vraie fille de la rue, tellement il vous a trouvée juste dans le rôle.» «Merci du compliment. Mais vous savez, j'ai un contrat important, ici. Je ne peux pas me libérer.» «Écoutez, me répond-t-il, c'est important pour votre carrière. Vous ne pouvez pas laisser filer cette occasion. Je vous attends à Paris dans trois semaines.» Déchirante décision! Ce ne sera pas la dernière fois que je serai tiraillée entre Montréal et Paris.

Le lendemain, en conduisant ma voiture pour me rendre au studio, je suis frappée d'une inspiration. Décidément, la voix de mon esprit se fait mieux entendre aux petites heures du matin! Je devrais suggérer à l'auteur de faire partir le personnage de Carla en voyage de deux semaines à Paris pour voir les collections de haute couture. C'est tout à fait plausible. Elle a besoin de changer d'air, après sa peine d'amour. Car son beau millionnaire n'était évidemment qu'un escroc, qui a filé en douce en subtilisant les précieuses esquisses de ses dernières créations. Elle a besoin de se ressourcer, la pauvre dessinatrice!

L'auteur de la série a un petit béguin pour moi. Je vais l'inviter à dîner en tête-à-tête et essayer de le convaincre qu'après m'avoir offert deux intrigues juteuses coup sur coup, un enlèvement et une tragique histoire d'amour, il semblerait équitable de mettre en valeur d'autres personnages. Peut-être que Carla pourrait se faire oublier un peu et emmener Anne avec elle à Paris... De cette façon, je partirais en toute quiétude sans déranger le calendrier du tournage.

Je mets donc mon plan à exécution. Deux jours avant le départ, le stratagème semble avoir fonctionné à merveille et je me prépare à partir, quand Hélène, mon agente de Montréal, m'appelle à la maison, affolée. Les producteurs de l'émission, pas contents du tout, lui ont lancé un ultimatum: si je quitte la ville, je suis congédiée. Il considère ma brève absence comme un bris de contrat, puisque nous leur avions promis à la signature une totale disponibilité pour la durée du feuilleton. En d'autres termes, même si je ne tourne pas, ils veulent ma présence au cas où! Ils savent pourtant que les textes des 11 émissions suivantes sont déjà écrits et que je n'en fais pas partie. Je ne vais certainement pas passer 15 jours à rien faire alors qu'on m'attend à Paris pour le lancement de mon film. C'est vrai qu'il arrive parfois des imprévus sur le plateau du téléroman. À plusieurs reprises, les textes trop courts au minutage ont dû être rallongés à l'improviste. Dans ces cas-là, un monologue au téléphone est écrit à toute vitesse, obligeant un des acteurs à apprendre sa nouvelle scène durant son heure de lunch! Mais tous les comédiens talentueux de la distribution, Léo Ilial, Andrée Lachapelle, Macha Grenon et bien d'autres, se feront un devoir de les dépanner en cas de problème de temps. De toute façon, mon personnage, Carla, sera partie en Europe, comme moi. Qu'est-ce qu'ils voudraient que je leur fasse: un monologue sur le répondeur? Ce genre d'abus de pouvoir, sans logique, ni fondement m'a toujours profondément choquée. Il n'est pas question que j'annule mon voyage. Je ne céderai pas au chantage.

Malgré tout, j'ai horreur des disputes et des affrontements. Je demande à mon agente de faire l'impossible pour régler la situation de façon harmonieuse. Ce serait vraiment terrible de perdre un contrat aussi stimulant que lucratif. D'ailleurs, je ne serai pas rémunérée pendant ces 15 jours d'absence puisque les artistes à la télévision sont payés à la journée de tournage. Mes producteurs vont faire des économies, ils devraient être contents.

Vingt-quatre heures avant mon départ, Louise Ranger, représentante de la maison de production, m'invite avec mon agente à souper pour discuter d'un arrangement. Je suis soulagée, car Louise est une femme sensible qui en plus apprécie mon travail dans la série. Je lui explique ma vision des choses et finalement nous arrivons à un accord. Je peux partir pour cette fois à condition que ce soit la dernière. Elle me demande aussi de me faire discrète sur la raison de mon absence pour ne pas créer de précédent, et semer une éventuelle pagaille dans les horaires. Évidemment j'accepte, et pars le lendemain soir pour Paris, le cœur léger. Merci, la vie!

L'après-midi de mon arrivée, je téléphone avec empressement au bureau de Monsieur Loiseau, l'attaché de presse du film, pour connaître mon emploi du temps. J'imagine déjà les nombreuses entrevues et séances de photo pour les grands magazines qui vont bousculer mon horaire. Après avoir gardé la ligne plus de 10 minutes, une assistante prend finalement mon appel et dit d'une voix sèche: «Oui, c'est pour qui?» «Bonjour, je voudrais parler à Monsieur Loiseau, s'il vous plaît.» Elle me jette d'un ton pointu et irrité: «C'est de la part?» Une expression usuelle qui me semble pourtant à la limite de la bienséance. «Anne Létourneau», lui dis-je, essayant de calmer mon impatience. «Il n'est pas disponible, vous n'avez qu'à rappeler.» Et elle me raccroche la ligne au nez sans plus de façon! Cette téléphoniste chien de garde commence à m'irriter sérieusement. Je suis fatiguée, victime du décalage horaire, et n'ai qu'une envie: me coucher après une bonne douche. Je rappelle aussitôt, me tapant encore une fois les 10 minutes d'attente réglementaires, accompagnées d'une musique si irritante qu'elle a sans doute été placée là exprès pour forcer les gens à raccrocher. Dès que le cerbère en jupon me répond, je lui lance: «Écoutez, j'arrive de Montréal. Je suis une des comédiennes de *Flag* et je dois absolument parler à l'attaché de presse pour avoir mon horaire de promotion.» «Je viens de vous dire qu'il est très occupé. Laissez vos coordonnées. On vous rappellera.» Je suis abasourdie par son manque de civilité. J'ai traversé l'Atlantique pour me frapper à un mur de conneries! Quarante-huit heures passent sans que j'aie aucune nouvelle de mon moineau, l'invisible Monsieur Loiseau.

Quand, après maintes tentatives, je joins finalement mon insaississable volatile, Loiseau me répond avec nonchalance: «Ah! mais je n'ai rien pour vous. Je ne savais pas que vous veniez.» «Comment ça? C'est vous qui avez insisté pour que je vienne à Paris! Vous êtes impossible à joindre, alors je vous ai laissé un message sur votre répondeur et envoyé un fax pour vous confirmer mon arrivée.» « De toute façon, c'est trop tard, me répond-t-il. Toutes les entrevues sont déjà organisées avec les autres comédiens.» «Mais ce n'est pas possible. Je suis venue exprès de Montréal. En plus, j'ai failli perdre un contrat très important pour me rendre ici. Vous devez me trouver quelque chose.» «Écoutez, je ne vois rien pour l'instant. Je vous rappellerai s'il y a du changement, mais n'y comptez pas trop.»

Je n'en reviens pas. Quel manque de professionnalisme et surtout quel manque de respect! J'essaie de joindre le réalisateur, Jacques Santi, mais on m'apprend qu'il est en province, parti en tournée de promotion. Sans moi! Je suis tellement décontenancée que je n'ai même pas envie de sortir de ma chambre d'hôtel.

J'essaie de me distraire en feuilletant un *Paris Match*. Une bien pauvre idée qui me rappelle que j'aurais pu apparaître dans le numéro suivant, si cet attaché de presse à la noix avait fait son boulot!

Une heure plus tard, le téléphone sonne. «Allô! Loiseau à l'appareil. Vous connaissez le jeu télévisé L'Académie des neuf. L'un des invités vient de leur faire faux bond. Si vous voulez y aller, vous aurez sûrement l'occasion de mentionner le film. C'est à la salle Wagram dans une heure.» «D'accord, lui dis-je. J'habite pas très loin. Je vais essayer de m'y rendre à temps.» Dès que je raccroche, j'embraye sur le mode tornade. J'ai une demi-heure pour me faire une beauté et une autre pour me rendre en taxi jusqu'à l'avenue Wagram. Évidemment à cause des inévitables embouteillages, j'arrive en retard. L'émission est enregistrée devant public sur la scène d'un immense théâtre. Le décor en forme de tic-tac-toe à la verticale ressemble à celui du jeu américain *Hollywood Squares*. Tous les participants sont déjà installés dans leurs cases respectives. Il y en évidemment une de vide, la mienne. Je me mets à courir dans l'allée, pour me rendre à l'arrière et avertir le régisseur de ma présence. «Bon Dieu! rugit-il. Allez tout de suite vous asseoir. On commence l'enregistrement dans une minute.» Je monte quatre à quatre l'escalier qui mène à ma «boîte» assignée, au deuxième étage du décor. Juste au moment où je pose mes fesses sur ma chaise, la musique du générique commence. On ne m'a rien dit, rien expliqué. Je ne connais même pas les règles du jeu!

Je suis encore à moitié essoufflée quand l'animateur me présente. J'ai l'impression d'être dans un des pires cauchemars qu'un acteur puisse faire: celui où il se retrouve sur scène devant un public et qu'il ne sait plus ni quoi dire ni quoi faire. Après les présentations des invités arrive le temps de la pause publicitaire. Paniquée, je demande à ma voisine, une comédienne d'âge mûr qui joue dans des pièces de boulevard: «Excusez-moi, Madame.

On m'a parachutée ici à la dernière minute. Pourriez-vous m'expliquez le jeu?» Elle me regarde avec l'air de ne pas y croire et me répond: «Écoutez, ma petite, débrouillez-vous.»

Il y a devant moi un boulier avec des balles de différentes couleurs. Je n'ai pas la moindre idée de leur utilité, mais j'ai envie de les lancer en bas sur la tête de l'animateur pour qu'il me regarde enfin et me sorte du pétrin. Le jeu commence. Les sept autres participants sont absolument à l'aise. Les bons mots et les calembours fusent de toute part. J'observe leur comportement avec avidité comme une maman faucon surveillant ses petits, essayant d'assimiler les règles de ce foutu exercice avant que mon tour arrive. Si je comprends bien, lorsqu'un invité donne une bonne réponse, il doit jeter une de ses boules dans le cylindre devant lui pour obtenir des points. Mais pourquoi les couleurs différentes, je ne le sais toujours pas! L'animateur, bronzé sous sa perruque, me pose une colle sur la politique en France, je passe! Au prochain tour, il me demande de trouver deux noms de vents. Heureusement, j'en connais: alizé, sirocco. Bonne réponse! J'ai le droit à une boule. Je prends la première qui me tombe sous la main et j'entends l'animateur horrifié qui s'exclame en ondes et devant le public: «Mais c'est pas possible. Elle a pris la boule rouge! Mais faut pas laisser tomber la boule rouge, voyons! La jaune, faut prendre la jaune!» Avec son ton paternaliste, on pourrait croire que j'ai quatre ans et que j'ai fait pipi au lit. Le jeu continue, sans que personne ne vienne à ma rescousse. Mortifiée, je fais encore plein d'erreurs de parcours. Cette émission, censée être une partie de plaisir, est en train de tourner en humiliation. Un peu plus et ils vont me mettre un bonnet d'âne sur la tête.

Après la troisième pause publicitaire, à force d'observation, je finis par assimiler les règles. Me sentant un peu plus à l'aise, je réussis même à placer un bon mot qui fait rire la salle. Au moins, le public va s'apercevoir que je ne suis pas complètement idiote! Au bout d'une pénible demi-heure, je crois que ma punition est enfin terminée, quand j'apprends que les mêmes invités doivent participer à un deuxième enregistrement. Le régisseur m'interpelle: «Vous avez une vingtaine de minutes pour vous changer et on recommence.» «Mais personne ne m'a prévenue, je n'ai pas d'autres vêtements!» «C'est très embêtant, la prochaine émission va être diffusée le lendemain. Tout le monde doit se changer.» Encore une bévue de ma part à cause d'une mauvaise information. J'ai envie de plumer Loiseau, l'attaché de presse le plus incompétent sur la place de Paris! Heureusement, je porte sous mon tailleur un joli bustier en soie. Je n'ai qu'à enlever ma veste pour donner l'illusion d'une nouvelle tenue. Un problème de réglé.

J'ai cru remarquer pendant l'émission que les invités, avant de répondre à leur première question, ont tous raconté une blague, après avoir discrètement consulté un bout de papier. D'ailleurs, les sept autres participants sont justement agglomérés autour du recherchiste pour recevoir leur nouvelle dose d'humour prêt-à-parler. Je vais donc voir le directeur de plateau, un gros homme chauve plutôt bougon, et lui dis: «Je suis désolée pour le retard tout à l'heure. Mais puisqu'on a quelques minutes devant nous, j'aimerais bien avoir une blague préparée à l'avance, moi aussi. Comme ça, je serai un peu plus dans le coup.» L'horrible bonhomme se retourne et crie à la cantonade: «Ah! vous vous rendez compte! Une blague, elle veut une blague, la petite Canadienne!» Mon sang se met à bouillir! Seul un professionnalisme ancré dans mes gènes m'empêche de foutre le camp sur-le-champ. «Écoutez, Monsieur. Personne n'a eu l'amabilité de m'expliquer le jeu, alors j'ai dû me débrouiller toute seule là-haut. Croyez-moi, c'était pas évident! Mais maintenant, je sais ce que j'ai à faire. Et je veux ma blague comme les autres!» «Bon, bon, on va voir ce qu'on peut faire.» Il me donne un papier froissé, probablement un fond de baril, qui raconte une assez triste histoire de fourmis. Je m'isole dans un coin pour essayer de l'améliorer, bien décidée à partir en grand pour ma deuxième prestation.

La musique quétaine du générique se fait de nouveau entendre. Cette fois, je suis prête à l'action, avec les naseaux frémissants d'un cheval piaffant avant le départ de la course. J'ai retrouvé tout mon mordant. L'animateur me présente et je lance ma blague de fourmis version améliorée qui fait son petit effet. Les gens rigolent dans la salle. Pendant le jeu, je réponds aux questions avec verve, manipulant les codes de couleur de mon boulier comme une vieille habituée de L'Académie des neuf. Il ne sera pas dit que je me laisserai abattre par le cynisme de ces gens de télévision blasés. Après tout, j'ai l'honneur du Québec à défendre!

À la fin de l'enregistrement, l'un des invités, un bel homme portant la chevelure ondulée d'un héros romantique, s'approche de moi, alors que je suis occupée à enfiler ma veste par-dessus mon petit bustier un peu trop décolleté. C'est un journaliste et commentateur mondain aux allures d'aristocrate qui se nomme Gonzague de St-Bris. Je le connais de renom pour avoir lu certains de ses articles. «Chère Mademoiselle, me dit-il d'une voix suave, félicitations! Vous avez fait un malheur tout à l'heure. Quelle énergie vous avez! Je vous laisse ma carte. Si vous avez envie de prendre un verre, un de ces soirs.» Évidemment, je suis flattée. Mais à observer l'intensité langoureuse de ses yeux lorsqu'il me déshabille du regard, je crois deviner, caché sous son vernis d'homme du monde, un coureur de jupon invétéré. J'accepte son bristol finement gravé, avec un geste qui se veut à la fois élégant et réservé. Même si je suis dévorée par la curiosité, je n'ai pas l'intention de l'appeler. Au moins, son intérêt soudain me donne la preuve que ma piètre performance de la première émission a été rattrapée.

L'Académie des neuf aura été le seul travail promotionnel déniché par le soi-disant expert des relations de presse. Souhaitons que l'incompétent Loiseau soit comme le dodo, une espèce en voie d'extinction! Et pour couronner le tout, les producteurs ont décidé de ne pas organiser de première officielle. Richard Bohringer, Jacques Santi et moi nous retrouvons sans fanfare pour assister, incognito, à la projection de 20 h au cinéma Marignan. Heureusement, la réaction du public est bonne et le nombre d'entrées honorable pour un premier long métrage. Après avoir regardé le film, nous allons prendre un verre à une terrasse voisine sur les Champs-Élysées. L'atmosphère est assez sombre. Jacques, le réalisateur, et Richard, le comédien principal, sont très déçus que le lancement de leur film soit un tel non-événement.

Mon séjour raté sera malgré tout éclairé par un événement inattendu. Je reçois une invitation de la part du comédien Pierre Arditi, qui m'offre une place pour son spectacle solo qu'il présente au Théâtre Renaud-Barrault. Raison pour laquelle d'ailleurs il n'a pu se joindre à nous pour la projection de *Flag*, la veille. Je passe une soirée merveilleuse, me délectant du savoir-faire de ce virtuose qui sait allier simplicité et véracité. J'admire la clarté de son élocution et son jeu subtil, tout en nuances, qui encadre la beauté du texte et la musique des mots. Seul en scène, il tient le public en haleine pendant une bonne heure et quart.

Avec ce spectacle, j'ai compris que le défi ultime pour un comédien est de jouer dans une pièce à un personnage. Évidemment, cela m'a donné l'envie de tenter l'expérience. Je réaliserai mon rêve six ans plus tard en écrivant et jouant mon propre «one woman show», *Shéhérazade*.

Encore une fois, mon désir de faire ma marque à Paris ne semble pas vouloir se concrétiser. À cause du manque de publicité, mon rôle dans *Flag*, pourtant intéressant, est fort peu remarqué. J'ai quand même droit à un petit encart avec photo dans le magazine de cinéma *Première* à la rubrique «Nouvelle tête». C'est bien peu pour mousser une carrière. De toute façon, le destin semble vouloir me pousser dans une autre direction. À Montréal, je ne manque pas de travail pour l'instant et, surtout, un homme merveilleux m'y attend!

Une journée avant mon départ, Sandrine, mon agente parisienne, me donne rendez-vous pour prendre le thé dans son bureau. Elle me dit immédiatement, alors que j'ai à peine eu le temps d'avaler ma première gorgée: «Anne, je n'avais pas envie de te donner une autre mauvaise nouvelle par téléphone. Mais la série sur Gaby Deslys qui te tenait tellement à cœur est définitivement annulée. La nouvelle direction de TF1 n'aime pas du tout le projet. Trop cher, trop compliqué.» La nouvelle m'attriste mais ne me surprend qu'à moitié: «Je suis déçue, c'est vrai. Mais, tu sais, il y a quelques mois, j'ai rencontré un voyant qui me l'avait prédit. J'espérais qu'il se trompe, mais comme il m'a aussi annoncé que je connaîtrais bientôt l'homme de ma vie! Maintenant que je vis avec John, je dois bien reconnaître qu'il avait raison sur toute la ligne!» «Parlant de fiancé, me répond Sandrine, ton ancien amoureux, le comédien Rémi Laurent, essaie de te joindre. Il a laissé ses coordonnées à mon assistante.» «Rémi? Ça c'est une surprise! On ne s'est pas vus depuis un moment. Je serais très contente d'avoir de ses nouvelles.»

Dès que j'arrive dans ma chambre d'hôtel, je compose le numéro que m'a donné Sandrine pour joindre mon ancien chéri. Même si les choses n'ont jamais abouti entre nous, j'ai toujours gardé pour lui une tendresse particulière. «Salut Rémi, c'est Anne. Je suis tellement heureuse de te parler Comment ça va?» «Pas très bien, justement. Écoute Anne, c'est difficile ce que j'ai à te dire, mais je t'ai appelée pour une raison. Je voulais te prévenir. Je viens d'apprendre que je suis atteint du sida.» Je suis tellement sidérée que je ne sais pas quoi dire. Rémi se racle la gorge, visiblement mal à l'aise: «J'appelle toutes mes anciennes petites amies pour qu'elles passent le test. Emecke, ma femme, a aussi reçu un diagnostic positif. Je suis vraiment désolé», me dit-il la voix tremblante. Très émue, les larmes aux yeux, je lui réponds: «Es-tu suivi par un spécialiste? Comment te débrouilles-tu?» «J'ai un très bon médecin. Je prends régulièrement de l'AZT. On ne peut rien faire de plus.» «Où es-tu maintenant?» «Je suis à l'hôpital de la Salpêtrière depuis hier. J'ai un début de pneumonie. Tu te rappelles sur le plateau des *Plouffe* quand je suis tombé malade? Je croyais avoir une mononucléose. Eh bien, c'était probablement les premiers symptômes du sida. Tu te souviens d'Anne, mon autre petite amie comédienne, avec qui je sortais pendant notre aventure? Bien… elle se piquait régulièrement à l'héroïne. C'est peut-être comme ça que j'ai été contaminé. Je n'sais pas.» «Rémi, je repars demain. Dès que j'arrive à Montréal, je fais le nécessaire pour le test. Mais je veux aller te voir à l'hôpital. Je trouve que c'est vraiment courageux de ta part de m'avoir appelée. Merci.» Je repose le combiné dans un état second. Je ne me suis jamais considérée comme une personne à risque. Je n'ai même jamais imaginé être frôlée par cette épée de Damoclès. Comment croire que mon beau Rémi, si charmant, si plein de vie puisse être la proie de cette maladie terrible? Je viens d'apprendre à mes dépens que personne n'est à l'abri de ce fléau. J'appelle tout de suite John à son bureau pour lui apprendre l'angoissante nouvelle. Nous vivons ensemble depuis quelques mois à peine et je dois lui annoncer ça!

Comme toujours, sa réaction est noble et rassurante: «Ne t'inquiète pas, chérie. D'après ce que tu me décris, Rémi est malade depuis un bon moment. Toi, tu n'as jamais eu de symptômes. Nous irons bien sûr passer le test, mais tu verras, ils seront négatifs. Quoi qu'il arrive, je t'aime. Rien ne pourra changer ça.» «Décidément, me dis-je silencieusement, cet homme a l'étoffe d'un héros!»

À l'hôpital, je me retrouve devant un pauvre garçon blême et amaigri. Je ne le sais pas encore, mais j'embrasse Rémi pour la dernière fois. Un an plus tard, il ne sera plus de ce monde. La comédienne Anne Bernanos, son ancienne amie de cœur, partira quelques mois avant lui.

Comme John l'avait pressenti, les résultats de nos tests se révèlent négatifs. Mais l'ombre du sida m'a effleurée de si près que l'onde de choc laissée dans son sillage m'a obligée à une prise de conscience. J'ai eu envie de m'engager personnellement. Particulièrement auprès des associations qui s'occupent des femmes atteintes, car encore aujourd'hui trop peu d'infrastructures et de services sont mis à leur disposition.

Triste ironie du sort, quelques années plus tard, John, travaillant chez Biochem Pharma, fera partie de l'équipe qui mettra au point le 3TC, une des plus grandes découvertes à ce jour pour combattre le V.I.H. Ce médicament clé, utilisé en trithérapie, est l'une des composantes du fameux cocktail qui entretient avec succès la santé des personnes atteintes et améliore grandement leur qualité de vie. Malheureusement, ce médicament n'est pas arrivé à temps pour sauver Rémi.

Après mon séjour tourmenté dans la jungle parisienne, je suis heureuse de revenir à Montréal. Ma vie reprend là où je l'ai laissée, sereine mais intense, autant au travail qu'à la maison. La déception que Paris m'a encore une fois infligée est vite transcendée par l'amour de l'homme merveilleux que je rejoins tous les soirs après mes longues journées de tournage. Le voyant de Key West ne s'était pas trompé. J'ai vraiment rencontré l'homme de ma vie. Je le sens dans toutes les fibres de mon être. Ce qui est merveilleux avec John, c'est que nous sommes à la fois très unis et très indépendants. Dans notre relation, nous n'avons pas l'impression de ne former que la moitié d'une entité appelée couple. Nous sommes des êtres complets, entiers, qui choisissons de vivre à deux sans sacrifier notre propre identité. Entre nous règne une synergie où la somme de nos deux personnalités forme un tout encore plus précieux que les deux parties. Une communion générant un inépuisable gisement d'énergie et de joie de vivre. Après les dures années que je viens de traverser, l'univers n'aurait pu m'offrir un dénouement plus inspiré.

Pour fêter mes 29 ans, John m'offre de m'emmener à New York pour voir le spectacle des *Misérables*, fraîchement arrivé de

Londres. Rien ne pourrait me faire plus plaisir. Dans ma jeunesse, mes parents m'ont emmenée dans la Big Apple à maintes reprises. J'accompagnais ma mère qui suivait à l'époque des stages de mise en scène au fameux Actors Studio de Lee Strasberg, aussi bien que mon père qui passait les fins de semaine avec sa nouvelle flamme, la cantatrice Colette Boky. Colette nous recevait dans son appartement situé tout près du Lincoln Center, un opéra mondialement réputé où elle poursuivait une brillante carrière.

C'est à Broadway qu'est née ma passion pour les comédies musicales. J'ai encore des frissons dans tout le corps dès que je m'assois dans un des théâtres de la célèbre Shubert Alley, et que les premières notes de l'ouverture se font entendre. Pour moi, le théâtre musical est le spectacle ultime, où trois arts majeurs, le jeu, la danse et le chant, se marient pour créer un événement magique. Mon amoureux est donc tombé dans le mille en m'emmenant à New York pour mon anniversaire. Le soir de notre arrivée, nous soupons dans un restaurant qui, pour moi, est le summum du romantisme citadin à l'américaine: la Tavern on the Green, dans Central Park. Une ravissante villa flanquée de verrières monumentales donnant sur une terrasse en pleine nature où des centaines de lanternes orangées illuminent les tables d'une lumière chaude et tamisée. Pour ajouter à l'aspect féerique de l'endroit, tous les troncs et les branches des arbres avoisinants sont entourés de multitudes de petites lumières blanches. Dans ce décor étonnant, c'est Noël tous les jours.

John et moi sommes amoureux depuis un an déjà. Quelle merveilleuse façon de célébrer l'événement! Le vent est doux, la compagnie raffinée. L'ambiance est aux confidences. En buvant ma première gorgée de champagne, une phrase sort de mes lèvres spontanément, sans que j'aie même eu le temps de songer à ce qu'elle implique. «Dis-moi, John, depuis que nous sommes ensemble as-tu déjà considéré le *M word*? (un code en anglais qui désigne le mot mariage)» «Bien sûr, *darling*, me répond-il avec un large sourire. Mais je te poserais la question uniquement si j'étais absolument certain que tu me dirais oui.» « Eh bien, j'te dirais oui!» répondis-je les yeux brillants. John me prend tout de suite la main sans hésiter et me dit gravement: «Alors, veux-tu m'épouser?» Voilà comment s'est passée notre demande en mariage!

À notre retour, le jour même de mon anniversaire, nous annonçons nos fiançailles à mes parents, abasourdis. Depuis l'adolescence, je leur ai toujours laissé entendre que le principe du mariage n'était pas pour moi, qu'un couple n'a pas besoin de sacrement pour s'aimer d'un amour durable, et patati et patata! Mais j'avoue qu'après avoir connu John, mes sentiments ont changé du tout au tout. J'ai envie de crier à la face de la terre que cet homme est mon adoré! Officialiser notre union est la plus belle façon de le prouver.

Nous devrons attendre un an avant de convoler en justes noces. Nos carrières en plein essor ne nous donnent pas assez de temps pour organiser le mariage. Maintenant que ma vie émotive est stabilisée, que mon estime personnelle a resurgi des profondeurs où elle s'était égarée, je semble attirer de plus en plus de propositions de travail. Ce phénomène se répétera au fil des ans. Plus je fais le ménage à l'intérieur, plus j'attire le bien et obtiens des changements à l'extérieur.

D'après ma récente expérience, j'en ai conclu que si l'on n'est pas satisfait de sa vie, rien ne sert de blâmer autrui, il suffit de se remettre en cause. Il faut rénover ses pensées, raboter ses émotions, rafraîchir la couleur de ses croyances. Quand on reprend la responsabilité de son destin, l'univers nous fait des cadeaux inespérés. Et si on n'a pas l'énergie ou les connaissances nécessaires pour y arriver seul, il faut faire confiance à notre esprit qui nous transmettra avec constance les informations appropriées pour nous venir en aide. Encore faut-il les écouter! Il s'agit pour les entendre de raffiner son oreille interne et de développer son attention. La grande beauté de ce dialogue entre soi et soi est que parfois la seule intention de changement, la seule demande ou prière faite avec sincérité suffit à mettre en branle une série d'actions et de coïncidences qui nous conduisent vers la guérison ou le succès.

Si rien ne bouge, si la situation va de mal en pis, c'est que l'on a oublié de se poser les vraies questions. Quelles leçons n'ai-je pas encore comprises pour que je retombe constamment dans le même schéma et doive encore affronter les mêmes difficultés? Que puis-je changer ou améliorer dans mon attitude, dans mes observations, pour dissoudre ces empreintes négatives et résorber leur emprise sur mon subconscient? Il suffit de le demander. La partie de notre esprit liée à l'infini, au divin, nous donnera toujours une réponse. Et si cette réponse ne correspond pas tout à fait à ce que notre ego, notre personnalité veut entendre, voilà la preuve que nous avons bel et bien communiqué avec notre moi supérieur! Étant donné que toutes les âmes sur la terre bénéficient du libre-arbitre, notre voix intérieure ne nous imposera jamais ses connaissances. Ce guide spirituel ne livrera ses précieuses vérités que si nous en faisons la requête. À nous d'en profiter!

Après 11 mois de thérapie, maintenant que j'ai dégrossi mes neurones et reconnecté leurs circuits au bon endroit, j'ai besoin d'un environnement sain pour continuer la culture de mes cellules grises et assurer leur évolution. La rencontre de John a permis ce petit miracle. En m'aimant comme je suis, sans essayer de me changer ou de m'imposer quoi que ce soit, John m'a donné la sécurité et la liberté nécessaires pour déployer mes ailes. Il a su par sa maturité et sa générosité donner au petit oisillon fragile la force de devenir à son propre rythme un oiseau de paradis gracieux et épanoui.

Maintenant que j'ai fait la paix avec mon pouvoir intérieur et ma force créatrice, il me faut un partenaire solide qui ne se sentira pas menacé par mon trop-plein de vie. Mes sentiments trop longtemps refoulés s'échappent parfois sous forme d'éruption volcanique! Ma nouvelle confiance mal calibrée m'emmène sur des chemins tortueux où je fais trois pas en avant, suivis de cinq pas en arrière. John choisit d'observer le processus sans intervenir, tout en me laissant savoir que son soutien inébranlable est à ma disposition si je ressens le besoin d'y faire appel. Il m'a toujours dit qu'il voyait, enfoui en moi, un diamant vibrant de mille feux, et que sa mission était de créer un état amoureux, une ambiance propice pour que je l'expose au grand jour et que nous puissions en jouir tous les deux. Son attitude à la fois noble et altruiste a fait naître en moi un amour incommensurable. Quand, l'animatrice Andrée Boucher m'a demandé dans son émission de télévision pourquoi j'avais choisi de me marier avec John, je lui ai répondu: «Parce qu'en me réveillant le matin auprès de lui, je sais que ce jour-là, je ne vais pas souffrir.»

John et moi formons un couple électrique. Nos étincelles vont même enflammer de vieilles braises endormies sous le ciel de Paris. Suzie Vatinet, ma nouvelle agente aussi maternelle qu'efficace, m'appelle un matin avec de merveilleuses nouvelles: «Anne, je ne sais pas ce qui se passe. Depuis une semaine, je reçois plein d'appels pour toi. Comme si tout le monde se réveillait en même temps. C'est étonnant.» «Tu sais, lui répondis-je, j'ai vraiment l'impression que je suis dans une bonne passe. Au fait, John et moi avons décidé de nous marier.» «Félicitations! Mais d'abord, tu dois venir à Paris. J'ai deux propositions formidables pour toi et ça semble vouloir continuer.»

«Merci, petit esprit divin, me dis-je intérieurement. Tu m'offres une belle récolte après de difficiles semailles qui m'ont labouré les entrailles. Quel cadeau encourageant tu me fais là pour m'indiquer que je suis sur le bon chemin!»

Depuis que j'ai rencontré John, et surtout depuis que nous avons pris la décision d'unir nos destinées, notre «pouvoir de manifestation», cette zone mystérieuse qui influence les événements, a décuplé. Il suffit de penser à quelque chose qui nous tient à cœur pour que l'occasion de l'accomplir se présente. À nous de choisir, de nous y investir ou non. Ce signe distinctif, cette marque évocatrice apparaît lorsqu'une âme apaisée a enfin trouvé l'équilibre entre son plan de vie et ses aspirations personnelles. Lorsque les désirs intimes de l'ego cheminent en parallèle avec le destin évolutif tracé par notre esprit avant notre incarnation sur terre. Le centre de notre être est alors enveloppé d'une émanation particulière qui altère notre réalité de façon bénéfique.

La faune parisienne qui m'a traitée durement depuis quelques années m'accorde enfin une trêve. Je passe deux mois fascinants à tourner dans une mégaproduction commémorant le bicentenaire de la Révolution française. J'y incarne nulle autre que Madame Élisabeth, sœur du roi Louis XVI. Ce rôle me permet de côtoyer des stars internationales qui font partie de l'illustre distribution. Entre autres, une comédienne très connue aux États-Unis, Jane Seymour, qui a eu beaucoup de succès ces dernières années avec la série *Docteur Quinn, femme médecin*. Elle a hérité du merveilleux rôle de la reine de France. Malheureusement, Madame Seymour se prend vraiment pour Marie-Antoinette! Elle est capricieuse sur le plateau et très jalouse des autres comédiennes. Je joue presque toutes mes scènes avec elle, puisque nos deux personnages, membres de la famille royale, ont été enfermés ensemble à la Conciergerie en attendant leur procès. Ma délicieuse partenaire, probablement ulcérée par ma jeunesse et mon teint de pêche, use de toutes sortes de procédés hypocrites pour essayer de me déconcentrer pendant le travail. Elle va même jusqu'à me donner des coups de pied, sous ses grands jupons, pour soi-disant m'indiquer quand c'est à mon tour de parler pendant la scène!

Une fois, elle a même déposé dans ma main son mouchoir de papier souillé, juste au moment où le metteur en scène a crié: action! Ne voulant pas interrompre la prise, j'ai été obligée de jouer la scène avec ce truc dégueulasse dissimulé dans mon poing fermé, alors que je suis sensée pleurer à chaudes larmes en apprenant l'exécution du roi, mon frère bien-aimé. Elle a aussi pris la fâcheuse habitude de me tendre son châle en cachemire blanc avant de commencer nos scènes, comme si j'étais son habilleuse. Je me suis bien vengée, la dernière fois, en évitant d'attraper le châle blanc en question pour le laisser malencontreusement tomber dans la boue du chemin. Oups! belle facture de nettoyeur!

Sur le plateau, j'ai tout de même le loisir d'admirer une vraie grande comédienne, Claudia Cardinale, qui charme tout le monde par sa grâce et son sens de l'humour. Quel contraste avec l'autre diva de pacotille! Lors de leur première rencontre, tout ce que notre mégère trouve à dire à sa fabuleuse partenaire est: «Comment se fait-il que votre chapeau soit plus grand que le mien?» Dire ça à Claudia Cardinale, l'égérie de Visconti! L'une des plus grandes dames du cinéma italien!

Malgré ses mesquineries, la reine Seymour n'a pas réussi à gâcher mon plaisir tellement je suis aux anges de participer à ce grand projet. Les décors et les costumes sont extraordinaires de faste et de beauté. Nous travaillons dans les plus beaux palais de France, et la reconstitution fidèle des événements historiques est impressionnante. Il y a parfois tellement d'acteurs et de figurants dans la même scène que le metteur en scène, Robert Enrico, en oublie les noms de ses protagonistes. Alors que je suis debout aux côtés de la comédienne Gabrielle Lazure qui est en pleine gloire à ce moment-là, Enrico nous interpelle avec son mégaphone, en criant: «Hé, vous deux! La robe jaune et la robe verte, poussez-vous à gauche!» Quelle humilité il faut parfois pour être acteur!

Mais la seule vraie difficulté consiste à porter ces immondes corsets qui serrent la taille si fort qu'ils nous empêchent de respirer et nous donnent d'épouvantables maux de dos. D'ailleurs, avec les efforts et la chaleur, les actrices et figurantes tombent comme des mouches. Enserrées dans ces carcans, elles perdent leur souffle au moindre effort. Il faut des sels pour leur faire reprendre leur sens, comme autrefois. Ces corsets sont si débilitants que je me demande si les hommes de l'époque ne les ont pas mis à la mode exprès pour fragiliser les femmes en les empêchant de respirer librement, évitant par cette stratégie de voir leurs compagnes prendre une part active à leur monde. Ce serrage de ceinture est particulièrement pénible au moment des repas, quand le ventre a besoin de place. Après quelques jours de torture, n'en pouvant plus, je prends le risque d'enlever mon corset en cachette, en le dissimulant derrière la cuvette des toilettes de ma caravane. Heureusement, comme je suis filiforme depuis un an et que je n'ai plus aucun mal à garder ma taille de guêpe, personne n'a vu la différence. Je n'aurais pu réussir cette espièglerie il y a quelques années, alors que les gaines amincissantes du genre armure médiévale étaient non seulement bienvenues mais obligatoires dans mon attirail quotidien. Maintenant débarrassée de mon armature de fer, je peux pleinement profiter de la chance qui m'est offerte.

J'ai énormément de plaisir à regarder travailler le célèbre acteur britannique Peter Ustinov, brillantissime en Mirabeau. Quel charisme, quelle noblesse! Malgré son poids et ses problèmes de santé, il ne se plaint jamais, contrairement à sa compatriote «Jane la Terrible» qui aurait beaucoup à apprendre de lui. Mais celui avec qui j'ai le plus d'affinités est certainement le comédien Sam Neill, qui enfile les fiers oripeaux du général Lafayette. Sans doute parce qu'il a un passeport australien, comme mon futur époux! Nous passons nos heures de repas à discuter de la beauté de la ville de Sydney, de la grande qualité des vins et des extraordinaires fruits de mer que l'on déguste là-bas. Les huîtres de Tasmanie sont, à notre avis, les meilleures au monde. Sam Neill, qui a une filmographie impressionnante (*Le parc jurassique*, *La leçon de piano*), est sans doute l'une des plus chaleureuses et sympathiques célébrités que j'aie eu le bonheur de rencontrer.

Même chose d'ailleurs avec l'actrice Nicole Kidman, avec qui j'ai discuté lors de l'ouverture de la nouvelle boutique Christian Dior à Paris, quelques années plus tard. Elle était éblouissante dans la création maison, dessinée par John Galliano, qu'elle portait. Très grande, avec un teint diaphane et l'allure racée d'un pur-sang, elle s'est montrée d'une gentillesse et d'une spontanéité rafraîchissante, sans une once de prétention. Comme son compatriote Sam Neill, elle s'adressait aux gens simplement, sans artifice, avec beaucoup d'humanité – un trait sans doute récurrent chez les natifs de l'Australie! Ce qui n'était pas du tout le cas de l'Américaine Demi Moore présente à la même soirée, qui regardait les inconnus avec dédain, derrière ses trois gardes du corps. Les Australiens ressemblent en bien des points aux Québécois. Ils sont vrais, ne souffrent aucunement de snobisme aigu et n'adhèrent pas au système hiérarchique poussiéreux qui accable les habitants des capitales européennes. En plus, ce sont de grands amateurs de bière, comme nous! Ils adorent faire la fête. Je suis vraiment bénie des dieux de vivre avec un kangourou-époux à la maison!

Après les neuf semaines d'immersion dans la passionnante histoire de la Révolution, j'enchaîne avec un téléfilm qui me pousse dans un tout autre registre. Je vais tourner au Portugal dans *Pas une seconde à perdre*, une comédie hilarante mettant en vedette l'humoriste Michel Leeb et... votre humble servante! J'ai un rôle en or, très différent de ce que j'ai fait auparavant. J'incarne une metteure en scène de théâtre hystérique et névrosée qui dirige sa troupe de province minable comme un général d'armée. Finis les rôles de victimes et de femme-enfant, maintenant je joue les prédateurs!

Je m'amuse comme une folle avec Michel Leeb, qui est un incroyable clown dans la vie comme à l'écran. C'est aussi un gentleman qui, le jour de son anniversaire, invite toute l'équipe dans un des plus chics restaurants de la côte d'Estoril. Ça, c'est de la classe!

John vient me rejoindre pendant ma semaine de relâche et nous visitons le vieux Lisbonne. Le Bario est un quartier plein de vie, fréquenté par les jeunes gens à la mode qui déambulent dans un décor rustique et enchanteur digne des grands films de cape et d'épée. Dans les restaurants typiques, on peut se régaler de ragoût de porc et palourdes, un mélange aussi surprenant que délicieux, et siroter de grands crus de porto en apéritif tout en écoutant les voix langoureuses des chanteuses de fado. Des soirées mémorables, d'un romantisme fou.

Le Portugal est un pays enchanteur, trop peu connu. À mon avis, les palais et résidences de la ville de Sintra valent plusieurs châteaux en Espagne. Le Portugal est très populaire auprès des producteurs français (à l'instar des Américains qui viennent tourner au Québec), afin d'y trouver des décors sublimes et d'excellents techniciens pour beaucoup moins cher. J'aurai d'ailleurs l'occasion d'y retourner un an plus tard, pour travailler sur une série télévisée, *Maxime et Wanda*. Elle raconte l'histoire d'un couple marié d'aventuriers, deux gentlemen cambrioleurs d'envergure internationale. C'est la première fois qu'on m'offre le rôle-titre dans une télésérie française. Maxime est interprété par Francis Perrin et c'est lui qui m'a choisie pour être sa Wanda. J'ai récolté un rôle extraordinaire où je dois adopter une multitude de personnalités. Wanda est une femme d'action qui adore se faire passer pour une autre. Pour mener à bien ses arnaques, elle doit se transformer en gitane espagnole avant de devenir une vieille veuve de marin breton, en passant par une *nanny* anglaise. Je dois maîtriser des tas d'accents étrangers! Le reste du temps mon personnage, habillé par les plus grands couturiers, conduit une Ferrari et sirote du Moët et Chandon. Le rêve! Surtout que les dialogues sont pleins d'esprit, et les situations, savoureuses. En plus, ça clique vraiment bien avec Francis, mon partenaire. Nous formons un sacré tandem! Depuis le tournage des *Plouffe*, je n'ai jamais vécu tant de moments de grâce sur un plateau.

Ma carrière va donc bon train en France. Dans les années suivantes, je participerai à plus de 24 projets en Europe. Des longs métrages et des téléfilms qui pour la plupart n'ont malheureusement jamais été diffusés chez nous. Mais j'ai enfin réalisé mon rêve, celui de travailler régulièrement, à la fois au Québec et en France. Je crois sincèrement que ma rencontre avec John m'a propulsée vers cette réussite.

Dans un tout autre domaine, la carrière scientifique de John a aussi pris beaucoup d'ampleur. Pour ces deux raisons, le développement exponentiel de sa carrière et de la mienne, nous avons choisi de repousser la date de notre mariage de presque un an, pour mieux préparer l'heureux événement.

Notre vie semble avoir trouvé son rythme, trépidante, palpitante. Nous sommes devenus de véritables globe-trotters, parcourant le monde soit pour mes projets de films, soit pour le travail de John. Bientôt, nous voyagerons aussi pour nourrir le plaisir de la découverte et pour alimenter ma soif de connaissances spirituelles. John, sceptique au début, possède tout de même la curiosité et l'ouverture d'esprit d'un chercheur devant se fier à son inspiration. Il m'accompagnera dans quelques-uns de mes périples, où il vivra des expériences intenses qui ébranleront certaines de ses certitudes.

Heureusement, lorsque nous sommes ensemble, nous nous adaptons fort bien à nos différents milieux. Quand il le faut, dans les congrès scientifiques, je deviens volontiers Madame Gillard, classique et de bon ton. John s'amuse beaucoup à endosser l'habit de Monsieur Létourneau sur les tournages et lors des premières et des conférences de presse. Pas de problème d'ego entre nous, pas de compétition, nous sommes heureux d'accompagner l'autre et de le laisser briller, selon les circonstances. Je suis vraiment gâtée, car je me suis laissé dire que les hommes qui ont assez de maturité et de confiance pour agir de la sorte font partie d'une espèce rare très prisée par les femmes de carrière.

Mon année a été bonne, j'ai enfin réussi à faire des économies. Nous voilà donc prêts à organiser un mariage à notre façon. Nous désirons que la cérémonie soit empreinte de spiritualité, mais ne voulons pas nous attacher à un dogme ou à une religion en particulier. De toute façon, John est un divorcé protestant, et moi, une catholique baptisée. Impossible donc de se marier religieusement. Nos recherches nous amènent à l'Église Unie où nous rencontrons un pasteur qui nous impressionne par son modernisme. Il est prêt à célébrer le mariage à l'endroit que nous choisirons et accepte que les paroles de la cérémonie soient de notre cru. Il est si tolérant qu'il marierait sans doute un chou avec un hibou, à condition bien sûr qu'ils ne soient pas bigames! Parfait!

Pas question d'un mariage civil au Palais de justice, qui fait trop penser à une transaction d'affaires et manque sérieusement de romantisme. J'ai envie de me marier dehors, dans un beau jardin. Je réussis à convaincre les directeurs de l'hôtel Ritz-Carlton de me prêter leur superbe terrasse extérieure. Ce n'est pas leur politique car ils préfèrent louer les grands salons. Finalement la cérémonie se révèlera un succès tel qu'ils en feront une tradition, construisant même, sur la pelouse près de l'étang, un petit pavillon pour prendre les photos des mariés.

Notre événement sera vraiment une affaire de famille. Mes parents participeront activement à la cérémonie en entrelaçant les paroles du prêtre de poèmes d'amour. Ma robe de mariée, en soie sauvage orange et fuchsia, pas du tout traditionnelle, sera dessinée par Marielle Fleury, la mère de mes deux demi-frères, Richard et Marc. Nous créerons ensemble un design original et transformable. La jupe, courte devant, sera rehaussée à l'arrière d'une longue traîne à volants amovibles qui me donnera l'allure d'une danseuse de flamenco. Au cours de la soirée, j'enlèverai plusieurs morceaux et ma tenue de conte de fées se simplifiera de plus en plus pour me laisser, en fin de soirée, en bustier et mini-jupe. Cette création a d'ailleurs paru dans les pages mode de *La Presse* et *The Gazette*. Les vendeurs de tissus du magasin Marshalls m'ont avoué que, pendant les mois qui suivirent notre mariage, plusieurs jeunes demoiselles ont apporté des photos prises dans ces journaux, demandant conseil pour copier le modèle de ma robe. L'imitation étant la meilleure forme de flatterie, cela m'a fait chaud au cœur. À notre insu, nous avons contribué, Marielle et moi, à insuffler un peu de couleur dans les mariages en blanc du Québec!

Pour allonger la tendre liste de l'engagement familial, notre bouquetière sera Annick, la fille de John, née de son premier mariage. Heather, sa maman, sera présente avec son nouveau mari. Et le souper après la cérémonie aura lieu au Tallulah, un restaurant appartenant à mon premier amoureux sérieux, Pierre Dupuis, pour qui j'ai quitté la maison à l'âge de 16 ans. Ma mère Monique Lepage, Marielle Fleury et Colette Boky, les trois dulcinées de mon père – deux au passé, une au présent –, seront les invitées d'honneur. Et tout ce beau monde s'entend à merveille! Une chose est sûre, nous ne formons pas une famille ordinaire!

Le jour venu, mon attachée de presse et amie Micheline St-Laurent m'offre de s'occuper des journalistes qui sont venus nombreux. Ils ont la permission de prendre des photos avant le cocktail et après la cérémonie seulement. Nous tenons à nous marier dans l'intimité. Il y a une soixantaine de convives pour le repas du soir: les amis intimes et la famille. Au lieu de dresser une liste de mariage, nous avons préféré demander une contribution artistique à nos invités. Ce fut extraordinaire, et bilingue! Mes parents ont monté un numéro hilarant, écrit par mon père: un survol humoristique de la vie de leur fille de sa naissance à ses noces. Tout un texte! Jean-Guy Moreau nous a fait cadeau d'un sketch très amusant, imitant le maire Jean Drapeau venu souhaiter aux nouveaux mariés un peu de meilleur et beaucoup de pire... Colette Boky nous a chanté de magnifiques arias. Et ma grand-mère maternelle, Cora, alors âgée de 94 ans, nous a même récité son poème préféré, de mémoire! Pendant plus trois heures, nous avons eu droit à de touchantes performances, y compris quelques textes sarcastiques avec accent australien, pondus par les amis de John. Ce fut une soirée mémorable. Et les festivités ont duré deux jours! Le lendemain, mon ex-fiancé Pierre nous a laissé l'usage privé de la salle La Polonaise au-dessus de sa discothèque Chez Swan, rue Prince-Arthur. Là, nous avons pu inviter beaucoup de monde et lâcher notre fou. Le groupe de jazz de Vincent

Dionne est venu donner un concert, avec comme soliste invité Paul McCandless, un grand clarinettiste américain, fondateur du groupe Oregon. Plus de 200 personnes sont venues célébrer avec nous. Il y avait bien sûr plusieurs artistes, dont une bonne partie de la distribution de *La Maison Deschênes*, accueillies par nos mascottes géantes: une grenouille québécoise (pour Anne), et un kangourou australien (pour John), qui nous ont fait rire et danser jusqu'aux petites heures.

Après cinq années de souffrance, ce fut un grand privilège de recevoir John dans ma vie. Notre relation est si précieuse que nous la protégeons à chaque instant, en nous armant de tendresse et de respect. Sans jamais tenir notre amour pour acquis, nous prenons soin de nous cultiver l'un, l'autre comme des plantes exotiques et flamboyantes qui ne craignent pas d'afficher leur fragilité. Pas de rapport de force entre nous, pas de compétition.

J'ai beaucoup d'admiration pour le charisme, la force de travail et la générosité de mon mari. Il apprécie en moi mon côté innovateur, mon désir turbulent de création et ma détermination à réaliser mes rêves. Nous sommes deux chercheurs invétérés dans nos mondes respectifs. Toujours heureux d'offrir à l'autre le soutien dont il a besoin pour donner forme à ses aspirations.

Chose certaine, nos conversations le soir, à la maison, sont loin d'être banales: entre mes trouvailles ésotériques et ses plus récentes découvertes sur la génétique! Si la tendance se maintient, la voix de Dieu et celle de la Science se feront toujours entendre à l'unisson dans notre foyer.

Bien sûr, nous sommes loin d'être toujours du même avis, mais nous essayons de discuter avec ouverture et réceptivité, évitant les mots blessants et les jugements arbitraires, même si chacun de nous est doté d'un très fort caractère... Notre amitié ne peut pas souffrir les représailles et les insinuations mesquines. Nous écartons volontairement les paroles qui peuvent éroder, à la longue, le terrain fragile des relations à deux. Le grand bonheur avec John, le merveilleux répit, c'est que je n'ai rien à prouver, je n'ai pas besoin d'avoir raison. Sans jamais se sentir menacé, mon homme m'a entourée de sa solidité.

Je suis partie de loin. L'enfant effrayée et destructrice est devenue une femme aimante et aimée. Une femme heureuse mais qui fait encore face à de nombreux défis. J'essaie de développer mes qualités humaines, en donnant libre cours à une créativité inspirée. Parfois, je suis encore paralysée par la peur, celle de ne pas être à la hauteur de mes aspirations, celle d'être incomprise et ridiculisée dans un univers où le cynisme, les ragots et l'intellectualisme à outrance constituent un passeport d'honorabilité. Parfois, je ne me crois pas assez armée pour affronter les trahisons, les déceptions et les mensonges, ces inévitables produits dérivés de notre société. Parfois, j'oublie que chaque être est un miracle en attente de se révéler.

Mais j'ai foi en l'avenir car j'ai la chance de partager ma vie avec un être positif qui a su garder un cœur d'enfant malgré sa formidable intelligence. Un roc qui n'a pas peur de se laisser submerger par ma folie douce. Et pour célébrer ce bonheur commun nous avons décidé de nous remarier tous les 10 ans!

Pour terminer ce chapitre, j'aimerais partager avec vous les vœux que j'ai adressés à mon mari lors de notre deuxième mariage, qui a eu lieu dans notre jardin de Baie d'Urfé, en l'an de grâce mil neuf cent quatre-vingt-dix-huit.

Mon amour, mon mari, mon John,

Dix ans déjà, trois mille six cent cinquante longues nuits où je n'ai eu qu'une envie, celle de me réveiller pour être dans tes bras et que tu me souris.

Par-delà les mers, nous avons voyagé et vu tant de merveilles: pagodes et palais, montagnes et volcans. Mais rien ne m'a autant ému que la seule vue de ton visage, de ton regard si franc, de tes yeux si bleus qui sont mon ancre et mon repère.

La vie que nous avons créée ensemble est plus excitante, plus palpitante que ce que j'avais imaginé, car tu es le plus merveilleux des hommes, tendre et passionné.

Aujourd'hui, dans notre jardin secret, je renoue donc mes vœux pour la vie, avec toi qui est beaucoup plus qu'un mari car tu es toutes les fleurs, tous les parfums, tu es la splendeur du monde. Mon bel amant qui m'a fait le plus beau des présents, mon amoureux, lorsque je pense à toi, je n'envie plus les dieux.

CHAPITRE 9

À LA RECHERCHE DU CHAMAN

Dans ce que j'appelle la deuxième partie de ma vie, je suis décidément gagnée par une nouvelle forme d'appétit. Une autre faim me tenaille. Un besoin d'aventures, de révélations, de chasses aux trésors intérieurs.

Pendant des années, je n'ai pensé qu'à remplir mon ventre pour combler un vide béant, maintenant j'ai une autre envie tout aussi insatiable, celle de nourrir mon imaginaire et de trouver des réponses aux mille et une questions qui m'habitent. Dès que j'en aurai la possibilité, je partirai donc vers tous les coins du globe à la recherche d'expériences concrètes, dans le but d'enrichir mes petits balbutiements de conscience. J'irai rencontrer des sages et des moines et je suivrai de nombreux séminaires auprès de maîtres du développement de l'âme.

Je suis impatiente de rencontrer ma nature divine. Elle me paraît si inaccessible, si mystérieuse que je me sens dans l'obligation de la chercher au bout du monde. J'irai la conquérir à l'est et à l'ouest, en Orient comme en Occident, pour finalement comprendre qu'elle ne m'a jamais quittée et qu'elle a toujours vécu en moi, dans toute sa splendeur. Il ne me reste qu'à polir et à solidifier son écrin, pour éviter que ce diamant précieux ne me brûle par l'immensité de son potentiel. Une entreprise à la fois lourde et légère, un travail d'équilibriste entre la simplicité, la discipline et l'exubérance de la joie qui célèbre toute créativité.

Le secret de la réalisation de soi englobe l'action autant que la méditation. En matière de spiritualité comme dans le reste de l'existence, la théorie ne vaut pas grand-chose si elle n'est pas mise en pratique. Il me reste la moitié d'une vie pour m'y appliquer.

Dans cette seconde partie, au lieu de proposer une suite d'événements chronologiques, j'aimerais vous offrir un bouquet de souvenirs triés sur le volet. En vous décrivant les principales expériences et rencontres significatives qui m'ont accompagnée dans ma quête d'idéal. Attention, que les cyniques s'arrêtent ici, car certaines sembleront tout droit sorties d'une légende fantastique... à un détail près cependant, elles me sont bel et bien arrivées!

Depuis que j'ai lu les mémoires de Carlos Castaneda, je me suis enthousiasmée pour le chamanisme. Je rêve de rencontrer mon propre sorcier amérindien et, pourquoi pas, de devenir son apprentie afin de découvrir ses puissants secrets. Si l'histoire de Castaneda est vraie, moi aussi je veux goûter au nectar de ses découvertes. Je décide de me rendre au Nouveau-Mexique à la recherche d'un chaman.

Je n'ai aucune idée où trouver cet être d'exception et mon espagnol appris au collège est plutôt rouillé, mais qu'à cela ne tienne! J'ai foi en l'univers qui se chargera de mettre en œuvre une de ses merveilleuses coïncidences pour m'aider à le rencontrer, si telle est ma destinée.

Quelques semaines plus tard, John m'apprend qu'il doit aller à San Diego pour ses affaires, je lui propose donc un petit crochet du côté du sud-ouest des États-Unis pour visiter Santa Fe, une ville célèbre pour ses galeries d'art et ses nombreuses boutiques tenues par des adeptes du Nouvel Âge. Souvent, les librairies ésotériques constituent une bonne mine de renseignements pour les chercheurs qui, comme moi, ont besoin de s'orienter dans le monde parallèle de l'occulte. Il faut bien commencer sa quête quelque part!

Nous prenons donc l'avion pour Denver, au Colorado, puis louons une voiture pour nous rendre au Nouveau-Mexique. La compagnie de location nous procure une énorme Cadillac verte flambant neuve, en échange d'un bon de surclassement. Nous avons l'air de deux parvenus en vacances, pas tout à fait le profil des chasseurs de sorciers... Je suis assise bien confortablement à côté de mon mari, qui a déjà conduit pendant plusieurs heures sur les chemins de montagne, lorsque nous arrivons enfin à la plaine, juste à temps pour admirer un magnifique coucher de soleil. Le ciel couleur améthyste est déchiré d'éclats de nuages orange et fuchsia, créant une vision presque psychédélique. Les apprentis sorciers de la région ont parfois recours aux champignons hallucinogènes pour altérer leur état de conscience et pénétrer plus facilement dans l'autre monde. Je n'ai pas encore ingurgité de substances douteuses et pourtant, en admirant ce fabuleux paysage, une étrange sensation m'envahit. Tous mes sens sont en éveil, je ressens des pulsations au plexus solaire et j'entends un léger «cillement» dans mon oreille droite. (Des signes devenus familiers qui m'arrivent avant de recevoir une inspiration.) Le temps semble s'arrêter, comme si je baignais dans l'éther, dans une mer d'énergie à la fois apaisante et vivifiante. Je reste dans ce bienheureux état jusqu'à la nuit tombée. J'ai le sentiment que quelque chose d'important se prépare, mais quoi?

Une neige aux gros flocons ouatés se met à tomber. Avec la noirceur de la nuit, la visibilité sur la route devient très mauvaise. Il nous reste encore beaucoup de chemin à parcourir avant d'arriver à Santa Fe. J'aperçois un panneau qui annonce la ville de Taos. «Et si nous nous arrêtions pour la nuit?» dis-je à John qui d'ailleurs se frotte les yeux de fatigue depuis un bon moment. «Bonne idée, me répond-t-il. J'ai entendu dire qu'il y a par ici une très belle station de ski. Peut-être pourrions-nous dormir en montagne et en profiter pour faire quelques descentes demain matin.» «D'accord, dis-je sans grand enthousiasme, va pour le ski.» Intérieurement, je me dis que je ne suis pas venue au Nouveau-Mexique pour faire du sport d'hiver… Mais après tout, mon mari a aussi le droit de profiter de ses vacances. Je chercherai mon chaman plus tard.

Nous prenons alors le chemin très à pic qui mène au sommet de la montagne. En passant, nous croisons une petite maison tout en bois aux formes très étranges qui s'affiche comme un *bed and breakfast*. «Tu as vu, John, on dirait la maison des nains de Blanche-Neige.» Nous continuons notre route vers les hauteurs quand tout à coup le vent se lève, créant une spirale de poudrerie blanche impressionnante qui nous empêche de voir quoi que ce soit. «Impossible de continuer, s'écrie John, je rebrousse chemin. La petite auberge bizarre est juste derrière nous. Espérons qu'il leur reste une chambre.» «D'accord, mon petit Schtroumpf bleu, que je lui réponds. Allons-y. J'ai toujours eu envie de dormir avec toi dans un champignon géant!»

Bravant tant bien que mal la bise cinglante qui nous brûle les joues, nous nous retrouvons avec nos valises devant une porte extravagante, entièrement sculptée de bonshommes aux allures à la fois africaines et mexicaines. J'apprendrai le lendemain que ces lutins ludiques sont en fait des kachinas, les messagers des dieux chez les Indiens navajos. Après quelques minutes d'attente, une voix nasillarde se fait entendre: *«I'm coming.»* (J'arrive.) Apparaît alors une femme dans la cinquantaine, aux cheveux roux flamme montés en un invraisemblable chignon au-dessus de sa tête. Elle nous reçoit en souriant, nous faisant le geste d'entrer. Je remarque aussitôt qu'elle tient à la main un grand verre de scotch sur glace et qu'elle porte aux pieds deux énormes pantoufles à têtes d'orignal.

La propriétaire de ce lieu étonnant est assurément une originale. L'intérieur de la maison aux fenêtres asymétriques est aussi chaleureux qu'éclectique. On y trouve partout des sculptures et des tableaux colorés, disposés dans une pièce sinueuse qui donne l'impression de pénétrer dans un escargot à la coquille en spirale plutôt que dans une maison aux murs solides. Il n'y a que deux chambres à louer dans cette surprenante demeure et une annulation de dernière minute nous permet de pouvoir y passer la nuit. Je suis ravie. Mildred, notre surprenante hôtesse, offre de nous servir un verre devant la cheminée du salon qui semble avoir été façonnée par un architecte fou tellement elle s'élance de façon tortueuse jusqu'au plafond. À se demander comment l'ensemble tient debout!

En conversant avec la propriétaire, nous apprenons que le petit édifice a été construit par un artiste célèbre dans la région, Charles Stewart. Son imagination débordante, alimentée par les légendes locales, a façonné un monde que je trouve terriblement invitant. John et moi nous extasions en particulier devant un grand tableau posé au-dessus de la table à dîner. Les quatre kachinas qui disparaissent presque sous une exubérance de couleurs et de formes géométriques me semblent les gardiens pacifiques d'un savoir mystérieux. Je ne peux m'arrêter de les regarder, comme s'ils étaient de vieux amis.

Nous n'avons rien mangé depuis notre départ de Denver et nous sommes affamés. Mildred nous conseille un petit restaurant de l'autre côté de la rue qui sert les clients jusqu'à 22 h. Nous nous y rendons sans plus attendre, car il commence à se faire tard. Étonnant pour la région, l'établissement sert de la cuisine cajun. Peu importe! J'ai tellement faim que j'avalerai un alligator des bayous, s'il le faut! Pour nous rendre à notre la table, nous devons passer dans une petite salle qui sert de bar. Près du comptoir se tient un bel homme à la carrure imposante. Il est habillé d'une chemise de lin très élégante à col chinois, et d'un pantalon noir à la coupe impeccable. Son visage respire la noblesse, ses tempes sont encadrées de magnifiques cheveux noirs attachés en queue de cheval qui descend jusqu'à la taille. Je ne peux m'empêcher de le dévisager. Il me fait un signe de la tête, d'un air grave qui semble dire: «Bienvenue étrangers! Entrez, si vous osez!»

Nous nous asseyons et, après avoir rapidement consulté le menu, je suis prête à commander une soupe bien chaude et un plat de poulet aux épices. Je lève le regard pour chercher la serveuse et vois alors l'homme distingué aperçu tout à l'heure qui s'approche de notre table. Esquissant cette fois un sourire plus chaleureux, il nous dit: «Je suis le barman. Ce n'est pas mon travail de servir aux tables, mais ce soir j'ai envie de m'occuper de vous.» Surpris, nous lui passons notre commande. Tout au long du repas, il nous prodigue un service attentionné et courtois, tout en restant taciturne. Il semble parfois m'observer avec un regard particulièrement intense qui me dérange un peu. Alors que nous sommes en train de boire le café, notre serveur improvisé se plante carrément devant moi les bras croisés et me demande sans préambule: «Pourquoi es-tu venue au Nouveau-Mexique?» Sans y penser, je réponds d'emblée… la vérité! «Je suis venue ici pour rencontrer un chaman.» John, étonné de ma franchise, me regarde sans mot dire. Pendant un moment qui me paraît une éternité, l'homme imperturbable me scrute de son regard perçant, puis dit d'une voix profonde: «Je vois que tu as un cœur pur, je te dirai donc ceci: je suis un chaman. Je descends de neuf générations de sorciers.» Je suis abasourdie. Moi qui me préparais à une longue recherche dans de petits villages isolés, quêtant çà et là des bribes d'information à des autochtones récalcitrants, voilà qu'à ma première nuit au Nouveau-Mexique je rencontre mon chaman! Et c'est le barman du restaurant qui m'a servi mon repas!

Mais mon émerveillement ne s'arrête pas là, car le sorcier me dit encore: «Demain, si tu veux, je t'emmène avec moi dans mon lieu sacré.» Je n'en reviens pas de ma chance! J'acquiesce immédiatement. John, impressionné par la gravité de cet homme que nous connaissons à peine, décide de sacrifier sa matinée de ski, et s'écrie: «Est-ce que je peux y aller moi aussi?» «D'accord. Rencontrez-moi demain matin à 9 h, à la croisée des chemins, au bas de la montagne. Je vous y attendrai.» Puis il me lance un regard entendu et me dit: «Je savais que tu allais venir, le grand esprit me l'avait annoncé. Habituellement je suis très occupé, mais j'ai organisé d'avance mon horaire pour passer la journée avec toi.»

Après cet aveu incroyable, le mystérieux chaman disparaît aussitôt dans l'autre pièce, me laissant bouche bée. Est-ce que j'ai bien entendu? Le sorcier était au courant de ma visite, et en plus, il m'attendait! La situation est plus extraordinaire que tout ce que j'avais pu imaginer.

Enveloppée bien au chaud dans le lit de ma chambre, je suis tellement excitée que j'ai du mal à m'endormir, malgré la fatigue. Je repasse dans ma tête toutes les aventures puisées dans les bouquins de Castaneda, me demandant avec fébrilité ce qui m'attend le lendemain.

Nous arrivons au rendez-vous bien à l'heure, avec l'air de deux touristes dans leur grosse Cadillac de l'année. Un minibus tout rouillé, qui a sûrement connu des jours meilleurs, est déjà stationné au bord de la route. Il en sort un personnage impressionnant, entièrement habillé de peaux de bêtes et portant des dizaines de plumes d'oiseaux dans sa chevelure déliée. J'ai l'impression d'être dans un western. Espérons que le grand chef qui s'approche n'a pas l'idée de nous scalper! Après tout, nous ne savons même pas le nom de cet inconnu qui vient vers nous dans son formidable attirail. À peine si nous reconnaissons notre ami de la veille, sous son costume.

Mais dès que le chaman arrive plus près, nous découvrons son regard amusé, empreint de compassion. Il s'est bien rendu compte de l'effet qu'il a eu sur nous. D'une voix assurée, avec une pointe d'humour, il nous dit: «Montez à l'arrière et agrippez-vous bien, la route va être difficile.» Il ouvre la porte de son véhicule et nous découvrons un autre univers. L'arrière du bus est rempli d'oiseaux empaillés, de serpents naturalisés et de plantes séchées de toutes sortes accrochées au plafond! On y trouve aussi de nombreux masques, des tambours et des amulettes. Nous nous installons tant bien que mal parmi cette ménagerie, sur une couverture posée sur le plancher car il n'y aucun siège pour s'asseoir à l'arrière. En regardant de plus près l'impossible bric-à-brac, je reconnais tous les instruments de rituel qu'un sorcier digne de ce nom se doit de posséder: les roues de médecine, les capteurs de rêves, les hochets sacrés pour les cérémonies. Il n'y a pas de doute, nous avons affaire à un authentique chaman. Je regarde John qui n'a pas l'air très rassuré et qui me tient la main d'un air protecteur. Ce n'est pas vraiment son genre de partir à l'aventure avec un inconnu qui collectionne les becs de hiboux…

Sans plus d'explication, notre chauffeur démarre et presque immédiatement quitte la route pour emprunter un chemin de terre. Au bout d'une dizaine de minutes, le camion tourne abruptement sur la droite pour rouler en plein champ, en dehors de toute piste tracée de main d'homme. N'ayant pas grand-chose auquel nous accrocher, nous sommes ballottés de tous les côtés. Si John et moi étions deux œufs, nous serions déjà réduit en omelette! Une demi-heure plus tard, le camion fou s'arrête enfin. Je suis soulagée car aucune bestiole dégoûtante n'est encore tombée de son perchoir pour atterrir sur nos pauvres têtes. «Voilà, nous sommes arrivés, nous annonce le chauffeur avec un grand sourire. Ça va, vous êtes encore en un seul morceau?»

Nous nous retrouvons dans une grande clairière complètement isolée, entourée de collines de terre ocre. On ne voit aucun arbre à l'horizon, que des buissons de sauge couleur de cendre, éparpillés ici et là. Près de nous se trouve une petite tente basse où l'on ne pourrait pas se tenir debout. «Voici mon *sweat lodge*, où je fais les purifications. Mais nous ne l'utiliserons pas aujourd'hui», annonce le chaman. J'avais déjà entendu parler de cette cérémonie amérindienne pendant laquelle il faut rester des heures dans le noir sous une chaleur intense, dans la fumée d'un feu de bois. Je suis vraiment contente de ne pas avoir à subir cette épreuve, car je supporte très mal la chaleur. Avec ma basse pression, j'aurais risqué de faire mauvaise figure, car je suis du genre à m'évanouir dans un sauna!

Nous nous asseyons tous les trois à même le sol, dans un petit renfoncement de terrain qui nous offre une maigre protection. Heureusement, la température est très douce, l'hiver, au Nouveau-Mexique. La neige d'hier soir n'a laissé aucune trace. Notre chaman allume un amas de brindilles de sauge et le fait brûler quelques minutes, le plaçant devant lui en direction des quatre points cardinaux. L'odeur me rappelle les effluves âcres des encensoirs des églises de mon enfance. Tout à coup, un cri strident se fait entendre. Un magnifique faucon apparaît et se met à tournoyer dans le ciel, juste au-dessus de nous.

Après nous avoir regardé longuement avec des yeux qui semblent contenir toute la sagesse du monde, le sorcier commence à parler. «Je m'appelle Bear Passineaux. Je suis Iroquois. Mon père était chaman et mon grand-père l'était avant lui. Je suis né dans ton pays, à Trois-Rivières. Un jour, j'ai reçu un appel et je suis venu ici. Depuis 10 ans, je vis parmi les Indiens hopis. Je travaille avec les deux traditions: celle des peuples du Nord et celle des habitants du Sud-Ouest. Tu vois ce faucon qui vole au-dessus de nos têtes? C'est un de mes alliés, un animal de pouvoir. Il est en quelque sorte le relais entre la terre et les forces divines. Il est aussi l'un de mes conseillers et protecteurs. Aujourd'hui, je vais faciliter ta rencontre avec tes deux totems, les symboles vivants de la force particulière d'un guerrier. Ils côtoient à la fois le monde terrestre et la quatrième dimension. Ceux que tu verras se sont offerts pour t'aider dans ta quête.»

Je suis vraiment estomaquée! Selon Castaneda, tout chaman qui se respecte ne peut voyager dans l'astral sans la protection de ses alliés. Rencontrer ses animaux de pouvoir est un privilège inestimable donné parfois à l'apprenti après des mois d'entraînement ardu. Qu'ai-je fait pour mériter cet honneur? Comme s'il avait lu dans mes pensées, Bear me répond: «Tu as vécu des années très difficiles, mais tu as bravé les difficultés. Tu as plongé avec courage dans la noirceur de ta destinée. C'était ta première initiation. Maintenant, tu es prête à connaître tes alliés et à utiliser leurs forces pour poursuivre ton développement.» J'ai la gorge serrée et des papillons dans l'estomac, mais je suis bien décidée à faire bonne impression: «D'accord, lui dis-je. Allons-y. Que dois-je faire?» « Tu vas t'étendre à mes côtés, le pouvoir de l'esprit fera le reste. Tu risques de pénétrer dans un monde très différent de celui que tu connais. Même si tu as peur, tu dois faire le voyage jusqu'au bout. Suis ton instinct et les conseils de tes alliés uniquement! Je resterai ici pour protéger ton corps terrestre, mais je n'interviendrai pas dans ton voyage. Le guerrier doit affronter seul ses alliés.» «J'espère que ça va fonctionner, me dis-je intérieurement. Je ne suis jamais allée me balader dans l'autre dimension, moi! Et je n'ai même pas l'aide d'une petite drogue ou d'une potion magique pour m'aider à partir…» Encore une fois comme s'il avait entendu mes pensées intimes, mon instructeur me répond: «Tu as souvent visité ces lieux dans ce que tu croyais être ton sommeil. Tu connais déjà plusieurs portails. Ton esprit sait comment pénétrer dans cette dimension. Suis ta voix intérieure, tu trouveras le chemin.»

Je regarde John une dernière fois avant de m'étendre sur le sol. Il me fixe intensément, l'air de dire: «Le chaman te surveille, mais moi, je surveille le chaman!»

Bear commence à frapper lentement sur un tambour, dans un rythme régulier presque hypnotique. Le son profond résonne dans ma tête. La dernière chose que je vois avant de fermer les yeux est le faucon roux qui vole maintenant si bas au-dessus de nous qu'il semble presque effleurer les têtes de mes deux protecteurs, les deux hommes qui veillent sur moi pendant que ma conscience s'apprête à se promener dans une autre réalité.

Après quelques minutes, je suis enveloppée d'une torpeur inhabituelle. J'ai l'impression qu'une chape de plomb s'est déposée sur mon corps. Le son du tambour, toujours présent, semble s'éloigner de plus en plus. Je ressens tout à coup une forte pression à la hauteur du front et je me sens basculer vers l'arrière. Je tombe de plus en plus rapidement dans ce qui me paraît un arc-en-ciel de couleurs. Je bouge à une vitesse vertigineuse et pourtant je sais que mon corps alourdi est incapable de se mouvoir!

Soudain, le tourbillon se calme et disparaît aussi vite qu'il est apparu. Je me retrouve devant un paysage spectaculaire. Je suis sur un très haut plateau dominant un désert couvert d'un sable nacré presque fluorescent qui s'étend à perte de vue. Une vision majestueuse et pourtant étrange, où les coloris ne ressemblent en rien à ce que l'on trouve dans notre monde. C'est comme si je voyais tout à travers un prisme multicolore. L'endroit est totalement silencieux et pourtant je devine une présence derrière moi. Je me retourne et me retrouve face à face avec un énorme jaguar. Il est au moins trois fois plus gros que la normale et une formidable énergie se dégage de ses yeux immenses.

Je suis paralysée par la peur, car je n'arrive pas à déceler ses intentions. Il me regarde immobile avec un air impitoyable. J'entends une voix à l'intérieur qui me dit: «L'heure est arrivée, tu dois chevaucher le jaguar.» Je me rappelle vaguement que quelqu'un... là-bas... m'a donné l'instruction de suivre mon instinct, malgré mes peurs. Dès que j'émets cette pensée, mon corps s'élève malgré moi et je me retrouve sur le dos de l'animal! Il se passe ensuite une chose extraordinaire. Le jaguar se met à bondir comme s'il volait au-dessus des montagnes et à chaque saut nous nous retrouvons dans un environnement différent. Je vois des cratères, des vallées, des gorges escarpées. Il y a une telle symbiose entre l'animal et moi que je ressens une grande force intérieure, comme si la bête m'offrait son incommensurable pouvoir. Nous sommes maintenant près d'un boisé, le premier signe de verdure que nous rencontrons depuis le début de notre incroyable équipée. J'entends encore une voix qui me dit cette fois de descendre du dos de l'animal et de pénétrer dans la forêt. Aussitôt dit, aussitôt fait. Je suis maintenant assise près d'une rivière. Je regarde l'eau cristalline dont le flot n'émet aucun bruit en contournant les rochers.

Soudain apparaît une loutre: un petit animal enjoué qui semble me sourire. Je plonge avec elle dans l'eau, et nous jouons dans les ondes comme deux bêtes marines sans que j'aie jamais besoin de remonter à la surface. Je me sens envahie d'une gaieté innocente pareille à celle d'un petit enfant. La loutre tout en jouant m'a emmenée devant l'entrée d'une caverne à moitié immergée. Elle me pousse avec son nez pour me forcer à y entrer. Une peur irraisonnée m'envahit alors. Je ne veux absolument pas y aller. La loutre me regarde alors d'un air si froid, si distant que je me sens presque honteuse. Je décide d'approcher lentement de l'orifice béant. Aussitôt, je suis happée par une force formidable qui m'entraîne à l'intérieur. Je glisse dans un long tunnel où grouillent des tas de formes noires qui m'effleurent au passage comme des papillons maléfiques. Je tombe sur le sol de ce qui me paraît une grotte souterraine, j'ai à peine le temps de me relever quand j'aperçois un serpent énorme qui hisse son horrible tête juste devant moi! Voilà ce qui me fait le plus peur au monde: les serpents! Je suis tellement effrayée que je pense m'évanouir.

L'animal ouvre son énorme gueule et m'attrape le poignet. Je suis pétrifiée mais ne ressent aucune douleur. Le reptile fixe mon ventre de ses yeux jaunes. Voilà que mes entrailles s'ouvrent! J'y vois apparaître une tache informe agitée de pulsations, variant entre le brun et le gris. Cette entité me dégoûte encore plus que le serpent. Tout à coup, je comprends ce que je dois faire. Je saisis la chose de ma main libre et l'enfouis de toutes mes forces dans la gueule du monstre!

Je me retrouve immédiatement transportée dans la clairière, où je vois mon corps terrestre endormi auprès du chaman. Derrière moi, un magnifique jaguar et une mignonne petite loutre montent la garde.

J'ai repris contact avec mon corps. Je m'assois tranquillement, sous l'œil bienveillant de mon instructeur. Je ne sais plus trop où j'en suis. J'ai l'impression de revenir d'un long voyage. Combien de temps suis-je restée étendue? «À peine une heure, me dit John, tu n'as pas bougé, tu avais l'air profondément endormie.» Je reste silencieuse. Incapable de trouver les mots pour décrire l'expérience que je viens de vivre. Que vient-il de m'arriver au juste?

Encore une fois, Bear répond à ma question sans que j'aie eu besoin de la poser. «Tu as réussi à te promener dans l'autre monde, ce qui n'est pas facile. Tu as bien développé ta seconde attention. Au début, beaucoup d'apprentis sont trop désorientés ou apeurés pour se diriger comme tu l'as fait. Voilà pourquoi tes alliés t'ont fait cadeau de leur présence. Dorénavant, tu pourras toujours compter sur la force du jaguar et la bonne humeur de la loutre. C'est un grand honneur pour un guerrier de les connaître.»

Je suis très étonnée des paroles du chaman, comment connaît-il mes animaux de pouvoir? Je demande à John qui est resté assis fidèlement à mes côtés pendant l'expérience: «Ai-je parlé, dit quoi que ce soit durant mon voyage?» «Non, pas du tout, ma chérie. Tu n'as pas émis un son.» Bear me regarde, amusé, et enchaîne de sa voix profonde: «Tu as beaucoup de possibilités, mais tu manques de confiance. Tu as tendance à donner ton pouvoir aux autres trop facilement. Le jaguar t'aidera à passer à l'action, à réaliser ta destinée comme tu l'entends. Ton amie la loutre te donnera le droit de le faire dans la joie.» Le sorcier se tourne alors vers mon mari. «Comme tu as eu le désir de venir avec nous aujourd'hui, je vais t'offrir ceci.» Il sort de son sac deux objets qu'il remet à John. «Voici une plume de faucon et une pierre sacrée. Garde-les avec toi. Ils t'aideront à ouvrir ton cœur. Tu as une vision noble mais tu regardes trop avec ta tête. Suis les directives de ton cœur, c'est un meilleur conseiller.» John accepte les présents, visiblement impressionné par les paroles du chaman.

Impulsive comme toujours, je ne peux m'empêcher de demander à Bear: «Puis-je étudier avec vous? Puis-je devenir votre apprentie?» L'homme se penche alors vers moi et me dit d'une voix très douce: «Ce n'est pas moi qui ai été choisi pour être ton professeur. Tu le trouveras dans ta propre ville. C'est une femme blonde, dans la quarantaine. Elle t'enseignera des choses que moi je ne peux pas t'apprendre.» J'essaie de cacher ma déception. «Avant que nous partions, continue Bear, je vais te donner un présent.» Il met alors dans ma main une jolie pierre transparente aux reflets dorés. «C'est une citrine. Elle a beaucoup de pouvoir. Tu pourras la poser sur ton ventre au cours de tes voyages, elle te protégera. Tu as beaucoup de fragilité à cet endroit. Tout à l'heure, tu as nettoyé une bonne partie des résidus psychiques quand tu as eu le courage d'affronter le serpent qui représentait ton insécurité face à la féminité. Avec cette pierre, tu pourras continuer le travail, car tu es encore très vulnérable.»

J'ai les larmes aux yeux de gratitude. Bear a deviné que mon ventre, avili par des années d'abus, est une partie de mon corps que j'ai encore beaucoup de mal à accepter. Cette pierre, je la garderai précieusement pour célébrer ma guérison et me remémorer ma rencontre avec cet homme remarquable. La leçon est terminée, c'est le moment de partir. Notre ami le faucon, qui depuis plus de deux heures n'a jamais cessé de tournoyer au-dessus de nous, s'éloigne dans un grand cri.

De retour dans notre maison des Sept Nains, bâtie par le peintre Charles Stewart, nous découvrons avec plaisir que Mildred la propriétaire, futée, a accroché le tableau des kachinas qui nous plaisait tant, en face du lit dans notre chambre, bien en vue. John et moi adorons cette peinture. Elle représente d'une manière stylisée les messagers spirituels des Indiens hopis dans une gamme de couleurs vibrantes, reflétant la force et la vigueur de leurs traditions. Nous aimerions beaucoup posséder cette toile. Sa présence dans notre foyer créerait un pont permanent entre nos deux cultures, pour nous rappeler un moment exceptionnel vécu sur le site sacré de Bear, le chaman. Seule ombre au tableau, nous n'avons pas du tout les moyens de nous offrir cette œuvre d'art. Nous venons d'ajouter un nouveau solarium à notre maison et sommes fauchés comme les blés. Mais avant de m'endormir, une idée me vient en tête. Je viens de rencontrer mes animaux de pouvoir dans une cérémonie initiatique mémorable, et ils ont eu la bonne grâce d'accepter de collaborer avec moi. Si je leur demandais conseil? Intérieurement, je fais cette prière: «Loutre coquine et puissant jaguar, si nous nous rencontrons cette nuit, je vous en prie, suggérez-moi un moyen de me procurer ce tableau magnifique. Que je puisse garder avec moi ces quatre divinités venues de votre monde!»

Au réveil, je suis déçue. Les voix de l'astral ne m'ont murmuré aucun plan ingénieux. Je ne me rappelle même pas si j'ai vu mes alliés en rêve. Ils ont probablement mieux à faire que de répondre à mes demandes matérialistes.

Notre incursion spirituelle étant terminée, nous remettons nos chapeaux de touristes et décidons de rester une journée de plus pour explorer les environs. Nous partons à la découverte de Taos, une ville qui possède la réputation d'héberger les individus les plus aimables et les plus originaux du sud-ouest des États-Unis. Partout où l'on s'arrête, dans les boutiques d'orfèvres ou dans les galeries d'art, les occupants nous font la conversation, nous offrant du cidre chaud à la cannelle ou une tasse de café recouverte d'éclats de cacao. Chacun y va de son anecdote à propos d'un personnage illustre qui a habité cette région, connue pour son libéralisme. Au centre du hall d'un hôtel réputé, on peut d'ailleurs admirer la collection de tableaux érotiques peints par l'écrivain D.H. Lawrence *(L'amant de lady Chatterley)*. Des œuvres qui avaient soulevé la controverse au début du siècle. Autre résidant de Taos, l'acteur Denis Hopper, réalisateur du film-culte *Easy Rider*, y a ouvert une commune dans les années 60, où l'amour libre et la drogue faisaient bon ménage. J'apprends aussi que la comédienne Julia Roberts possède un superbe ranch à quelques kilomètres et qu'elle y vient très souvent, pour être à l'abri des fans et des paparazzis. Car cette ville pittoresque n'est pas encore empoisonnée par le tourisme effréné.

Pourtant son histoire est passionnante. Dans ses murs se côtoient les traditions mexicaines et amérindiennes, assaisonnées par les vestiges des cow-boys du Far West. L'architecture des maisons en terre cuite (adobe) y est étonnante, le tout entouré de paysages spectaculaires. Et les habitants y sont aussi hospitaliers que talentueux, l'art local y est partout présent: peinture, sculpture, bijoux et artisanat. Mon mari et moi tombons sous le charme.

En rentrant le soir, exténués après des heures de marche, nous retrouvons avec plaisir cette chère Mildred qui nous offre son usuel verre de scotch, un petit rituel fort bienvenu dans les circonstances. John et moi nous calons confortablement dans les fauteuils devant la cheminée, nous délectant à petites gorgées du liquide ambré qui réchauffe notre gosier.

Mildred vient se joindre à nous et nous annonce avec son impayable accent texan: «Je vois que vous êtes vraiment tombés amoureux de mes kachinas. Écoutez, je sens que ce tableau vous est destiné. Je veux absolument que vous le preniez. Demain matin, je vais l'envoyer par Federal Express à votre adresse de Montréal. Vous le paierez quand vous le pourrez.» Mildred est donc prête à nous laisser la peinture sans même nous demander un sou de dépôt.

C'est incroyable, nous allons avoir le tableau! Mais, pourquoi Mildred laisserait-elle partir une œuvre d'un tel prix, 4 000 dollars américains, sans aucune garantie? Quelle générosité et surtout quelle confiance! Mes alliés, ayant entendu ma prière, ont-ils influencé sa décision?

À notre retour de voyage, le tableau nous attendait déjà à la douane. Nous l'avons placé avec fierté sur le mur principal de notre nouvelle salle de séjour. Il y est toujours. Lorsque le soleil du matin fait resplendir ses couleurs, il brille d'une lumière particulière qui m'émeut encore.

Presque tous les mois, nous avons envoyé de nos nouvelles à Mildred, accompagnées d'une petite somme d'argent. Deux ans et demi plus tard, nous avions payé la totalité du tableau. Il ne se passe pas une journée sans que je prenne un moment pour honorer nos gardiens de Taos et les remercier de protéger notre demeure de leur force tranquille.

Six mois après avoir rencontré mon chaman, un ami comédien me présentera une femme étonnante qui donne des ateliers d'hominologie, un savoir occulte qui englobe l'homme et sa conscience dans son universalité. Elle est blonde, vit à Montréal et a une quarantaine d'années. Exactement le personnage que Bear m'avait décrit lors de notre séance au Nouveau-Mexique. Je deviendrai vite une de ses élèves les plus assidues et assisterai à tous ses séminaires, pensant avoir enfin trouvé un maître de l'invisible. Effectivement, j'ai appris énormément de cette professeure au savoir infini, mais j'ai compris trop tard qu'elle était aussi une manipulatrice très raffinée et potentiellement dangereuse. Cette femme prétendument évoluée a finalement trahi ma confiance et mon amitié. Je me suis lancée en affaires avec elle, lui ai prêté beaucoup d'argent et elle a abusé de ma bonne foi à plusieurs reprises. Quand je l'ai obligée à affronter la réalité, elle a disparu de ma vie sans demander son reste, me laissant avec des dettes et le cœur brisé. Cet épisode m'a énormément blessée et j'ai pris beaucoup de temps à m'en remettre. Je croyais avoir affaire à un être exceptionnel, à une voix des plans supérieurs, et je me suis retrouvée en face de la malhonnêteté. Bear le chaman avait raison. Cette femme m'a enseigné des choses que lui ne pouvait vraiment pas m'apprendre! J'ai bien retenu la leçon: ne jamais donner notre pouvoir aux prophètes de tout acabit qui utilisent leur savoir pour nous accrocher à leur hameçon et ensuite abuser de notre générosité. Cette pénible aventure m'a tout à fait guérie de vouloir à tout prix trouver le gourou qui pavera d'or mon ascension vers le ciel. J'ai compris à la dure que la connaissance des secrets occultes ne crée pas nécessairement une meilleure personne. En métaphysique comme en politique, le pouvoir pervertit.

Il faut reconnaître notre propre potentiel et savoir qu'il est présent à chaque seconde de notre existence. Le tango cosmique est une communion entre l'homme et son propre double éthérique, entre son âme et son esprit. Le canal, la liaison sacrée entre les deux nous appartient, nul besoin d'intermédiaire pour les contacter, nul besoin de s'abandonner à des maîtres qui manipulent nos désirs. Les secrets de la vie nous reviennent de droit et nous serons révélés peu à peu, lorsque nos initiations et nos expériences auront brûlé le voile qui protège nos fragiles ego. Un bon enseignant transmet son savoir sans rien demander en échange et respecte intrinsèquement la liberté de tous. À nous d'y ajouter le discernement, la discipline et la détermination qui nous feront avancer sur le chemin de notre évolution.

Notre arrivée au Ritz-Carlton avec Annick, la fille de John, en bouquetière.

DR

Photo: PhotoGraphex

Dans les jardins du Ritz-Carlton: tant pis pour les photographes, nous, on s'aime!

MARIAGE ET VOYAGES: *mariage au Ritz-Carlton*

*La robe
d'inspiration
«flamenco»
dessinée par
Marielle Fleury.*

*Le lendemain du mariage, John et moi avons
organisé, dans une discothèque, une grande fête
pour nos amis.*

MARIAGE ET VOYAGES: *mariage au Ritz-Carlton*

Avec ma mère, Monique Lepage, lors de notre 10ᵉ anniversaire de mariage, dans les jardin du Ritz.

Ma grand-mère, Cora-Élie Lepage, mon père, Jacques Létourneau, moi, ma mère et Annick, la fille de John. (John prend la photo.)

MARIAGE ET VOYAGES: *10ᵉ anniversaire de mariage*

*Notre deuxième sortie
en amoureux,
au Festival des films
du monde: on a l'air
de se connaître
depuis toujours!*

DR

*Notre voyage
de noces à dos
de chameau,
devant le Sphinx
et les pyramides
d'Égypte.*

DR

MARIAGE ET VOYAGES: *notre couple en amour!*

Je m'installe à Montréal!
À notre premier Noël,
John m'offre une bouilloire
pour le thé et des rouleaux
chauffants!

Dans
un photomaton
à Rome:
on s'aime,
on rit,
on s'aime!

MARIAGE ET VOYAGES: *notre couple en amour!*

*La maison des «Rêves», au Nouveau-Mexique,
là où se sont ouvertes les portes du ciel!*

Mon ami Ed et Chris Griscom, à Galisteo, à l'entrée du Light Institute.

Avec un indien du Pueblo de Taos.

MARIAGE ET VOYAGES: *au Nouveau-Mexique, la découverte!*

John et moi à Kyoto, au Japon,
devant le petit déjeuner traditionnel, servi à la chambre.

MARIAGE ET VOYAGES: *la fascination pour l'Asie*

À Singapour, nous prenons le thé avec un bébé orang-outang!

... et voilà que bébé orang-outang boit dans mon verre!

MARIAGE ET VOYAGES: *la fascination pour l'Asie*

À Java, devant une chute sacrée, nous chevauchons un animal sauvage!

Premier voyage en Chine. Retour dans ma vie antérieure à l'époque impériale!

MARIAGE ET VOYAGES: *la fascination pour l'Asie*

Le sourire des futurs parents!
Dans l'attente de Lili Mei, je porte une robe chinoise.

MARIAGE ET VOYAGES: *la fascination pour l'Asie*

La ville historique de Bhaktapur,
qui date du XIIIe siècle.

MARIAGE ET VOYAGES: *voyage initiatique au Népal*

Le fameux stûpa, avec les yeux du Bouddha,
à Katmandou.

MARIAGE ET VOYAGES: *voyage initiatique au Népal*

DR

Anne à Nagarkot…
J'ai faim! Mais je dois méditer avant de contempler l'Everest!

MARIAGE ET VOYAGES: *voyage initiatique au Népal*

John et moi, au Népal, le soir du jour de l'An 1999, chez nos amis les sherpas.
Ils nous ont offert des chapeaux en laine de yak!

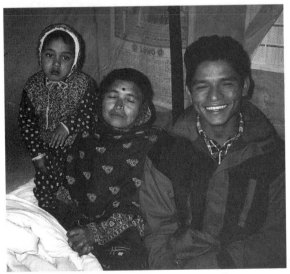

Dans la famille de Batek, notre guide,
avec sa maman et son petit neveu, «le trésor de la soirée»!

MARIAGE ET VOYAGES: *voyage initiatique au Népal*

Anne le clown!

Je respire le bonheur!

Chapitre 10

OUVRIR LES PORTES DU CIEL

LE NOUVEAU-MEXIQUE est décidément un pays riche en aventures. Cette région, décrite comme l'un des plus puissants vortex d'énergie du continent nord-américain, est devenue le point de ralliement de nombreux mystiques. Chacun de mes séjours en ces lieux m'a permis de découvrir un peu plus ma nature profonde. Je suis maintenant convaincue que se connaître soi-même est l'unique moyen d'établir une réelle connexion avec le reste du monde. S'aimer, s'accepter apporte la compassion et permet de s'ouvrir aux autres tout en gardant son authenticité.

Je célèbrerai bientôt mes 35 ans et j'ai besoin de relever un nouveau défi. Mes problèmes de boulimie sont définitivement choses du passé. Je gère la nourriture avec aisance et naturel. Ma vie amoureuse est au beau fixe. J'ai l'occasion de travailler régulièrement en France, où l'on m'offre de beaux rôles sous la direction de réalisateurs chevronnés. Tout ce que j'ai toujours voulu! Et pourtant ma voix intérieure, mon petit lutin créateur me chuchote encore: «Si tu veux te développer, tu ne dois pas t'enliser dans la facilité. Si tu veux avancer, fonce là où tu as le plus peur d'aller!» Lassée de son insistance à vouloir troubler ma vie en apparence idyllique, je me pose alors cette question: «Qu'est-ce qui pourrait constituer, pour moi, un défi artistique immense?» J'ai la réponse quelques semaines plus tard en assistant à un très beau spectacle à Paris. Un récital de poésie érotique arabe, savoureusement dit par une comédienne seule en scène. Pendant la représentation, j'ai une illumination. Voilà, je dois écrire un spectacle en solo!

Au cours des jours qui suivent, une idée commence à prendre forme. Je veux créer une héroïne à la fois sensuelle et sympathique. Un modèle de femme qui prend sa destinée en main, cultivant son intelligence tout en assumant sa sexualité. Et pourquoi pas Shéhérazade, la conteuse à la fois coquine et tragique des *Mille et une nuits*?

Le spectacle se dessine dans ma tête. J'y incluerai des chansons, de la danse et des contes érotiques. Une femme qui parle de sexualité sur scène, ça c'est un défi! De retour à Montréal, enflammée par la passion de ma nouvelle idée, je réussis à vendre mon projet à l'un des plus sérieux producteurs du milieu artistique. Jean-Claude L'Espérance accepte de s'associer au spectacle et d'y investir une somme considérable. C'est une chance inespérée, mais maintenant il faut que j'écrive le texte! Après des mois de recherche pendant lesquels j'ai lu à peu près tout ce qui existe sur l'Orient et ses mystères, je me sens enfin prête à concocter un scénario qui fera la liaison entre les différents contes coquins que j'ai choisi d'adapter pour la scène. Mais chaque fois que je me retrouve devant la page grise de l'écran de mon ordinateur, je suis prise de panique! J'ai des sueurs froides et du mal à respirer. Je suis submergée par une angoisse incontrôlable. Pourtant tout se passe bien dans les réunions de production. Je peux expliquer clairement à mes collaborateurs ce que j'imagine pour les costumes, les décors et la musique. Mais je n'arrive pas à transcrire tout ça en monologues pour mon personnage. Le temps passe, les délais se font de plus en plus serrés et je n'ai toujours aucun texte à montrer…

Un matin, complètement désemparée devant une autre tentative infructueuse, j'ai soudain une idée lumineuse. Et si je demandais de l'aide à mes animaux de pouvoir? Après tout, ils se sont généreusement offerts, et j'ai bien peu usé de leur sagesse depuis ce temps! Je monte dans ma chambre et commence à faire jouer une cassette de tambour chamanique que je m'étais procurée à Taos. J'espère recréer ainsi l'atmosphère propice pour m'aider à me rendre dans l'autre monde. Bear, le chaman, m'avait dit que mon alliée la loutre serait toujours présente pour m'inspirer à créer dans la joie. Je lui demanderai donc de bien vouloir me donner un moyen d'écrire avec facilité. Mais réussirai-je à contacter mes totems sans la présence énergisante de mon instructeur?

Je m'étends sur le plancher de ma chambre, écoutant avec gravité les sons réguliers du tambour. Au bout d'une demi-heure d'une intense concentration, une lourdeur s'installe dans tous mes membres. Je suis enveloppée par la même sensation qu'à ma première expérience avec le chaman. J'ai tout à coup l'impression de me renverser vers l'arrière et d'être emportée à toute vitesse dans un vortex multicolore. Je me retrouve dans une forêt. L'endroit me semble familier, et je reconnais effectivement le boisé que j'avais déjà visité lors de mon premier voyage astral. Tout près de moi, j'aperçois mon alliée, mon amie la loutre! Elle frétille de joie et, toujours enjouée, accomplit une petite danse en tournant autour de mes jambes. Elle plonge ensuite au fond de la rivière pour m'inviter à nager. Sans hésiter, j'entre dans l'eau cristalline et navigue en sa compagnie.

J'aperçois sur le sable scintillant du fond marin une pyramide de verre transparent. Aussitôt, je me retrouve à l'intérieur en position de méditation, m'imprégnant de l'énergie puissante qui émane de cet étonnant refuge. Au bout d'un moment, j'aperçois des lettres d'or en train de se dessiner devant moi sur une des parois de la pyramide. Je peux y lire très distinctement ces mots: «LE TEMPS EST UNE ILLUSION».

Aussitôt la vision disparaît et je me retrouve étendue sur le plancher de ma chambre, totalement mystifiée. Tout cela s'est passé tellement vite! Bear m'avait assurée de l'appui de mes alliés mais ne m'avait pas prévenue que leur aide se manifesterait sous forme de charade. Je ne suis pas plus avancée.

La journée se passe sans que je ponde une seule ligne. Quelle présomption j'ai eu de croire qu'une petite chaman en herbe comme moi puisse, du premier coup, récolter la grande puissance d'un animal de pouvoir pour en faire un usage aussi prosaïque! Mais je ne sais plus à quelle muse me vouer...

De guerre lasse, je prends un livre au hasard dans ma bibliothèque, espérant me changer un peu les idées. Il s'agit de *Dansez dans la lumière* de Shirley MacLaine, la suite de *L'amour foudre*, le récit qui m'avait tant impressionnée à Key West. Dans les premiers chapitres, l'auteure mentionne une de ses très bonnes amies, Chris Griscom. Une pionnière dans le domaine de la spiritualité qui a créé un centre appelé Light Institute. Le complexe est situé... au Nouveau-Mexique, dans le village de Galisteo, tout près de Santa Fe. Quelle coïncidence! Au fil des pages, j'apprends que le Light Institute offre des séminaires où les participants effectuent des régressions dans leurs vies antérieures pour les aider à vaincre les blocages qu'ils n'arrivent pas à dépasser dans leur présent. Ces difficultés seraient causées par des traumatismes vécus dans un passé très lointain, autrement dit, dans une autre existence. En revivant les faits, en mettant au jour leur causalité, on se rend ni plus ni moins au cœur de la tourmente pour pouvoir l'apaiser.

Cette théorie me semble bien intéressante, surtout que j'ai moi-même vécu un plongeon très vibrant dans une de mes vies antérieures pendant une séance d'hypnothérapie avec Carol-Ann, à Key West. Je n'en avais pas compris le sens à l'époque, mais le fait est que cette expérience m'avait beaucoup marquée. Shirley MacLaine a elle-même séjourné au Light Institute. Comme elle l'explique dans son livre, elle y a résolu une dynamique parentale complexe. Elle a constaté que ses problèmes avec ses parents ne dataient pas d'hier puisqu'elle les avait déjà connus dans plusieurs de ses vies antérieures. L'auteure fait d'ailleurs l'éloge de Chris

Griscom en la décrivant comme une femme profonde et inspirée, et suggère aux lecteurs de se familiariser avec le travail du Light Institute en lisant le plus récent ouvrage de sa fondatrice, intitulé… *Le temps est une illusion!*

J'ai le cœur qui me remonte dans la gorge. Quoi! le titre du livre est *Le temps est une illusion*, la phrase même que j'ai vue apparaître sur les murs de la pyramide de verre pendant mon voyage chamanique! Tout devient alors limpide dans ma tête. Mon alliée la loutre ne m'a pas posé une énigme, elle a voulu attirer mon attention vers une solution inusitée, mais bien réelle! Le message de mon amie est clair: je dois retourner au Nouveau-Mexique et me rendre dans ce fameux Light Institute. Je trouverai là-bas le moyen de faire fondre mon blocage et de me mettre à écrire.

Je viens de connaître une grande joie, celle de recevoir et de comprendre un message envoyé par un de mes alliés spirituels. Comme l'inspiration n'est rien sans l'action qui doit en découler, je m'empresse de téléphoner au Light Institute. On m'informe qu'un séminaire de 10 jours sur la spiritualité commence deux jours plus tard et qu'il reste encore une place. Je m'inscris sur-le-champ. Tout le reste se passe avec une facilité étonnante. Je trouve sans problème un siège dans un avion de la compagnie United qui m'emmènera le lendemain à Albuquerque. Une fois sur place, je loue une voiture et conduis la centaine de kilomètres qui me séparent de ma destination, Santa Fe, une ville que j'adore et qui m'est maintenant familière. Malgré mon départ précipité, j'arrive dans les délais prévus et dois maintenant rejoindre les autres participants à la Nizhoni School, une école novatrice créée par Chris Griscom. Pour la durée du séminaire, nous voyagerons chaque jour vers le village de Galisteo, là où se situe le petit complexe du Light Institute, mais nous logerons et prendrons nos repas à l'école de Santa Fe, maintenant abandonnée par ses élèves pour les vacances d'hiver.

Lorsque j'entre dans la grande salle de séjour, j'aperçois une dizaine de personnes attablées devant ce qui semble un délicieux repas végétarien. Les présentations faites, je me jette sur les burritos au fromage et sur les piments farcis au riz, car je suis affamée. L'atmosphère est des plus conviviales. Les invités viennent de tous les coins du monde: d'Allemagne, d'Autriche, d'Argentine et, bien sûr, des États-Unis. La conversation s'oriente rapidement vers un sujet qui nous intrigue tous: Chris, cette femme étonnante qui nous a réunis ici et que nous rencontrerons le lendemain. Sa vie mouvementée et pas du tout conventionnelle alimente à la fois notre curiosité et notre admiration. J'en avais déjà fait le survol, car je m'étais évidemment empressé de lire *Le temps est une illusion* dans l'avion, puisque cet ouvrage semblait m'être prédestiné. Voici ce que j'y ai appris.

Chris Griscom est née en Californie. Enfant, elle avait déjà des dons particuliers et bénéficiait d'une vision élargie et multidimensionnelle du monde qui l'entourait. Elle faisait des prédictions, au sujet de l'avenir des membres de sa famille, qui se révélaient justes, et à l'école connaissait d'avance les réponses aux questions de ses examens. De santé fragile, elle fut déclarée morte trois fois avant l'âge de 11 ans. Elle en réchappa de façon miraculeuse. Au retour de l'au-delà, elle pouvait raconter en détail les conversations qui venaient d'avoir lieu entre le médecin et ses parents. Paroles qu'elle aurait entendues alors qu'elle flottait au-dessus de son corps sans vie! La petite Chris était tellement exceptionnelle que son père l'envoya passer des tests à UCLA (Université de Californie à Los Angeles), où des scientifiques étudièrent ses nombreux talents psychiques: vision à distance, télépathie, etc. Chris était très à l'aise avec ses dons car, adolescente, elle croyait que tout le monde était comme elle.

Emmenée vivre à Mexico par ses parents, elle y rencontre une *curandera* (guérisseuse locale) avec qui elle apprend la communion avec la nature et l'utilisation des plantes médicinales. Poussée très jeune vers le travail humanitaire, elle s'engage neuf ans avec les Peace Corps pour s'occuper d'enfants démunis en Amérique du

Sud. De retour aux États-unis, elle se lance dans l'étude approfondie de l'acupuncture.

En 1985, elle a une révélation qui lui commande de s'installer à Galisteo pour y fonder le Light Institute et, par la suite, la Nizhoni School, une école secondaire novatrice où les étudiants, en plus du programme habituel, étudient l'écologie, les langues étrangères, la naturopathie et la spiritualité, dans une vision de conscience globale. Après le succès de son premier livre, *Le temps est une illusion*, Chris devient une sommité internationale, invitée à donner des conférences partout dans le monde. Depuis, elle a écrit cinq ouvrages, conçu des programmes spirituels sur audio et vidéocassettes, en plus d'animer des séminaires de formation pour les thérapeutes de son institut.

Entre toutes ces activités, elle a eu le temps d'élever ses six enfants! Le petit dernier, Bapu, a fait l'objet d'un livre de photos très touchant, *Ocean Born*, où on assiste à sa naissance dans la mer. On y voit Chris mettre au monde son petit garçon sans assistance médicale, accroupie dans les vagues, entourée de dauphins! Et on y admire son petit bébé nageant tout naturellement sous l'eau comme un poisson, tandis qu'il est toujours relié à sa mère par le cordon ombilical. Je connaissais la méthode Leboyer qui encourage l'accouchement dans des bassins d'eau tiède, en clinique. Mais il faut posséder un réel courage pour enfanter dans l'océan, sur une plage déserte! Ce fait presque héroïque explique bien la certitude et le calme des êtres qui vivent en relation profonde avec leur esprit. Ils peuvent accomplir des faits exceptionnels avec la conviction intime de leur réussite puisqu'ils se savent en accord avec la puissance universelle.

Vous pouvez imaginer ma hâte de rencontrer cette grande dame, dans quelques heures à peine! Je n'ai presque pas dormi de la nuit tant à cause de l'excitation que du bruit de l'énorme chaufferette trônant comme une grosse matrone à côté de mon matelas posé à même le sol. Nous dormons à cinq dans une chambre au confort très rudimentaire. Le ronronnement incessant de la chaufferette est accompagné d'une symphonie de pets, alimentée par la cuisine mexicaine de la veille!

La nuit a été longue. Apparemment, l'évolution de mon âme demandera quelques sacrifices. Mais j'ai bientôt l'occasion de me remettre dans de meilleures dispositions car la journée commence par un cours de yoga et une période de méditation, coordonnés par un des instructeurs de l'école. Nous apprenons que Chris viendra nous donner une séance d'introduction vers 9 h, après le petit déjeuner. Pour cette première journée, nous n'irons pas encore à Galisteo pour effectuer des régressions dans nos vies antérieures. Il paraît qu'un simple mortel ne plonge pas dans l'hologramme sacré du temps et de l'espace sans une certaine préparation.

À l'heure dite, nous sommes tous installés dans la grande salle, assis en rond sur des coussins. L'attente est palpable, personne ne dit mot. On entendrait voler un ange. Quelques minutes plus tard, notre professeure tant attendue fait son entrée et d'une démarche gracieuse vient immédiatement s'asseoir parmi nous. Elle est si belle que j'en ai le souffle coupé. Très blonde avec des yeux couleur émeraude, elle possède les traits lisses et réguliers d'une déesse scandinave. Il émane d'elle une aura particulière, une alliance de sagesse et de pureté rehaussée par sa tenue: une chemise flottante et une longue jupe diaphane entièrement blanches.

Sans plus de façon, Chris nous fait un superbe sourire et commence à parler d'une voix calme et très douce, presque chuchotée. «Vous êtes venus ici pour ouvrir le dialogue avec votre esprit, pour découvrir votre force intérieure et accéder à une nouvelle dimension de votre être.» Elle prend une pause et considère chaque participant d'un regard aimant qui ferait fondre un iceberg. Tous les participants sont suspendus à ses lèvres, comme si nous écoutions un message de la Vierge Marie. «Durant le séminaire, nous allons travailler le corps émotionnel, cette entité séparée qui vibre à une fréquence inférieure et qui retient une mémoire vive empreinte des peurs et culpabilités accumulées, non seulement depuis la petite enfance, mais tout au long des vies passées. Il faut nettoyer, clarifier le corps émotionnel pour avoir accès à la conscience pure et manifester sa propre spiritualité.»

Chris parle avec une grande douceur, mais il émane de son attitude une autorité indéniable. Elle me fait penser à la bonne marraine dans le conte de Cendrillon. Si nous sommes venus ici pour vivre une transformation et changer nos citrouilles en carrosses, nous sommes visiblement au bon endroit! «Au Light Institute, nous utilisons une technique pour altérer le niveau de conscience appelée *Windows of the sky*. Nous allons activer, sur votre corps, des points ésotériques qui augmenteront vos perceptions au-delà des cinq sens tout en stabilisant la connexion avec votre moi supérieur. En ouvrant les "fenêtres du ciel", vous joignez votre humanité à la conscience globale et ancrez le divin dans la réalité ordinaire. Ces points directement liés aux octaves supérieures sont les seuils d'une dimension où le corps physique s'amalgame avec les corps subtils. Les "portes du ciel" vous aideront à guérir les blessures emmagasinées dans la matrice de votre corps émotionnel, en vous permettant d'accéder à vos vies antérieures.» J'aperçois à ma droite un homme d'un certain âge qui hoche la tête d'un air perplexe. Chris utilise un langage d'initiés qui n'est pas accessible à tous. Heureusement pour moi, j'ai déjà été familiarisée avec ses étonnantes conceptions, grâce à la lecture de son livre. Mais certains de mes compagnons regardent notre instructrice d'un air ébahi qui en dit long.

«Le temps n'est pas linéaire, il est multidimensionnel. Le passé et le présent se chevauchent. Pendant les séances, vous aurez la possibilité d'accéder à des informations qui vous aideront à déchiffrer les mystères de votre âme et à trouver le but véritable de votre passage sur cette terre, ici et maintenant.» Je suis impressionnée. Pourrons-nous effectivement pénétrer dans l'autre réalité, pour y ramener d'insondables secrets réservés autrefois aux seuls disciples des écoles des mystères? Il ne s'agirait que de presser quelques points sur notre humble carcasse? Cela paraît si simple…

Imperturbable, Chris continue son exposé: «Aujourd'hui, chacun de vous recevra un traitement appelé "crânial". Un massage préparatoire qui aidera à activer les points spécifiques d'acupuncture et qui équilibrera votre champ électromagnétique. De cette façon, vous serez plus réceptifs au cours des prochaines séances, à Galisteo. Cet endroit a été précisément choisi pour y effectuer les régressions dans les vies antérieures, car il est considéré comme un puissant vortex, un lieu où une spirale énergétique permet à la conscience de s'élever plus facilement vers les plans supérieurs.» Et elle ajoute avec un petit rire: «Surtout ne vous inquiétez pas, le traitement est très agréable et indolore!»

En fin d'après-midi, je m'apprête donc à recevoir mon fameux massage. Tout ce que je peux en dire, c'est que les personnes qui sortent des salles de traitement sont littéralement transfigurées. Leurs yeux brillent d'un éclat nouveau et leurs traits semblent radicalement rajeunis. Je meurs d'impatience de goûter à cette nouvelle fontaine de Jouvence. Mon tour arrive. Une grande femme aux traits germaniques me reçoit dans une pièce exiguë où trône une table de massage: «Bonjour, je m'appelle Ursula. Installe-toi.» Pendant qu'elle se lave les mains avec une lotion antiseptique, elle me fait signe de m'étendre. «Pas besoin de me déshabiller?» dis-je étonnée. «Non, ce traitement est très différent des massages corporels. Je touche principalement le crâne et le visage. Je travaille avec Chris depuis des années et je peux te dire que ce "crânial" fait des merveilles.» Elle se met alors à effectuer des pressions assez fortes sur des points précis de ma tête. Pendant 20 bonnes minutes, elle me masse le crâne avec des mouvements qui s'apparentent un peu à ce que je connais de la technique chinoise du shiatsu. Puis elle se met à pétrir les muscles de mon visage comme si elle désirait le remodeler. Je garde les yeux fermés et éprouve des sensations bizarres, comme si des grandes vagues d'énergie me traversaient le corps. Ursula me demande alors d'ouvrir la bouche le plus grand possible. J'ouvre plutôt les yeux d'étonnement! «Les points ésotériques les plus puissants sont situés sur le plafond du palais», me dit Ursula, compatissante. Ses paroles n'ont rien pour me rassurer... «Je vais maintenant introduire délicatement ma main à l'intérieur de ta bouche pour la masser.» Qu'est-ce qu'il ne faut pas subir pour atteindre les portes du ciel! Je me sens comme un saumon tiré hors de l'eau à qui on va retirer son hameçon. La bouche grande ouverte, j'aperçois la main géante d'Ursula qui s'approche de mon visage. Je me sens plus nerveuse que chez le dentiste. Adroitement, elle appuie avec ses doigts sur un point situé sur la voûte de mon palais. Contrairement à ce que je craignais, ce n'est pas désagréable. Ça ne fait pas mal, sauf que j'ai la mâchoire déboîtée comme un anaconda qui aurait du mal à avaler sa proie. Je me demande si cet exercice va durer encore longtemps parce que je commence à me sentir étourdie.

Tout à coup, une chose très étrange se passe. J'ai l'impression de quitter mon corps comme si je m'envolais dans une spirale qui m'entraîne vers le haut. La pièce tourne sur elle-même et je me vois étendue en son centre sur la table, avec l'air apaisé de la Belle au bois dormant qui attend son prince charmant. Mais comment puis-je voler dans les airs et être couchée là en même temps? Est-ce que ce traitement m'a donné le don d'ubiquité, pour que je sois à deux endroits à la fois? C'est plus incroyable qu'un conte de fées!

Puis soudain, plus rien, le noir, l'immobilité. Je sens alors une main chaude sur mon front et entends une voix qui semble venir de très loin: «Quand tu te sentiras prête, tu pourras te relever. Le traitement est terminé.» Encore un peu désorientée, je descends de la table avec précaution. Je me demande si elle est placée sur la terre ferme ou si elle flotte dans les airs... Je ne peux vraiment expliquer ce qui vient de se passer, mais le fait est qu'après ce massage original je me sens régénérée. Si je n'ai reçu aujourd'hui qu'un traitement préparatoire, ça promet pour le lendemain!

Après le souper végétarien qui se révèle aussi copieux que la veille, je me prépare à affronter une autre nuit bruyante quand un des participants, un homme aux tempes grisonnantes portant un chapeau de cow-boy, lance à la cantonade: «Je suis seul dans une grande maison. J'ai deux chambres libres, s'il y a des intéressés.» Sans même réfléchir, je lève la main en disant: «Oui, moi je veux bien y aller!» Un seul autre participant montre de l'intérêt entre les regards suspicieux du reste du groupe. «Parfait, faites vos valises, je vous emmène dans ma Jeep.» Une demi-heure plus tard, je me retrouve seule avec deux hommes que je connais à peine dans un véhicule qui grimpe un obscur chemin de montagne. Mais je ne ressens aucune crainte tellement je suis certaine d'avoir pris la bonne décision. Voilà probablement le résultat de ma récente synchronisation avec les ondes subtiles de ma voix intérieure! Nous nous arrêtons devant une grande demeure, à flanc de colline. La structure moderne, flanquée d'immenses baies vitrées, offre une vue imprenable sur la vallée. À l'intérieur, le décor est sublime, muni de tous les attributs propres au style du Sud-Ouest: les lustres faits de panaches de cerfs, les fauteuils en cuir tressé. Le propriétaire de cette demeure est vraisemblablement un homme de goût et un fervent collectionneur. Je remarque de nombreux tableaux et des sculptures imposantes qui ajoutent une note artistique à l'ensemble, déjà somptueux.

Notre hôte me conduit dans une suite de deux pièces donnant sur un jardin intérieur. «Voilà, fais comme chez toi!» Je suis ravie, c'est le confort total par rapport au campement sommaire où j'ai dormi la veille. Mon instinct ne m'avait pas trompé. Ed, qui nous reçoit chez lui, est en fait un homme d'affaires fortuné. Pourtant, il ne paye pas de mine avec ses vieux jeans et sa veste de cuir usée. Il possède en plus un merveilleux sens de l'humour. Avec son second invité, Dieter, professeur de yoga autrichien, nous formerons bientôt un inséparable trio aux fous rires légendaires. Après les émerveillements de ma première journée, je suis comblée!

Le lendemain, après notre séance de yoga et de méditation, arrive enfin le moment de se rendre au Light Institute pour notre première séance. Galisteo se situe à une vingtaine de kilomètres au sud de Santa Fe. Chemin faisant, j'admire le paysage où des monolithes roux tranchent sur la terre ocre de la plaine. Le hameau où nous nous arrêtons est niché au creux d'un bassin entouré de rochers. Composé d'une petite église, d'un hôtel et de quelques maisons entièrement façonnées de terre cuite, il semble tout droit sorti d'un livre d'images. Le complexe où nous nous rendons se situe un peu plus loin, en contrebas. J'aperçois un essaim de cabines de bois toutes simples, entourées de cactus géants. L'air de la plaine chargée d'ions négatifs est électrisant. Il émane de cet endroit une énergie particulière et mystérieuse. Je me rends compte que je m'apprête à fouler une terre sacrée.

Après la visite des lieux, on nous assigne chacun une cabine qui deviendra notre lieu privé pour la durée du séminaire. J'entre dans une pièce décorée de reproductions de pétroglyphes indiens, des dessins sacrés très anciens gravés dans les rochers avoisinants. Une jeune femme brune au visage lumineux est déjà installée sur une chaise près d'une couche invitante recouverte de coussins et de couvertures multicolores. «Bonjour, je m'appelle Carla, et je serai ton accompagnatrice cette semaine. Pendant que tu t'installes confortablement, je vais t'expliquer ce qui va se passer.» Je me glisse avec bonheur sous les couvertures, car l'air est un peu frais, en me disant que le travail spirituel est plutôt agréable pour le moment. Carla place maternellement un coussin sous ma tête et enchaîne: «Au début de chacun de nos rendez-vous, je vais activer tes portes du ciel par des manipulations. J'augmenterai ainsi la fréquence de ton enveloppe électromagnétique pour te permettre d'accéder à un autre niveau de conscience. Après quelques exercices de visualisation pour faciliter la rencontre avec ton esprit supérieur, je te demanderai de décrire à voix haute tout ce que tu vois et ressens. Je prendrai des notes fidèles que tu pourras emporter chez toi.» J'ai le cœur qui commence à battre la chamade. J'ai déjà fait deux voyages astraux conscients où j'ai rencontré mes alliés, le premier avec Bear et le second qui m'a inspiré ma venue ici, mais cette nouvelle technique des portes du ciel me semble très puissante et je ne sais pas trop ce qui m'attend de l'autre côté.

«Si tu es prête, nous allons commencer.» Sans plus de façon, Clara appuie sur des points précis avec son pouce, en commençant par le sternum et le plexus solaire, pour poursuivre à la base de mon cou, au-dessus de ma tête et pour finir sur le fameux point à l'intérieur de ma bouche. Cette fois, je ressens une grande légèreté dans mon corps. J'ai l'impression de flotter et perçois de délicates vagues d'énergie qui me submergent de façon intermittente. Je suis parfaitement éveillée, mes pensées sont claires et précises comme un laser. Carla arrête ses manipulations et je l'entends froisser des feuilles de papier. «Maintenant, je vais te guider dans une visualisation où nous demanderons à ton esprit de prendre forme et de se montrer à toi. Le fait de le concrétiser en images t'aidera à ancrer cette expérience dans ton conscient pour que tu y aies facilement accès à l'avenir. Ensuite, je t'accompagnerai à travers différents états de ton enfance, pour clarifier ta mémoire émotionnelle récente et permettre à ton mental d'accepter le voyage beaucoup plus intense que tu effectueras demain dans tes vies antérieures.»

Suivant en cela les directives de mon accompagnatrice, je m'imagine donc en train de marcher dans une grande clairière, près d'une source limpide. Je demande mentalement à mon esprit supérieur de prendre forme. Je me retrouve tout à coup flottant dans un vacuum baigné de spirales lumineuses qui palpitent rapidement. Devant moi, ancrée dans le vide, se trouve une pyramide de cristal. La même structure qui, quelques jours auparavant, m'a indiqué le chemin pour venir en ce lieu. Je pénètre à l'intérieur pour m'y asseoir et j'ai alors l'impulsion de formuler une requête: «Je désire recevoir l'inspiration qui me permettra d'écrire avec facilité.» Je sombre alors dans un état de profond détachement, où mes pensées défilent sans que j'aie envie ou besoin de les décoder. Je ressens un tel bien-être que je voudrais que ce moment dure éternellement. De chaque côté de la pyramide apparaissent devant moi deux magnifiques lueurs. Celle située à ma droite est d'une chaude couleur orangée striée de filaments d'or, tandis que celle située à ma gauche scintille d'un bleu azur nimbé d'argent. Au même moment, j'entends un «cillement» intense dans mon oreille droite et reçois le message silencieux que ces deux entités sont mes propres muses de création, et qu'elles seront toujours à mes côtés pour m'inspirer si je leur en fais la demande. Je suis soudainement recouverte d'une vague d'amour si intense, je ressens un bonheur si complet que je me mets à rire à gorge déployée!

«Eh bien, me dit Carla en réponse à mes éclats de rire, ta rencontre avec ton esprit a l'air de se faire dans la joie!» Je garde les yeux fermés et, toujours allongée, lui fais un sourire. Je ne veux ni parler ni bouger, de crainte de perdre le merveilleux sentiment de béatitude qui semble imprégner chacune des cellules de mon corps.

«Maintenant, je voudrais que tu t'imagines petite fille, continue Carla d'une voix douce. Essaie de retrouver un état d'innocence, où tu étais heureuse, sans soucis. Demande à la petite fille la permission de la prendre dans tes bras, et décris-moi ce qui suivra.» J'aperçois une mignonne fillette aux yeux immenses qui lui dévorent le visage. Elle me regarde avec gravité. Elle porte une robe rouge et ses cheveux courts forment un joli encadré autour de ses joues rondes. Je me reconnais à l'âge de cinq ans. Mais son visage ne reflète pas l'insouciance associée d'habitude à cet âge. Les sourcils froncés de la petite fille lui donnent un air préoccupé qui sied mieux à une adulte. «Petite Anne, me dis-je, puis-je te prendre dans mes bras?» Je ressens tout à coup une grande tristesse, un sentiment de solitude comme si une partie de moi m'avait toujours manqué. Je me mets à pleurer silencieusement, les larmes tièdes coulent le long de mes joues. La petite Anne s'approche lentement de moi mais, au lieu de se jeter dans mes bras, pointe avec insistance vers mon plexus solaire. Je ressens immédiatement une sensation de danger, je regarde vers le bas et aperçois avec horreur, juste au-dessous de ma poitrine, une espèce de larve brune, enroulée en colimaçon et incrustée dans ma chair. Je pousse un cri de dégoût. La petite fille s'approche alors résolument de moi et, tirant de toutes ses forces, arrache la chose avec ses mains pour la lancer au loin. Je ressens un formidable haut-le-cœur, suivi de la sensation de tomber dans le vide et… je m'évanouis vraiment! Carla, à qui je décrivais l'expérience à voix haute, s'est évidemment aperçue de ma perte de conscience. Lorsque je reprends mes sens, je sens ses mains qui me massent lentement le plexus solaire.

«Eh bien, petite Anne, me dit Carla en posant une main bienfaisante sur mon front, tu n'y vas pas par quatre chemins! Je t'ai suggéré de clarifier ton corps émotionnel et déjà tu te débarrasses de vieilles empreintes profondément enracinées. Tu te connectes aux octaves subtiles avec une grande facilité, mais attention de ne pas trop t'emballer. Ton expérience a été si violente que tu es carrément tombée dans les pommes.» «Oui, lui dis-je, j'ai un peu tendance à me prendre pour une kamikaze galactique. Je serai plus prudente la prochaine fois.» Ce que je suis en train de dire me paraît bien inutile, car je n'ai jamais eu l'impression de diriger quoi que ce soit durant mon expérience. Mais si ça peut la rassurer… Carla enchaîne: «Demain, nous allons nous rendre plus loin, dans tes vies antérieures. J'aime autant te prévenir, parfois les souvenirs peuvent être dérangeants. Mais jamais autant qu'aujourd'hui, car c'est la première fois que quelqu'un perd connaissance durant une séance!» Ainsi se termine ma première régression dans le désert de Galisteo. Les trois heures ont passé en un éclair.

De retour chez Ed, je me plonge dans un bain aromatisé de vinaigre de cidre. Un rituel que les participants doivent effectuer après chaque séance pour bien nettoyer leurs corps subtils. Je ferme les yeux d'aise, relaxant voluptueusement dans l'eau chaude, me remémorant les événements impressionnants de la journée. Ai-je vraiment rencontré mes muses créatrices? L'inspiration peut-elle venir sur demande aussi facilement? Dans les secondes qui suivent, je recommence à entendre le «cillement» bizarre dans mon oreille droite et vois sur mon écran mental les lueurs bleues et orangées dont les émanations bénéfiques me remplissent d'une joie indescriptible, proche de l'extase. Leur présence ne dure que quelques instants, mais quelle sensation extraordinaire! Il semble que les muses me font la grâce de venir me rendre visite, au premier appel. Mais ces aimables anges lumineux sauront-il vraiment m'aider à écrire? J'aurai bientôt la réponse à mon ardente question.

Après une bonne nuit de sommeil, notre inséparable trio se met en route pour Galisteo. Aujourd'hui, notre séance de méditation se fera en pleine nature, près des rochers sacrés recouverts d'inscriptions anciennes. Le temps est doux, il fait déjà un soleil radieux. Pourtant Dieter, notre bel Autrichien, semble morose et ne sourit même pas aux blagues coquines de notre conducteur, Ed, le boute-en-train sexagénaire qui n'arrête jamais de s'amuser: «Eh bien, Dieter, pourquoi es-tu si déprimé? Est-ce que ton esprit supérieur te serait apparu sous la forme de ton ex-femme?» «Il ne m'est pas apparu du tout. Je suis resté là, étendu pendant tout ce temps, et je n'ai rien vu, rien entendu! Je n'arrivais absolument pas à visualiser.» «Écoute, Dieter, lui dis-je, essayant de minimiser sa déception, peut-être que tu n'arrives pas à voir consciemment le travail de ton corps émotionnel, mais cela ne veut pas dire que rien ne se passe à un niveau plus subtil. Je suis sûre que ton esprit supérieur était au rendez-vous.» «D'accord, mais ça fait des années que je médite et que j'enseigne le yoga. Je devrais accéder à la supraconscience avec plus de facilité.» «Vous savez, répond Ed toujours au volant de sa Jeep, moi, je ne croyais pas à tout ça, les vies antérieures, les corps subtils et tout le tralala.

Je suis venu ici parce que j'ai rencontré Nancy, une femme divine que j'ai aperçue à la librairie ésotérique de Santa Fe, où je me trouvais Dieu seul sait pourquoi. J'ai été subjugué, et le lui ai dit! Nous sommes allés prendre un café, et elle m'a confié qu'elle ne pourrait jamais sortir avec un homme qui ne s'intéresse pas à la spiritualité. Elle m'a conseillé de venir au Light Institute et, pour lui prouver ma dévotion, je me suis enrôlé.» «Mon Dieu, m'exclamai-je, ça c'est de l'amour! » «Oui, mais le plus étonnant c'est que, sans y croire, j'ai vécu une expérience extraordinaire, hier. Mon esprit est venu me voir sous la forme d'un chef indien qui portait une peau de bison blanc sur la tête. Il me fixait avec des yeux perçants sans dire un mot. Dès que j'ai commencé à soutenir son regard, je me suis retrouvé dans un village amérindien aux côtés d'une superbe squaw. Même si elle n'avait pas les mêmes traits, j'ai tout de suite reconnu Nancy. Elle me tenait par la main, en me disant qu'elle devait se marier aujourd'hui au fils de Bison Blanc, mais qu'elle ne m'oublierait jamais. Mort de chagrin, j'ai quitté la tribu pour ne plus jamais revenir.» Je regarde Dieter qui lance à Ed un regard étonné où je décèle une pointe d'envie. «Quelle chance! lance-t-il à Ed. Tu as revécu une de tes vies antérieures. Et ce n'était même pas le but de l'exercice!» Je me retourne vers Dieter pour lui dire: «Peut-être que la régression a eu lieu justement parce que Ed n'avait aucune attente. Il s'est lancé dans le jeu sans idée préconçue.» Dieter se renfonce un peu plus dans la banquette arrière, sans me répondre. J'ai probablement touché un point sensible. «En tout cas, continue Ed, je commence à apprécier tous ces trucs spirituels. Vous croyez que j'ai vraiment été un Indien? De toute façon, j'ai bien hâte de voir ce qui m'attend aujourd'hui.» Je comprends la déception de Dieter. Venir d'aussi loin que l'Europe, en espérant goûter à un nectar merveilleux, et se retrouver devant un verre vide. Espérons pour lui que sa deuxième séance sera plus fructueuse.

Comme la veille, Clara m'attend déjà dans la cabine. À mon arrivée, elle me propose de m'installer sur la table de massage. Dès que je suis bien emmitouflée dans les couvertures, elle commence à activer les portes du ciel. Cette fois-ci, je n'ai aucune sensation spectaculaire, sauf un sentiment de bien-être général. Peut-être que mon corps se familiarise avec le traitement. «Bien, me dit Clara, va à la rencontre de ton esprit supérieur et demande-lui de voir une de tes vies antérieures. De préférence, une vie non résolue qui affecte encore ton existence présente.» Je ferme les yeux, un peu inquiète, espérant secrètement qu'il se passe quelque chose d'intéressant. Je serais mortifiée si je ne voyais rien, comme le pauvre Dieter hier.

Mais j'ai eu à peine le temps de formuler cette triste pensée que la pyramide transparente m'apparaît, flanquée de mes deux lueurs amies. Une vision maintenant familière qui me signale le contact avec mon moi supérieur, toujours accompagnée d'un étrange «cillement» dans mon oreille droite. Quelques minutes passent, et je suis immergée de nouveau dans une ineffable sensation de joie pure. Soudain, à ma grande surprise, je me retrouve sur les marches d'un imposant palais. En apercevant les toits aux ailes recourbées, ainsi que les pagodes qui pointent à l'horizon, je comprends que je suis en Chine. Je porte une longue robe de soie rouge qui recouvre… un pantalon, car je suis un homme!

Cela paraît étonnant, mais je n'ai aucun doute que cette personne si différente de mon physique actuel soit vraiment une autre incarnation de moi-même. J'entends ses pensées et ressens ses émotions. Je ne saurais l'expliquer, mais c'est comme ça, tout simplement. L'histoire défile dans ma tête avec une multitude de détails, comme si j'avais pris un cours sur les us et coutumes de la Chine ancienne. Je décris tout ce qui arrive à voix haute, pendant que Carla prend des notes. «J'ai l'air d'avoir à peu près 20 ans. Je suis grand pour un Asiatique, assez frêle. Je traverse rapidement la cour d'un palais, cachant à l'intérieur de mes manches des rouleaux de manuscrits. Ils sont compromettants, et je les ai écrits de ma propre main. Je serais en grand danger s'ils étaient découverts. Tout à coup, je ressens une vive douleur à la tête. Quelqu'un vient de me frapper par derrière. Je perds l'équilibre pendant qu'on me traîne dans une salle à l'intérieur du palais. "Par ordre de l'empereur, nous devons t'emmener. Tu es accusé de trahison!" Je suis à la cour impériale, et ce sont des soldats qui m'arrêtent! Je relève la tête et aperçois l'empereur en personne, assis devant moi sur un trône d'or à têtes de dragon. Il devrait être furieux et pourtant il me regarde d'un air triste.»

Tout se passe dans ma tête aussi clairement que si je regardais un film, sauf que je vois défiler toute l'histoire du point de vue d'un seul personnage: le jeune homme qui vient d'être arrêté.

«Je suis envahie à la fois par des sentiments de colère et de honte. J'entends la voix de l'empereur et ses mots résonnent en moi comme le glas de la mort. "Toi, mon fils adoptif, comment as-tu pu écrire de telles choses? Tu me traites de tyran, tu parles de révolte. Je ne l'aurais jamais cru faute de preuves. Mais ces documents ne mentent pas." Je me mets à trembler de tout mon corps. Je m'attends au pire. Je ne sais plus si je hais où si j'aime cet homme autrefois bon, mais maintenant perverti par le pouvoir. "Ton crime est passible de mort, me dit l'empereur, mais en souvenir de mon affection pour toi, je te laisse la vie sauve. Tu es un écrivain talentueux et un bon musicien. Tu n'aimes rien de plus en ce monde que de jouer de ta flûte ou de manier ton pinceau pour la calligraphie. Mon châtiment sera donc terrible." Je sens mes jambes se dérober sous moi. Je tomberais sûrement sur le sol si je n'étais maintenu par les soldats. Je n'ose imaginer le sort qui m'attend. L'empereur énonce d'une voix sans appel: "Je te condamne à te faire couper les 10 doigts et à vivre en exil, loin de la cour, jusqu'à ta mort!" Les soldats m'entraînent aussitôt sur le parvis du palais. Devant toute la cour assemblée, ils me forcent à m'agenouiller. Le bourreau attache mes poignets sur un établi de bois. D'un grand coup de sabre, il me tranche les doigts des mains, l'une après l'autre. Je suis aveuglée par le sang qui gicle de toute part.»

Je suis complètement chavirée. Tout est si réel. La couleur du sang, le bruit des phalanges coupées, le visage du bourreau! Je vois tout en détail, même si je ne ressens aucune douleur physique. Mais l'horrible vision s'efface aussitôt pour faire place à une nouvelle image.

«Je me vois vieux, malade et presque aveugle. Je mène une existence misérable dans une petite cabane près d'une rivière. Un serviteur m'aide dans les tâches quotidiennes et prend tous les jours en dictée les mémoires d'un traité philosophique que je suis incapable d'écrire avec mes mains mutilées. Je crois que je suis un peu amoureux de ce jeune homme. Sa nature noble et dévouée me semble familière, comme si je le connaissais depuis toujours. Je scrute son beau visage avec attention comme s'il recelait je ne sais quel secret. J'ai l'impression de me perdre dans son regard si franc, si loyal.»

Tout à coup, un long frisson me traverse le corps et je comprends que mon sauveur n'est nul autre que John, mon mari. Il porte un autre nom, a un autre visage, mais c'est bien lui, j'en ai la certitude. L'amour qui nous unit possède la même qualité, la même force qu'aujourd'hui. Nous nous sommes donc connus avant cette vie-ci?

«La vision continue. Je nous vois assis côte à côte sur un banc dans le jardin. Je suis en train de lui dicter la dernière page de mon livre. Mon œuvre est enfin terminée. Maintenant, je peux libérer le jeune homme qui m'a sacrifié sa vie. À son insu, j'avale une boisson mortelle faite de plantes empoisonnées. J'expire dans les bras de mon fidèle ami, en lui disant ces mots: "Je hais mon talent pour l'écriture, car en son nom j'ai trahi un père qui m'aimait. Cette vanité fut la source de tous mes malheurs."»

Le voyage fantastique est terminé. J'ouvre les yeux et me relève doucement, encore ébahie par mon aventure. Ce que je viens de vivre défie toute logique et pourtant j'ai l'intime conviction que cette histoire est la mienne. Je ne peux renier la pertinence du scénario.

Dès la première régression, j'ai été plongée dans le vif du sujet puisque je suis venue ici pour vaincre un blocage par rapport à l'écriture. Si j'ai vraiment vécu dans le passé cette expérience traumatisante à cause des mots, je comprends pourquoi je suis victime d'une peur irrationnelle qui me paralyse dès que je dois écrire. Reste à savoir si cette prise de conscience suffira à libérer le flot de mon inspiration. Mais je suis certainement sur la bonne voie. Grâce aux portes du ciel, hier j'ai contacté mon moi supérieur et rencontré mes muses, et aujourd'hui j'ai clarifié une mémoire ancienne. Mon alliée la loutre, en m'envoyant ici, m'a transmis un message inspiré. Je me félicite d'avoir répondu aussi promptement à son appel.

Le séminaire est presque terminé et je n'ai pas encore eu la chance de vérifier si ma panne devant la page blanche a été dissoute par le feu de mes souvenirs antérieurs. Entre les régressions, les cours théoriques avec Chris, les excursions dans les montagnes et les trempages dans le vinaigre, notre horaire est plutôt chargé. Au cours des deux autres séances, j'ai pu explorer d'autres facettes intéressantes de mes personnalités passées. Mais aucune ne fut aussi percutante que celle de l'écrivain de la cour impériale de Chine. Par ailleurs, j'ai dû me rendre à l'évidence que plusieurs de mes aventures tournaient autour de la nourriture, et montraient une filiation avec le manque d'estime de soi. Il semble que mes problèmes de boulimie avaient des racines encore plus profondes que ce que j'avais imaginé.

Dans une des vies qui m'a été présentées, j'étais un apprenti prêtre égyptien qui a raté son ultime initiation: une épreuve où il devait passer trois jours et trois nuits enfermé dans un tombeau. (Maintenant, je comprends pourquoi j'ai eu la folle impulsion de me coucher dans un cercueil, pendant le tournage des *Plouffe*!)

Le garçon fut renvoyé du temple et se trouva si mortifié de son échec qu'il se mit à manger jusqu'à en devenir obèse. Il mourut en s'étouffant avec un os de poulet!

L'une de mes incarnations plus récentes était une fille de joie plantureuse qui vécut à Londres à l'époque de Jack l'Éventreur. Les policiers qui investissaient le quartier des prostituées pour enquêter sur les horribles crimes du tueur faisaient fuir les potentiels amateurs de charmes féminins. La pauvre fille est morte de faim, faute de clients et de revenus.

Une chose est sûre, mon esprit supérieur n'a pas cherché à me flatter, car les scénarios qui me sont apparus lors des séances se sont révélés pour la plupart pathétiques. Je n'ai jamais été Cléopâtre, ni Napoléon! Il est probable que la majorité des incarnations que j'ai eu l'honneur de vivre sur cette terre furent beaucoup moins dramatiques. Mais les régressions effectuées au Light Institute ont pour but de nettoyer le corps émotionnel. Il est donc normal que les vies antérieures qui se dévoilent aux participants pendant le séminaire comportent des éléments dévastateurs risquant d'avoir encore un impact sur leur psychisme actuel.

J'ai gardé jusqu'à ce jour les notes fidèles prises par mon accompagnatrice alors que je décrivais mes expériences. Parmi les 10 incarnations qui m'ont été dévoilées à Galisteo, il y en a une dont je n'ai pas compris la révélation. Celle d'un pêcheur hawaïen coulant des jours heureux avec sa marmaille de huit enfants. Moi qui n'ai jamais eu la fibre parentale, j'ai eu tout un choc de me voir en patriarche dévoué, consacrant tout son temps à sa progéniture! On peut dire que cette facette de ma personnalité ne semble pas avoir de résonance dans ma vie présente. Pas pour le moment du moins.

Au milieu des rochers escarpés de Galisteo, 10 voyageurs en quête d'absolu ont plongé dans un prisme cosmique, un kaléidoscope où le temps et l'espace se morcellent et se superposent en une valse infinie. Notre petite réalité de tous les jours s'en est trouvée grandie, teintée à jamais par les effluves colorés de nos vies passées. Pour quelques heures, notre corps physique est entré en symbiose avec les fréquences supérieures. On pourrait croire que le dévoilement de ces mystères constitue le dénouement de notre séjour au Light Institute, mais un défi encore plus percutant nous attend: pour la dernière journée de notre séminaire, nous devrons marcher… sur des charbons ardents!

La marche sur le feu est un rituel ancestral exécuté par plusieurs peuples indigènes à travers les âges. Les chamans yakoutes d'Asie centrale le pratiquent encore dans les plaines de Mongolie. Aujourd'hui, c'est un Indien, de la tradition hopie, qui nous préparera à accomplir cet exploit. Nous sommes tous réunis dans le pavillon principal de l'institut, attendant avec fébrilité notre mentor. Celui qui nous instruira sur la façon de piétiner des braises rougeoyantes, chauffées à plus de 800 degrés, sans nous brûler!

Un petit homme rubicond à la peau tannée par le soleil fait son entrée. Il a le sourire et les yeux pétillants d'un lutin jovial. Sans façon, il s'installe par terre au milieu du groupe, les jambes croisées, avec l'air satisfait d'un membre de la tribu qui vient de fumer son calumet de paix. «Salut à tous. Je m'appelle Tim. Ce qu'on va faire aujourd'hui est très simple. On va s'amuser ensemble tout l'après-midi et ensuite on ira marcher sur le feu!» Puis il laisse échapper un grand rire. À l'entendre, on croirait qu'on se prépare à partir en pique-nique! J'entends derrière moi une des participantes, Nathalie, comptable à Boston, qui murmure: «En tout cas, moi, il n'est pas question que j'y aille.» Notre instructeur a sûrement l'oreille fine, car tout de suite il lui répond: «Je suis le grand manitou des flammes. Et j'ai un seul slogan: "Avec moi, tout le monde y va!" Pour commencer, nous allons allumer un grand brasier. Il faut qu'il nous donne assez de braise pour fabriquer un couloir de 20 pieds de long. Vous allez voir, dans quelques heures, je vais vous dérouler un beau tapis rouge!» Je sens un frisson d'excitation me traverser le corps. Même si ma tête est perplexe, mon cœur, lui, bondit de joie. Rationnellement je suis effrayée, mais instinctivement j'ai hâte d'affronter les charbons ardents. Imaginez, dans un moment, nous allons repousser les frontières du possible!

Tim se lève et tout en continuant de parler distribue un morceau de papier à chaque participant. «Les flammes ont la vertu de tout purifier. Ce soir, vous aurez la possibilité de libérer vos peurs. Mais posez-vous d'abord cette question: que voulez-vous accomplir en marchant sur le feu? Inscrivez la réponse sur ce papier. Tout à l'heure, vous le jetterez dans le brasier. Avec cette offrande, vous communiquerez vos intentions à la puissance du feu.» Je sais très bien ce que je veux demander. Je suis venue au Nouveau-Mexique avec un seul but en tête: trouver l'inspiration pour écrire mon spectacle. J'inscris avec ferveur: «Esprit du feu, donne-moi le courage et la vision de créer une Shéhérazade inspirante qui saura parler au cœur des gens.»

Nous sortons en silence pour former un grand cercle sur le terrain choisi pour la cérémonie. Le ciel gris éclaire d'une pâle lumière les flocons de neige qui virevoltent paresseusement au-dessus de la plaine. L'atmosphère est solennelle, amplifiée par la voix puissante de Tim qui projette dans l'air cristallin des incantations mystérieuses, scandées dans une langue inconnue. Amorçant le rituel, nous posons tour à tour une bûche de bois sur l'imposante structure déjà existante. Ensuite, à l'aide d'une torche, nous alimentons la flamme naissante avant d'y jeter avec recueillement notre prière écrite. Lentement, nous retournons à la file indienne dans notre cabanon, où une boisson chaude nous attend. Avec la magie que je sens autour de nous, je me plais à imaginer que les herbes locales composant la décoction qui nous est servie ont été récoltées par une vierge rousse, un soir de pleine lune.

Pendant la pause, les participants échangent leurs impressions en buvant leur tisane, qu'on nous dit être une infusion de sauge sacrée. Naturellement, beaucoup de craintes sont exprimées dans la conversation. Pour ma part, j'essaie de ne pas cultiver ce genre de pensées, car j'ai l'intuition que l'état d'esprit dans lequel le marcheur baigne pendant le rituel est primordial. Je choisis donc de faire confiance à ma voix intérieure qui m'indique très fort que je m'apprête à vivre une expérience inoubliable. En attendant le retour de notre instructeur qui est resté seul à l'extérieur, je jette, par la fenêtre, un regard au brasier qui crépite à quelques pieds de notre cabanon. Je désire me concentrer quelques instants sur les flammes, espérant amadouer ainsi l'esprit du feu, pour qu'il épargne mes pauvres pieds durant l'épreuve. Avec stupéfaction, j'aperçois alors Tim qui a carrément avancé tout le haut de son corps dans le brasier. Ses deux bras sont directement tendus au travers des flammes et il s'en frotte les membres avec délectation comme s'il se lavait dans l'eau fraîche d'une cascade! J'interpelle Ed, qui se tient debout à mes côtés: «Ed, regarde Tim dehors! Est-ce que tu vois ce que je vois?» «Mon Dieu, c'est pas croyable! Il a les bras dans le feu jusqu'aux épaules!» répond Ed qui n'en croit pas ses yeux. Mais à une si courte distance, impossible de faire erreur!

Tim, les yeux fermés, continue ses prodigieuses ablutions pendant quelques minutes, sans montrer la moindre trace d'inconfort. Puis comme si de rien n'était, il se dirige vers la porte de la petite maison pour entrer dans la pièce. Je l'observe, ébahie. Je ne vois pas de brûlure sur ses mains, même pas une petite rougeur. Je me rends soudain compte que le plus incroyable est qu'il n'y aucune trace de feu sur ses vêtements; les manches de sa chemise sont intactes, alors qu'il s'est littéralement «aspergé» de flammes. C'est une des choses les plus extraordinaires que j'aie jamais vues!

Notre instructeur ne mentionnera jamais le petit épisode privé où il a failli faire roussir le poil de ses bras. Cette cérémonie intime n'a visiblement pas été faite dans le but d'impressionner la galerie, car seul Ed et moi en fûmes les témoins furtifs. Une chose est sûre, un baptême par le feu aussi engageant demande une grande maîtrise de soi, et ne peut être exécuté que par un initié.

Je préfère pour l'instant me préoccuper uniquement de la plante de mes pieds. C'est bien assez!

Tim reprend sa place devant le groupe et s'assoit sur le sol, le plus naturellement du monde. Rien dans son attitude ne laisse deviner l'admirable prouesse qu'il vient d'exécuter. «Installez-vous confortablement. Nous allons commencer la marche d'ici trois ou quatre heures, lorsque toutes les bûches se seront consumées pour former de la belle grosse braise. Mais d'abord, j'aimerais détendre l'atmosphère. Je ne sais pas pourquoi mais je vous sens un peu tendus.» Plusieurs personnes dans l'assistance laissent échapper de petits rires nerveux en se tortillant sur leurs coussins comme des poissons qu'on vient de tirer d'une rivière. «Je vais vous chanter un petit air, dit le fier Indien en souriant. C'est une chanson qui vient de mon peuple et qui honore les quatre éléments de la nature: le feu, la terre, l'air et l'eau.» Il prend alors sa guitare et entonne une joyeuse mélodie qui semble redonner un peu de cœur au ventre aux agneaux encore effrayés par la possibilité d'être transformés en méchoui!

La chanson provoque l'effet escompté, les regards de mes camarades sont moins inquiets et leurs fronts un peu moins plissés. Tim repose sa guitare avec une lueur amusée dans les yeux. «Je suis sûr que vous mourez d'envie de savoir comment ça va se passer. Rassurez-vous, il n'y a pas de secret compliqué à découvrir. Tout le monde peut marcher sur le feu. Il s'agit de le vouloir et d'y croire.» Tim nous demande alors de nous étendre sur le sol, et il commence à nous guider dans une visualisation. Je m'allonge aux côtés de Ed, en fermant les yeux, heureuse de me replonger dans le calme et l'énergie d'amour qui sont généralement associés à ces exercices.

«Cette semaine, vous avez demandé à votre moi divin de prendre forme. Émettez l'intention de le revoir maintenant. Il apparaît devant vous, comme vous l'avez vu auparavant.» Immédiatement, la pyramide de cristal se matérialise dans mes pensées. Elle m'est devenue familière et je connais toujours la même joie en la voyant. Tim continue la visualisation de sa belle voix de baryton: «Vous avez bien établi le contact avec votre moi supérieur. Il vous offre un cadeau. Un talisman qui vous donne le courage de transcender toutes vos peurs. Avec ce cadeau, l'impossible devient possible.» Sur mon écran mental, je me vois en train de m'approcher de la pyramide. En son milieu flotte une double hélice blanche fluorescente qui tournoie sur elle-même. Intuitivement, j'associe ces deux spirales à des fragments d'ADN magnifiés. Lorsque je pénètre dans l'enceinte de cristal, les lumières brillantes se fondent en moi à la hauteur du cœur. Je ressens alors toutes les cellules de mon corps qui vibrent à l'unisson. C'est un sentiment indescriptible de puissance et de béatitude entremêlées. Au même moment, ma voix intérieure se fait entendre: «Tu n'as rien à craindre. La force de vie est en toi.» Soudain, j'ai la certitude que je peux affronter les braises, sans danger pour mon corps physique. Cette sérénité nouvelle ne me quittera plus de la journée, même au moment fatidique où je devrai effectivement poser ma chair nue sur les charbons ardents.

Pendant une expérience mystique, les changements profonds et les expansions de conscience apparaissent instantanément. C'est un des effets les plus surprenants que j'aie pu constater lors de mes démarches spirituelles. Lorsque notre moi divin décide que nous sommes prêts à vivre une expérience, il nous la transmet avec la précision d'un rayon laser. L'énergie qui nous traverse semble alors se déplacer à la vitesse de la lumière.

À notre stade de développement actuel, la grande majorité des hommes ne peuvent supporter que ponctuellement cette descente de feu sacrée. Mais dans l'avenir de notre planète, nous aurons la capacité de vivre dans ce nouvel état de conscience de façon permanente. Avec tout ce que nous pourrons accomplir alors, marcher sur les charbons ardents nous semblera un jeu d'enfant!

Pendant que nous nous recueillons un instant pour bien profiter des bienfaits de notre visualisation, notre instructeur installe sur le plancher un semblant de sentier long d'une vingtaine de pieds, formé de grandes serviettes de bain rouges étendues l'une derrière l'autre. «Après la méditation, nous allons passer à l'action, nous annonce-t-il. Levez-vous et placez-vous en file indienne. On va faire comme si c'était vrai.» Nous nous installons, prêts à passer à l'attaque devant les serviettes de ratine faisant office de charbons brûlants. Tim retient de la main la première personne en tête de file et nous dit: «Dans la marche sur le feu, il n'y a pas de demi-mesure, pas d'hésitation possible. On y va avec cœur ou on n'y va pas. Avant de faire le premier pas, demandez à votre moi supérieur si vous êtes prêt. S'il vous répond oui, foncez! S'il vous répond non, n'avancez pas, vous pourriez vous brûler. Retournez à l'arrière de la file et essayez encore une fois jusqu'à ce que vous ayez obtenu une réponse affirmative, claire et sans appel.»

Nathalie, la comptable de Boston qui décidément n'a pas l'air très convaincue, demande: «Et qu'est-ce qui arrive si ça nous dit toujours non?» «Depuis 15 ans que je supervise ces cérémonies, répond Tim, un seul participant sur des centaines a pris la décision de ne pas y aller. Chaque personne a la possibilité de marcher sur le feu, autant de fois qu'elle le désire. À force de voir les autres réussir, cela provoque un effet d'entraînement et généralement tout les participants trouvent en eux le courage d'essayer.»

Nous commençons l'exercice et, croyez-le où non, la pauvre Nathalie est tellement terrorisée qu'elle doit s'y reprendre à trois fois pour marcher sur la serviette! Pour l'instant, je me sens toujours en confiance. En fait, j'ai presque hâte de commencer vraiment. Mon seul regret est de ne pas avoir levé la main assez rapidement lorsque Tim nous a demandé qui voulait passer en premier, lorsque nous serons réellement devant les braises. Mon ami Ed m'a devancée de quelques secondes. Je serai donc la deuxième à défricher le chemin ardent. Je reconnais bien là mon besoin d'indépendance. Pour valider l'expérience, j'ai besoin d'affronter l'épreuve par moi-même, sans avoir l'impression de suivre un troupeau à la queue leu leu. Je veux m'assurer d'affronter le plus haut degré de difficulté. Perfectionniste un jour, kamikaze toujours!

L'exercice a calmé les esprits. Il y doit bien y avoir encore des petits cœurs qui palpitent devant l'épreuve imminente, mais le caractère sacré du rituel a laissé une empreinte puissante sur nos émotions. Tous ensemble, nous avons prétendu que l'expérience était réelle, et nos pensées ont suivi. Voilà d'ailleurs la force de la visualisation. Le subconscient ne fait pas la différence entre l'expérience concrète et les faits imaginés. Pour lui, nous avons effectivement déjà marché sur les charbons ardents.

Plus de trois heures ont passé. Le brasier crépitant s'est transformé en un amoncellement de braises rougeoyantes. Tim, sur un ton solennel, nous donne ses derniers conseils: «Le moment est venu. Pendant que je vais étaler la braise pour vous tracer un chemin, j'aimerais que vous écoutiez cette cassette en silence. Nous allons chanter cette incantation durant toute la cérémonie. Il s'agit d'une phrase scandée dans la langue de ma tribu qui dit à peu près ceci: "Nous sommes un. Nous sommes unis, tous ensemble dans la puissance du feu." Gardez votre concentration. Quand tout sera prêt, vous entendrez le son de mon tambour. Ce sera le signal de vous approcher.» Nous nous recueillons, bercés par le rythme de la psalmodie. Au-dehors, notre instructeur disperse les braises brûlantes avec un râteau, traçant un long sentier dont la vive lueur ressort dans la noirceur de la nuit.

À l'appel du tambour, nous sortons de notre refuge pour nous placer en demi-cercle, pieds nus, devant le tapis incandescent. Unis par les mains, nous évoquons en cadence l'esprit du feu. Le battement lourd du tambour, associé à nos voix, crée une atmosphère de respect, propice au déroulement du mystère que nous nous apprêtons à dévoiler. Dans un moment, l'impossible et le possible se fusionneront dans une danse mystique dont nous serons les créateurs.

À travers le rideau harmonique qui nous entoure de paix, la voix de notre instructeur se fait entendre, semblable à un écho résonnant de compassion: «Mes amis, vous êtes prêts à marcher sur le feu. Lorsque vous aurez l'accord de votre moi supérieur, avancez.» Je me place dans la file, juste derrière Ed qui doit toujours passer le premier. Depuis que nous sommes sortis, j'ai le sentiment quasi hypnotique de flotter sur un nuage. Mais dès que je sens l'effluve brûlant des braises qui vient titiller la peau nue de mes jambes, je ne peux empêcher mon cœur de battre à cent milles à l'heure. Une pensée inquiétante fait son chemin insidieux jusqu'à mon cerveau. «Ce brasier chauffe à plus de 800 degrés!»

Pendant quelques secondes, je retombe dans la dure réalité. «Est-ce que je veux vraiment me mettre les pieds là-dessus?» À ma grande surprise, ma réponse intérieure est un immense et joyeux: «Oui, oui, vas-y! » À cet instant précis, Ed s'élance sur les braises et tête baissée traverse à toute vitesse le sentier lumineux avec la détermination d'un taureau fonçant sur la cape écarlate d'un torero. Dans un même élan, je me jette à mon tour sur les tisons rougis. Mes pieds pénètrent dans le tapis brûlant jusqu'aux chevilles. Je devine la dureté des morceaux de bois qui pointent comme des cailloux sous la plante de mes pieds. Je fixe avec intensité le chemin de braise. Plus rien n'existe que ma relation avec lui, une communion intense qui embrase tout mon être. En quelques secondes, je suis déjà revenue sur la terre ferme. Ma tête explose de joie. J'ai réussi! J'ai marché sur les charbons ardents! Je regarde mes pieds, recouverts d'une fine couche de suie. C'est incroyable, ils sont intacts! J'ai traversé une fournaise, chauffée à plus de 800 degrés et je n'ai ressenti aucune chaleur, aucune douleur. Pour me prouver que le miracle est bien réel, je n'ai qu'une envie, c'est de recommencer. Je veux renforcer cette merveilleuse sensation d'invincibilité. Aujourd'hui, j'ai marché sur le feu! Que pourrai-je accomplir demain?

La cérémonie se poursuit. Un à un, mes camarades s'approchent avec dignité de la braise et se recueillent un moment avant de traverser à la vitesse d'une comète le feu qui couve sous leurs pieds. À l'arrivée, certains lèvent les bras au ciel en signe de victoire, d'autres émettent des sanglots de joie ou encore des soupirs de soulagement. Car, en restant fidèles à leur voix intérieure, quelques participants ont dû se représenter devant le tapis ardent plusieurs fois avant d'entendre la permission décisive leur permettant de s'aventurer sur le feu. Ce rituel a sans doute protégé les incertains d'un risque de se frire les orteils.

Quant à moi, j'ai revécu l'expérience cinq fois de suite. J'ai ressenti une euphorie croissante et un souffle de liberté qui me poussaient à y retourner. Pour dépasser les frontières de la réalité telle que je la connaissais, j'ai dû me lancer dans un total abandon. Dans cet état second, proche de la transe, le temps s'arrête. Il n'existe ni passé ni futur. Cette concentration intense m'a emmenée dans un voyage à l'intérieur du moi profond, dans la vérité du «je suis», ici et maintenant. Il en a résulté une augmentation exponentielle de mon pouvoir intime, une reconnaissance des possibilités infinies de l'être. Si mes incursions récentes dans mes vies antérieures ont guéri certaines blessures émotionnelles, la marche sur le feu a eu un effet propulseur, me donnant le courage d'affronter l'avenir en faisant confiance à ma créativité. En répétant l'expérience plusieurs fois, j'ai pu repousser les limites étroites de mes cinq sens, tout en me découvrant des forces insoupçonnées. L'étoile erratique qui se sentait perdue dans la galaxie humaine est en train de se transmuter en une fière planète qui avance avec stabilité sur son orbite, sachant qu'elle est rattachée au grand tout par une myriade de dimensions qui s'harmonisent en un seul chant.

La braise n'est plus qu'une traînée de cendres grises. Il est temps de mettre fin à la cérémonie. Nous retournons tous à l'intérieur du bâtiment, en sautant et en riant comme des enfants turbulents. Une gaieté légère et sucrée s'est libérée au sein du groupe. Tout le monde a relevé le défi, sauf Nathalie, qui a même quitté les lieux après quelques minutes. Pour certains, la peur du changement est plus forte que la promesse incertaine d'une libération. Sur le mur en face de la porte d'entrée, notre instructeur a accroché une grande affiche représentant le tracé de la plante d'un pied annoté de différents points de réflexologie. La réflexologie est une science rattachée à l'acupuncture qui révèle que toutes les parties du corps humain sont reliées à des points réflexes situés très exactement sur chacune de nos extrémités.

Tous les participants sont revenus à l'intérieur de la salle et pour une dernière fois Tim demande notre attention. Il a bien du mal à l'avoir tellement nous sommes excités et ressentons le besoin pressant de partager notre récente épopée. «Mes amis, un petit mot avant de partir, nous dit notre conseiller visiblement ravi de notre belle réussite. Vous êtes tous en état d'ébullition et vous ne vous en rendez peut-être pas compte pour le moment, mais dans quelques minutes il est possible que vous ressentiez des picotements désagréables sous vos pieds. Rien de bien grave, mais j'aimerais que vous compariez l'endroit où vous sentez un inconfort avec le tableau de réflexologie qui se trouve devant vous. Cet emplacement est relié à une partie de votre corps qui est affaiblie ou malade. Le feu offre parfois un précieux diagnostic.» Effectivement, je sens une légère douleur sous mon pied droit et y remarque une cloque de la grosseur de l'ongle du petit doigt qui commence à m'élancer. Je ne l'avais pas sentie auparavant, mais une ampoule est bel et bien apparue du côté gauche, au milieu de la plante du pied. Un endroit qui, selon le tableau des points réflexes, représente… le côlon! Après des années de boulimie, j'ai gardé une grande vulnérabilité à cet endroit, qui se traduit par des douleurs chroniques au bas-ventre et des ballonnements récurrents. Quelle coïncidence que je trouve une unique brûlure, spécifiquement à cet endroit! Mon ami Ed découvre lui aussi une cloque sous un de ses pieds qui correspond au point de la gorge. Il s'exclame: «Il y a deux ans, j'ai été traité pour un cancer, j'avais une tumeur… à la gorge. Je m'en suis sorti. Mais c'est tout de même incroyable que je me sois blessé exactement à cet endroit aujourd'hui!» Plusieurs autres participants ont remarqué ces mêmes corrélations absolument remarquables.

D'après ce que j'en ai compris, elles pourraient s'expliquer comme suit. Pendant l'expérience, notre corps tout entier élève ses vibrations pour se mettre à la même fréquence que celle du feu, ce qui évite toute brûlure. Les points réflexes reliés à nos organes affaiblis ou déficients ne réussissent pas à maintenir ces hautes vibrations très longtemps, ce qui provoque éventuellement de minuscules blessures en ces endroits particuliers. Peut-être qu'un jour les médecins ajouteront la marche sur le feu à leur batterie de tests pour confirmer leur diagnostic, ce serait un sujet brûlant!

Malgré ce petit inconvénient, j'ai adoré mon expérience. Le destin m'a d'ailleurs envoyé plusieurs autres occasions de recommencer l'aventure, particulièrement dans des périodes de ma vie où j'ai eu besoin de regonfler mon estime personnelle, avant un projet d'envergure. Il semble que ma confiance profondément ébranlée dans ma jeune vie d'adulte ait encore besoin pour continuer à éclore de recevoir une confirmation périodique. Bien évidemment, il existe beaucoup d'autres moyens que la marche sur le feu pour se reconnecter à ses talents créateurs mais, pour moi, un défi d'ordre physique allié à une expérience spirituelle me procurent la pulsion nécessaire pour sortir de mon mental affairé et libérer l'inspiration. J'ai eu la chance de vivre plusieurs de ces événements, qui m'ont donné, entre autres, de sérieuses montées d'adrénaline! (Je les raconterai dans les pages qui vont suivre...)

John, mon mari, m'a souvent accompagnée dans mes tribulations. Entre autres lorsque j'ai été invitée à affronter de nouveau les charbons ardents, avec Marc Gambino, un facilitateur qui pratique cette cérémonie ici au Québec, dans la région de L'Assomption. Je désirais par la même occasion partager mon expérience avec les lecteurs du magazine *Croissance* pour mieux faire connaître ce rituel transformateur. J'honore d'ailleurs l'ouverture d'esprit de mon mari, qui n'a pas hésité à faire le voyage. Il n'avait qu'une seule requête pour sa première fois: que nous marchions ensemble sur le tapis de feu. J'acceptai d'emblée, pressentant que nous allions éprouver une très belle et étroite communion. Le moment venu, nous nous sommes donc élancés sur la braise en nous tenant par la main. Mais au lieu de me concentrer, je me suis inquiétée pour John. J'avais peur pour lui. En l'espace d'une seconde, mon énergie s'est envolée et mon esprit plutôt que de faire corps avec la puissance du feu s'est préoccupé du sort de mon mari. J'ai alors ressenti une douleur intense, le feu commençait à me chauffer! Je suis immédiatement passée sur le côté pour me réfugier sur la terre ferme. Heureusement, j'ai eu plus de peur que de mal. Après inspection, la peau de mes pieds était encore entière. Une fois remise de mon émoi, j'ai même trouvé le courage d'y retourner plusieurs fois de suite. Mais encore une fois, j'ai appris. La peur et les doutes, même s'ils partent d'un sentiment altruiste, ne font pas bon ménage avec la conquête de son pouvoir. Je n'avais pas à vivre l'expérience à la place de John, il était bien assez puissant pour conquérir le feu tout seul, comme chacun de nous d'ailleurs.

Quelques années plus tard, j'ai d'ailleurs eu la preuve que la marche sur le feu peut se transformer en un phénomène de masse. C'était sur la grande île d'Hawaï où John et moi assistions à un séminaire de Tony Robbins, le célèbre motivateur américain. Pour la cérémonie de clôture de son cours sur la maîtrise de la vie (Life Mastery), Tony a fait marcher 1 400 personnes sur le feu! Imaginez la scène: 20 groupes de 70 personnes placés devant 20 chemins de braise longs de 40 pieds! Des facilitateurs se tenaient au départ et à l'arrivée de chaque tapis rougeoyant, alors que des dizaines de pompiers munis de masques et de gants en amiante transportaient dans leurs brouettes des monceaux de braise écarlate pour alimenter les sentiers, au fur et à mesure! Pas question de marcher sur des tisons à moitié éteints, il nous fallait du brûlant tout neuf: chaud devant! Le miracle est que personne ne se soit blessé ce soir-là, bien que le taux de participation était de 100 %. Pour la préparation, Tony a utilisé les mêmes procédés que ceux que j'avais déjà connus lors de mes expériences ultérieures, basés sur des visualisations guidées et une répétition active précédant l'événement. Mais fidèle à ce qu'il est (je crois sincèrement qu'il est le plus compétent motivateur sur la face de la planète), il a bien sûr ajouté d'autres innovations de son cru. Tony utilise beaucoup les techniques de programmation neurolinguistique (P.N.L.) pour aider les gens à effectuer des changements durables dans leurs comportements. Il a développé un système de base appelé «la Triade».

Pour changer notre ressenti devant une situation donnée, il suggère de modifier trois aspects importants de notre comportement: notre physiologie, notre langage et nos croyances. La pensée et les émotions suivent le mouvement du corps, donc en altérant notre posture et nos gestes nous pouvons influencer nos attitudes émotives. Cette prémisse résume la première partie de la Triade: la physiologie. Dans ce but, chacun des participants a développé tout au long du séminaire de neuf jours son geste de pouvoir personnel ayant pour effet de propulser sa confiance à un niveau supérieur. Le mien consiste à lever le bras avec le poing fermé en criant: «Yes! » John, lui, préfère se taper la poitrine avec le plat de la main. Mais quel que soit le rituel choisi, les affirmations physiques sont très performantes. La mienne a été si bien associée à la confiance en soi durant le séminaire que des années plus tard je l'utilise encore pour me donner du cœur au ventre avant d'entrer en scène.

Tous les participants ont évidemment exécuté leur geste de pouvoir pour altérer leur physiologie, juste avant de marcher sur les charbons ardents.

Pour agir sur le langage, deuxième partie de la Triade, Tony nous a suggéré une incantation très simple, ayant pour mission de dérouter nos cerveaux inquiets avant l'épreuve. Pendant la traversée sur le feu, nous devions répéter *«cool moss, cool moss»*, ce qui se traduit par «mousse des bois fraîche», pour donner l'impression à notre conscient que nous marchions en fait sur un tapis humide à l'orée d'un bois. Une façon simple, mais efficace, de tromper le mental et de faire tomber les défenses.

Les croyances, troisième partie de la Triade, sont transmutées par un système de neuro-association appelé «ancrage». Durant le séminaire, chaque fois que nous nous trouvions dans un état émotif approprié – contents, exaltés, fiers de nous – après une réussite ou une percée de compréhension soudaine, nous devions ancrer cette sensation en appuyant notre index sur le dessus de notre épaule droite. À force de répéter ce geste avec intention, le seul fait d'appuyer à cet endroit nous ramène instantanément dans un état positif. Plus l'intensité est forte, plus l'ancrage sera efficace. Juste avant notre lancée sur les braises, les facilitateurs appuyaient d'ailleurs avec enthousiasme sur ce point stratégique de notre anatomie pour nous encourager à affronter l'épreuve. Comme dit Tony, il est possible de contrôler nos émotions et de changer nos états d'âme en un battement de cœur!

Cette nuit-là, avec tous ces outils à leur disposition, plus de mille personnes ont défié la logique et posé volontairement leurs pieds nus sur des tisons ardents. Un exploit qui défie l'imagination. Le procédé s'est révélé tellement efficace que John m'a confié par la suite qu'il n'avait senti aucune différence de température entre les charbons rougis et le bassin d'eau froide situé à l'arrivée. Il était tellement concentré que, pendant quelques secondes, il ne s'est même pas aperçu qu'il avait terminé l'exercice et qu'il se trouvait les deux pieds dans l'eau.

La marche sur le feu est une célébration de la grandeur de l'être. Une rencontre mystique qui élève les aspirations et décuple la force de vie qui souvent ne fait que sommeiller en nous. Depuis des millénaires, ce rituel magique amène l'homme à se dépasser. Comme pour les druidesses de l'Antiquité, cette initiation m'a révélé le miroir de tous les possibles. Un monde où les éléments de la réalité physique se plient aux demandes de notre volonté et aux desseins de notre esprit.

Nous approchons d'une époque – certains pensent même que nous y sommes déjà – où l'hémisphère gauche de notre cerveau, celui de la logique et du pragmatisme matérialiste, abandonnera son emprise pour laisser la place à l'hémisphère droit, celui de la créativité et de l'intuition. Autrement dit, l'âge des Poissons s'achève pour donner naissance à l'ère du Verseau. La cérémonie du feu est une puissante analogie, un précurseur de ce changement. La Terre obéira bientôt à un nouveau paradigme, où la réalité explosera hors de ses présentes limites.

Dans les plaines arides du Nouveau-Mexique, dans un institut de lumière à Galisteo, j'ai goûté quelques instants à cette nouvelle conscience. Mon séjour là-bas m'a permis de briser les empreintes tenaces de peurs très anciennes grâce aux incursions dans mes vies antérieures. Avec la marche sur le feu, j'ai pu défaire les liens encombrants de mes croyances limitatrices. Le plus merveilleux est que j'ai trouvé là-bas ce que je cherchais: une reconnaissance de l'esprit, une réceptivité nouvelle à ma sagesse intérieure et, surtout, le changement qui libérera ma créativité de son carcan de négativité: le réchauffement du canal donnant accès aux muses de mon inspiration.

Chapitre II

L'aventure
de la sultane rouge

Le village de Galisteo est un lieu particulier. La montagne qui le domine évolue en une demi-lune de pierre rouge considérée comme un endroit sacré par les tribus indiennes. En effet, il existe dans les plaines avoisinantes un vortex d'énergie qui facilite, pour les sensitifs, les contacts avec l'invisible. La petite agglomération offre aussi des attraits plus touristiques. D'ailleurs ses bâtiments pittoresques ont plusieurs fois servi de décors pour le cinéma. Je suis vraiment très attachée à cette région où je viens de vivre des aventures mémorables. Même si mon séminaire est terminé, j'ai envie d'y rester un peu. Comme si toutes les révélations qui ont pris forme récemment dans mon esprit nécessitaient une période d'intégration. Sachant que John aime le Nouveau-Mexique tout autant que moi, je lui propose de prendre quelques jours de vacances et de me rejoindre à Clara Vista, un spa et centre de santé à l'architecture typique du Sud-Ouest, dont les terrains avoisinent le beaucoup plus modeste Light Institute. John arrivera trois jours plus tard, en l'attendant je loue une chambre dans le seul hôtel du coin, le charmant et très intime Galisteo Inn.

Ces jours derniers, j'ai eu la possibilité de nettoyer quelques taches sombres de mon âme, et maintenant je ressens le besoin d'étendre ces bienfaits à mon corps physique. Ayant encore fraîches à la mémoire les techniques régénératrices apprises lors de mon séjour à Key West, je décide d'entreprendre un court jeûne. Je m'apprête à passer 48 heures à ne boire que du jus de canneberges. Rien de mieux pour alléger les reins et désencrasser l'organisme! Je commence donc le soir même, ayant fait mes provisions d'un gallon de jus de canneberge nature que je sucrerai légèrement avec du miel. Après avoir avalé ma mixture au goût plutôt amer, je m'installe confortablement dans mon lit et prends mon livre de contes des *Mille et une nuits*. Pendant ces trois jours de solitude, je vais en profiter pour plonger dans le monde fantastique des légendes moyen-orientales, espérant me remettre dans l'ambiance et réactiver ainsi mon moteur d'écrivain que je suis censé avoir ajusté tout récemment.

Une demi-heure plus tard, je m'endors du sommeil du juste, après avoir noté dans mon cahier de notes un titre que je ne comprends pas pour l'instant mais qui se fait très insistant dans mes pensées. Avant de partir dans la contrée des rêves, j'ai donc écrit ceci: *Le conte de la docte Sympathie.*

Le lendemain, réveillée à 6 h, j'entreprends une courte séance de méditation. Je m'imagine dans ma pyramide de cristal qui est maintenant devenue un refuge confortable. Après avoir remercié mon identité supérieure de m'avoir fait connaître cette contrée magique, où j'ai pu renouer mon lien avec sa voix, je lui demande de m'épauler dans le travail d'écriture que je m'apprête à affronter. Je reste dans cet état serein, respirant profondément durant quelques minutes, quand, tout à coup, une suite de mots apparaît très clairement dans ma tête. J'entends littéralement ma voix intérieure me dire cette phrase: «Dans un palais magnifique, aux environs de Bagdad, vivait un noble et puissant calife.» Je prends alors mon cahier pour transcrire ce texte quand, à mon grand étonnement, les mots continuent à déferler, clairs et précis comme une belle symphonie. D'une façon presque automatique, je poursuis mon écriture: «Sa fille, la docte Sympathie, montrait depuis son plus jeune âge les signes d'une grande sagesse, elle s'intéressait à la science des étoiles, aux mathématiques et à la philosophie.» Je ne sais pas où cette histoire me mène, mais l'inspiration m'emporte dans son flot comme une feuille voguant sur un cours d'eau.

Je continue donc le voyage et note: «Et elle aimait chanter, danser pour ses amis qui saluaient en elle un grand arbre de vie.» Je poursuis sur la même lancée jusqu'à ce que j'aie noirci quatre pages! En cours de route, je me rends compte que je suis en train d'écrire la finale de mon spectacle, un conte si touchant qu'il fera fondre le cœur hargneux du sultan et donnera la vie sauve à Shéhérazade. En relisant le texte, je me mets à pleurer de joie. C'est superbe, et je l'ai pondu sans effort, d'un trait! Cette histoire gardera d'ailleurs une place de choix à la fin de mon spectacle dans son état initial, à part quelques coupures. Elle est si bouleversante que je n'ai jamais pu la dire même après 150 représentations sans être profondément émue.

Je considère que mon identité supérieure m'a fait là un très beau cadeau. Évidemment, je suis consciente que je suis un peu responsable de cette écriture, puisque le moi divin est une partie intrinsèque de nous-mêmes. D'ailleurs, la spontanéité avec laquelle cette histoire m'a été donnée, aussi surprenante soit-elle, deviendra un jour la norme lorsque l'humanité se syntonisera pour de bon avec la réalité cosmique. D'ici là, je vais quand même récolter mes droits d'auteur!

Ce jour-là, j'ai compris à quel point le talent et les arts comme toute création humaine sont directement liés aux puissances des sphères et rattachés à la générosité de notre moi profond. Les anciennes civilisations avaient déjà découvert ce secret. Dans l'Antiquité, l'inspiration était considérée comme l'égale du divin. Les artistes incarnaient la voix de Dieu, formant le lien entre le sacré et le profane, entre le céleste et le terrestre. Par le biais de son «inspiration», l'auteur, le poète ou le danseur canalisait des forces supérieures, créant à travers le filtre de sa personnalité une œuvre personnelle mais aussi interdimensionnelle.

Notre imaginaire baigne dans un état de conscience collectif qui forme une source intarissable. Ces informations prennent différentes formes: dialogues avec le moi supérieur, souvenirs de vies antérieures, messages d'une autre conscience. Nous recevons alors les éclats d'énergie d'une personne ayant déjà vécu sur notre planète ou celle d'un maître initié de l'astral. Parfois nous captons la condensation de la force d'un ange. Les anges sont les messagers de l'intelligence cosmique, les représentants de vertus, et nous pouvons les inciter à descendre en nous pour mieux incarner ces grandes qualités sur la terre. Nous pouvons recevoir ainsi les transmissions d'un ange porteur d'amour, de beauté, de vérité, de confiance, de paix ou d'harmonie.

Pendant mon séjour au Light Institute, j'ai compris que l'imagination, telle que nous la concevons habituellement, n'est qu'un mirage de notre ego. On n'invente rien, tout existe déjà, tout est écrit. Ce que notre inconscient contient n'est pas une masse d'énigmes abstraites mais une réalité voilée, transformée en symboles pour protéger la partie de notre conscience inapte à intégrer la force de ces trésors et de ces cauchemars. Lorsque nous bloquons devant la page blanche, ou n'arrivons pas à prendre une décision importante, ce sont nos peurs qui coincent la descente d'énergie. La peur de ne pas être à la hauteur de nos ambitions, la peur de l'échec, la peur de ne pas être accepté ou reconnu.

Dans les faits, chacun de nous a la possibilité de contacter son inspiration, en se détendant profondément ou en pratiquant une forme de méditation. En évoquant notre paix intérieure par le lâcher prise, il est possible de nous marier à nos ondes créatrices. À condition que notre personnalité ne vienne pas brouiller les cartes avec ses angoisses et ses rationalisations. Il faut créer avec humilité. En demandant de cocréer avec le divin, en nous faisant les vecteurs de sentiments nobles, de modèles de beauté et de réflexions qui inspireront autrui, nous pouvons recevoir un flot d'énergie si puissant que les mains ne sont parfois pas assez rapides pour exécuter le travail. Qu'il s'agisse d'une peinture, d'un morceau de musique, d'une chanson, d'un poème, d'un travail scolaire, d'un rapport comptable ou d'une recette de cuisine. Car tout à une place dans l'univers, tout est parfait.

Ces créations sont aussi les nôtres puisqu'elles ont été exprimées par le biais de nos pensées, mais si nous craignons de perdre nos droits sur nos œuvres en recevant les interventions des mondes supérieurs, nous nous fermons les portes d'un univers si vaste qu'il est presque impossible à concevoir dans sa totalité. Ce havre magnifique nous apprend que nous sommes beaucoup plus que ce que nous croyons être. Les génies adolescents tels que Mozart, Byron et Nelligan ont tous puisé dans ces merveilleux bagages de connaissances pour nous ramener des œuvres à la fois personnelles et universelles.

Je crois qu'il n'y a pas de grandes ou de petites inspirations, elles sont toutes valables, imbriquées dans le treillis complexe de la vie. Ce que nous laissons remonter en nous, par le biais de notre conscience supérieure, est toujours le bienvenu au bon moment de notre existence. C'est ce qui doit être dit à cet instant même. Ce que nous en faisons après est de notre responsabilité. Il est important de concrétiser dans le quotidien ce que l'esprit nous envoie. À nous d'assurer sa diffusion ou son utilisation, pour le bien de tous.

Après avoir connu mon petit moment de triomphe où, pour la première fois, j'ai goûté à la créativité pure, je préfère ne pas renouveler l'expérience pendant le reste de la journée. Je ne veux pas présumer de ma capacité à accepter ce flot d'énergie extraterrestre! Je dois l'avouer, je crains d'avoir connu une chance de débutante qui ne se matérialisera peut-être pas aussi facilement à tous les coups. Vais-je réussir à m'abandonner et à établir une connexion aussi profonde la prochaine fois? Je préfère savourer mon bonheur pendant un petit moment avant de connaître la réponse à cette intrigante question.

Le reste de l'après-midi se passe dans une sérénité moelleuse. Je pars faire une longue promenade dans les montagnes à la recherche de pétroglyphes, ces dessins sacrés gravés à même la pierre par les tribus anciennes de la région. Je me rends sur une crête à la vue imprenable, que j'avais déjà visitée avec Chris pendant le séminaire. Je veux m'assurer de bien retrouver l'endroit, pour pouvoir le montrer à John. Effectivement, après une montée un peu ardue, j'aperçois à flanc de rocher de superbes dessins représentant des animaux de pouvoir, entourés d'une figure d'homme qu'on a surnommé le chaman. Un peu plus loin, on peut apercevoir un groupe de personnages qui semblent porter des tenues d'astronautes. Un fait étonnant puisque ces gravures sont vieilles de plusieurs centaines d'années.

Au retour, je me couche pour la nuit, après avoir ingurgité ma potion aux fruits rouges. Mais j'ai du mal à m'endormir, mon corps vibre de partout, envahi d'une vigueur nouvelle alors que je n'ai rien mangé depuis 24 heures. Je comprends pourquoi les habitants de la région sont si alertes et entreprenants, il baigne dans ce vortex de jouvence à longueur d'année! Une petite balade dans les montagnes sacrées et hop! on se sent régénéré.

Le lendemain matin, je me lève aux aurores pour me rendre au Light Institute et participer au Punja, une cérémonie hindouiste composée de chants et de prières. Les mots prononcés en sanskrit résonnent dans les corps (si vous vous rappelez bien, nous en avons sept: corps physique, corps émotionnel, corps mental, corps éthérique…) grâce à des vibrations particulières qui apportent des effets bénéfiques. Après une heure de ce régime, je baigne dans un état de béatitude, proche du nirvana.

Après avoir bu une tisane avec les facilitateurs de l'Institut qui sont devenus de fidèles amis, je prends le court chemin de terre qui me ramène à l'auberge. En marchant, je me mets à chantonner une mélodie toute nouvelle, une série de notes sinueuses chargées de consonances arabes: *La, la, la... la, la, la...* L'air me vient tout naturellement, comme si je le connaissais par cœur. Tout à coup, la mélodie prend de l'ampleur et j'entends dans ma tête une orchestration complète avec guitares, piano et saxophone: c'est magnifique! Arrivée au refrain, je me mets spontanément à chanter ces mots: «*La sultane rou... ou... ge...*» Je fais presque au pas de course les derniers mètres qui me séparent de ma chambre. Il faut absolument que j'enregistre cette superbe mélodie sur cassette! Ce faisant, je sens monter en moi des phrases complètes qui parlent d'amour et d'espoir, une enfilade d'images dans un style moyen-oriental ponctuées d'expressions fort différentes de celles utilisées dans mon vocabulaire habituel.

Sans hésitation, je commence à écrire:

Les poussières étoilées des sables de la nuit
Font rire mes tristes yeux à jamais amoureux
Pour mon plus grand malheur, j'aime un prince morose
Sans répit, il dispose de ma vie jour après nuit...

La sultane rouge qui brûle à tes côtés
A toujours dans les yeux
Une flamme qui bouge
Et meurt à petit feu
Moi, la sultane rouge...

En quelques minutes, presque en état de transe, je jette sur papier une chanson complète, avec texte et mélodie, qui continue comme suit:

Si j'aperçois l'éclat d'une perle de tendresse
J'attends les doux aveux d'un prince malheureux
Le mirage de l'amour reflète ma faiblesse
Sans répit, moi j'expose ma vie, jour après nuit

La sultane rouge jamais ne voudrait te quitter
Mais tu souffles et tu blâmes
Et tu éteins la femme qui brûle à tes côtés
Moi, la sultane rouge…

Et la mort sur mes pas, plus près à chaque fois
Ravive mon sourire à jamais douloureux
Je trace mon roman avec des lettres de sang
Sans répit, moi je risque ma vie, jour après nuit

La sultane rouge se meurt à tes côtés
En soufflant sur son âme
Tu ranimes la flamme
Et l'amour est sauvé
Moi, la sultane rouge

Cette œuvre, habilement orchestrée par le compositeur Yves Décary, deviendra la chanson fétiche de mon spectacle *Shéhérazade*. J'ai reçu cette chanson comme un don, comme un trésor précieux miroitant de multiples apparats, comme une écharpe fabuleuse aux broderies plus légères que l'air. Mais la magie entourant cette pièce musicale a bientôt dépassé le mystère de sa naissance. Dans ma loge, soir après soir à la fin du spectacle, je recevrais les confidences de femmes ayant été profondément touchées par *La sultane rouge*. Après de nombreux commentaires, reçus particulièrement de spectatrices qui se sont procuré le disque du spectacle, j'ai dû me rendre à l'évidence que ces mots et cette musique si généreusement murmurés par la voix enchantée de mes muses possédaient des propriétés insoupçonnées provoquant de profondes réactions. J'ai entendu plusieurs témoignages très touchants, de la part de femmes qui m'ont confié que cette chanson en particulier avait libéré leur approche de la sexualité et amélioré leurs relations amoureuses, en créant une ouverture à leur féminité.

Certaines m'ont raconté qu'à l'écoute de *La sultane rouge*, elles ont ressenti le désir de sortir de leur rôle de victime pour rechercher une autre identité, pour se forger de nouvelles croyances où elles auraient enfin conscience de leur propre valeur. À croire que cet air possède une force cachée, un message subliminal qui dépasse l'intention de son humble auteure.

L'une des histoires les plus évocatrices m'a été apprise pendant une tribune téléphonique, lorsque j'ai été invitée à l'émission de la sexologue Claire Bouchard sur les ondes de CKVL. Une auditrice, charmante dame à la cinquantaine passée, m'a confié qu'en entendant *La sultane rouge*, elle a connu son premier orgasme! Pour parler en ses propres termes, elle nous a dit: «Jusquelà, je n'avais jamais réalisé qu'on pouvait sentir quelque chose à l'intérieur!» Sa confidence m'a fait monter les larmes aux yeux.

Cette chanson, et tous les effets mémorables qu'elle a provoqués, est devenue pour moi le parfait exemple de ce qu'une œuvre artistique peut accomplir lorsqu'elle a été infusée par la lumière de l'intelligence supérieure. Je serai éternellement reconnaissante envers les forces subtiles qui m'ont offert cet étonnant présent.

Les influences de *La sultane rouge* ont d'ailleurs continué, des années après l'arrêt des représentations de *Shéhérazade*. Lors du séminaire de *Life Mastery*, à Hawaï, celui où John et moi avons marché sur le feu, j'ai eu l'occasion de chanter mon air préféré *a cappella* afin de recueillir des fonds pour la fondation Tony Robbins, une association humanitaire qui aide, entre autres, les jeunes délinquants à reprendre leur vie en main. À la suite de cette prestation, l'un des facilitateurs, nommé Don Clair, m'a suggéré de lui envoyer mon disque par la poste et m'a demandé l'autorisation d'utiliser ma chanson pour son travail en prison avec des toxicomanes, dans le Midwest américain. Quelques mois plus tard, j'ai reçu une lettre absolument émouvante d'un détenu me racontant que ma chanson lui avait inspiré un respect nouveau des femmes. *La sultane rouge* l'avait remis en contact avec ses émotions et il y avait trouvé une forme de rédemption. À la fin de sa missive, il me confiait avec candeur avoir été incarcéré pour viols. On pourrait appeler cela un petit miracle!

Quelques mots agencés en jolies métaphores, déposés sur un fil mélodique harmonieux, et voilà que cette mélopée toute simple semble pourtant contenir en elle un pouvoir de guérison sur le corps émotionnel de celui qui l'écoute.

Qui m'a inspiré cette chanson? La mémoire antérieure d'un poète persan, un maître désincarné du haut-astral ou une partie infinie de mon être? Peu importe, mais un ange bienveillant a assurément répondu à mon appel lorsque, avant de marcher sur les charbons ardents, j'ai formulé cette prière: «Esprit du feu, donne-moi le courage et la vision de créer une Shéhérazade inspirante qui saura parler au cœur des gens!»

De retour du Nouveau-Mexique, volant toujours sur les ailes de mes muses, je me suis mise au boulot et ai terminé ma pièce en un temps record. Cinq semaines plus tard, le texte final reposait sur le bureau du producteur et je commençais à travailler les chansons avec mon directeur musical, Yves Décary, un musicien extra-talentueux, proposé par la maison de production. Je ne le connaissais pas auparavant, malgré sa récente association avec des artistes de renom tels que Joe Bocan et Roch Voisine. Il s'est révélé être un autre don du ciel. Yves a composé pour *Shéhérazade* une texture musicale mystérieuse et sensuelle qui a hautement contribué au succès du spectacle, et m'a valu une nomination comme spectacle de l'année au gala de l'ADISQ.

Durant deux années, j'ai joué ce spectacle avec un immense bonheur. Il a été créé au Vieux Clocher de Magog, puis a été transporté à Montréal, au Théâtre d'Aujourd'hui et au Saint-Denis, pour ensuite être présenté en tournée partout au Québec. J'ai vécu une expérience extraordinaire, partagée en plus avec deux beaux danseurs très sexy! Incarner Shéhérazade sur scène a été sans contredit la plus belle aventure artistique de ma vie.

Au début de ce chapitre, j'ai promis de raconter quelques-unes de mes aventures dans le monde de l'étrange. L'un de ces épisodes s'est présenté grâce à André Montmorency, le metteur en scène du spectacle *Shéhérazade*.

André fait partie de l'Association des sceptiques et ne croit pas *a priori* aux sciences paranormales. Cependant, il possède depuis plusieurs années un petit guéridon, qui agit paraît-il comme intermédiaire avec les voix de l'au-delà durant les séances de spiritisme, qu'il pratique pour s'amuser avec ses amis. D'après ce qu'il m'a raconté, les esprits ne se gênent pas pour parler en sa présence, malgré son manque de foi.

Au mois de mai 1994, Julie Snyder, alors animatrice de l'émission *L'enfer c'est nous autres* à l'antenne de Radio-Canada, avait entendu parler de ce fait étrange et avait mis André au défi de réaliser l'exploit du «guéridon baladeur» devant les caméras de télévision. Nous répétions alors *Shéhérazade* et mon metteur en scène, connaissant mon intérêt pour l'invisible, me demanda de lui prêter assistance dans cette aventure qui risquait, disons-le franchement, de nous couvrir de ridicule devant des milliers de téléspectateurs.

Le chroniqueur de l'émission, l'auteur Dany Laferrière, devait se joindre à nous en tant que vérificateur. Dany nous assura qu'il n'hésiterait pas à démystifier le procédé s'il y décelait la moindre supercherie. Nous voilà donc assis tous les trois, sur la scène du Monument-National, autour du fameux guéridon: une petite table de bois ronde, posée sur une unique patte en son milieu, du genre antiquité ayant appartenu à la grand-mère. Le théâtre, fraîchement rénové, a été choisi pour le tournage à cause de rumeurs étranges au sujet de soi-disant apparitions surnaturelles qui hantent ses murs. Au début de l'entrevue, un gardien et le directeur technique du théâtre viennent effectivement témoigner de leurs rencontres «fantomatiques». Je transcris ici les paroles du directeur qui s'adressait à nous sur un ton très calme, comme si ce qu'il décrivait était un événement habituel et tout à fait ordinaire: «J'ai vu plusieurs fois le même câble du côté cour de la scène se mettre à osciller sans aucune raison. C'est assez bizarre, car aucun des autres câbles ne bouge, uniquement celui-là. Il paraît qu'un technicien se serait pendu dans les coulisses juste à cet endroit au cours des premières années suivant l'ouverture du théâtre. Souvent, au même moment, on entend un bruit sourd à l'arrière-scène. Comme si un sac de sable venait de tomber des cintres, mais lorsque nous inspectons les lieux rien n'est jamais déplacé.» Dans le même ordre d'idées, le gardien nous raconte à son tour: «Parfois le soir j'entends des cris de femme qui semblent venir du dernier étage. Je vais toujours vérifier, mais je n'ai jamais rien trouvé d'anormal. Y a une histoire qui raconte qu'une comédienne serait morte dans les combles, sous le toit.» Ça commence bien! On me paierait cher pour passer la nuit seule dans ce temple d'Hadès!

Il est temps de préparer la séance. André, l'air polisson, en profite pour nous donner quelques indications: «Vous savez, il n'est pas nécessaire d'y croire pour qu'une présence se manifeste. Gardez seulement l'esprit ouvert en prenant soin de ne pas exercer trop de pression avec les doigts sur le dessus de la table. Armez-vous de patience car les esprits peuvent nous faire attendre longtemps avant de se présenter.»

La caméra roule: ça commence! André et Dany, assis sur de petites chaises droites, les deux mains posées sur le guéridon, gardent une attitude détachée et conversent normalement. Quant à moi, j'essaie de me concentrer pour faciliter le contact. Je voudrais bien que quelque chose se passe, ce n'est jamais drôle de rater une expérience devant des caméras de télévision. Si ça arrive, je suis sûre que Julie ne nous manquera pas! André, en habitué, tient le rôle de maître de cérémonie. Une question de routine pour lui puisqu'il fait tourner les tables pour s'amuser depuis plus de 30 ans.

Le guéridon qu'il a rapporté de chez lui a survécu à plusieurs marathons… Dany inspecte avec un œil d'aigle nos genoux et nos bras pour s'assurer qu'ils ne touchent pas à la table. «Ah, qu'est-ce que c'est que ça? Ça bouge déjà?» dis-je en sursautant, sentant un contact sous la table. «Mais non, c'est mon pied!» répond Dany. Début des plus prometteurs! Nous nous esclaffons tous les deux, pendant qu'André récite les questions d'usage: «Y a-t-il un esprit parmi nous? Désire-t-il communiquer? Frappez un coup pour oui, deux coups pour non.» Rien, le silence. Dany est beau joueur et malgré son scepticisme se prête de bonne grâce à l'exercice. André continue de parler. Aucun mouvement ne se fait sentir. Je suis un peu inquiète et commence à me demander dans quel bateau je me suis embarquée.

Tout à coup, après une dizaine minutes, le pied de la table se soulève carrément du sol à plusieurs reprises. Je n'arrive pas à y croire. J'imagine que nous appuyons trop fort sur le dessus du guéridon, que le poids de nos mains fait bouger le petit meuble, mais en regardant bien je constate que nos doigts effleurent à peine le panneau de bois. Pourtant la table n'arrête pas de se soulever d'un côté puis de retomber en donnant des petits coups secs, à répétition. André s'exclame: «Ça y est, ça commence toujours comme ça. Si tout se passe comme d'habitude, bientôt ça va brasser.» Il formule des questions auxquelles il est possible de répondre par oui ou par non. «Est-ce que quelqu'un désire nous parler? Y a-t-il une présence dans cette salle?» Sous nos yeux ébahis, la table craque bruyamment et se met à gondoler! «L'esprit se réchauffe», nous dit André. Le réalisateur, qui se tient à côté de la caméra, a un air de plus en plus étonné, et moi, j'ai des papillons dans le ventre. Mon instinct me dit que quelque chose de très mystérieux est en train de se passer.

«Es-tu un homme?» enchaîne André. La patte se soulève et frappe deux coups. Je n'en reviens pas! «Non, traduit André. Es-tu une femme?» Un côté de la table s'élève et le guéridon frappe un seul coup, très distinct. Je n'ai jamais rien vu de pareil. Dany garde le silence, observant ce qui se passe avec une lueur amusée dans l'œil. «Es-tu morte dans ce théâtre?» poursuit André. Un coup beaucoup plus fort se fait entendre… oui! Dany jette alors un regard inquisiteur sous la table, mais doit bien se rendre à l'évidence que l'objet échappe à notre contrôle. Quant à moi, les yeux grands comme des soucoupes, je regarde André continuer la séance avec la nonchalance d'un virtuose de l'invisible. «On a de la chance qu'il réagisse si vite, nous dit-il. L'esprit doit vraiment avoir envie de communiquer.» Au bout d'une vingtaine de minutes d'un interrogatoire ingénieux, où la table répond toujours aux questions avec la régularité d'un métronome: un coup pour oui, deux coups pour non, l'histoire de la présence commence à prendre forme. Nous apprenons que l'esprit dialogueur est une femme qui de toute évidence serait morte sur les lieux.

André nous confirme que d'après ce qu'il a entendu dire, une comédienne serait bel et bien morte dans le théâtre, à la suite d'un avortement qui aurait mal tourné. «Essayons de savoir si c'est elle», nous dit-il. «D'accord! répond Dany, devenu soudain enthousiaste. Faudrait savoir comment elle s'appelle.» «Veux-tu nous épeler ton nom? lui demande André. Tape sur le sol des petits coups répétés, nous compterons avec toi les lettres.» Comme à la petite école, Dany et moi unissons nos voix pour débiter notre alphabet, en suivant les coups marqués de la table: «A, B, C.» «Est-ce que c'est C?» demande Dany. «Oui», répond l'esprit. Le guéridon décidément en grande forme frappe avec insistance huit autres coups: H. Est-ce que c'est H? Oui!

Je sais que cela paraît incroyable mais cette table bouge vraiment toute seule. C'est tout à fait extraordinaire! Prise d'une soudaine inspiration, je demande à voix haute «Ton prénom commence par C, suivi de H. T'appelles-tu Charlotte?» «Non», répond le guéridon de deux petits coups décidés. «Alors, est-ce que c'est Chantale?» Un seul coup: oui! Nous connaissons son prénom!

Dans une succession rapide de mouvements qui nous laissent bouche bée, Chantale révèle coup sur coup l'année de sa mort,

1897, et son âge au moment du décès, 28 ans. André décide de mettre à l'épreuve sa théorie sur l'identité de l'esprit: «Es-tu morte à la suite d'un avortement?» «Oui.» « Donne-nous les initiales de l'hôpital où l'opération a eu lieu.» Nous comptons les coups avec assiduité, suivant les mouvements du guéridon. Cela donne un H suivi d'un V. «L'hôpital Victoria?» demande André. La table frappe une seule fois: oui. André, fin limier, cherche ensuite à obtenir une preuve vérifiable et demande: «Donne-nous les initiales du journal où ton obituaire a été publié.» Nous comptons en chœur jusqu'à la lettre M, suivi de la lettre I. *La Minerve*», s'écrie notre maître de cérémonie après quelques secondes de réflexion; il aurait assurément marqué de nombreux points si nous participions à un quiz télévisé!

Une chose extraordinaire est en train de se passer. Dès que nous avons mentionné l'avortement, le guéridon s'est penché de mon côté à plusieurs reprises, restant suspendu à quelques centimètres de mes genoux. André, qui a remarqué ce penchant particulier, demande: «Veux-tu parler à Anne?» La table devient complètement folle! Elle se met à tanguer violemment, puis à se dévisser sur elle-même si rapidement que nous devons nous lever et tourner avec elle pour garder le contact. Je suis vraiment sous le choc! Dany entre complètement dans le jeu, plus une seule lueur de scepticisme ne brille dans ses yeux. Estomaqué, il regarde la caméra et dit: «Je vous jure que la table bouge toute seule, on n'y est pour rien!» Quant à moi, je suis submergée par des sentiments contradictoires. En partie flattée que notre visiteuse montre avec autant de véhémence son désir de me parler, mais ressentant du même coup la sensation étrange d'être aspirée de l'intérieur. Je ne suis pas sûre d'apprécier cette promiscuité et le fait d'être de plus en plus connectée avec l'entité. Je crois même ressentir instinctivement les questions qu'elle désire que je lui pose: «As-tu un message à me faire?» «Oui.» «Veux-tu me parler parce que je suis une femme?» «Oui.» Dany a une inspiration: «Ressemblais-tu à Anne quand tu étais vivante?» Un coup: oui. «Rousse, aux yeux verts?»

«Oui.» «L'admires-tu comme comédienne, l'as-tu déjà vue jouer?» «Oui»! Je m'attendais à tout sauf à une *fan* fantôme! L'astral s'approche d'un peu trop près. Si elle m'a vue en scène, elle possède donc la faculté de se mouvoir, car je n'ai jamais joué sur celle du Monument-National. Chantale hante-t-elle aussi les coulisses d'autres théâtres? J'aurais préféré que Dany songe à une autre série de questions!

La table se met à taper avec force une série de lettres: D… E… H… Après quelques secondes, le message qu'elle essaie de transmettre m'apparaît soudain, clair et limpide. On dirait presque que j'entends parler l'esprit à l'intérieur de moi. «Je sais! D.E.H.: doit être heureuse. Tu veux me dire de savourer chaque moment de mon métier de comédienne, car toi, tu es morte trop jeune pour en profiter.» «Oui.» Comme si elle était vivante, la table vient se déposer doucement sur mes cuisses puis se calme! Je suis bouleversée, une âme de l'au-delà me fait la grâce de partager ses regrets, de m'offrir ses souvenirs blessés. Après un court moment de recueillement, une question encore plus intime se dessine dans ma tête. «Chantale, es-tu triste d'avoir perdu ton bébé?» La table se met alors à se balancer de gauche à droite, lentement, en cadence, comme si la mère voulait bercer son enfant. Je ressens alors une immense peine et reçois la vision que si sa destinée s'était matérialisée autrement, Chantale aurait pu accoucher d'un beau garçon.

Nous communiquons avec notre visiteuse depuis bientôt deux heures. À notre grand regret, il est temps de lui faire nos adieux. Nous la remercions d'avoir passé ce moment privilégié avec nous, et enlevons avec révérence nos mains du guéridon, maintenant gorgées d'une énergie familière et amie. André se tourne vers la caméra pour conclure: «C'est toujours difficile de les laisser partir.»

Nous sommes fatigués, tant sur le plan émotionnel que physique, avec des points dans le dos à force de nous courber au-dessus de la petite table et le postérieur en compote après l'avoir déposé si longtemps sur des chaises d'un bois moins précieux mais plus dur que l'ébène. André nous fait remarquer: «Le guéridon ne pouvait pas glisser sur le plancher rugueux, sinon il nous aurait fait courir d'un bord à l'autre de la scène. Il a compensé en se dévissant comme un derviche tourneur. Il ne m'avait jamais fait ça avant.» Encore heureux pour le pauvre caméraman en sueur, qui se relève à peine de sa dure corvée. Pour ne rien manquer, il a vaillamment tenu la caméra à la main pendant plus de 120 minutes, changeant la vidéocassette avec une rapidité digne des meilleurs tireurs de l'Ouest. Le réalisateur, encore un peu perplexe à cause de l'étrangeté de l'aventure, nous demande de récapituler les bribes d'informations recueillies pendant cette extraordinaire séance. Je me mets à la tâche de synthétiser les bribes éparses de ces généreux aveux. Je viens de vivre une très forte connexion avec la jeune femme, et son histoire s'est imprimée en moi aussi clairement que si je l'avais vécue. Avec la conviction d'un médium professionnel, je déclame sans hésiter: «À la fin du siècle dernier, Chantale G. amorçait une carrière de comédienne en jouant des petits rôles dans des tragédies françaises. Tombée amoureuse d'un comédien célèbre, elle cache à tout le monde le début de sa grossesse. Elle veut garder l'enfant mais le père refuse de le reconnaître. Forcée de se conformer aux conventions de l'époque, elle se résout à contrecœur à l'avortement et réussit à convaincre un médecin de l'Hôpital Victoria de pratiquer une opération clandestine. Pour récupérer en secret, elle vient se réfugier dans un réduit, sous les toits du Monument-National. Après des jours de fièvre, elle meurt, seule, à la suite d'une infection. Les cris que l'on entend parfois sous les combles le soir n'expriment pas sa douleur physique mais bien l'immense tristesse d'avoir sacrifié son petit, son bébé, son garçon.» Je baisse la tête en silence, vraiment émue par l'histoire que je viens de raconter.

«Mon Dieu, ça va faire pleurer dans les chaumières», plaisante André pour détendre l'atmosphère. Dany, qui ne s'est pas encore remis de son aventure, enchaîne: «Écoutez, je ne crois à rien de tout ça, moi, le vaudou, les esprits. Je ne sais pas du tout comment l'expliquer, mais je dois me rendre à l'évidence: quelque chose de spécial vient de se passer ici!»

Je n'ai aucune idée de la façon dont cette entrevue sera montée pour la télévision. Pourra-t-on apprécier en quelques minutes la gravité, la beauté de notre expérience? Verra-t-on bien les mouvements de la table à l'écran? Paraîtront-t-ils crédibles aux spectateurs? Ces questions n'ont plus vraiment d'importance. Quoi qu'il advienne de ce matériel, il ne fera jamais pâlir la mémoire magnifique du plus attendrissant des fantômes, de ma rencontre avec Chantale l'apprentie comédienne, morte trop jeune pour avoir connu la gloire tout en payant trop cher le prix de sa rançon.

Nous sortons du théâtre, accueillis par les lumières du boulevard Saint-Laurent qui caressent la chaussée d'une lueur chaude. Des milliers de fées luminescentes m'invitent à les rejoindre dans leurs antres soyeux, chuchotant à mon oreille d'irrésistibles tentations. Il serait si facile de se laisser envoûter par l'invisible jusqu'à perdre l'envie même d'exister dans la réalité. Mais les odeurs prosaïques du Montreal Pool Room me ramènent à mon enveloppe de chair, titillant le petit ventre de mon écorce terrestre qui gargouille avec appétit.

Je suis bien heureuse d'avoir offert à Dany de le raccompagner chez lui en voiture. Après l'excitation du moment, je reste perturbée par notre tentative hardie de frayer avec les morts. Dany ressent peut-être mon malaise et me dit d'une voix rassurante: «Elle était sympathique tout de même, notre petite fantomette.» «Absolument», répondis-je. Mon passager enchaîne avec un sourire amusé: «Tu as vu comme elle a frétillé lorsque je lui ai demandé si elle aimait les hommes? Pas étonnant qu'elle se soit identifiée à toi.» J'éclate de rire. Cher Dany, fidèle à sa réputation, toujours galant et un brin coquin avec les dames! Mais son commentaire me fait réfléchir. Et si l'amitié du spectre se transformait en obsession, au point qu'elle vienne me visiter chez moi? «Tu sais, je suis un peu inquiète. Chantale pourrait bien avoir envie de continuer la conversation. Je suis seule ce soir. John, mon mari, est en voyage d'affaires.» Dany blaguant à moitié me lance: «Si tu veux, je viens dormir chez toi, pour te protéger!» Bien fait pour toi, espèce de nouille, me dis-je intérieurement. T'as vraiment eu l'air de lui tendre une perche de 20 pieds de long! «Non, c'est très gentil, mais ça ira, balbutiai-je les joues en feu. Je crois pouvoir maîtriser la situation, merci quand même.» Nous arrivons devant sa porte. Ouf, sauvée! Après les au revoir d'usage, nous nous embrassons… sur les joues, en toute amitié.

En rentrant à la maison, je ne suis pas du tout rassurée. C'est sûrement le fruit de mon imagination fertile, mais je pourrais jurer qu'une présence maligne rode devant le paravent chinois de ma chambre. Je n'arrive pas à m'endormir, lorgnant du coin de l'œil le noir opaque à la droite de mon lit. «Ma belle Chantale, si c'est toi, aurais-tu la gentillesse de partir? Tu me fais vraiment peur!» C'est amusant de parler aux esprits sur la scène d'un théâtre entourée de gens et en pleine lumière, mais ce n'est plus du tout pareil, seule la nuit, dans une maison isolée de Baie d'Urfé! Le silence me paraît lourd de menaces. Je suis sûre que quelque chose de malsain m'épie. Je ne vois rien pourtant, mais je sens autour de moi une présence agressive, très loin en fait de l'énergie mélancolique de ma douce amie. Et si tout à l'heure pendant la séance de spiritisme, j'avais, à mon insu, ouvert la porte à une autre entité beaucoup moins charitable? Blâmons mon imaginaire débordant mais je ne veux pas rester une minute de plus dans cette pièce infâme. Je vais dormir sur le divan du salon.

Le lendemain soir, encore cette sensation bizarre d'être espionnée par des yeux maléfiques, même si John, mon valeureux époux, est étendu à mes côtés. Je suis allongée, tendue et raide sur le matelas, incapable de regarder vers le paravent d'où émane j'en suis certaine un protoplasme vengeur. Les quelques heures de sommeil que je réussis à attraper sont peuplées de terribles cauchemars. Je me réveille en sursaut presque toutes les heures, me pelotonnant dans les bras de mon chéri, essayant d'apaiser mes craintes. Je dois admettre que celles-ci frisent le ridicule, mais je suis vraiment terrorisée, et aucune explication rationnelle ne peut l'expliquer. Une semaine plus tard, après six autres nuits agitées et sans lune, une goutte de venin fait déborder le vase. Je me retrouve hurlant à fendre l'âme, au beau milieu de la chambre. John se précipite pour me prendre dans ses bras. «C'est moi, Anne, c'est John, n'aie pas peur.» Je suis en état de choc, de longues secondes passent avant de recouvrer mes sens. Je me laisse doucement bercer par les bras sécurisants de mon preux chevalier. «Oh! John, c'était vraiment horrible. Un énorme serpent est sorti du mur pour se lancer sur mon visage. Il était tellement près, c'était effrayant! Je l'ai vu comme je te vois, ce n'était pas un rêve. Il était gris avec des yeux jaunes, la gueule grande ouverte, prêt à m'avaler.» Comme je l'ai déjà mentionné, j'ai une seule phobie dans la vie: une peur incontrôlable des serpents. Je n'arrive même pas à les regarder dans une cage de *pet shop*. Mon copain de l'astral sait vraiment comment me torturer!

Ça suffit, je prends les grands moyens. Le lendemain matin, j'appelle à l'aide. Quelques années auparavant, Micheline, mon agente, a eu des problèmes sérieux avec une entité. Pourtant, comme André Montmorency, elle est très sceptique au sujet de l'occulte. Je crois me souvenir qu'elle s'en est libérée à l'aide d'une incantation. Je suis prête à tout essayer. «Tu fais bien de m'en parler, me dit-elle avec assurance. Je connais une formule qui va te débarrasser de ton "envahisseur". Ç'a bien marché dans mon cas. Tu te rappelles l'histoire? Dans un party, j'ai refusé les avances d'un bonhomme étrange, qui se prétendait magicien. Il m'a envoyée en cadeau un visiteur invisible qui me soufflait de l'air chaud dans le cou et m'effleurait le visage plusieurs fois par jour. J'ai commencé à m'inquiéter le jour où mon couteau de cuisine s'est mis à flotter dans les airs! En désespoir de cause, j'ai fait venir un magnétiseur qui m'a donné cette phrase: "Je m'entoure de la protection du manteau du Christ que rien ne peut toucher, ni transpercer, ni détruire." Je sais, ça sonne quétaine, mais je n'ai jamais eu de problèmes depuis.» Je l'ai remerciée mille fois et sans plus attendre, ai récité l'incantation dans tous les recoins de ma chambre. Aussi improbable que cela puisse paraître, les cauchemars, visions et oppressantes sensations ne sont jamais revenues. À la suite de cette mésaventure, vous comprendrez pourquoi j'ai des hésitations à traverser, volontairement du moins, l'instable frontière du bas-astral.

Certains penseront: «Elle a tout simplement fait un mauvais rêve, rien de surnaturel là-dedans.» Mais après cet épisode troublant, j'ai entrepris des recherches sur la question. Je vais donc tenter d'expliquer ce qui s'est réellement passé cette semaine-là entre les quatre murs de ma chambre. Celle-là où je reçus la visite d'un reptile des plus embarrassants.

Selon les enseignements chamaniques, il existe plusieurs définitions du rêve. Pendant l'entraînement des apprentis initiés de toutes les traditions occultes, l'une des premières tâches est d'apprendre à déchiffrer les différentes catégories de rêves. Car certains offrent un portail qui s'ouvre directement sur le monde invisible.

Le «rêve symbolique» est constitué du recueil de nos souvenirs quotidiens amalgamés aux messages de notre inconscient. Ce sont les rêves traditionnels dont nous nous souvenons parfois si nous avons la chance de nous réveiller à la fin du cycle du sommeil paradoxal. Notre esprit parle par l'entremise de symboles pour déjouer notre conscient. Dans ces rêves, chaque élément nous représente. Chaque objet, événement est en fait une facette de notre être. Ces images, une fois interprétées, nous donnent d'importantes clés sur les schémas de pensées limitatifs de notre existence et nous permettent de prendre le pouls de notre vie intérieure. Ce sont les outils de travail des psychanalystes freudiens. Mais chacun peut s'amuser à les déchiffrer à l'aide de dictionnaires spécialisés expliquant la signification générale des principaux archétypes. Pour les détails plus personnels, le fait de noter les rêves au réveil et de les comparer aux états émotifs de la veille, sondant ainsi nos désirs et inquiétudes cachées, nous transforme avec le temps en habiles détectives. Bien maîtrisés, ces rêves nous offrent des sources illimitées d'apprentissage et d'intégration. Les cauchemars ont aussi leur raison d'être. Amenés souvent par le stress, ils sont des moyens brutaux utilisés par l'inconscient pour nous faire parvenir un message important que nous avons refusé d'entendre. Ils révèlent les pensées négatives et les croyances erronées entravant notre évolution. Betty Bethards dans son très beau livre sur les rêves nous confie: «chaque peur est une entrave à la découverte de notre véritable beauté». Par exemple, recevoir en rêve un coup de couteau au cœur indique un blocage énergétique à ce niveau pouvant dégénérer en problèmes physiques ou émotionnels, si le rêveur choisit d'ignorer l'avertissement.

Mais il existe une autre expérience onirique, beaucoup moins reconnue et cependant fascinante: le rêve astral, un voyage interdimensionnel effectué la nuit, par toutes les âmes sans exception. Durant le sommeil, notre corps astral quitte son enveloppe physique pour pénétrer dans le plan dont il est issu. L'âme y voyage régulièrement pour recevoir des enseignements, tout en demeurant toujours reliée au corps physique par le fameux fil d'argent. Les rêves astraux sont les empreintes mémorables des équipées nocturnes rapportées par notre «éclaireur» de la quatrième dimension. Les sensations de déjà-vu proviennent quelquefois des mémoires de vies passées, mais sont en majorité des réminiscences de lieux ou d'événements vécus lors de nos périples antérieurs dans la «seconde attention».

À notre insu nous exerçons tous l'«art de rêver». Les rêves très communs où nous avons l'impression de voler traduisent effectivement la réalité. À ce moment précis, nous sommes momentanément libérés de nos entraves physiques. Notre âme est littéralement sortie de notre corps! Il est aussi possible d'«induire» les rêves astraux, d'y diriger nos allées et venues (cela demande beaucoup d'entraînement!) et de les programmer avant de nous endormir.

Nous pouvons ainsi consciemment rencontrer d'autres voyageurs et discuter ensemble pour passer des accords de l'autre côté, avant même que les événements prennent forme dans la réalité physique, nous donnant la possibilité de signer des contrats virtuels pour internautes astraux! Qui n'a pas «rêvé» d'accélérer la matérialisation de ses désirs et de ses aspirations en devenant le cocréateur de sa vie? Nous sommes des êtres puissants dotés de facultés immenses, malheureusement nous choisissons rarement de les exploiter ou d'exercer la discipline nécessaire pour nous en servir. Et pourtant, il est effectivement possible d'influencer notre avenir en travaillant dans l'astral pendant la période de rêves.

Lorsque nous voyageons la nuit dans le monde invisible, nous rencontrons des alliés ou êtres de pouvoir habilités à nous donner des enseignements. Ces entités évoluées facilitent nos incursions dans la seconde attention tout en nous assurant une protection contre les créatures du bas-astral.

Certains apprentis sorciers s'associent résolument aux entités malveillantes. Les adeptes de la magie noire forgent des alliances mettant dangereusement en péril leur situation d'hommes libres. En échange, ils acquièrent des pouvoirs leur permettant, entre autres, de jeter des sorts à d'innocentes victimes. Les chamans dont le travail est de déposséder ces âmes malades utilisent les rêves astraux «conscients» pour affronter les persécuteurs en pénétrant dans l'autre monde et s'en prendre à la racine du mal. Dans les traditions amérindiennes, ils sont épaulés dans leur tâche par leurs alliés: des animaux de pouvoir, rencontrés dans le monde physique pendant une initiation, une vision «réelle» recherchée par le guerrier dans la solitude de sa quête spirituelle. Comme je l'ai déjà raconté, j'ai eu la chance de rencontrer mes propres alliés, lors d'un voyage astral amorcé par le chaman Bear Passineaux, lors d'une cérémonie sacrée dans les plaines de Taos, au Nouveau-Mexique. Les qualités de ces animaux de pouvoir – la force de l'ours, la perspicacité du faucon, le courage du puma – s'infusent à l'homme pour lui permettre d'effectuer un travail occulte qui peut se révéler périlleux. Dans les traditions occidentales, ces présences sont souvent associées aux anges gardiens. Les hommes ont besoin d'«anthropomorpher» ces énergies, de leur donner formes humaines ou animales pour mieux communiquer, mais en réalité elles sont uniquement lumière.

Ce qui nous amène à la troisième catégorie d'expériences oniriques: les «visions». Elles sont en fait des visitations du plan astral. Plusieurs mystiques ont fait état de ce phénomène séculaire se traduisant par les apparitions de vierges, de saints ou de déités, ainsi que par la présence d'êtres chers récemment décédés, livrant de rassurants messages sur leur nouvel habitat. Les visions, vues parfois à l'état de veille, viennent aussi pendant le sommeil. Elles ont une qualité différente des rêves: l'expérience est réelle, ressemblant à un film Imax en trois dimensions. Il faut l'avoir vécu pour percevoir la différence entre un rêve symbolique et une vision. Ceux qui ont le privilège de vivre ce miracle en sont profondément touchés et subissent une transformation bénéfique, une métamorphose de leur champ de conscience et un gain sensible de «feu», d'élan vital dans leurs corps énergétiques.

Les êtres de lumière tiennent compte de nos croyances et configuration mentale, voilà pourquoi ils apparaissent sous diverses formes, eux qui sont en fait de pures vibrations. Malheureusement, les forces du bas-astral possèdent aussi cette habileté de transformation et peuvent facilement, si leurs interlocuteurs manquent de vigilance, se faire passer pour ce qu'ils ne sont pas. Le serpent dans ma chambre était, à mon grand désespoir, une réelle vision, une entité essayant avec succès je dois le dire, de m'effrayer!

Ces sombres parasites se nourrissent de nos émotions. En état de colère, de peur ou de tristesse, nous devenons des proies vulnérables. Si nous ne retrouvons pas très vite le calme, le centre de notre vraie nature, nous donnons le beau jeu à ces vampires de l'âme qui se font un malin plaisir de puiser allégrement dans notre substance humaine. En fait, devant cette très courte mais plutôt saisissante rencontre, j'ai très mal réagi, hurlant de peur en me réfugiant comme une poltronne dans les bras de mon époux. Mes professeurs auraient bien ri de ma mésaventure. Ils m'avaient pourtant appris comment me comporter dans ces situations, tests de nos talents à manier le bas-astral. La conduite d'une vraie guerrière aurait été de rassembler ses esprits en se centrant sur son plexus solaire, puis, en invoquant la protection de ses alliés, de plonger avec témérité dans la gueule ouverte du monstre. La force et le courage de cet acte auraient tout simplement forcé la bête à disparaître dans les limbes pour ne plus jamais m'importuner. Par ce geste, je lui aurais prouvé qu'elle n'avait aucun droit sur moi. Ce qui, paradoxalement, est effectivement le cas. Quand on se libère de la peur, les entités négatives n'ont d'autre choix que de s'évaporer dans la nature. Cette aventure contient une savoureuse métaphore. Terrorisée, prise par surprise, j'avais oublié qui j'étais, reniant mes connaissances et mes aptitudes, trahissant mon pouvoir. Pourquoi ce «vilain gremlin» avait-il eu la possibilité de s'accrocher à moi et de m'importuner avec véhémence pendant plus d'une semaine? Parce qu'en m'adonnant avec frivolité à l'invocation d'esprits frappeurs, en communiquant volontairement avec une âme désincarnée lors de la séance de spiritisme au Monument-National, j'avais ouvert un canal et complaisamment tracé un chemin, laissant entrer d'autres visiteurs dans mon champ de conscience. En vérité, cette entité m'a donné une féroce leçon. Malgré mon savoir théorique, j'étais, dans le feu de l'action, mal préparée à affronter les nombreux «serpents» de mon existence. Je devais assembler mes énergies et arrêter de me dissiper pour vaincre les prochaines épreuves que mon esprit, dans son intraitable sagesse, se préparait à m'envoyer.

Pour résumer ma dissertation sur les merveilles du rêve, ce que nous appelons des «hallucinations» peut bien sûr venir de réactions biochimiques provoquées par la déshydratation – les mirages dans le désert, par exemple – ou par le manque d'oxygène – la folie des profondeurs – mais, dans d'autres cas, elles nous apparaissent comme une collision de deux mondes, une percée momentanée d'une autre dimension dans notre réalité. Les drogues dures en particulier sont très dangereuses car, en plus de créer une dépendance physique, elles nous entraînent à notre insu dans une autre dimension, ouvrant la porte à des visiteurs indésirables qui peuvent pousser l'utilisateur non initié au désespoir et parfois même au suicide. D'ailleurs, au début de leur apprentissage, les chamans ont souvent recours à des plantes sacrées comme le peyotl, dont on extrait la mescaline, pour élargir leur perception et les aider à pénétrer dans la quatrième dimension. Mais ils le font après avoir reçu un entraînement approprié. Il faut posséder un corps vital puissant et un corps astral purifié avant de s'adonner à cette pratique dangereuse pour la majorité des gens. Pareil pour les médiums, s'ils ne bénéficient pas de la protection d'esprits supérieurs, ils devraient s'abstenir de canaliser des âmes manipulatrices de leur fragile ego.

S'adonner à des séances de spiritisme peut être dangereux. Qui n'a jamais essayé, sans trop y croire, de faire une petite séance entre amis? Un divertissement anodin se terminant la plupart de temps par de formidables fous rires. C'est jouer avec le feu. Un participant, souvent à son insu, peut avoir les «canaux» suffisamment ouverts pour attirer des visiteurs indésirables. Les enfants sont particulièrement réceptifs et ne devraient jamais y prendre part, même pour s'amuser. Quoique nous prenions rarement ce genre d'expérience au sérieux, lorsqu'elles sont réussies, elles offrent des numéros hauts en couleur! Comme ce guéridon qui frappait la scène du Monument-National, tel un danseur de flamenco déchaîné. Même si cette expérience m'a procuré une bonne montée d'adrénaline, je préfère m'abstenir maintenant que j'en connais les dangers potentiels. Je n'ai pas la moindre envie qu'une entité pas très évoluée se prenne d'affection pour moi et décide de me vampiriser pour les siècles qui suivent! Oui, oui, vous avez bien lu, nous ne devinons pas toujours leurs présences, et elles ont la capacité de s'accrocher à notre corps astral, de vie en vie!

En tant qu'êtres conscients, nous devrions posséder le pouvoir d'empêcher tout contact indésirable, mais nous ne sommes pas toujours en pleine possession de nos moyens. Certaines personnes demandent carrément à les recevoir, cherchant à s'octroyer des pouvoirs surnaturels. Attention, cet acte correspond à faire un pacte avec le diable ou en tout cas un de ses représentants. Vous risquez de vous faire pomper la moelle pour une bonne partie de l'éternité... rappelons-nous l'histoire de Faust. D'ailleurs, la plupart des fables et des légendes ont des ramifications dans le réel et s'appuient sur des parcelles de vérité. Voilà pourquoi elles exercent sur nous une telle fascination. Elles parlent de notre inconscient collectif et mettent en scène des archétypes symbolisant les plus anciens mystères de l'humanité.

Les maladies mentales où le psychisme est affaibli sont des appâts exquis pour les visiteurs pernicieux de l'astral. Les soignants institutionnels, au lieu d'abrutir leurs patients par des drogues les rendant encore plus vulnérables, devraient tenter une association avec les guérisseurs traditionnels. En travaillant en étroite collaboration avec des thérapeutes allopathiques, ces «guerriers» entraînés depuis des générations pourraient libérer beaucoup d'âmes prises dans les griffes des entités du bas-astral. Les sorciers africains, que nous traitons de barbares superstitieux, réussissent pourtant d'impressionnantes guérisons en procédant à des exorcismes sur ces malades. Ils ont compris que les cerveaux de ceux que nous appelons «fous» sont déséquilibrés parce que leur âme est atteinte. De nombreux patients, diagnostiqués dans nos pays civilisés par les termes péjoratifs d'internés psychiatriques, pourraient être soulagés de cette façon.

Il ne faut pas s'effrayer de l'état de ces choses et il ne faut pas oublier que nous sommes constamment reliés à notre esprit, la partie toute puissante et divine de notre être. Mais comme la polarité existe toujours dans les trois premiers plans de conscience, le bien et le mal s'y côtoient. Et depuis plus de 13 000 ans, les hommes sont manipulés par l'astral, le monde de la mort qui nous a fait oublier notre potentiel divin.

Heureusement, les sphères éthériques sont peuplées de maîtres généreux prêts à nous épauler, si nous savons les rejoindre dans la sérénité.

Car la magie et le miraculeux sont incrustés dans le rayon oblique de notre regard. À nous de les découvrir si nous voulons grandir dans la splendeur de l'éternel, la véritable dot de la condition humaine, là où rien ne meurt, là où notre destin est fusion, là où nous devenons spirales incandescentes se lovant dans l'infini.

Chapitre 12

Le souffle
de vie

Il y a tant de connaissances à assimiler, de techniques à maîtriser et de secrets à découvrir pour parfaire l'élévation de son âme. C'est le travail de toute une existence, étalée sur des milliers d'années, de chacune de nos renaissances à chacune de nos morts. Mais le destin, dans son infinie sagesse, jette toujours sur notre chemin les coïncidences annonciatrices, porteuses de messages qui nous indiquent la voie à suivre.

Depuis que j'ai entrepris ma quête spirituelle, je reçois les réponses à mes questions existentielles au moment opportun. Je crois que ces signes révélateurs ont toujours été présents autour de moi sans que j'y prête attention. La différence est que maintenant j'ai la volonté de les percevoir et de les décoder. Et surtout, j'ai le désir de mettre leurs suggestions en pratique, ce qui évidemment constitue le point le plus essentiel et le défi le plus grand.

La régression dans les vies antérieures par l'entremise des portes du ciel est un processus fascinant, mais qui requiert de se déplacer au Nouveau-Mexique. Le chamanisme exige un long sacerdoce qui ne correspond pas à mon besoin de poursuivre ma carrière de comédienne. Je suis donc à la recherche d'une approche différente, dont la pratique peut s'effectuer dans la simplicité.

Fort à propos, Christine, une amie française venue passer quelques jours à la maison, me parle d'un séminaire appelé *Loving Relationship Training* (LRT, qui pourrait se traduire par «Plus d'amour dans nos relations») qu'elle vient de suivre aux États-unis avec Sondra Ray, une conférencière réputée dans le domaine de la croissance personnelle. J'ai connu Christine, qui est masso-thérapeute, alors qu'elle travaillait à la Russell House de Key West. Partageant les mêmes champs d'intérêt, puisqu'elle a aussi été co-médienne à Paris avant de s'intéresser à la spiritualité, nous avons tout de suite sympathisé et sommes restées très proches. J'ai tou-jours eu confiance en son jugement. Lorsqu'elle me décrit avec enthousiasme sa nouvelle découverte, je me montre tout de suite intéressée.

Sondra Ray est l'auteure de plusieurs livres à succès, dont *The Only Diet There Is*, que j'avais lu et fort apprécié lorsque je souf-frais encore de boulimie. Le thème principal de cet ouvrage suggère que la seule façon de retrouver son poids de façon permanente est de s'exercer à une diète mentale et non pas physique. Autrement dit: rien ne sert de se mettre au régime si nous ne changeons pas nos croyances limitatives et ne développons pas notre estime per-sonnelle. Pour avoir vécu cette situation, je suis évidemment tout à fait en accord avec ces prémisses. Sondra, qui a plusieurs cordes à son arc, est aussi une des pionnières du *rebirth*, une technique de respiration consciente qu'elle a mise au point avec son ami in-time Leonard Orr. Cette femme charismatique entretient depuis bientôt 20 ans une relation privilégiée avec le maître Babaji. Un «avatar immortel» (un être pleinement réalisé), qui a vécu une de ses plus récentes incarnations dans un corps physique à Haida-khan, dans le nord de l'Inde. Avec l'aide de Babaji, Sondra a conçu le LRT, une association internationale vouée au dévelop-pement de la conscience supérieure utilisant, entre autres, les tech-niques du *rebirth* et de la psychologie transactionnelle, alliées aux pouvoirs ancestraux des cérémonies sacrées de l'Inde. Je m'attar-derai un peu plus loin dans ce chapitre sur les bienfaits du *rebirth* et sur mes expériences étonnantes vécues pendant les séminaires du LRT. Mais j'aimerais auparavant, autant qu'il est possible de le faire, vous transmettre quelques informations sur Kriya Babaji Nagaraj, le grand initiateur.

Les sphères de conscience atteintes par cette incarnation divine sont si élevées qu'il est difficile de les concevoir. Il est dit que le seul fait de lire ou de prononcer son nom avec révérence procure des bénédictions spirituelles instantanées. Babaji est un avatar, mot qui signifie en sanskrit «descente de la divinité dans la chair». Il s'est incarné sur la terre, dans la région de l'Himalaya, il y a plusieurs siècles et a atteint l'illumination à l'âge de 16 ans. En tant que maître ascensionné, il a vaincu le cycle de la vie et de la mort et n'est plus sujet à la loi du karma. Il a transcendé la matière pour devenir un corps de lumière et nous démontrer, par son exemple, la possibilité d'obtenir l'immortalité physique. Les maîtres pleinement réalisés n'ont pas besoin d'enveloppe corporelle pour se mouvoir, ils projettent leur conscience là où ils désirent aller partout dans l'univers. Ils peuvent par ailleurs choisir de prendre une forme physique pour effectuer un travail spirituel sur notre planète. Mais leur physiologie sera différente de la nôtre. Leur corps terrestre est semblable à un hologramme, à une forme-pensée qui semblerait de l'extérieur en tout point conforme à ce que nous connaissons de l'espèce humaine, mais dont tous les atomes seraient infusés de l'esprit divin. Cette grâce leur permet, entre autres, de se matérialiser à volonté et d'apparaître à plusieurs endroits à la fois, en gardant la mémoire constante de ce qu'ils sont.

Babaji est un grand prophète, au même titre que Jésus ou Bouddha. Ces derniers ont choisi d'exister parmi les hommes sur une courte période et de mener une vie publique afin que leurs enseignements soient connus par une vaste majorité. La mission de Babaji, qui a trait en particulier à la lente évolution de la conscience humaine, requiert une présence permanente parmi nous.

Il vit dans son corps immortel depuis des centaines d'années dans une région secrète, près de Badrinath, un village niché dans les montagnes aux confins de l'Inde et du Tibet. Entouré de ses disciples, un petit groupe de maîtres réalisés incluant sa sœur spirituelle, Mataji, il effectue un travail occulte dont les ramifications dépassent l'entendement. Babaji a inspiré plusieurs générations de yogis, les enseignants spirituels de l'Inde. Sous sa noble tutelle, ceux-ci ont élaboré des techniques spirituelles appelées Kriya Yoga, qui permettent d'atteindre l'ultime transformation.

Mais l'immortalité physique n'est pas un but en soi. Elle est le résultat de la fusion de notre âme et de notre esprit avec le divin. Bien d'autres miracles accompagnent cette élévation qui demande le sacrifice de notre ego, de notre personnalité, et qui conduit à la perfection sur tous les plans de notre corps vital, mental et émotionnel. Les rares élus qui ont atteint cet état privilégié ne l'ont pas désiré pour profiter de l'éternelle jeunesse, aussi séduisant que cela puisse paraître. Car à l'immortalité s'adjoint une énorme responsabilité, celle de superviser sans relâche le bon fonctionnement de l'univers, celle de tenir en équilibre les forces du bien et du mal, les deux côtés du miroir de l'illusion cosmique.

Au siècle dernier, les traditions spirituelles nées dans le berceau de l'Orient se sont répandues en Occident, soufflant un vent de mysticisme sur nos sociétés basées sur la productivité. Cet amalgame est nécessaire. Pour évoluer, l'esprit a besoin du calme de la méditation associé à l'agitation de l'action. La prière et le dialogue intérieur ont une meilleure portée s'ils sont concrétisés dans la réalité. Les anciennes croyances religieuses et spirituelles ont dû se transformer pour résonner dans le monde actuel. Babaji est à l'origine de ce phénomène, car il supervise la connaissance diffusée aux yogis et aux enseignants de la terre. Le plus célèbre de ses disciples, Paramahansa Yogananda, fut le premier propagateur du Kriya Yoga dans le monde, particulièrement en Amérique du Nord.

En lisant ces lignes, si le nom de Babaji vous fait vibrer d'une énergie particulière, vous vous découvrirez peut-être une affinité avec lui. Si vous désirez en savoir plus sur cet être extraordinaire, je vous propose deux ouvrages passionnants, *Autobiographie d'un yogi* de Paramahansa Yogananda et *Babaji et la tradition du kriya yoga des 18 siddhas* par M. Govindan.

Quant à moi, j'ai eu la bonne fortune de recueillir ces informations en direct lors d'un séminaire avec Sondra Ray, dans l'île de Kaui, à Hawaï. Sondra a eu l'immense privilège de recevoir les enseignements de Babaji en personne, dans un ashram de Haidakhan, au nord de l'Inde, où le maître a vécu 14 ans de 1970 à 1984, comme un homme parmi les hommes. Pour un disciple, les liens avec un avatar sont indestructibles et, même si Babaji apparaît très rarement sous sa forme physique, il continue de communiquer régulièrement, en parlant directement au cœur et à l'esprit de ceux qui lui sont dévoués.

La notion la plus importante dans l'art scientifique du Kriya Yoga est que la purification et l'élévation de l'esprit passent par le souffle. Dans l'atmosphère qui nous entoure se trouvent deux éléments: l'air et le prana. Le prana est constitué de l'énergie vitale présente partout dans l'univers, même dans le vide. Privé d'air, notre corps physique s'éteint en quelques minutes, mais privées de prana, notre âme et notre conscience, l'essence même de notre être, disparaîtraient instantanément.

Selon les enseignements de Babaji, tout peut se guérir par la respiration pranique, associée à l'ouverture du cœur et à la clarté des intentions de notre pensée créatrice. La technique qui permet d'assimiler ce souffle divin est appelé le pranayama. La pratique quotidienne de la méditation et du pranayama forme la base essentielle du Kriya Yoga, exécutée par les dévots de l'Inde depuis des siècles. Ce travail spirituel, pour être complet, doit être associé dans la vie courante au Karma Yoga: des services rendus aux autres qui éveillent la compassion. Le disciple doit aussi énergiser son corps physique par des exercices asanas: l'exécution de postures yogiques qui assouplissent les membres, fortifient les organes internes, et régularisent le système hormonal tout en équilibrant les chakras (les sept roues énergétiques qui régissent la circulation de l'énergie vitale).

Tout un programme! Mais qui ne demande en moyenne que 80 minutes par jour. Un temps relativement court comparé aux bienfaits qu'il procure. Grâce à un meilleur alignement avec la force de vie, cette discipline apporte un accroissement de l'intuition et de la créativité, une confiance personnelle fortifiée, dénuée d'envie ou de compétition, et une productivité ajustée, déployée dans la sérénité.

La bonne nouvelle est que, si le Kriya Yoga vous intéresse, vous n'avez pas besoin de courir au fin fond du Cachemire pour l'apprendre. Ici même au Québec réside un excellent professeur, le yogi Govindan. Ses ateliers sont donnés dans un très bel ashram (école de yoga) situé dans les Cantons-de-l'Est. Pour y avoir moi-même étudié pendant deux ans, je peux vous assurer de la remarquable qualité de son enseignement. La lignée de yogis dont est issu Govindan est en contact direct avec Babaji depuis des temps immémoriaux. Avec lui, vous allez vraiment au cœur du sujet! J'ai d'ailleurs mentionné un peu plus haut le titre de son livre, un des ouvrages les plus complets sur la vie du divin avatar et sur l'art du Kriya Yoga.

La pure tradition indienne, avec ses dévotions pittoresques, n'est pas toujours au diapason des mentalités occidentales. Voilà pourquoi Leonard Orr et Sondra Ray, deux élèves de Babaji, ont mis au point, à l'inspiration du maître, le *rebirth*, une technique moderne de respiration qui facilite l'absorption du prana. Le *rebirth* est un outil de transformation puissant qui purifie le corps et l'esprit grâce au souffle et qui permet de vaincre les résistances des émotions refoulées. Grâce à une respiration continue qui fait circuler les énergies bloquées, on permet aux mémoires enfouies de s'élever à la conscience pour mieux les gérer.

À la naissance, la première bouffée d'air prise par le nouveau-né est une expérience traumatisante. Le bébé est éjecté sans ménagement du refuge où il flottait béatement dans une noirceur apaisante pour se retrouver soudain aveuglé par la lumière des néons, tandis qu'un géant vert lui donne des claques dans le dos! Le cordon ombilical est coupé brusquement, sans laisser le temps au bébé de s'adapter à son nouvel environnement, le forçant à prendre sa première respiration dans un état de panique. Dans un réflexe de survie, il se met à haleter et à respirer en surface, n'utilisant que le haut de ses poumons, alors que la vraie respiration, celle qui fait circuler l'air et le prana dans tout le corps, s'ancre plus profondément. L'inspiration devrait se faire au niveau du ventre, pour ensuite faire remonter le diaphragme et finir dans le haut de la poitrine. À cause de la brutalité de notre naissance, nous n'avons jamais appris à bien respirer. D'ailleurs, les chanteurs et comédiens savent que, pour avoir du coffre et bien soutenir la voix, il faut élargir la respiration en utilisant les muscles abdominaux et en ouvrant les côtes.

L'un des buts du *rebirth* est de nous reconnecter à la façon juste de respirer pour bénéficier des bienfaits du prana. Ce qui constitue une vraie cure de jouvence, car l'énergie divine est régénératrice. Dans la pratique, une séance de *rebirth* dure environ une heure et se passe sous l'œil bienveillant d'un accompagnateur qualifié (*rebirther*). Si on choisit cette approche, il est recommandé de faire au moins 10 séances pour bien approfondir le travail.

Comment se passe une séance de *rebirth*? Le participant, étendu au sol, commence tout simplement à inspirer et à expirer par la bouche de manière continue. L'accompagnateur assiste à l'exercice en silence, guidant parfois la prise de souffle pour s'assurer qu'elle se fasse en douceur. Une respiration trop hâtive pourrait provoquer de l'hyperventilation, tandis qu'une respiration en surface ne produirait pas les effets escomptés.

Pourquoi s'exercer à la respiration consciente? Parce que toute guérison émotionnelle passe par l'intégration profonde de ses blessures psychologiques pour arriver à l'acceptation de soi. Parce que tout ce à quoi nous résistons persiste et, en réalité, s'intensifie.

La respiration sphérique fait circuler l'énergie pranique dans tout le corps, ce qui soulève les souvenirs inconscients incrustés dans notre mémoire cellulaire. Même si cela semble trop simple pour être vrai, au bout d'une vingtaine de minutes, le *rebirth* amène souvent des réalisations importantes. Il nous permet de revivre des événements occultés de la petite enfance, de notre naissance et parfois même de nos vies antérieures. En nous concentrant uniquement sur le souffle, nous faisons un avec notre corps et notre esprit se libère. D'ailleurs les séances de *rebirth* se passent différemment selon les besoins et les cheminements de chacun.

Un pratiquant m'a déjà confié que, pour lui, chaque séance équivalait au meilleur orgasme qu'il ait jamais connu, associé au meilleur joint qu'il ait jamais fumé. C'est ce que j'appellerais l'extase! Mais avant d'en arriver là, il faut parfois braver des zones inconfortables. Certaines résistances s'amplifient avant de lâcher prise, provoquant un phénomène de tétanie: une paralysie temporaire des mains, qui s'engourdissent et se recroquevillent, nous faisant ressembler à un avorton extraterrestre! Heureusement, l'effet est de courte durée.

Il est aussi possible de faire un *rebirth* dans l'eau, en se laissant flotter sur le dos, le corps soutenu par un accompagnateur. Certains mettent en pratique une technique plus avancée, la tête complètement immergée en respirant à l'aide d'un tuba. Personnellement, pour l'avoir déjà essayé, je trouve le *rebirth* aquatique trop intense et préfère respirer sur la terre ferme. Mais chacune de ces expériences est unique et procure un avancement mémorable dans l'apprentissage de son pouvoir personnel.

L'un de mes *rebirths* les plus marquants a eu lieu pendant le séminaire du LRT donné par Sondra Ray à Hawaï. Nous étions depuis huit jours déjà sur cette merveilleuse île de Kaui, où la nature ondule au rythme des vagues, où la vision forte et sauvage des canyons de pierre rouge et des falaises escarpées de la côte créent un heureux contraste avec les rizières paisibles du centre des terres. Sondra n'a pas choisi cet endroit par hasard. Kaui est non seulement une destination voyage idyllique mais aussi un lieu sacré, où résident de nombreux sages. Le peuple hawaïen possède une longue tradition spirituelle, soutenue par les chamans locaux appelés Kahunas.

Le jour de notre arrivée, nous avons eu le grand honneur d'assister à une cérémonie très spéciale, appelée Ho O Pono Pono, qui permet de se libérer des attachements qui entravent nos vies. Par des prières et des rituels particuliers, cette technique ancestrale dissout les liens négatifs qui nous rattachent aux objets et aux personnes de notre entourage. Après le grand nettoyage vient le moment crucial du pardon. Même s'il ne m'est pas permis de tout révéler sur le Ho O Pono Pono, je peux vous confier que cette cérémonie tendre et douce comme un vent des tropiques est néanmoins très puissante. Faite dans le plus grand recueillement, elle demande aux participants de dresser un état des lieux émotifs et de faire une prise de conscience avant la grande purification. C'est un cérémonial merveilleusement libérateur au cours duquel les Kahunas évoquent les forces de la nature et les déités de l'île pour ainsi résoudre les mauvais karmas et guérir les âmes.

Comme je l'ai déjà mentionné plus haut, le séminaire du LRT propose un travail psychologique en profondeur, particulièrement sur la relation aux autres, qui constitue le reflet de la relation à soi-même.

La compréhension mentale de nos états émotifs et de nos croyances limitatives marque des étapes importantes. Mais la négativité qui en résulte est plus rapidement dissoute à l'aide de techniques comme le *rebirth*, ou grâce à l'influence de cérémonies comme le Ho O Pono Pono ou la marche sur le feu.

Lors de mon séjour à Kaui, j'ai reçu des informations précieuses à la fois intellectuelles et organiques qui m'ont poussée à explorer ma tête, mon corps et mon inconscient. Évidemment, chaque personne doit trouver les outils qui lui conviennent. Mais si nous nous obstinons à négliger ces trois pôles qui jouent un rôle crucial dans notre développement, nous risquons de stagner et de ne jamais réaliser notre plein potentiel.

Mais revenons dans la salle des banquets de l'hôtel de Kaui où 200 personnes assistent au séminaire du LRT. À cause du grand nombre de participants, il est impossible de proposer des séances de respiration individuelles. Nous devrons explorer une approche toute nouvelle pour moi: le *rebirth* de groupe. Imaginez 200 corps allongés côte à côte qui respirent à l'unisson. C'est impressionnant! Sondra et ses collaborateurs se promènent discrètement parmi nous, prêts à intervenir au besoin. J'ai un peu de mal à me concentrer. Disons que la situation manque un peu d'intimité… Je me demande si j'arriverai à «décoller», en m'appliquant à inspirer et à expirer sans trop y croire. Au bout de quelques minutes, une jeune fille étendue près de moi commence à gémir comme un petit enfant. Ses sanglots entrecoupés de reniflements se transforment bientôt en pleurs tellement bruyants que j'en ai le souffle coupé. Sondra s'agenouille près d'elle pour guider sa respiration à travers ce passage difficile quand une autre femme couchée de l'autre côté de moi se met elle aussi à pousser des cris de détresse. Le *rebirth* de groupe n'est décidément pas de tout repos!

Mais la tristesse de mes deux voisines est tellement palpable que j'en suis toute retournée. Comme si leur nuage de peine commençait à me pleuvoir dessus. Les sons dérangeants de leurs émotions tranchées à vif font soudain remonter à ma mémoire une image très prenante. Tout en continuant à respirer en cadence, je me vois, à peine vieille de quelques jours, couchée dans une bassinette. Je suis dans une pouponnière, car j'entends les cris de plusieurs autres bébés qui m'entourent. Je pleure à fendre l'âme, car j'ai très mal au ventre. Je ressens une sensation de brûlure derrière une de mes oreilles. Je crie, je pleure, mais personne ne vient à mon secours. Je suis abandonnée, laissée à mon sort. Ma douleur semble ne jamais devoir s'arrêter. Le temps passe, interminable, sans que personne ne se penche sur mon berceau pour me rassurer, m'embrasser.

Tout à coup j'entends distinctement la voix de mon père qui dit: «Personne ne s'occupe de ma fille, ici! Elle n'a pas l'air bien, on dirait qu'elle a des coliques. Vous n'avez pas vu la coulée de lait derrière son oreille. Ça n'a jamais dû être essuyé, c'est tout infecté!» Et mon père me prend dans ses bras pour me ramener à la maison. Je suis abasourdie par ma découverte. Je viens de me rappeler un souvenir que j'ignorais complètement. C'est incroyable, mon *rebirth* m'a montré des événements qui me sont arrivés quand j'étais encore au berceau!

À mon retour à Montréal, j'ai effectivement vérifié avec mon père et ma mère la véracité de cette histoire, qui me l'ont confirmée. Pour une raison que j'ignore, sans doute parce qu'ils étaient trop occupés à l'époque, mes parents m'ont laissée dans une pouponnière alors que j'étais à peine venue au monde. Il semble qu'ayant eu une intolérance au lait je souffrais de coliques chroniques. Et il est vrai qu'au bout d'une semaine, fâché de la façon dont on s'occupait de moi, mon père m'a sortie de là!

Ce qui m'explique un fait étrange car, jusqu'à aujourd'hui, même si je n'ai plus de problème de boulimie depuis plusieurs années, il m'arrivait encore d'avoir les intestins en feu, sans raison apparente. Le mal venait sans crier gare, peu importe ce que je mangeais. Pas besoin de dire que c'était extrêmement ennuyeux! La douleur mystérieuse devait avoir un rapport avec l'aventure que je viens de me remémorer car, à la suite de ce *rebirth* de groupe, elle n'est plus jamais revenue. Le souffle a des moyens impénétrables que la raison ne comprend pas.

Le lendemain, encore troublée par mon expérience de retour à la pouponnière, j'ai fait une autre percée appréciable dans le labyrinthe de mon cerveau. Depuis une semaine, les thérapeutes-conférenciers du LRT nous aident à décortiquer nos rapports avec nos parents, nos conjoints et avec notre enfant intérieur. Nous avons célébré tous les jours Babaji et l'immortalité physique par des chants et des méditations. Arrive maintenant un des points cruciaux du séminaire: le moment où nous allons découvrir ce que Sondra appelle notre mensonge personnel.

Qu'est-ce que ce mensonge? Une idée fausse ancrée en nous depuis l'enfance, qui gère nos pensées les plus intimes. Contrairement à la croyance générale, le nourrisson n'est pas qu'un tube digestif qui ne fait que manger et dormir, sans réelle conception de son existence. Bien au contraire, le petit enfant possède une âme toute fraîche, venant juste de quitter les mondes supérieurs et encore imprégnée de l'esprit divin. Il est très réceptif. Tout ce qui lui arrive se trouve enregistré dans son subconscient. Même si devenu adulte il a très peu sinon aucun souvenir de ses jeunes années, cela n'empêche pas que celles-ci ont une réelle influence sur son développement futur.

Selon les circonstances de sa naissance qui vont de difficiles à réellement traumatisantes, si par exemple le nouveau-né se retrouve avec le cordon ombilical autour du cou ou s'il se présente par le siège, le bébé se forgera une impression faussée du monde extérieur. Si l'extérieur est si peu accueillant, il pourra décider qu'il lui faudra toujours lutter pour survivre. S'il est né prématurément et mis dans un incubateur, il pourra ne pas se sentir désiré et souffrir d'un complexe d'abandon. Ces premières impressions laissent une trace indélébile sur la psyché d'un petit être. Une bonne partie des croyances vis-à-vis de lui-même, celles qui formeront la base de son identité d'adulte, reposent sur ces premières blessures, sur ces fausses perceptions. Voilà ce qu'on appelle le mensonge personnel.

Mais comment peut-on découvrir ce mensonge? Le procédé est très simple mais demande du courage et de l'honnêteté. Après une courte période de concentration où vous essayez dans le calme de vous connecter à votre dialogue intérieur, vous inscrivez sur une feuille de papier toutes les pensées négatives que vous avez sur vous-même. En premier lieu, il faut les inscrire spontanément sans analyser le procédé. Tous les jugements que vous émettez sur votre compte doivent y passer. Ils remplissent souvent plusieurs pages car nul critique n'est plus sévère que soi-même. Ensuite, vous relisez les énoncés et regroupez ceux qui vous touchent le plus, ceux qui vous font le plus mal. Ces phrases devront être épluchées jusqu'à ce que vous ayez trouvé l'idée essentielle qui se cache derrière. Vous connaîtrez alors votre mensonge personnel.

Si, par exemple, vos idées négatives ressemblent à celles-ci: *Je ne me plais pas, Je suis dépendant des autres, Je ne me fais pas confiance, J'ai peur de réussir*, il est fort probable que votre mensonge intime soit: *Je ne mérite pas d'être aimé.*

Mais comment déprogrammer un mensonge personnel?

Par la vigilance: en observant vos comportements pour déceler l'influence des pensées négatives.

Par le discernement: en analysant ces schémas devenus automatiques et empêcher qu'ils prennent possession de votre vie.

Par le pouvoir des affirmations positives: une affirmation est une pensée positive avec laquelle vous inondez votre subconscient pour produire de nouveaux résultats tout en effaçant les vieux schémas.

Trouvez dans vos propres mots les affirmations contraires à vos pensées négatives et inscrivez-les tous les jours sur une feuille de papier. Affirmations positives: *Je me plais, mon corps est désirable, Je suis mon propre maître, J'ai confiance en moi, Je célèbre mon succès, Je mérite d'être aimé.* Après quelque temps, vous n'aurez plus qu'à travailler sur votre mensonge personnel. Écrivez l'affirmation positive de 10 à 20 fois, en mentionnant votre prénom. Vous saurez par vous-même quand le travail aura porté fruit, car votre vie commencera à changer… en mieux!

Moi (prénom)… *je mérite d'être aimé.*
Toi (prénom)… *tu mérites d'être aimé.*
Elle (prénom)… *elle mérite d'être aimée.*

Il est possible d'augmenter l'acceptation de ces affirmations dans votre subconscient en les lisant à voix haute ou en les prononçant devant un miroir. Vous pouvez aussi les afficher près de votre table de travail, sur le miroir de votre salle de bains ou à tout endroit qui vous semble approprié. Si vos schémas négatifs sont en relation avec votre poids et votre image corporelle, vous pourriez placer vos affirmations positives sur la porte du réfrigérateur.

Comme je l'ai déjà mentionné dans un chapitre précédent, cet outil de transformation efficace peut améliorer tous les aspects de votre vie. Inventez des affirmations pour travailler à votre prospérité, votre réussite, votre estime personnelle ou vos relations amoureuses. Les résultats sont impressionnants!

Quant à moi, lorsque j'ai cherché mon schéma négatif intime pendant le séminaire de Sondra, j'ai vraiment été étonnée par la réponse. En effet, mon mensonge personnel est: *Je suis laide.* Oui, je sais, c'est aberrant! Je suis très consciente d'avoir été gâtée par la nature, mais justement le mensonge personnel, aussi prenant soit-il, n'est pas en accord avec la réalité. Cette phrase clé de notre personnalité est souvent le contraire de l'image que nous voulons projeter, car nous passons notre vie à essayer inconsciemment de masquer cet horrible mensonge qui, pour nous, est une vérité. Un homme qui mène une carrière universitaire peut très bien s'être programmé avec un *Je suis stupide.* Une mannequin ou une comédienne essaiera souvent de sublimer un *Je suis laide* ou *Je ne mérite pas d'être aimée.*

À cause de situations particulières liées à ma naissance et à ma petite enfance, je me suis convaincue puisque j'étais «laide» et non désirée, que je n'en ferais jamais assez pour être aimée. De là est venu mon perfectionnisme chronique et ma paralysante auto-critique. Plus tard, je suis devenue boulimique pour m'enlaidir, me dégoûter et réaliser ma triste prophétie. J'ai fait beaucoup de chemin depuis mais, sur le coup, cette révélation m'a vraiment ébranlée. Aujourd'hui, en écrivant ces lignes, j'en ai encore les larmes aux yeux. Même si j'ai extirpé le mal à la racine, son souvenir continue parfois de me hanter.

Mais je suis confiante, car je sais que la partie est gagnée, malgré les derniers obstacles. Si je n'avais pas effacé ce pénible schéma de ma conscience, il m'aurait toujours empêchée de me réaliser. Je n'aurais jamais pu atteindre la sérénité et connaître la joie de vivre qui est le droit divin de toute existence.

Chapitre 13

Le trésor
des terres sacrées

Depuis ma plus tendre enfance, j'ai toujours été attirée par les lieux de culte. Je sentais, sans vraiment le comprendre, que certains endroits dégageaient une énergie particulière qui me permettait, comme je le disais à l'époque, de m'envoler.

Au début de l'adolescence, j'avais déjà en moi une pulsion irrésistible qui m'amenait à me recueillir seule sur les bancs d'église, dans les champs à la campagne ou sur les berges des rivières. Dans ces endroits, j'avais l'impression de quitter la terre pour un monde imaginaire. Mes expéditions étaient-elles réelles ou rêvées? Une chose est sûre, en compagnie de Bear le chaman, lorsque j'ai franchi le portail de l'astral pour rencontrer mes alliés dans la quatrième dimension, je m'y suis orientée sans difficulté, car l'expérience me semblait familière. Comme si je revenais dans un autre chez-moi.

L'école des sœurs marcellines où j'ai fait mon secondaire était située tout près de l'Oratoire Saint-Joseph. J'allais manger tous les midis à la cafétéria du site et j'en profitais pour explorer le sanctuaire. Combien d'heures ai-je passées dans le parc du chemin de croix et dans les jardins de la chapelle du frère André! Petite, j'étais fascinée par la vie des saints et les récits des apparitions de la Vierge Marie. Je m'arrangeais d'ailleurs pour faire quelques péchés véniels toutes les semaines pour ne pas être une trop bonne fille, car j'avais vraiment peur que le frère André m'apparaisse sur le chemin de l'école ou que la Sainte Vierge survole mon lit, dans ma chambre, si j'étais sage! Mais après chacune de mes visites au confessionnal, où le prêtre me purifiait et effaçait mes péchés, tout était à recommencer! Pas étonnant que les sœurs me trouvaient turbulente à l'école…

Élevée en partie par ma grand-mère Cora, catholique pratiquante, j'allais tous les dimanches à l'église Saint-Louis-de-France, où j'ai fait ma première communion. Ma confirmation y a même été célébrée par le cardinal Léger en personne, avant qu'il ne parte en mission dans les léproseries d'Afrique. En fait, j'ai toujours cru en Dieu. Une conviction assez étonnante si l'on considère qu'à l'époque, mes deux parents se déclaraient de fervents… athées.

Dans ma jeunesse, mon livre préféré était une très belle édition de l'Ancien et du Nouveau Testament, ornée d'images de tableaux anciens, et qui appartenait à ma grand-mère. Je me revois encore tenant l'énorme livre rouge ouvert sur mes petits genoux, me délectant des aventures de Moïse, du roi Salomon et de Samson et Dalila. Dans ma tête d'enfant, ces merveilleuses histoires étaient plus passionnantes que les contes de fées. J'aimais leur côté grandiose et, derrière les mots, je croyais deviner des mystères cachés.

En grandissant, je me suis intéressée aux religions du monde. Sans les pratiquer; j'ai beaucoup lu sur le bouddhisme, l'hindouisme, la foi musulmane. Mais bien que je sois encore touchée par la beauté de leurs rituels, j'y vois une rigidité qui emprisonne la grâce de Dieu. La conscience universelle est trop immense pour être exprimée par des dogmes et des lois, annoncés soit, par les prophètes, mais déformés au cours des ans et réduits à la mesure de l'homme.

C'est en découvrant les contreparties occultes des religions: le soufisme, les écoles des mystères égyptiens, les traités esséniens, pour ne nommer que ceux-là, que j'ai entendu un écho magnifique en résonance avec mes intuitions profondes.

Depuis la création des cultes populaires, des religions de masse, les grandes vérités ont été extirpées des textes religieux pour être dissimulées dans des écrits ésotériques réservés aux seuls initiés. Ce temps est maintenant révolu. Nous avons la chance de vivre dans une époque d'ouverture et de révélations. À nous de chercher ces grandes vérités au bon endroit, en utilisant notre discernement.

Ce qui m'amène à vous parler d'un être exceptionnel, Drunvalo Melchizedek. Drunvalo est un grand initié, né aux États-Unis, qui a voué sa vie à la diffusion de la connaissance. Il a récemment publié une œuvre en deux tomes, *L'ancien secret de la Fleur de vie*, qui est à mon avis un livre clé, un ouvrage essentiel pour tous ceux qui arpentent le chemin de l'évolution intérieure. La Fleur de vie est un dessin, une conception géométrique qui contient en elle le modèle fondamental de la création. En suivant ses origines, nous pouvons comprendre le début de toutes choses. De la même façon, les informations révélées au fil des pages par Drunvalo sont d'une telle envergure qu'elles synthétisent l'essence des mondes supérieurs pour nous les rendre accessibles. Ce livre très documenté, à la fois scientifique et intuitif, n'attirera probablement pas une grande majorité de lecteurs. Mais si vous désirez lever le voile sur les grands mystères de la vie, il y a un livre à lire, et c'est celui-là!

Les écrits peuvent beaucoup nous apprendre mais, en matière de spiritualité, l'expérience directe est le véritable outil de transformation. Le nectar divin est en tout et partout, mais il est plus concentré en certains endroits! Ces lieux sacrés, où il est possible de se baigner de vibrations bénéfiques, se trouvent dans toutes les régions, habitées ou non, de notre planète.

Drunvalo Melchizedek et d'autres grands maîtres de traditions diverses nous ont donné beaucoup d'informations sur les lieux de pouvoir, ces canaux qui relient la terre aux sphères célestes. Notre planète-mère, Gaïa, est chargée de conscience, c'est un être vivant qui vibre et respire comme nous. Elle possède sur sa circonférence des chakras et des méridiens, tout un réseau infusé de prana, l'énergie de vie. Ce réseau est en relation directe avec un autre treillis énergétique qui enveloppe notre globe. Ce treillis de conscience universelle appelé aussi «grille christique» est invisible, car il existe sur un plan supérieur, dans la quatrième dimension. Tous les lieux sacrés de la terre sont situés exactement sous les nœuds de la grille christique, aux endroits précis où les lignes de ce treillis s'entrecroisent, dans l'autre dimension.

Ainsi, il existerait à la surface de la planète, plusieurs milliers de ces points précis où les énergies telluriques et cosmiques convergent pour former des vortex, des spirales de conscience vive. Comme pour les méridiens du corps humain selon les principes de l'acupuncture, les courants telluriques forment deux axes principaux et une multitude de chemins secondaires qui serpentent tout autour du globe. Sur leurs routes sont placés les lieux sacrés.

Certains de ces endroits sont des sites naturels, comme le canyon de Chelly au Nouveau-Mexique, le lac Titicaca en Bolivie, des vallées du Tibet et du nord de l'Inde, dans l'Himalaya. En d'autres emplacements, des hommes éclairés ont construit des temples, des pyramides et des cathédrales ou encore des structures rocheuses comme les menhirs de Stonehenge, en Angleterre. Tous ces monuments ont été érigés en suivant les mêmes dimensions ésotériques: des formules mathématiques tirées du nombre d'or et de la progression de Fibonacci. Cette géométrie sacrée est connue des initiés depuis des millénaires. Grâce à elle, chaque pierre, chaque espace des bâtiments en question est empli de l'esprit divin et conçu en harmonie avec la loi de l'unité.

L'architecture sacrée et les rituels anciens m'ont toujours fascinée. De la cathédrale de Chartres aux pyramides d'Égypte, j'ai beaucoup voyagé pour essayer de mieux les connaître, mais mes explorations ont à peine effleuré la surface de leurs formidables secrets. Depuis que j'ai rencontré John, j'ai la chance de vivre avec un compagnon idéal qui partage mes envies de découverte.

La plupart du temps, nous décidons d'instinct où nous aurions envie d'aller, et, les mois suivants, la providence nous donne l'occasion de nous y rendre. Soit son travail soit le mien nous y conduit. De cette façon, je l'ai accompagné dans des congrès scientifiques et il m'a rejoint sur mes plateaux de tournage, dans à peu près tous les coins du globe. Nous sommes deux voyageurs enthousiastes, mais certains endroits en particulier font palpiter nos cœurs à l'unisson. Ces rythmes singuliers nous signalent une appartenance, un désir pressant de nous imprégner de la beauté de ces lieux, encore et encore.

Parmi ces trésors intimes, je mentionnerai les ruines mayas du Yucatán et en particulier Palenque, un temple magnifique à l'intérieur des terres, dans la province du Chiapas, au Mexique. J'y ajouterai l'île de Bali en Indonésie, véritable paradis sur terre, et les îles hawaïennes, avec une mention spéciale pour Maui, l'enchanteresse. Aux États-Unis, il y a bien sûr le Pueblo de Taos où nous avons fait plusieurs séjours évocateurs, mais aussi le lac Tahoe, dans le Nevada, une étendue d'eau cristalline entourée de montagnes. Nous sommes aussi très attirés par la ville de Glastonbury, en Angleterre, le berceau de la légende arthurienne, où le Graal, le calice de Jésus de Nazareth, a déjà reposé.

Nous aimons sincèrement ces lieux, pourtant si différents les uns des autres. Ils nous hantent et nous émerveillent. Et pas une année ne se passe sans que nous allions en visiter quelques-uns, pour y étancher notre désir d'enchantement.

Récemment, en lisant un des chapitres de *L'ancien secret de la Fleur de vie*, le livre écrit par Drunvalo qui mentionne l'importance des lieux sacrés, j'ai appris à ma grande surprise que nos destinations de prédilection avaient toutes un lien entre elles. Tous ces endroits qui nous passionnent et que nous avons visités plusieurs fois sont directement placés sur l'axe principal de la grille christique, le treillis de conscience qui entoure la terre. Et les coïncidences ne s'arrêtent pas là!

Le point le plus important du réseau énergétique, appelé le «pôle nord masculin», à partir duquel tous les emplacements sacrés de la planète ont été calculés, se situe sur le plateau de Gizeh, la demeure du Sphinx et de la Grande Pyramide. C'est justement là, dans la mystérieuse Égypte, que nous avions choisi, il y a déjà 15 ans, de faire notre voyage de noces.

Le «pôle sud féminin» du treillis se trouve dans le Pacifique, dans l'île tahitienne de Moorea. Avant de connaître cette information, nous avions déjà décidé, John et moi, de célébrer le jour de l'an 2003 à Tahiti!

Voilà deux relations intrigantes, mais l'histoire continue. Il y a quelques mois, lorsque j'ai suivi à Montréal le séminaire *Fleur de vie* avec Rachel Pelletier, une collaboratrice de Drunvalo, j'ai été sidérée d'apprendre que tous les endroits qui nous attirent, mon mari et moi, sont systématiquement placés sur des vortex d'énergie! La spirale dite «féminine» du treillis énergétique s'épanouit à Palenque, pour remonter le long du Yucatán, dans les temples mayas de Tulum et Chichén Itzá, et continuer vers le lac Blue du Pueblo de Taos. Elle continue sa course sur le lac Tahoe avant de traverser une chaîne de montagnes sous-marines et de parvenir au cratère d'Haleakala, dans l'île de Maui. Dans son livre, Drunvalo mentionne aussi d'autres sites sacrés, chargés d'une très pure énergie spirituelle: le temple de Besakih à Bali, ainsi que le mont Tor situé dans la région de Glastonbury. Tous les endroits que John et moi adorons! Le tableau est complet, on dirait un catalogue de nos voyages. Impossible de croire que nous nous sommes rendus à tous ces endroits par le simple fait du hasard.

Est-ce mon esprit supérieur qui m'a guidée année après année vers ces lieux de pouvoir, pour que j'en récolte les bienfaits? Était-ce un moyen subtil d'aider mon développement psychique? Je pense intuitivement que des forces invisibles m'ont attirée dans ces endroits pour m'aider à recalibrer mes énergies. Je m'explique.

Les voiles qui obscurcissent la conscience humaine ne peuvent être levés qu'au moment où un être, dans sa globalité – corps, âme, esprit –, est mis en contact avec des fréquences de lumière très puissantes. Si, à ce moment, les corps mental et émotionnel de cette personne sont bloqués ou mal ajustés, ces descentes d'énergie peuvent devenir pénibles à vivre, créant un raz-de-marée qui chamboule tout sur son passage, ce que l'on appelle en termes métaphysiques une initiation solaire ou lunaire. L'initiation solaire est la plus forte, celle qui produit une transformation définitive de la constitution vibratoire de l'homme. Elle n'arrive que très rarement, car très peu de gens ont la capacité de supporter cette épreuve. Les initiations lunaires sont plus courantes et ont des effets moins draconiens. En nous les envoyant, notre esprit supérieur assure notre croissance, notre développement. Ma lutte avec la boulimie fut une initiation lunaire.

Je crois – et espère! – que mes passages à répétition dans les vortex énergétiques ont servi, à mon insu, à ajuster mes plans de conscience pour que mes initiations futures soient moins redoutables.

Après réflexion, je me suis rendu compte que, sans l'avoir planifié, mon mari et moi sommes toujours arrivés pour la première fois dans les endroits sacrés au même moment, soit juste avant le coucher du soleil. Et nous nous y sommes toujours retrouvés seuls tous les deux. Quel merveilleux cadeau! Des lieux touristiques recherchés comme le volcan de Maui et le mont Tor de Glastonbury sont très achalandés. Pourtant, à chaque première visite, nous avons bénéficié d'une merveilleuse intimité, d'un moment privilégié où nous avons pu nous asseoir en silence, nous imprégnant des précieux courants praniques dont ces régions sont saturées.

Je conçois bien que j'ai joui d'un grand privilège. Peu de gens ont la possibilité de voyager à volonté et de faire le tour du monde.

L'important est de s'élever ne serait-ce que quelques minutes par jour au-dessus des préoccupations de survie. Et surtout de faire confiance à sa voix intérieure. Croyez-moi sur parole, ça ne trompe pas! Les forces de l'invisible n'hésitent pas à chérir ceux qui suivent un chemin de vie qui honore leur divinité. L'abandon et le lâcher prise sont des clés essentielles pour se frayer un passage vers le royaume de l'esprit.

L'Himalaya, chaîne de montagnes où les dieux ont élu résidence depuis le début des temps, est considéré comme le lieu le plus saint de la planète. J'avais depuis très longtemps envie d'y séjourner, particulièrement au Népal. Ce pays occupe une niche à part dans mon cœur depuis que j'y ai parrainé deux petits garçons. Un don mensuel de quelques dollars leur permet de fréquenter l'unique école de la région rurale où ils habitent et d'améliorer le confort et la salubrité de leurs modestes demeures: des cabanes de bois au sol en terre battue. En échange, ils m'envoient régulièrement des photos de famille, accompagnées de jolis dessins. Dès que j'ai aperçu leurs doux visages aux traits princiers, sertis d'immenses yeux en amande, dès que j'ai reconnu la sagesse qui émanait de leur regard malgré leur jeune âge et l'adversité de leur quotidien, j'ai eu envie de connaître le pays d'origine de ces petits bouts d'hommes qui semblent déjà en si belle harmonie avec leur destin.

Nous avons donc décidé de nous rendre au Népal, la terre d'origine de Bouddha, et de séjourner dans la capitale Katmandou, une ville exotique aux parfums d'encens. Nous songions bien sûr à faire un trekking d'une journée ou deux dans la montagne, pour sonder les énergies formidables de cette région. John et moi sommes un peu sportifs mais pas assez pour suivre les aventuriers qui viennent au Népal pour grimper des kilomètres de sentiers pendant des semaines! Je préfère laisser ces prouesses aux yaks, les malodorants buffles montagnards, ou encore aux yétis, ces abominables hommes des neiges qui selon la légende hantent toujours ces contrées insolites.

Pour arriver à Katmandou, nous devons d'abord faire escale à Delhi, au nord de l'Inde. Nous partons de Montréal par un vol direct mais, à mi-chemin, le pilote nous apprend qu'il sera impossible d'atterrir à Delhi à cause d'un épais brouillard. Un problème fréquent dans cette région au mois de décembre qui empêche toute visibilité, parfois pendant plusieurs jours. L'avion est donc détourné... vers Copenhague! C'est complètement surréaliste, nous devions arriver en Inde et nous nous retrouvons au Danemark pour y passer la nuit! Nous n'avons même pas un manteau chaud à nous mettre sur le dos.

Heureusement, le lendemain, la situation s'est améliorée et nous atterrissons en fin d'après-midi à Delhi, où nous devrons passer plusieurs heures avant de repartir pour Katmandou, puisque nous avons raté notre correspondance de la veille. À la descente de l'avion, un véritable capharnaüm nous attend. Je n'ai jamais vu d'aéroport aussi désorganisé! Nous n'arrivons même pas à retrouver nos valises. Les tapis à bagages sont une invention inconnue ici, et les comptoirs des compagnies aériennes aussi. Si on désire un renseignement, il faut essayer d'attraper au vol un employé arborant sur sa poitrine un quelconque insigne officiel. Tâche pratiquement impossible, car ils sont une poignée et nous sommes des milliers. En effet, tous les vols ont été annulés depuis deux jours et les passagers en correspondance se sont fait des campements de fortune par terre, dans les corridors.

Après d'intenses recherches, pendant lesquelles nous avons dû enjamber à peu près la moitié de l'espèce humaine, nous finissons par apercevoir nos bagages, entassés dans un coin derrière un cordon de sécurité. Impossible d'y accéder avant de montrer nos passeports au service de l'Immigration. Nous faisons la queue pendant une bonne heure pour apprendre que les douaniers ne nous laisseront pas passer parce que nous n'avons pas de visa pour entrer en Inde. Nous avons beau leur expliquer que nous sommes en correspondance, en route vers le Népal, et que nos bagages sont sortis de la zone de transit par erreur, rien n'y fait. Nous sommes donc refoulés dans la horde de corps étendus, où des gendarmes bougons distribuent des beignets graisseux et de l'eau colorée en guise de repas. Le découragement commence à nous gagner lorsqu'un passager très élégant vêtu d'un costume de soie et portant la barbe traditionnelle indienne, la tête recouverte d'un impressionnant turban bleu ciel, vient à notre rescousse. Il nous dit dans un anglais très correct, rehaussé d'un fort accent: «Si vous le permettez, j'ai vu ce qui vient de vous arriver. Donnez quelques roupies à cet homme là-bas et il va récupérer vos valises. Vous savez, ici en Inde, rien ne fonctionne comme ailleurs!» Je remercie chaleureusement notre sauveur pendant que John s'approche de l'homme en question, pour lui tendre discrètement un billet de 10 dollars américains, en lui pointant nos valises. L'inconnu prend le billet en hochant la tête et disparaît... Au moment où nous commençons à croire qu'on nous a pris... pour des valises!, nous voyons notre complice apparaître comme par enchantement de l'autre côté de la barrière de l'Immigration, et empoigner nos bagages sans que personne ne semble s'y intéresser. Quelques minutes plus tard, notre «fakir» réapparaît à nos côtés, ayant emprunté un chemin mystérieux connu de lui seul pour vaincre les dédales administratifs.

Mais une autre tâche titanesque nous attend. Les vols étant à nouveau autorisés, il faut trouver la porte d'embarquement de notre avion pour Katmandou. Car dans cet aéroport moyenâgeux, il n'y a pas non plus de tableaux électroniques pour annoncer les vols... Après avoir attendu une autre heure pour passer à la fouille – manuelle! – où les hommes et les femmes entrent dans des cabines séparées pour être tâtés par des employés du même sexe, aussi délicats que des éléphants dans un magasin de porcelaine, nous arrivons dans la salle des départs. La foule présente y est plus dense que celle du pont Jacques-Cartier, les soirs des feux d'artifice! Pour découvrir la porte d'où décollera notre avion, il nous faut trouver à travers cette marée humaine une hôtesse qui porte un petit panneau où devrait être inscrit, à la main, notre numéro de vol. Ça commence à être plus compliqué que les défis des *Forges du désert*! Quand nous apercevons finalement la dame en question qui sue abondamment dans son sari fuchsia, je réussis à m'approcher d'elle, assez près pour lui demander: «Pardon Madame, mais à quelle heure décolle notre avion?»

Elle me répond, agacée: «Eh bien, quand il sera plein!»

Aussi improbable que cela puisse paraître, nous finissons par arriver à Katmandou, valises en mains, après neuf heures de cauchemar. À la descente de l'avion, totalement épuisés, nous apercevons la file d'attente des taxis qui semble s'allonger à l'infini alors qu'il n'y a pas un véhicule à l'horizon. Nous ne savons plus à quelle déesse bouddhiste nous vouer, lorsqu'un jeune homme au sourire resplendissant nous accoste. Il nous offre, en tant que chauffeur privé, de nous emmener directement à notre hôtel. J'ai presque envie de lui sauter au cou pour le remercier! Notre conducteur se révèle tout à fait charmant, et lorsqu'il nous demande si nous avons besoin d'un guide pour les jours suivants, nous nous empressons d'acquiescer. Une décision éclairée, car Batek deviendra un ami précieux qui nous présentera, pour notre plus grand plaisir, à tous les membres de sa famille, y compris les oncles, les cousins, et les grands-parents qui possèdent des boutiques dans le quartier touristique de Thamel.

Le Népal est un pays de contrastes et de contradictions. Spirituellement, les habitants possèdent une gentillesse innée et un grand sens de l'hospitalité. Les traditions valorisant le respect des aînés et de la famille sont encore très présentes. En contrepartie, le Népal est l'un des pays les plus pauvres de la planète, où le taux de mortalité infantile est effarant. Les parents des régions rurales, ne pouvant nourrir leur famille, vendent leurs filles pour quelques dollars, pensant leur offrir un sort plus enviable et un travail honnête à l'étranger. Ainsi, des milliers d'adolescentes se retrouvent chaque année de l'autre côté de la frontière et sont forcées de vivre en esclaves sexuelles dans les bordels de l'Inde. La

classe dirigeante, ayant créé un système politique absolument cor-
rompu, ne tente rien pour endiguer ce fléau.

Malgré l'adversité, les Népalais, portés par leur foi religieuse,
font preuve d'une délicatesse de cœur et d'une générosité très
touchantes. Dans un climat de tolérance, les croyances népalaises
embrassent la diversité. Dans la plupart des lieux saints, trois religions se côtoient en harmonie. Il n'est pas rare d'y voir des moines
bouddhistes en robe safran, sonnant leurs cloches et leurs gongs,
auprès de sâdhus hindouistes, uniquement vêtus d'un pagne blanc,
qui versent du beurre liquéfié sur les statues de Ganesh, leur dieu
éléphant. Tandis qu'à quelques mètres de là des sorciers locaux
font brûler des herbes sacrées pour honorer l'esprit de leurs ancêtres. Les temples népalais, habités par ces mélanges chamarrés
de sons, d'odeurs et de couleurs, sont des endroits spectaculaires
à visiter.

Le Népal, couché au pied de l'Himalaya, n'est séparé du Tibet
que par un étroit col montagneux. Beaucoup de Tibétains fuyant
l'occupation chinoise ont traversé la frontière pour trouver refuge
aux abords de Katmandou. Ils y vivent dans un village traditionnel où trône un des plus grands stûpas du monde – un monument en forme de cloche dédié à Bouddha – aussi haut qu'un
bâtiment de six étages. On aperçoit à des milles à la ronde, peints
sur ses flancs, deux immenses yeux de Bouddha au regard pénétrant qui semblent suivre les croyants partout où ils se trouvent.

Nous avons la chance d'arriver sur le site à la période du festival. Le stûpa est décoré de centaines de banderoles multicolores.
Selon la tradition tibétaine, les moinillons jettent sur ses murs de
crépi blanc un liquide parfumé de couleur ambre qui strie le monument de veines spectaculaires. Le grand Bouddha qui semble
vivant respire et s'anime, devant une foule d'enfants émerveillés.
Leurs parents chantent des prières, marchant en cercle autour du
monument en frappant sur des cloches installées dans des niches
creusées à même les murs de l'édifice sacré.

Nous nous lions d'amitié avec deux jeunes moines qui, ravis de pouvoir mettre leur anglais en pratique, nous introduisent à l'intérieur d'un temple adjacent, où des centaines de leurs confrères effectuent un rituel magnifique, qui demande une patience… de moine! Ils composent de leur main, à même le sol, des dessins très élaborés faits de sable coloré. Après plusieurs jours d'un travail acharné, ils les détruiront du revers de la main, pour faire preuve d'une qualité essentielle de la philosophie bouddhiste: le détachement. Dans un atelier derrière le temple, ces œuvres d'art, appelées mandalas, sont aussi peintes par des artistes sur des parchemins. Les jeunes moines qui nous y ont emmenés nous expliquent avec ferveur leur signification. Ils nous racontent que ces dessins circulaires très ornementés sont conçus selon les principes de la géométrie sacrée et sont utilisés comme sujet de méditation. Celui qui se recueille devant un mandala a la possibilité de s'imprégner de la sagesse divine. Deux de ces œuvres sont maintenant accrochées chez moi, sur les murs de mon entrée et de ma chambre à coucher, conférant beauté et sérénité à mon intérieur. J'aime m'asseoir devant elles pour méditer et recevoir ainsi les effluves du vibrant Himalaya, leur contrée d'origine.

Nous passons le reste de l'après-midi à nous promener parmi les étals bigarrés qui offrent tout l'éventail de l'artisanat tibétain: des objets riches en détail, évocateurs d'un autre monde. En passant devant un étalage chargé de cloches, de moulins à prières et d'autres objets de culte, je suis attirée par un masque de bronze ancien représentant une déesse ornée d'une coiffe spectaculaire. Elle semble me fixer du regard pour me dire: «Prends-moi! Prends-moi!» Après la négociation d'usage, j'obtiens cet objet rare qui représente Tara, la déesse de la féminité et du pardon. L'une des déités préférées des habitants de la région, qui fait sans doute des visites de courtoisie à son voisin avatar, le grand Babaji, qui vit de l'autre côté des pics enneigés! Poussée par mon intuition, je me suis procuré ce trésor, sans me douter que cet achat allait changer le cours de ma vie. Mais ne mettons pas la charrue avant le yak et laissons l'histoire suivre son cours.

Le lendemain, de très bonne heure, Batek notre impeccable guide nous emmène dans la ville historique de Bhaktapur dont la place principale est investie de temples et de palais magnifiques, demeurés inchangés depuis le XIIIᵉ siècle. John et moi, qui avons pourtant beaucoup voyagé, restons bouche bée devant tant de splendeur. Ce lieu extraordinaire a d'ailleurs servi de toile de fond pour le tournage du film *Little Buddha* de Bernardo Bertolucci. Le comédien américain Keanu Reeves y interprète Siddhârta, le jeune prince indien qui après avoir atteint l'illumination deviendra le prophète Bouddha.

Sur le chemin du retour, nous nous arrêtons pour visiter le temple hindouiste de Pashupatinath. Le complexe, qui comprend plusieurs autels et bâtiments de pierre sculptée, est traversé en son milieu par un cours d'eau boueux, la rivière Bagmati, révérée par les pratiquants au même titre que le célèbre fleuve Gange, qui serpente sur les terres de l'Inde. Lorsque nous approchons de la rive, nous apercevons sur le quai un amoncellement de bois sur lequel repose un long paquet enveloppé de voiles blancs. Curieuse, je m'approche de plus près et vois… deux pieds humains, presque décomposés, qui dépassent du linceul! Je suis à côté d'un cadavre placé sur un bûcher! Poussant un cri d'effroi, je recule d'un bond, pour me heurter à un homme qui s'est placé à mon insu juste derrière moi. Je me retourne prestement pour constater que je viens de me cogner à l'officiant qui va effectuer la crémation et, que derrière lui, se trouve toute la famille du défunt. Ils me regardent avec insistance, attendant que je disparaisse pour commencer la cérémonie. Je balbutie quelques mots d'excuses avant de me réfugier de l'autre côté de la berge, d'où je pourrai les observer avec un peu plus de retenue. L'officiant et les proches allument le bûcher avec des torches et la dépouille est bientôt dévorée par les flammes.

Il est vraiment impressionnant pour une Occidentale, élevée selon des valeurs différentes, de voir un corps humain brûler en plein air, exposé aux regards de tous, sous la lumière crue du soleil de midi. J'ose ajouter que l'odeur est indescriptible.

Mais je ne suis pas au bout de mes étonnements. À peine remise de mes émotions, je me dirige vers le sommet de la colline, où John est en train de filmer l'ensemble du paysage avec son caméscope lorsqu'un petit garçon s'approche de moi et se met à me tirer par la main, avec toute la vigueur de ses sept ou huit ans. «Viens Madame, viens avec moi!» Et il m'entraîne vers un groupe de touristes qui suivent un autre petit guide tout aussi insistant. Derrière le mur d'un bâtiment en ruine nous attend un fakir, un Indien décharné qui se prépare à nous faire tout un spectacle. Dans un anglais hésitant, il nous apprend qu'il va soulever un rocher avec… son pénis! Et il s'exécute, sans plus de façon, balançant entre ses deux jambes écartées une corde rattachée par le haut à sa partie intime, et qui retient à l'autre bout une énorme pierre, trop lourde pour être soulevée à deux mains. Il nous explique, après nous avoir demandé quelques sous, qu'il accomplit cet exploit grâce à une discipline spirituelle sévère qu'il exerce depuis des années. Je n'en comprends pas trop l'utilité, mais j'avoue que c'est assez spectaculaire!

Le petit Népalais, qui n'a toujours pas lâché ma main, me dit encore avec un charmant sourire: «Viens Madame, viens. Je vais te montrer la grotte secrète de Milk Baba. C'est un sage, un grand sâdhu.» Évidemment, je ne vais pas résister à la tentation de rencontrer un saint homme. Après quelques minutes de marche, nous nous retrouvons devant une petite grotte, ayant pour seule entrée une arche si basse qu'il faut se plier en deux pour la traverser. Mon petit guide, toujours aussi entreprenant, me pousse dans le dos: «Entre, vas-y! Milk Baba t'attend.» Un peu hésitante, je m'approche du trou noir pour essayer de voir ce qu'il y a à l'intérieur, lorsque j'entends une voix qui me dit: «Bonjour, Anne Létourneau!» Je n'en reviens pas! Milk Baba connaît mon nom?

Le cœur palpitant, j'entre dans l'antre miraculeux et me dirige vers le fond où j'entrevois un bel homme à la barbe blanche assis par terre, faiblement éclairé par une chandelle posée à ses pieds. À ses côtés, il y a un autre individu, habillé à l'occidentale. Je m'approche encore plus près, et reconnais... le visage de Léon, un caméraman de TQS qui travaillait avec moi sur le téléroman *La Maison Deschênes*! C'est lui qui m'a interpellée. Avec John qui est venu nous rejoindre, nous avons bien rigolé de cette improbable coïncidence. Léon est venu au Népal pour tourner un documentaire sur l'ascension du mont Everest, tentée par un groupe de Québécois. Et voilà qu'il se retrouve, comme moi, l'invité de Milk Baba.

En hôte attentif, le grand sage nous offre à chacun un bol de thé à base d'herbes médicinales et répond gracieusement à toutes nos questions avec une lueur amusée dans les yeux. Je cherche à savoir l'origine de son étrange surnom. «On me nomme Milk Baba, car depuis mon enfance j'ai fait le vœu de ne me nourrir que de lait. Jamais aucune autre nourriture n'a traversé ma bouche. Je n'ai pas besoin de manger, car je suis sustenté par le prana et la lumière divine. Je me garde jeune grâce aux méditations et aux respirations yogiques. J'ai plus d'énergie que la plupart de mes disciples!» Et il éclate d'un merveilleux rire dont l'écho retentit sur les murs caverneux de la pièce. «J'ai voyagé dans le monde entier pour partager ces connaissances, nous dit-il encore. Regardez ma collection de boîtes de lait. Elles m'ont été envoyées par des amis de tous les pays.» Effectivement, on peut voir partout autour de nous des dizaines de contenants de lait en poudre, dont les emballages sont même écrits en japonais.

Puisque le saint homme est d'humeur loquace, j'en profite pour lui demander: «Milk Baba, on dit aussi que vous ne vous êtes jamais coupé les cheveux. Y a-t-il une raison particulière?» «Oui, me répond-il, les cheveux possèdent de très fins canaux qui aspirent le prana. Pour cette raison, les initiés indiens laissent toujours allonger leur chevelure.» Et en disant ces mots, le sage commence à défaire l'étonnante masse de cheveux savamment installée en spirale sur le dessus de sa tête. Il déroule et déroule encore la tresse blanche, qui n'en finit plus de tomber sur le sol. Devant nos airs étonnés, le yogi enchaîne, les yeux pétillants d'une joie enfantine: «La dernière fois que ma tresse a été mesurée, elle faisait plus de neuf pieds de long.» Je me dis que le yogi, qui semble avoir la soixantaine avancée, doit posséder une bonne constitution pour supporter un tel poids sur sa tête, jour après jour.

J'aimerais bien passer plus de temps en compagnie de ce sage si sympathique, mais nous devons rentrer à Katmandou pour la nuit. Demain matin, une autre aventure nous attend. Nous allons grimper à pied jusqu'à un plateau rocheux qui offre une vue imprenable sur l'Himalaya. En guise de cadeau d'adieu, Milk Baba me dit de sa voix douce: «Je sais que ta quête spirituelle est sincère. Si tu veux devenir mon élève, je suis prêt à t'enseigner.» Je suis surprise et touchée par son offre, que je me dois de décliner. L'ascétisme n'est pas dans mes plans. Je n'ai pas vaincu ma boulimie pour tomber dans un autre extrême. J'ai envie de manger normalement. Et puis, j'ai horreur du lait en poudre! De plus, en revenant seule vers la caverne de Milk Baba, j'aurais un peu peur de rencontrer aux détours du sentier son étrange voisin, le fakir errant à l'instrument trop grand...

Le lendemain matin, Batek, toujours fidèle au poste, vient nous chercher à l'hôtel pour nous conduire au pied du sentier de montagne qui nous mènera jusqu'au village de Nagarkot. Un lieu panoramique d'où l'on peut apercevoir, les beaux jours, tout un versant de la chaîne himalayenne: des sommets mythiques de l'Annapurna jusqu'au majestueux Everest. Le trekking de quelques heures (heureusement!) nous mènera tout en haut, sur une crête où sont perchées quelques petites auberges. Nous y passerons la nuit, pour profiter du lever du soleil sur les sommets. Une vision qui promet d'être spectaculaire si la chance nous sourit, car à cette heure matinale une épaisse brume obscurcit souvent l'horizon.

La marche nous a creusé l'appétit. Une fois installés dans notre chambre, nous n'avons qu'une idée en tête: manger! On nous apporte presque aussitôt deux bols fumants, à l'arôme alléchant. Jamais un simple plat de riz et de légumes grillés ne m'a semblé si délicieux. L'endroit est modeste mais agréable. Malheureusement le brouillard nous empêche de profiter de la vue. Espérons qu'il fasse beau demain. Mais le vent s'est levé et nous remarquons que notre petite chambre est bien mal isolée. En ce mois de décembre, il y fait tellement humide que les draps sont mouillés. Batek, notre petit ange, vient à notre rescousse et nous apporte quatre bouillottes brûlantes que nous glissons immédiatement sous les couvertures. John et moi allons tout de même passer la nuit bien emmitouflés dans nos nouveaux chandails en poils de yak. Une laine rude qui sent la bête, mais je préfère me gratter un peu que d'avoir froid.

Comme il n'y a pas grand-chose à faire le soir dans ce village perdu, le propriétaire de notre pension a eu l'amabilité de mettre un petit téléviseur dans notre chambre. Nous sommes bien résignés à regarder un vieux film de kung-fu en népalais ou quelque chose du genre. Quelle n'est pas notre surprise, en allumant le poste, de tomber sur CNN! Cette apparition incongrue illustre bien la tendance irréversible qui transforme notre monde en un village global, dominé par la culture américaine. Mais j'avoue qu'à ce moment-là, transis dans nos couches de fortune, nous sommes très contents d'avoir ce luxe réconfortant à portée de la main ou plutôt à portée de «zappette».

À 4 h 30 du matin (!), Batek vient cogner à notre porte pour nous emmener sur le belvédère, avant le lever du soleil. Même à cette heure impossible, il est souriant et plein d'énergie et négocie les sentiers escarpés avec l'agilité d'une chèvre de montagne. John et moi traînons derrière, comme deux zombies. «Vous avez de la chance, il y a très peu de brume ce matin», dit notre guide pour nous encourager. Une demi-heure plus tard, nous arrivons sur le promontoire qui offre le fameux panorama. Amère déception, au moins 50 autres personnes nous y ont précédés! Un groupe de Japonais, collés les uns aux autres pour braver le vent, dorment presque debout dans leurs doudounes de duvet. À leurs côtés, une bande de collégiens pakistanais chahutent à pleine voix et se comportent comme s'ils allaient assister à un match de rugby. Il y a même des vendeurs de cartes postales. Pas du tout l'endroit serein et sacré que j'avais espéré!

Encore une fois, notre ami Batek sauve la situation. «Venez avec moi, je connais un endroit plus calme.» Il nous entraîne sans plus de cérémonie dans un ravin… recouvert d'ordures ménagères. Les vapeurs du dépotoir mélangées à l'odeur de laine mouillée de mon chandail en poils de yak sont vraiment une épreuve pour mes pauvres narines, surtout au saut du lit. Mais l'effort en vaut la peine, puisque que nous arrivons de l'autre côté devant une invitante maisonnette en bois… absolument déserte. Un panneau y indique: «Top of the World Tea Room» (Salon de thé au Sommet du monde)!

Très fier de son coup, notre ingénieux guide nous annonce: «Ça appartient à un de mes amis. Montez sur le toit, vous aurez une très belle vue. Dans une heure, il va ouvrir la salle à manger et nous pourrons déjeuner.» Et nous voici, seuls tous les deux, assis sur le toit du «Sommet du monde», en plein cœur de l'Himalaya!

Comme dans le passé, les dieux protecteurs des lieux sacrés, nous ont accordé leur grâce. Au début du jour, par un matin clair et sans brume, nous nous sommes recueillis devant un spectacle grandiose. Les cimes majestueuses qui s'élèvent sous le ciel rose semblent si près qu'en faisant le saut de l'ange j'aurais presque pu les atteindre. Mais je reste là, à respirer profondément, mon souffle s'imprégnant de l'air pur, chargé d'émanations divines. Tout à coup, j'ai l'impression que mon front s'ouvre, comme s'il ne pouvait plus contenir une telle force de vie, comme si mon esprit englobait toute chose, comme s'il n'y avait plus de frontières entre mon corps et le reste du monde.

L'Himalaya a choisi ce moment pour me révéler une part de ses secrets. Il m'a dit qu'il abritait depuis toujours le cristal de la connaissance. J'y ai vu un prisme limpide où miroite notre idéal, une facette indestructible où s'incruste notre destin. J'y ai vu le berceau de l'homme-Dieu. Viendra un temps où nous fusionnerons avec la source pour actualiser notre plein potentiel. Ce jour-là, nous cesserons de croire que nous sommes uniquement des êtres physiques, limités et mortels.

Il ne pouvait y avoir de moment plus propice pour entrevoir notre émouvant avenir. Mais en attendant que nous soyons tous amalgamés avec la puissance divine, il est temps de célébrer le présent, car nous sommes le dernier jour de l'année 1998. John et moi avons décidé de passer la soirée du Nouvel An dans notre hôtel de Katmandou, une charmante pension entourée d'un grand jardin qui fait office de centre culturel. La propriétaire, une Allemande passionnée de culture népalaise, a fait construire sur son domaine une belle maison traditionnelle où les artistes de la ville disposent d'ateliers et de salles d'exposition. Le centre héberge aussi une école de danse, où les élèves les plus avancés se produisent, un soir par semaine, dans une salle spectaculaire aux poutres décorées de fleurs peintes à la manière tibétaine. Nous sommes heureux de célébrer la nouvelle année en si bonne compagnie, convaincus que la fête sera plus réussie que la plupart des banquets empesés organisés pour les touristes dans les grands hôtels.

Mais une surprise vient modifier nos plans. Batek nous fait savoir que sa famille serait très honorée de nous recevoir. Les Népalais, qui ont un calendrier de festivités différent du nôtre, ne célèbrent pas notre Nouvel An. Mais avec la délicatesse qui les caractérisent, ils comprennent l'importance de cet événement pour les Occidentaux. Le frère aîné de Batek ainsi que son épouse nous ont donc préparé une petite fête pour souligner l'occasion. Comment refuser une si touchante invitation?

Notre guide attentioné vient nous chercher à 18 heures tapant pour nous emmener chez lui. Il est magnifique dans sa chemise blanche brodée qui fait un joli contraste sur sa peau brune. John et moi lui demandons de nous arrêter au marché, pour acheter quelques douceurs ainsi que d'autres petits présents pour nos hôtes.

Le trajet vers la banlieue n'est pas de tout repos. Les rues boueuses de la ville sont si étroites qu'une voiture a du mal à y circuler. Imaginez la difficulté quand un autre véhicule arrive en sens inverse! Les négociations routières se font souvent dans la noirceur car la plupart du temps l'électricité ne fonctionne pas le soir dans ces quartiers surpeuplés. Plus nous nous éloignons de la ville, plus les masures qui nous entourent semblent délabrées. Mais nous avons une confiance aveugle en notre jeune conducteur qui s'est si bien occupé de nous depuis notre arrivée. Au bout d'une bonne heure, nous arrivons enfin à destination. Nous nous arrêtons devant une maison de deux étages dont les murs de béton nus forment une bien triste façade. Deux petites fenêtres fermées par des toiles plastifiées en sont l'unique décoration. Batek nous fait signe de le suivre à travers une arche lézardée qui nous conduit dans une cour intérieure.

Dans une cuisine commune, en plein air, des femmes s'affairent devant des chaudrons alimentés par de maigres feux de bois. Batek nous présente sa maman, une dame aux yeux pétillants malgré son visage fripé et ses épaules courbées qui accusent le poids des ans. Ne parlant pas notre langue, elle nous souhaite la bienvenue en serrant nos mains dans les siennes. Son sourire vaut mille mots. Elle nous fait signe de passer à l'étage, nous indiquant une échelle appuyée contre le mur. En essayant de négocier ma montée, je me bats avec ma jupe longue beaucoup trop étroite pour ce genre d'exercice. J'aperçois à ma droite les latrines: un trou à même le sol, isolé des regards par un petit muret qui s'arrête à hauteur de taille. J'espère bien que je n'aurai pas besoin de l'utiliser pendant la soirée!

Saman, le frère aîné de Batek, et son épouse nous attendent tout souriants dans l'embrasure de la porte. Ils nous font pénétrer dans une petite pièce, meublée sobrement d'un lit, d'un sofa et d'une table basse. Nous nous installons sur le divan, et nos hôtes s'assoient par terre. Un petit garçon adorable vient se placer sur les genoux de son père pour nous observer avec curiosité. Saman nous explique avec fierté que depuis l'arrivée de son fils qui a maintenant trois ans, il a pu acheter la pièce d'à côté pour y loger sa mère et son frère, car auparavant tous les membres de sa famille habitaient ensemble dans cette unique chambre. Il nous annonce qu'il va nous servir du poulet pour le repas, et nous verse sans plus attendre deux grand verres de brandy aux fruits. Je suis très touchée, car je sais que nos hôtes ont fait de grands efforts pour nous faire plaisir. Ils sont hindouistes et leur religion interdit la consommation de viande et d'alcool. De plus, ces denrées rares, qu'ils ont de toute évidence achetées pour notre visite, ont dû coûter plusieurs jours d'un salaire durement gagné.

Quelques minutes plus tard, Batek dépose devant nous deux alléchants plats de poulet aux noix de cajou, accompagné d'épinards, et s'assoit près de son frère pour... nous regarder manger! Je n'en reviens pas, ils ont préparé tout cela pour nous et eux n'y touchent même pas!

La soirée se passe dans la bonne humeur, principalement à cause du petit bout de chou, qui illumine la soirée avec ses gazouillis et son sourire ravageur. Ses parents l'embrassent et le cajolent avec de l'adoration dans les yeux. Ces gens qui n'ont presque rien respirent le bonheur. Leur seul trésor est ce petit garçon partageant leur lit, leur vie, dans une sérénité qui ferait l'envie de bien des familles.

Ce soir-là, j'ai été émue aux larmes. Moi qui n'avais jamais pensé avoir d'enfants, j'ai constaté pour la première fois que j'étais peut-être passée à côté d'une merveilleuse aventure, d'une expérience unique dont je n'avais pas saisi la profondeur. Le soir du premier de l'an 1999, grâce à la simplicité et à la générosité de nos amis, j'ai ressenti une émotion nouvelle, un désir étonnant. Ma poitrine a palpité, mon cœur s'est ouvert tout grand pour me poser cette question: «Anne, pourquoi n'as-tu jamais voulu être maman?»

À mon retour du Népal, j'ai cru que le souvenir de cette soirée allait se dissiper et, avec lui, mes idées de maternité. Mais au contraire, le sentiment persiste au point que je ne me reconnais plus.

Moi, la fée clochette qui refuse de vieillir… Moi, l'éternelle adolescente, jalouse de son indépendance, l'originale qui a peur de perdre son identité si elle devient comme tout le monde… je songe à fonder une famille! Je pense à tomber enceinte?

Mais, commençons par le commencement, il faut tout d'abord que j'en parle à John. Je ne sais pas comment lui annoncer mon revirement soudain, puisque j'ai toujours proclamé que je ne voulais pas d'enfants et que je me sentais parfaitement bien avec cette décision.

Il me paraît difficile pour une femme de bien s'épanouir dans la maternité tant que son propre enfant intérieur n'est pas guéri. Peut-être que la petite fille cachée au-dedans de moi, qui a tant souffert d'abandon et de rejet, s'est enfin consolée, au point d'accepter maintenant qu'un autre bébé vienne vivre à ses côtés. Auparavant, je n'étais pas à l'aise avec les petits enfants. Même si je les aimais, j'avais toujours l'impression qu'ils voulaient me prendre quelque chose. Maintenant, je comprends que la petite Anne, habitée par un terrible sentiment de manque, avait eu bien du mal à survivre. Après avoir été blessée, étouffée par le monde des grands, elle ne pouvait supporter qu'un autre enfant lui prenne le peu de place qu'elle avait chèrement obtenu en se débattant entre ses complexes et sa peine.

Mais depuis ce jour, j'ai grandi. J'ai vaincu la boulimie, j'ai guéri mes blessures. La spiritualité m'a donné une vision élargie et plus sereine de ma destinée. Je me sens prête à accepter l'inacceptable. Prête à foncer là où réside ma dernière peur, la plus profonde, la plus inavouable. Prête, enfin, à être maman.

Je suis tout de même bouleversée de ma décision. Cette métamorphose est tellement inattendue que j'ai besoin de démêler l'écheveau de mes émotions. Dans ces cas-là, je m'y prends toujours de la même façon. Je m'assois en silence pour méditer, pour essayer d'entendre un message, une réponse claire, venant de ma voix intérieure ou de tout autre «mentor» bien intentionné qui accepte momentanément de quitter les sphères célestes pour m'aider.

Dans ma chambre, au pied de mon lit, j'ai installé un autel où trône le visage de la déesse Tara, le fameux masque de bronze acheté dans le village tibétain, lors de mon dernier voyage. Puisque la grande dame règne, entre autres, sur le domaine de la fécondité, il me semble tout à fait approprié de lui demander conseil. En position de lotus, je commence à respirer profondément selon les techniques du Kriya Yoga transmises par Babaji. Une méthode que j'ai apprise à l'ashram de Govindan qui permet de pénétrer aisément dans le silence intérieur. Je me trouve là depuis un bon moment, envahie d'une douce béatitude, loin de toute pensée, de toute émotion, bercée par le bruit du souffle qui inspire et expire l'énergie divine, lorsque tout à coup… j'entends une voix!

C'est la voix cristalline d'une toute petite fille, que je perçois aussi clairement que si elle était devant moi, et qui me dit: «Maman, maman, viens me chercher!» Au même moment, m'apparaissent deux yeux noirs magnifiques où miroite toute la tendresse du monde. Presque aussitôt, une autre voix plus autoritaire m'interpelle encore: «Ta fille t'attend. Elle est en Chine.»

Je suis alors submergée par une vague d'amour si intense que j'ai l'impression de me fondre en elle. Je ressens une extase indescriptible qui semble contenir un pouvoir mystérieux: celui de colmater les dernières fissures de mon cœur. Emportée par le ressac, je m'abandonne dans une rivière de larmes. Une digue en moi s'est rompue, le dernier barrage qui m'empêchait d'accepter pleinement ma féminité.

Je viens de recevoir un oracle étonnant auquel je ne m'attendais pas. Mon intuition ne m'a pas trompée, la maternité est décidément entrée dans mon plan de vie, mais pas du tout comme je l'avais imaginé. La guerrière pacifique que je suis devenue a trop appris pour négliger une prophétie dictée avec une telle clarté. Ma décision est prise: j'irai chercher ce petit être qui m'attend au fin fond de l'Asie.

Ma famille et mes amis ont tous été surpris par mon nouveau désir. Mais il s'est révélé si pressant, si vibrant qu'ils en ont vite saisi l'importance. Quant à John, fidèle à lui-même, il a été extraordinaire. Le premier choc passé, il s'est raccordé avec sa fibre paternelle, et c'est avec passion que nous nous sommes tous les deux lancés dans le processus d'adoption... en Chine, bien évidemment!

Pour moi, le fait que mon enfant vienne d'une contrée lointaine plutôt que de sortir de mon ventre ne fait aucune différence. Je suis convaincue que notre réunion est prédestinée. Cette âme qui nous a fait la grâce de nous choisir comme parent aurait pu être mon enfant biologique, mais elle en a décidé autrement. Elle a voulu naître dans un corps chinois. Quelles que soient sa génétique et son enveloppe corporelle, c'est la même essence, la même petite fille que je tiendrai dans mes bras.

Il m'aura fallu des années pour accepter une mission que tant de femmes chérissent naturellement. À chacune son histoire, à chacune son cheminement. Le mien a été épique, à la fois douloureux et rempli de merveilles. Je me suis perdue dans la folie des douceurs, pour me retrouver de l'autre côté de la souffrance, où m'attendait l'amour. C'était déjà beaucoup, mais ce n'était pas assez. Alors, j'ai cherché à devenir meilleure, à me dépasser. J'ai voulu cultiver la patience, la simplicité. J'ai voulu apprendre la compassion, le don de soi. J'ai suivi des gourous de par le monde pour comprendre le sens de la vie, croyant saisir l'écho de Dieu dans leurs enseignements.

Maintenant, je n'ai plus besoin de tout ça, car je sais, mon bébé, mon petit bouddha, que toutes ces belles choses, tu les portes en toi. Le jour de ta naissance a été le jour de mon renouveau. Je n'ai plus qu'à me laisser bercer par ta présence, toi qui te souviens de tout. La nuit, tu danses avec les anges, et bientôt tu me raconteras!

En attendant je porte mon cœur en bandoulière pour le tenir au chaud. Je le garde sur ma poitrine, bien serré pour l'empêcher de déborder. Je t'attends impatiemment et te remercie de changer le cours de ma vie.

Car tu es mon miracle, ma petite Lili!

De ta maman qui t'aime... et qui te souris.
Ce livre, c'est pour toi que je l'ai écrit.

MON COUP DE FOUDRE POUR LILI MEI

Pour ceux qui voudraient connaître la suite de la merveilleuse aventure, je joins un article que j'ai écrit pour le magazine 7 Jours, publié en mai 2001, à l'occasion de la fête des Mères.

ADOPTER UN ENFANT À 40 ANS: une décision importante qui, pourtant, me paraît une évidence, une envie irrépressible, nichée bien au chaud dans un petit coin de mon cœur. Après presque deux ans d'attente, Lili Mei est enfin arrivée. Et ce sentiment, embouteillé, compressé depuis si longtemps, a finalement pris une place énorme dans ma vie. Je suis maman et fière de l'être. Ma chérie, mon petit bébé, tes parents dansent avec les anges depuis que tu illumines nos journées... et nos nuits!

Tout commence le premier de l'an 1999, pendant notre voyage au Népal. John, mon mari, et moi passons une soirée mémorable dans une famille de sherpas, des guides de montagne. Nous sommes émus par la générosité de nos hôtes, qui nous reçoivent, en toute simplicité, dans leur chambre minuscule. Malgré leur existence modeste, nos nouveaux amis respirent le bonheur et la sérénité. Leur seul trésor: un adorable garçon de quatre ans, tout souriant. John et moi, ce soir-là, sommes touchés par la grâce. Au retour, notre décision est prise: nous irons nous aussi chercher un petit être tout neuf, au fin fond de l'Asie.

D'un commun accord, nous choisissons la Chine. Les organisations nationales d'adoption y sont très bien organisées, et nous avons toujours eu une attirance pour cette culture riche et exotique.

Pour attendre notre petite fille, il faut nous armer d'une vertu tout asiatique: la patience! Nous entreprenons les démarches en mai 1999, et ce n'est que 24 mois plus tard que nous tiendrons Lili Mei dans nos bras!

Nous contactons d'abord l'agence *Formons une famille,* qui nous aiguillera et nous épaulera sans défaillance durant ce long processus. En suivant les directives très claires données dans leur trousse d'adoption, nous commençons à préparer notre dossier pour le gouvernement chinois.

Six mois plus tard, la mission est accomplie!

Après avoir passé des examens médicaux, nous nous soumettons à une analyse psychosociale. Dix heures d'entrevues faites par une intervenante associée au Centre de la protection de la jeunesse, pour analyser notre enfance, notre profil psychologique, nos motivations et nos valeurs comme nouveaux parents.

Nous sommes ensuite soumis à une enquête de la Gendarmerie royale du Canada (l'adoption est impossible si on a un casier judiciaire). Nous devons ensuite fournir un bilan financier, deux lettres de référence, des photos de notre résidence, nos extraits de naissance et de mariage (si on adopte en couple, il faut être marié), avant de nous présenter devant un juge de la Cour du Québec. Après avoir été vérifié par un notaire, le dossier est enfin envoyé en Chine, fin février 2000, pour être traduit en chinois sur place, à Pékin.

La longue attente commence. Un an plus tard, le lundi 2 avril, nous recevons enfin le fameux coup de téléphone. La proposition est arrivée! Nous allons voir des photos de notre bébé!

Elle est superbe et porte le doux nom de Mei-Mei, ce qui veut dire «beauté, beauté». À 13 mois, elle paraît en pleine santé. Nous faisons traduire son dossier médical par une amie médecin, qui est chinoise. Notre bébé a été amenée à l'orphelinat à l'âge de cinq mois par un policier qui l'a trouvée sur la place du marché du village de Yueyang. Elle portait un pyjama vert à fleurs blanches, et son extrait de naissance était dans une de ses poches. D'après la description de son tempérament, elle est très vive et adore les gens et la musique. C'est parfait!

Je constate que notre fille, qui est née le 23 mars 2000, est un Bélier (Dragon selon l'horoscope chinois). Deux signes très forts, synonymes de détermination. Ça promet!

Nous pensions aller chercher notre petit bout de chou vers la fin du mois de mai, mais nous apprenons, à deux semaines d'avis, que la permission de départ est donnée pour le 13 mars. Nous rencontrons les autres parents à une réunion d'information, au bureau de *Formons une famille*. Vingt-sept bébés seront du voyage de retour. Mais nous serons quatre couples qui irons chercher nos enfants ensemble, dans la province du Hunan.

Nous sommes fous de joie mais un peu paniqués: les préparatifs sont impressionnants! Il faut tout apporter avec nous pour le bébé: 84 couches, 4 boîtes de lait maternisé, plus une panoplie de biberons, de plats, de Thermos, de céréales, de médicaments, de jouets, de couvertures, de vêtements et de pyjamas pour 15 jours, et, bien sûr, l'incontournable poussette. Sans oublier d'aller à Immigration Québec pour les papiers!

J'ai des répétitions et des tournages tous les jours pour le téléroman *Fred-Dy*. Et moi qui n'ai rien acheté, pas même les meubles de la chambre de Lili! John et moi, nous nous relevons les manches et arrivons par miracle à tout préparer à temps. Nous montons dans l'avion pour Chicago, puis Tokyo, contents de pouvoir nous asseoir pendant quelques heures.

Nous arrivons à Shanghai samedi après-midi, après avoir passé la nuit à l'hôtel, près de l'aéroport de Tokyo. Comme nous avions plus de 13 heures de vol dans le corps, personne dans le groupe n'a eu le courage d'aller souper à Ginza, le centre nocturne de la capitale du Japon.

En fin de journée, nous arrivons à Changsha, où on doit nous amener les enfants. Une «petite ville» de province de trois millions d'habitants!

L'orphelinat de Yueyang se trouve à trois heures de route. Suspense, inquiétude: les bébés arriveront-ils demain, pour Pâques? Bernard, notre guide natif de Pékin qui parle un français impeccable, ne peut nous donner de réponse. Mais il se fait rassurant et semble très efficace. Nous emménageons sans plus attendre dans un hôtel luxueux, le Sun City. Grand hall de marbre, piscine, *spa*, gymnase et restaurants gastronomiques. Les chambres sont spacieuses, très confortables et bien organisées pour les bébés: il y a une bassinette, un frigo et un réchaud. On ne peut pas demander mieux, et tout cela coûte la somme modique de 75 dollars par personne, déjeuner compris!

J'ai très hâte de voir ma fille, mais j'espère secrètement la rencontrer après-demain, ce qui me donnera le temps de défaire mes trois énormes valises avant son arrivée! Nouvelle maman, je me sens sécurisée de pouvoir organiser à l'avance son coin biberon, la table à langer, son aire de repos. Je veux être parée à toute éventualité.

Le jour de Pâques, toujours sans enfant, nous visitons la Colline, un parc rempli de cerisiers en fleurs, où nous nous recueillons dans un temple bouddhiste puis où nous écoutons un concert de musique traditionnelle dans une des plus anciennes universités de Chine, l'académie même où le philosophe Confucius a enseigné. Attendez que je raconte ça à Patrice L'Écuyer aux *Détecteurs de mensonges*!

Nous jouons les touristes avec plaisir, mais la tension est palpable. Personne ne peut oublier la vraie raison de notre présence ici. Les parents sont de plus en plus impatients. Quand verrons-nous enfin nos enfants?

Leur arrivée est finalement annoncée pour le lendemain soir. Un beau cadeau pour le lundi de Pâques! À partir de 5 h 30, à l'étage 19 de l'hôtel, huit têtes anxieuses se pointent dans le corridor au moindre bruit. Bernard, notre fidèle accompagnateur, arrive finalement une heure plus tard, armé de son cellulaire, et s'écrie: *«Les bébés sont arrivés! Les bébés sont là!»* En un éclair, tous les parents se retrouvent dans le hall de l'étage. Comme au théâtre, les portes de l'ascenseur s'ouvrent, laissant apparaître le directeur de l'orphelinat et trois nounous portant nos enfants dans leurs bras. Mon cœur s'arrête de battre; je suis tellement émue que j'en oublie de respirer! Je reconnais tout de suite Mei-Mei à ses belles joues rondes et à ses yeux pétillants. Les trois autres petites merveilles, deux filles et un garçon, sont très calmes et passent tranquillement dans les bras de leurs parents. Dès que je prends ma fille, elle se met à hurler et à tendre désespérément les bras vers sa nounou. Je suis sous le choc. John essaie de la prendre à son tour: encore des pleurs et des cris. Je suis désespérée et me mets à pleurer moi aussi. Ma pauvre petite ne se calmera que trois heures plus tard, alors qu'elle tombera endormie dans son lit, épuisée. J'avoue que je passe alors une des plus mauvaises nuits de ma vie. Et si elle ne nous accepte pas? Moi qui avais tant rêvé de cette première rencontre, empreinte dans mon imagination de tendresse et de douceur! Quel contraste avec la réalité! Ça m'arrache les tripes de voir mon enfant si malheureuse!

Le lendemain, au réveil, mon mari et moi essayons de l'apprivoiser. Je lui chante de douces mélodies, et John lui sourit tendrement. Toujours dans sa bassinette, elle détourne la tête et se cache sous les couvertures.

Au bout d'une demi-heure, elle passe finalement son petit doigt à travers les barreaux de son lit, comme E.T., pour toucher le bras de mon mari. John, les yeux pleins d'eau, vit une expérience cosmique! Toujours en chantant, je me penche vers elle pour la prendre dans mes bras. Après le premier biberon, elle nous a définitivement adoptés. La partie est gagnée!

Ce matin, j'ai eu un énorme coup de foudre pour ma fille. Je ne croyais pas l'aimer si fort, si vite! J'ai vécu un accouchement instantané!

Le reste de la semaine se passe dans un immense bonheur. Quelle chance de pouvoir vivre 24 heures sur 24 avec son enfant pour apprendre à connaître son rythme et ses habitudes dans l'intimité d'une chambre d'hôtel! John et moi formons une équipe formidable, et la routine avec notre fille s'installe facilement.

Être une nouvelle maman est exigeant, mais aussi beaucoup plus facile que je ne l'avais imaginé. L'amour donne des ailes.

Bernard nous guide de main de maître à travers les dédales de l'administration chinoise. La rencontre avec le notaire, les formalités pour le passeport des petits, le «don» à l'orphelinat, tout se passe très rapidement, sans anicroche.

En attendant que se règlent les formalités avec les autorités chinoises, nous visitons les parcs de Changsha, la ville natale de Mao. Les passants sont très étonnés de voir des bébés chinois avec des parents occidentaux! Il y a parfois plus de 20 personnes qui se bousculent autour de la poussette de Lili Mei, qui ne semble pas du tout effarouchée et sourit à tout le monde. Les Chinois adorent les enfants. Pendant le voyage, tout a été fait pour qu'ils soient à l'aise. Au cours d'une courte rencontre avec les nounous, nous apprenons le nécessaire sur l'alimentation et les heures de sommeil de nos bébés. Lili fait déjà ses nuits, et je n'ai aucun problème dans les restaurants; elle mange de tout, particulièrement du tofu, des algues et des champignons bizarres! Une digne fille de son pays! John et moi passons beaucoup de temps avec les autres parents, des gens charmants qui ont tous de belles qualités de cœur. Les repas sont ponctués de grands éclats de rire des petits et des grands!

Une semaine est déjà passée. Passeport chinois en main, il est temps de partir pour Pékin, pour le rendez-vous à l'ambassade du Canada. Nous rejoindrons là-bas le reste des parents, partis chercher leurs trésors dans deux autres provinces. Après la visite médicale, en attendant les papiers d'immigration, nous faisons excursion sur excursion: la grande muraille, la Cité interdite, la place Tianamen avec la tombe de Mao, le Palais d'été, les usines de cloisonnés (vases en émail peints à la main), les fabriques de perles d'eau douce… Une chance pour John et moi, notre fille a déjà une âme d'exploratrice et passe des heures à visiter sans rechigner. C'est plutôt maman qui a mal au dos à force de monter les marches des palais impériaux avec la poussette!

Nous sommes vraiment très occupés; j'en oublie parfois de manger et j'ai perdu pas mal de poids.

Deux pères que j'admire beaucoup sont venus seuls chercher leur enfant. Avis aux lecteurs: si un des deux conjoints ne peut pas venir, je recommande vraiment à celui qui part de faire le voyage accompagné d'un ami ou d'un parent. C'est exténuant! À deux, à temps plein, John et moi n'avons qu'un seul moment de libre: sous la douche!

En résumé, ce voyage a été d'une richesse inespérée. La Chine est un pays fascinant qui vit une phase de développement économique à grande vitesse. Depuis notre dernier voyage, il y a six ans, l'environnement s'est métamorphosé. Plus de bidonvilles, de routes mal pavées; il n'y a que des autoroutes neuves, des aéroports ultramodernes, des gratte-ciels à perte de vue et de la verdure partout! Ce pays connaît un nouveau départ, à l'instar de ces merveilleux petits êtres qu'il a eu la générosité de nous prêter pour quelques années. Quelle extraordinaire responsabilité que d'avoir la possibilité de changer la destinée d'un enfant! Je suis prête à relever le défi.

Ma chérie, papa et moi, nous voyons ton avenir rempli de plaisirs, de découvertes et de merveilles. Ta venue a changé notre vie pour le mieux!

Merci, ma Lili! Merci mille fois!
Ta maman qui t'aime!

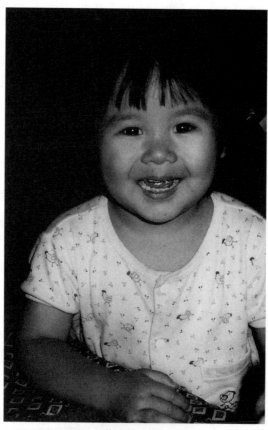

Elle est là! Enfin!
Lili Mei a maintenant deux ans et demi!

Curriculum d'Anne Létourneau

Liste des films, séries télévisées et spectacles mentionnés dans ce livre.

CINÉMA

Les Plouffe (Québec-1980)	Gilles Carle
La fête des Mères (France-1981)	Christian Lara
Le Crime d'Ovide Plouffe (Québec-1983)	Denys Arcand
Elsa, Elsa (France-1984)	Didier Haudepin
Flag (France-1986)	Jacques Santi
La Révolution française (France-1989)	Robert Enrico

TÉLÉVISION

Adieu la vie (France-1982)	Maurice Dugowson
La maison Deschênes (Québec-1987)	François Côté

COMÉDIES MUSICALES

My Fair Lady (Suisse-France-1984)	Roger Manuel
Shéhérazade (Québec-1993-94)	André Montmorency
	Anne Létourneau

DISQUE

Shéhérazade (Québec-1993)   Yves Décary
Anne Létourneau

Pour se procurer le disque du spectacle *Shéhérazade,* écrire à:
Anne Létourneau
Éditions Publistar-TVA
7 Chemin Bates
Outremont (Québec)
H2V 4V7

ou consulter le site Web:
www.annelétourneau.com

Bibliographie
Coups de cœur d'Anne Létourneau

Voici une liste des livres sur la spiritualité et la croissance personnelle qui m'ont accompagnée dans mon voyage intérieur.

BOULIMIE

HERVAIS, Catherine, *Les toxicos de la bouffe*, Éditions Buchet-Chastel.

RÉINCARNATION

DROUOT, Patrick, *Nous sommes tous immortels*, L'essentiel.
MACLAINE Shirley, *L'amour foudre*, J'ai lu.
MACLAINE, Shirley, *Dansez dans la lumière*, J'ai lu.

GUÉRISON SPIRITUELLE

WILLIAMSON, Marianne, *Retour à l'Amour*, Éditions du Roseau.
CHOPRA, Deepak, *Les sept lois spirituelles du succès*, J'ai lu.
MILLMAN, Dan, *Les lois de l'esprit*, Éditions du Roseau.
REDFIELD, James, *La prophétie des Andes*, Éditions Robert Laffont.
DALAI LAMA, *L'art du bonheur*, J'ai lu.

DROUOT, Patrick, *Guérison spirituelle et immortalité*, Éditions du Rocher.

GRISCOM, Chris, *Guérir de ses vies antérieures*, Éditions du Rocher.

RAY, Sondra, *Plus d'amour dans nos relations*, Éditions Jean-Claude Lattès.

LE MONDE DE L'ASTRAL

TODESHI, Kevin. J., *Edgar Cayce et les annales akashiques*, Éditions A-I.

BROWNE, Sylvia, *La vie dans l'au-delà*, Éditions Ariane.

LE CHAMANISME

CASTANEDA, Carlos, *L'herbe du diable et la petite fumée*, Folio – Essais.

CASTANEDA, Carlos, *Les enseignements d'un sorcier yaqui*, Folio – Essais.

CASTANEDA, Carlos, *Le voyage à Ixtlan*, Folio – Essais.

CASTANEDA, Carlos, *Histoires de pouvoir*, Folio – Essais.

CASTANEDA, Carlos, *Le second anneau de pouvoir*, Folio – Essais.

CASTANEDA, Carlos, *Le don de l'aigle*, Folio – Essais.

CASTANEDA, Carlos, *Le feu du dedans*, Folio – Essais.

CASTANEDA, Carlos, *La force du silence*, Folio – Essais.

HARNER, Michael, *La voie spirituelle du chaman*, Éditions du Rocher.

MILLMAN, Dan, *Le guerrier pacifique*, Vivez Soleil.

MILLMAN, Dan, *Le voyage sacré du guerrier pacifique*, Vivez Soleil.

LES RÊVES

BETHARDS, Betty, *Le dictionnaire des rêves*, Vivez Soleil.

LE REBIRTH

ORR, Leonard et Sondra Ray, *Rebirthing in the New Age*, Celestial Arts.

LEVADOUX, Dominique, *Renaître*, Éditions Stock.

YOGANANDA, Paramahansa, *Babaji et le Kriya yoga, autobiographie d'un yogi*, Éditions Adyar.

GOVINDAN, Marshall, *Babaji et la tradition des 18 siddhas*, EKY.

SPLADING, Baird T., *La vie des Maîtres*, Éditions Robert Laffont.

AFFIRMATIONS POSITIVES

MURPHY, Dr Joseph, *La puissance de votre subconscient*, Éditions le Jour.

ESTIME DE SOI

ROBBINS, Anthony, *L'éveil de votre puissance intérieure*, Éditions le Jour.

MILLMAN, Dan, *Votre chemin de vie*, Éditions du Roseau.

MILLMAN, Dan, *La Voie du guerrier pacifique*, Éditions du Roseau.

MILLMAN, Dan, *Accomplir sa mission*, Éditions du Roseau.

GÉNÈSE DU MONDE ET GÉOMÉTRIE SACRÉE

MELCHISEDEK, Drunvalo, *L'ancien secret de la Fleur de Vie*, tomes 1 et 2, Éditions Ariane.

Anne Létourneau est porte-parole de l'ANEB, une association qui vient en aide aux personnes atteintes d'anorexie nerveuse et de boulimie.

Tél.: 514-630-0907 ou 1 800 630-0907

Courriel: anebque@generation.net

Site Web: www.generation.net/~anebque

TABLE DES MATIÈRES

Imprimé au Canada